Denis Liakin - Natallia Liakina
Gabriel Michaud - Fabien Olivry

Jacques Pécheur - Jacky Girardet

Crédits photographiques

p. 8-9 : Drew Graham/Unsplash – p. 10 : Maarten van den Heuvel/Unsplash – p. 12 : diego1012 /Adobe stock – p. 13 : Ja Ma/Unsplash – p. 16 : ht Christian Böhmer/dpa/DPA / Photononstop ; m g Africa Studio /Adobe stock, ld1976 /Adobe stock, d Twin Design/Adobe stock ; bas Fanfo/Adobe stock – p. 17 : Diego Ph/Unsplash – p. 19 : aleutie/Adobe stock – p. 20 : Spargel/Adobe stock – p. 23 : anouchka/Gettyimages – p. 24 : ht g jovannig/ Adobe stock, d Richard Villalon/Adobe stock ; m g pikselstock/Adobe stock, d felinda/Adobe stock ; bas Berthier/Adobe stock – p. 25 : Palesa/ Unsplash – p. 26 : Sangoiri/Adobe stock – p. 28 : Myst/Adobe stock – p. 29 : La croix, Brunor – p. 30 : m pict rider /Adobe stock ; bas ufotopixl10/ Adobe stock – p. : 34-35 : Louis Maniquet/Unsplash – p. 36 : ht Jitka Svetnickova/Adobe stock ; bas t2sk5/Adobe stock – p. 37 : ht Nicolas Leclercq/ Unsplash ; m champuku/Adobe stock ; bas carlofornitano66/Adobe stock – p. 38 : thanh lam/Adobe stock – p. 39 : m JEFF PACHOUD/AFP ; bas g nd3000/Adobe stock ; d Studio Romantic/Adobe stock – p. 40 : ht g Ricky Leaver/Loop Images / Photononstop, d Rawpixel.com/Adobe stock ; bas Scanrail/Adobe stock – p. 41 : Nataliya Yakovleva/Adobe stock – p. 42 : ht ALF photo/Adobe stock ; m. kilukilu/Adobe stock, michaklootwijk/Adobe stock ; bas nickolae/Adobe stock – p. 43 : Sam Poullain/Unsplash – p. 44 : Goryu/Adobe stock – p. 46 : BIS / Ph. Hubert Josse © Archives Bordas. – p. 47 : Archives Larbor/Cardinal de Richelieu – p. 48 anyaberkuAdobe stock – p. 49 : Elena Schweitze/Adobe stock – p. 50 : ht kojala/Adobe stock ; m g Romolo Tavani/Adobe stock, d rdnzl/Adobe stock ; bas Norman75/Adobe stock – p. 53 : azure/Adobe stock – p : 55 : azure/adobe stock – p. 56 : ohishiftl/Adobe stock – p. 60-61 : Pauline-Loroy/unsplash – p. 64 : tiagozr/Adobe stock – p. 65 : ht tam_ai-mayor Twitter ; m Akio Kon/Bloomberg – p. 67 : Jérôme Rommé/Adobe stock – p. 68 : ht d HOUNSFIELD/Gamma-Rapho, Mary Evans Picture Library / Photononstop ; m g Aurelien Meunier/ Getty Images, m BIS / Ph. Coll. Archives Larbor, d Gianni Ferrari/Cover/GettyImages ; bas Sondem /Adobe stock – p. 69 : Yuriy-Rzhemovskiy/ unsplash – p. 70 : vege/Adobe stock – p. 71 : g Elena Stepanova/Adobe stock, d Robert DEYRAIL/Gamma-Rapho – p. 73 : didesign/Adobe stock – p. 74 : Viacheslav Iakobchuk/Adobe stock – p. 75 : ht K.-U. Häßler/Adobe stock ; bas Franck Thomasse/Adobe stock,WIKIDEBATS – p. 76 : ht Icon Sport/Getty ; m Chesnot/Getty Image ; bas vvr/Adobe stock – p. 77 : Steve-Roe/unsplash – p. 78 : kasheev/Adobe stock – p. 79 : kotoyamagami/ Adobe stock – p. 81 : bas g metamorworks/Adobe stock, d bsd555/Adobe stock – p. 83 : JiSign/Adobe stock – p. 86-87 : Daniel-Funes-Fuentes/ unsplash – p. 88 : ht Love the wind/Adobe stock ; bas Maksym Yemelyanov/Adobe stock – p. 89 : bas m viperagp/Adobe stock ; bas peshkova/Adobe stock – p. 90 : dr322/Adobe stock – p. 91 : Elnur/Adobe stock – p. 92 : ht LP/Infographie ; bas Ospar, fondation Surfrider – p. 93 : Richard Carey/ Adobe stock – p. 94 : ht g blueringmedia/Adobe stock, Stefano Neri/Adobe stock, koya979/Adobe stock, m meen_na/Adobe stock, noche/Adobe stock, d chamillew/Adobe stock, treerasak/Adobe stock, Coprid/Adobe stock, kmit/Adobe stock, wabeno /Adobe stock ; m tiero/Adobe stock ; bas illustrez-vous/Adobe stock – p. 95 : Samantha-Kennedy/unsplash – p. 96 : ht M.studio/Adobe stock ; m CROSS DESIGN/Adobe stock – p. 101 : stefano/Adobe stock – p. 102 : ht BIS / Ph. Archives Larbor 28770, bas g PIMENTEL JEAN/COLLECTION CORBIS KIPA/Corbis via Getty Images, d BIS / © Estate Gisèle Freund / Coll. Archives Larbor – p. 103 : Clem-Onojeghuo/unsplash – p. 104 : ht baranq/Adobe stock ; bas minicel73/Adobe stock – p. 106 : ht g Epicerie Vrac Yverdon, d Zebunet ; bas g pour insertech, d Initic – p. 107 : ht g LILO, d PROXiiGEN – p. 108 : ht Philippe Turpin / Photononstop ; bas omikron960/Adobe stock – p. 109 : MoveMovie/Mars Fim/Christophel – p. 110 : REUTERS/Russell Cheyne – p. 112-113 : Jase-ess/ unsplash – p. 114 : teracreonte/Adobe stock – p. 115 : fotomek/Adobe stock – p. 116 : momius/Adobe stock – p. 117 : ht jergA /Adobe stock ; bas Philippe Lissac/Godong / Photononstop – p 118 : ht europass-logo ; bas Richard Villalon/Adobe stock – p. 119 : ht davrock90/Adobe stock ; m Feodora/Adobe stock – p. 120 : ht Tao_silence/Adobe stock, Paco Ayala/Adobe stock, Michael Flippo/Adobe stock, Fxquadro/Adobe stock ; bas foto-aldente/Adobe stock, Eric Fahrner/Adobe stock, viperagp/Adobe stock, Claude Calcagno/Adobe stock – p. 121 : Wynand-Van-Poortvliet/ unsplash – p. 122 : ht Daniel Ernst/Adobe stock ; bas BlueSkyImages/Adobe stock – p. 123 : m Baillou/Adobe stock ; bas Mediteraneo/Adobe stock – p. 124 : mohamedmaaz86/Adobe stock – p. 125 : baranq/Adobe stock – p. 126 : m carlosgardel/Adobe stock ; bas JM UCCIANI – p 128 : ht Prostock-studio/Adobe stock ; m Tomasz Zajda/Adobe stock, lassedesignen/Adobe stock, Jandrie Lombard/Adobe stock ; bas pbogdanov/Adobe stock – p. 129 : Jonathan-Francisca – p. 130 : zinkevych/Adobe stock – p. 132 : golubovy/Adobe stock – p. 133 : Richard Villalon/Adobe stock – p. 135 : ht bunyos/Adobe stock ; bas blanche/Adobe stock – p. 138-139 : Kelly-Sikkema/unsplash – p. 140 : BIS / Ph. Jeanbor © Archives Labor – p. 141 : pixtour/ Adobe stock – p. 142 : ht Jean-Erick PASQUIER / Contributeur / Getty images ; bas Elisabeth/Adobe stock – p. 143 : ht Le Livre de Poche ; bas Gusman/Leemage – p. 144 : ht : g Gaumont / COLLECTION CHRISTOPHEL, d Quad production, Photos Jean Claude LOTHER / COLLECTION CHRISTOPHEL ; bas g Vertigo Productions / COLLECTION CHRISTOPHEL, d Move move / StudioCanal / Collection Christophel – p. 145 : Gaumont / Collection Christophel – p. 146 : Gaumont / Collection Christophel – p. 147 : Syda Productions/Adobe stock – p. 148 : ht BIS / Ph. Coll. Archives Larbor ; m g usage worldwide/DPA / Photononstop, d morganimation/Adobe stock ; bas d100/Adobe stock, ® Star Film / COLLECTION CHRISTOPHEL – p. 149 : Jessica-Ruscello/unsplash – p. 150 ht g Private Collection / Photo © Christie's Images / Bridgeman Images, m A Sunday on La Grande Jatte, 1884-86 (oil on canvas) , Seurat, Georges Pierre (1859-91) / The Art Institute of Chicago, IL, USA / Helen Birch Bartlett Memorial Collection / Bridgeman Images, d Christie's Images / Bridgeman Images ; bas d Rijksmuseum Kroller-Muller, Otterlo, Netherlands / Bridgeman Images, m © Adagp, Paris [Année / Year] – Cliché : Archives Marc et Ida Chagall, Paris / Adagp Images, d Woman with a Parasol - Madame Monet and Her Son, 1875 (oil on canvas), Monet, Claude (1840-1926) / National Gallery of Art, Washington DC, USA / Bridgeman Images – p. 151 : BD Laurent Colonnier – p. 152 : Henri Martin, Étude pour les bords de la Garonne, vers 1906, Musée des Augustins – p. 153 : ht PRILL Mediendesign/Adobe stock ; bas Harvest in Provence, June 1888 (oil on canvas), Gogh, Vincent van (1853-90) / The Israel Museum, Jerusalem, Israel / Gift of Yad Hanadiv, Jerusalem, from the collection of / Bridgeman Images – p. 154 : g Family Group, 1912, Valadon, Marie Clementine (Suzanne) (1865-1938) / Collection of the Duke of Berwick and Alba, Madrid, Spain / Bridgeman Images, d BPK, Berlin, Dist. RMN-Grand Palais / Jürgen Karpinski – p. 155 : m g The Cheat with the Ace of Diamonds, c.1635-40 (oil on canvas) (for details see 90054-56), Tour, Georges de la (1593-1652) / Louvre, Paris, France / Bridgeman Images, d The Meal (The Bananas), 1891 (oil on canvas), Gauguin, Paul (1848-1903) / Musee d'Orsay, Paris, France / Bridgeman Images ; bas American Gothic, 1930 (oil on beaver board) , Wood, Grant (1891-1942) / The Art Institute of Chicago, IL, USA / Friends of American Art Collection / Bridgeman – p. 156 ht Susanne Kremer/Sime / Photononstop, Antonino Bartuccio/Sime / Photononstop ; m g BIS / Ph. © Van Gogh Museum - Archives Larbor, d Laurène Bourdais / Photononstop ; bas chamillew/Adobe stock – p. 157 : Gabriel-Santiago/unsplash – p. 158 : Anton Shahrai/Adobe stock – p. 159 : UNESCO Universal Declaration on Cultural Diversity – p. 160 : ® Kate street picture company / Lewis pictures / Plan B entertainment / COLLECTION CHRISTOPHEL – p. 161 : ht Dominique Charriau / Getty images ; bas Torbz/Adobe stock – p. 162 : Unclesam/Adobe stock – p. 163 : ht Amalia Sylvia Arriag/Adobe stock ; bas UN Photo/Rick Bajornas – p. 164 : ht Irène Alastruey/Author's Image / Photononstop ; bas Aaron Burden/unsplash – p. 165 : m Wild Orchid/Adobe stock ; bas Rawpixel.com/Adobe stock

---

Direction éditoriale : Béatrice Rego
Édition : Brigitte Faucard
Couverture : Miz'enpage – Dagmar Stahringer

Conception maquette : Miz'enpage
Mise en page : Isabelle Vacher, AMG
Graphiques : Santiago Lorenzo, Conrado Giusti

ISBN : 978-209-038537-3

Dépôt légal : décembre 2018

Imprimé en Italie en mars 2020 par «La Tipografica Varese Srl» - N° de projet : 10264541

• *Tendances C1/C2* : **une grande diversité et richesse de contenus déclinables pour les niveaux C1 et C2.** Y sont offerts en effet toute une gamme de documents authentiques : vidéos, émissions radio, articles et documents de provenance variée, reproductions artistiques, infographies... y figure également la Francophonie dans son ensemble.

• **Si l'organisation en scénarios actionnels est conservée**, ce qu'on appelle « action » ne recouvre cependant plus des actions de la vie quotidienne comme aux niveaux A1, A2 et B1, mais des **tâches verbales écrites ou orales**. L'étudiant apprend à se documenter, à rédiger une lettre de motivation, à enquêter sur un enjeu de société, etc.

• **Chaque scénario actionnel se déroule sur 6 (ou 8) pages.** Il est structuré en tâches intermédiaires mais, pour mieux s'adapter aux besoins de ce niveau, chaque tâche n'est pas calée sur une double page. En effet, une synthèse de documents, par exemple, nécessite plus de 2 pages. Par ailleurs, certains scénarios peuvent comporter plus de 3 étapes.

Cet ensemble de 6/8 pages est appelé **« Leçon ». Il y a donc 18 leçons donc 18 scénarios actionnels.** Chaque leçon est indépendante. Elle ne doit pas forcément suivre la précédente. Pour une meilleure visibilité de l'ensemble, **ces 18 leçons ou scénarios actionnels sont regroupés en 6 unités**. Mais les leçons peuvent être appréhendées dans n'importe quel ordre en fonction des besoins et aisément déclinées pour les niveaux C1 et C2.

• **Des points de grammaire et de vocabulaire continuent à être travaillés** mais ne font pas l'objet de doubles pages spécifiques. ***Tendances C1/C2*** ne propose pas de grandes révisions comme « l'expression de la cause » mais travaille des points plus précis qui posent des problèmes au niveau supérieur. Ils sont vus en contexte dans des documents retenus pour leur qualité, leur adéquation avec les niveaux C1/C2, etc. Ces documents font état des questionnements socioculturels actuels, des grandes problématiques qui traversent la société française et les sociétés francophones, ainsi que des pistes de réflexion sur leur avenir.

• **Les « Points Infos »** développent des sujets très précis ou offrent une ouverture sur des œuvres contemporaines en relation avec le contenu afin d'étayer les connaissances de l'apprenant sur les sociétés et cultures francophones.

Tableau des contenus

Unités	Objectifs actionnels	Thèmes
1 S'informer		
Leçon 1 Se documenter à l'ère des fausses nouvelles	• S'informer • Formuler une problématique • Évaluer les sources d'information • Se documenter efficacement	• Les fausses nouvelles • Le végétalisme
Leçon 2 Synthétiser des informations	• Comparer le traitement des informations • Prendre des notes • Synthétiser des interventions orales	• La gentrification • La journée sans voiture
Leçon 3 Faire un exposé	• Présenter le sujet • Structurer l'exposé • Ouvrir de nouvelles perspectives	• Le bilinguisme • Le vivre-ensemble
2 Comprendre et expliquer le monde		
Leçon 1 Raconter une suite d'événements	• Faire une chronologie • Situer un événement dans le temps • Suivre une évolution	• Le jeu • L'évolution des relations • Les réseaux sociaux
Leçon 2 Développer une idée	• Illustrer une idée • Exprimer sa position • Nuancer son point de vue	• Les langues et les visions du monde • Des langues en voie d'extinction • L'écriture inclusive
Leçon 3 Défendre ou critiquer un projet	• Faire l'état des lieux • Présenter des arguments pour ou contre • Évaluer un projet éducatif	• La légalisation du cannabis • L'apprentissage et les jeux vidéo
3 Réfléchir aux réalités politiques et sociales		
Leçon 1 Préparer un débat	• Analyser et prendre position • Préparer des arguments • Débattre dans le cadre d'une concentration citoyenne	• L'intelligence artificielle
Leçon 2 Intervenir dans un débat	• Réfléchir au rôle du débat dans la société • Intervenir dans un débat • Participer à un débat	• La bioéthique • La vaccination obligatoire • Le bien-être au travail
Leçon 3 Mener une enquête	• Saisir une nouvelle réalité • Participer à une enquête • Préparer un questionnaire • Interpréter les résultats d'un sondage	• Les influenceurs • La viralité • Le populisme

Actes de communication	Civilisation	Projet
• Parler des causes et des conséquences • Proposer des solutions • Donner des conseils • Rédiger un courriel	• Les sources d'information • Les outils de vérification des sources • Les habitudes alimentaires	• Effectuer une recherche d'information
• Noter des informations • Évaluer les avantages et les inconvénients • Produire un rapport • Rapporter des propos	• Les nouvelles tendances dans le développement urbain • L'avenir des transports	• Faire une synthèse
• Introduire et développer un sujet • Définir un concept • Fournir des renseignements factuels • Préparer un exposé	• L'éducation bilingue • La recherche scientifique • La cohabitation dans un pays multilingue	• Présenter les résultats d'une recherche sous forme d'un exposé
• Parler de changements	• La place du jeu dans les sociétés • L'amitié à travers le temps	• Relater l'évolution d'un événement
• Expliquer un phénomène • Donner des exemples • Comparer des points de vue • Rédiger une note de service • Commenter une citation	• La langue et la pensée • La langue et l'identité culturelle • La place des femmes dans la langue française	• Rédiger un essai
• Faire une analyse critique d'un projet de loi • Participer à une consultation publique • Présenter des arguments	• La législation et les enjeux sociaux • L'école branchée • Les programmes de mobilité des jeunes francophones	• Rédiger une proposition de projet
• Rédiger une recommandation • Convaincre • Réfuter des contre-arguments • Faire des objections • Donner son avis • Participer à une concertation citoyenne	• Les enjeux liés à l'intelligence artificielle • Les relations entre humains et robots • La place des algorithmes dans la vie quotidienne	• Participer à un café citoyen
• Analyser une argumentation • Prendre position • Participer à un débat • Gérer les tours de parole	• La place du débat dans la société • Le choix personnel par rapport à la responsabilité collective • Les relations au travail	• Organiser un débat
• Répondre à un sondage • Créer un questionnaire • Analyser des réponses • Parler de la situation politique d'un pays	• Les enjeux sociaux émergents • Les nouvelles stratégies de marketing • Les courants politiques	• Mener une enquête sur un enjeu de société

Tableau des contenus

Actes de communication	Civilisation	Projet
• Défendre une cause • Organiser une campagne de sensibilisation	• La protection des consommateurs • Les inégalités salariales entre les hommes et les femmes • Le « continent de plastique »	• Lancer une pétition en ligne
• Écrire une lettre de protestation • Préparer un « coup de gueule »	• Le militantisme : l'exemple de Marie-Monique Robin et d'Arnaud Daguin • La pomme du Limousin	• Écrire une lettre à un député
• Interviewer un groupe de personnes	• Pierre Rabhi et la sobriété heureuse • Les Amis de la Terre • Le documentaire : le film « Demain » • L'essor des monnaies locales • Les initiatives environnementales	• Enquêter sur les causes qui amènent à agir
• Présenter sa candidature • Évaluer une lettre de motivation • Compléter les sections d'un CV *Europass*	• Les canaux de recrutement • L'identité virtuelle	• Rédiger un curriculum vitae
• Se renseigner sur le poste et sur l'entreprise • Mettre en valeur ses compétences	• L'étiquette en matière d'emploi • Les implicites de la communication • Les différences culturelles et le monde du travail	• Simuler un entretien d'embauche
• Décrire les missions d'un stage • Rejouer un sketch humoristique	• Les stages en France et en Suisse • Le rapport de stage • Les secteurs d'activité économique • La rémunération des stagiaires	• Rédiger un rapport de stage
• Organiser un festival du film • Rédiger un commentaire sur un personnage littéraire	• Le *Chef d'œuvre inconnu* d'Honoré de Balzac • Le personnage de Cyrano de Bergerac • L'acteur Michel Vuillermoz	• Rédiger une critique cinématographique
• Relater la conception et la réception d'une œuvre • Donner une appréciation critique	• L'impressionnisme et le Salon officiel de 1875 • Gustave Caillebotte • Henri Martin • Michel Peyramaure • Le verlan	• Présenter une œuvre d'art
• Produire un essai complexe	• Le Festival de Cannes • L'UNESCO • L'« exception culturelle » • L'Organisation internationale de la francophonie	• Écrire sur un enjeu culturel

UNITÉ 1

S'INFORMER

Leçon 1

Se documenter à l'ère des fausses nouvelles

- S'informer
- Formuler une problématique
- Évaluer les sources d'information
- Se documenter efficacement

Projet : Effectuer une recherche d'information

Réfléchissez aux questions suivantes.

a. Au moment de faire une recherche d'information, quelles sources consultez-vous ?
b. Comment suivez-vous l'actualité ? Comment faites-vous pour valider l'information relayée en ligne ?
c. Au moment d'évaluer une source, quelles questions vous posez-vous ?

S'informer

Texte 1

Fake news : l'histoire secrète de leur succès

Les internautes diffusent massivement des informations fausses et des théories conspirationnistes farfelues. Quels mécanismes expliquent cet inquiétant phénomène ? Des études statistiques sur le réseau Facebook répondent.

Le saviez-vous ? Le 11 octobre 2017, Google a racheté Apple. La Nasa exploite des enfants parqués dans des camps sur Mars. À Padoue, un restaurant chinois sert des pieds humains en hors-d'œuvre. Vous avez nécessairement vu passer ces informations. Faut-il préciser qu'il s'agit de rumeurs infondées... ?

Pourtant, elles ont été amplement colportées ou au moins commentées. Qu'est-ce qui a donc changé dans notre façon de nous informer, et donc de nous forger une opinion ? Quel rôle les médias sociaux tels que Facebook jouent-ils dans la diffusion de fausses informations ou de thèses conspirationnistes ? Quels sont les ressorts de cette mésinformation ou désinformation ? Est-il possible d'endiguer ces phénomènes ?

De nombreux sociologues se sont penchés sur les phénomènes sociaux liés à Internet et à ses médias, et notamment sur la « viralité » des informations infondées ou fausses. Ils ne sont pas les seuls. Depuis plusieurs années, des mathématiciens, des physiciens, des chercheurs en informatique se sont aussi intéressés à ces problématiques, en apportant leurs propres outils et méthodes d'analyse. Ainsi a émergé un nouveau champ de recherche : les « sciences sociales computationnelles ».

Grâce à l'analyse de grandes masses de données, cette discipline étudie les phénomènes sociaux de façon quantitative. Il s'agit d'exploiter les très nombreuses traces numériques que laissent les internautes sur les différents médias sociaux tels que Facebook, Twitter, YouTube, etc. lorsqu'ils sélectionnent, partagent ou commentent des informations. On peut ainsi étudier certains phénomènes sociaux à un niveau de précision sans précédent.

Les racines de la désinformation

Nos travaux s'inscrivent pleinement dans cette démarche. Notre groupe s'intéresse aux dynamiques de contagion sociale et à l'utilisation des contenus sur les différents réseaux sociaux d'Internet. Nous étudions en particulier la viralité des informations et la façon dont se forgent et se renforcent les opinions dans le cyberespace, une scène où les contenus sont mis en ligne et lus sans aucun intermédiaire ni contrôle.

Avant de présenter nos résultats sur la diffusion des informations et leur assimilation, sur la formation des opinions et sur la façon dont les personnes s'influencent mutuellement, commençons par souligner quelques traits généraux de la situation créée par Internet et ses réseaux sociaux apparus il y a une dizaine d'années.

Internet a modifié la façon dont les personnes s'informent, interagissent, trouvent des amis, des sujets et des intérêts communs, filtrent les informations et se forgent leurs propres opinions. Dans ce contexte, plusieurs facteurs contribuent au problème de la mésinformation ou de la désinformation.

L'un est l'analphabétisme fonctionnel, c'est-à-dire l'incapacité à comprendre convenablement un texte ; en France ou en Italie, cela concerne près de la moitié des personnes âgées de 16 à 65 ans, d'après les données de l'OCDE.

Un autre facteur est le « biais de confirmation » selon lequel chacun tend à privilégier les informations qui confirment ses opinions ou sa vision du monde, et à négliger ou ignorer celles qui les contredisent. Dans la masse d'informations de tous types véhiculées par Internet, chacun peut alors rechercher (et trouver...) ce qui le conforte dans ses préjugés et ses goûts, et délaisser le reste.

Un troisième facteur en jeu est le fait que, sur Internet, l'émission et la réception des contenus s'effectuent essentiellement sans intermédiaires.

N'importe qui peut publier sa version des faits et ses opinions sur n'importe quoi, sans qu'aucune personne ou autorité n'ait au préalable contrôlé la véracité, ou au moins le fondement, de ce qui a été mis en ligne.

Walter Quattrociocchi, *Pour la science*, 10/01/2018.

Texte 2

Pourquoi certains croient-ils aux « fake news » ?

Démontrer que la Terre n'est pas plate est plutôt facile : il suffit de se rendre en bord de mer et d'observer un navire qui disparaît à l'horizon... ou de regarder les vidéos en direct de la station spatiale internationale. Mais d'autres « réalités alternatives » sont plus insidieuses. Le fait même que l'ensemble des travaux scientifiques se présentent sous la forme de théories ne manque pas d'amener de l'eau au moulin des fabricants de « fake news » et autres visions fantasmées du monde.

Le degré d'incertitude engendré par le mot même de « théorie » devient une arme dans les mains des manipulateurs et des gourous. Un exemple parlant est l'insistance de certains Américains pour que le créationnisme soit enseigné dans les écoles au même niveau que la théorie de l'évolution. Et bien sûr la manière dont Donald Trump et son administration nient l'origine humaine du changement climatique.

La quête de la vérité qui anime les scientifiques, de même que leurs désaccords (et parfois même leurs querelles) sont dans ce cas des points faibles exploitables dans les fausses nouvelles. La science progresse en effet par l'observation de faits et l'établissement de théories basées sur ces faits. Les divergences sont basées sur des interprétations de données observées. Les théories évoluent au fur et à mesure que les faits nouveaux viennent les confirmer (ou les infirmer), de manière à coller le plus près possible à la réalité de l'univers.

En physique, on est ainsi passé du monde vu par Aristote à celui de Newton, puis à celui d'Einstein, en attendant une nouvelle théorie qui intégrera les précédentes pour expliquer encore mieux le monde qui nous entoure. Mais tout est basé sur des faits, observables, vérifiables... et qui ne peuvent se contredire que par des propositions qui intégreraient les mêmes faits, pas par des opinions. Les « fake news », elles, ne sont que des opinions déguisées, la plupart du temps en contradiction avec la réalité.

Jean-Paul Fritz, L'Obs > Sciences, 28/02/2017.

1. Lisez et analysez les articles p. 10-11.

a. Dans le premier paragraphe de l'article p. 10, quel procédé stylistique l'auteur utilise-t-il pour introduire son propos ?
b. Que sont les « sciences sociales computationnelles » ?
c. Selon l'auteur, quels facteurs expliquent la désinformation et pourquoi ?
d. Comment le mécanisme des « fake news » dans un contexte scientifique est-il expliqué dans le deuxième texte ?
e. Quel est le rapport entre la science et « les fausses nouvelles » ?
f. Comment les théories évoluent-elles en sciences ?

2. Visionnez la vidéo n° 01 et répondez aux questions.

a. Comment peut-on définir les « fausses nouvelles » ?
b. Pourquoi certaines personnes diffusent-elles des fausses nouvelles ? Quelles sont les motivations derrière ce phénomène ?
c. Le phénomène des fausses nouvelles est-il récent ? Expliquez votre réponse.
d. Comment peut-on se protéger des fausses nouvelles ? Quels conseils peut-on adopter ?

3. Relevez les synonymes de « fausses nouvelles » dans les deux articles et la vidéo.

Évaluez la connotation de chacun de ces termes.

Le reportage vidéo

N° 01

Cinq conseils pour éviter les fake news

rtbf.be

4. Comparez la manière dont les documents des pages 10 et 11 traitent le même sujet et analysez les points suivants.

a. À qui s'adresse chaque document (public visé, vocation, mission) ?
b. Quel est le point de vue des auteurs et des intervenants : informatif, argumentatif, neutre, tendancieux, etc. ?
c. Quel est le ton employé ? Quel est le registre de langue ?
d. Quels sont les aspects du sujet qui sont mis en avant dans chacun des documents ?

5. Commentez la citation ci-dessous.

Expliquez le terme « chambre d'écho » en relation avec les réseaux sociaux et en vous basant sur ce que vous avez appris sur les fausses nouvelles.

> **« Nous vivons dans des chambres d'écho, qui sont non seulement des caisses de résonnance renforçant nos propres croyances, mais de puissants relais à la mésinformation ».**
>
> **Walter Quattrociocchi**

Unité 1 - Leçon 1 - Se documenter à l'ère des fausses nouvelles

Formuler une problématique

6. Identifiez les principaux concepts et les principales idées des trois documents des pages 10 et 11.

Lisez ces problématiques. Laquelle, à votre avis, décrit le mieux la problématique globale des enjeux soulevés. Justifiez votre choix.
- Quelles sont les origines des fausses nouvelles ?
- Les fausses nouvelles : causes, conséquences et solutions ?
- Comment peut-on se prémunir contre les fausses nouvelles ?
- Qu'est-ce que les fausses nouvelles ?
- Est-ce que les fausses nouvelles sont un fléau pour la société ?

Savoir-faire

Formuler une problématique

La problématique, qui est à la base d'une démarche de recherche, présente un problème sous différents aspects. Pour trouver les bonnes informations, il faut poser les bonnes questions.
Une problématique bien posée permet de délimiter des aspects qui seront explorés sous différents angles (scientifique, économique, politique, environnemental, historique, éthique, etc.) et d'amorcer un raisonnement sur des questions complexes.

Structures avec « quel »

Les trois phrases interrogatives suivantes sont formées avec « quel ». Observez les différentes structures et répondez aux questions.
1. *Quels mécanismes expliquent cet inquiétant phénomène ?*
2. *Quel rôle les médias sociaux tels que Facebook jouent-ils dans la diffusion de fausses informations ou de thèses conspirationnistes ?*
3. *Quels sont les ressorts de cette mésinformation ou désinformation ?*

Questions

a. Pourquoi y a-t-il l'ajout d'un pronom personnel après le verbe à la question 2, mais qu'il n'y en a pas à la question 1 ?
b. Pourquoi « quels » est suivi du nom « mécanismes » à la question 1, alors qu'il est suivi du verbe « sont » à la question 3 ?

7. Complétez la carte conceptuelle ci-contre.

Les cartes conceptuelles permettent d'organiser les concepts clés d'une problématique et d'en dresser une représentation générale. Servez-vous des expressions suivantes et de celles utilisées dans les documents de cette leçon.

biais de confirmation – manipuler l'opinion – évolution de la science – observer les titres – induire volontairement en erreur – chambre d'écho – recouper l'information – analphabétisme fonctionnel – colporter sciemment de fausses informations – information non vérifiée – vérifier l'adresse URL

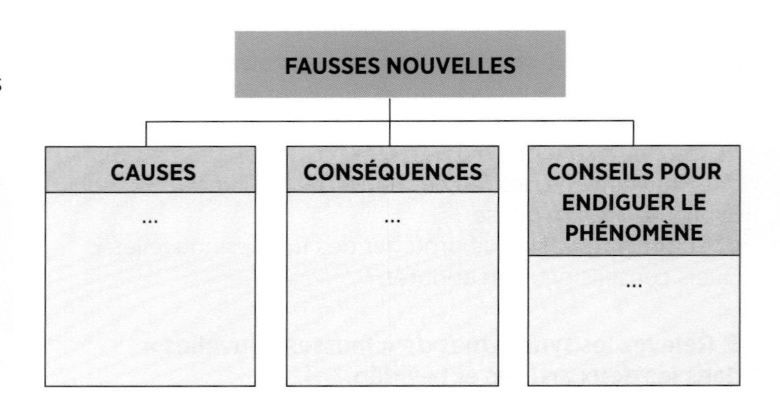

8. Choisissez un sujet d'actualité puis réalisez les activités suivantes.

a. Élaborez une carte conceptuelle dans laquelle vous intégrerez et organiserez les principaux concepts liés à votre sujet.
Voici quelques questions pour vous guider :
- De quoi est-il question ?
- Quelles personnes sont concernées par votre sujet ?
- À quelle période vous intéressez-vous ?
- À quel secteur vous intéressez-vous ? Est-ce que vous limitez vos recherches à une zone géographique précise ?
- Quelles analyses de l'information voulez-vous effectuer ?

b. Délimitez les aspects que vous voulez aborder et rédigez une problématique.

Évaluer les sources d'information

9. Évaluez des sources.

Sur les réseaux sociaux et sur le Web, vous avez vu passer plusieurs articles, blogues, vidéos, etc. sur le végétalisme. Vous doutez de leur véracité.
Voici des extraits de documents qui parlent du végétalisme. À l'aide des questions ci-dessous, évaluez les sources et choisissez celles qui vous permettraient de trouver des informations fiables sur le sujet.
a. Quelles sont les sources des extraits proposés ? Quelle est leur réputation ? Qui sont les auteurs ?
b. Faites une recherche en ligne pour trouver le texte intégral des articles. Est-ce que le titre en reflète bien le contenu et le message ? S'agit-il d'un titre racoleur ? Y trouve-t-on des informations originales ou s'agit-il d'un résumé ?
c. Quelle est la nature des informations (de niveau académique, à caractère scientifique, etc.) ? Y a-t-il des références ? Sont-elles fiables ?
d. Vérifiez la date de publication. S'agit-il d'articles d'actualité ? Est-ce que d'autres médias ont publié des articles semblables ?
e. Qu'en disent les experts ? Consultez un site de vérification comme *Les Décodeurs*.
f. À votre avis, doit-on se fier à ces informations ? Pourquoi ?

Texte 1

Les végétariens et les végétaliens en meilleure santé que les mangeurs de viande

Les végétariens et les végétaliens sont en meilleure santé et vivent plus longtemps que ceux qui consomment de la viande.
Ils sont moins sujets aux problèmes cardiovasculaires, font moins d'infarctus et ont moins de cancers. Ils ont moins de cholestérol, de problèmes d'hypertension et sont moins sujets à l'obésité.
Ils ont moins de risques de développer des maladies liées au diabète, des maladies rénales et sont aussi moins sujets à l'ostéoporose.

CQFS

À long terme, le régime végétarien accentue les risques de cancer et de maladie cardiaque.

LesEchos.fr, 10/04/2016.

Texte 2

Une étude américaine alerte sur les dangers du régime végétarien de longue durée

Y aurait-il un gène végétarien ? C'est la question que se sont posés les chercheurs de l'université de Cornell, aux États-Unis. Ces derniers décrivent une variation génétique chez les populations qui ont historiquement favorisé les régimes végétariens, comme en Inde, en Afrique et dans certaines régions d'Asie de l'Est. Les personnes qui sont végétariennes depuis seulement quelques années, ou dont les ancêtres ne l'étaient pas, ne seraient donc pas concernées.
Mutation génétique. Dans l'ADN des populations végétariennes, les chercheurs ont ainsi observé une mutation génétique. Celle-ci permet à leur corps d'absorber plus facilement les acides gras d'origine végétale. Mais en contrepartie, cette petite modification du génome stimule la production d'acide arachidonique, connue pour favoriser les maladies inflammatoires et le cancer. Pire, si l'alimentation est également riche en huiles végétales, le gène muté transforme les acides gras en davantage d'acides arachidoniques.

Europe 1 – Santé, 11/04/2016.

Point infos

Il existe plusieurs applications et sites Web en français qui permettent de vérifier les faits et la fiabilité des sources :
Désintox TV a été créé par le quotidien français *Libération* pour être « un observatoire des mensonges et des mots du discours politique ».
La Vérif est une chaîne d'Ici Radio-Canada qui a comme missions de « vérifier des déclarations, déboulonner des mythes, répondre à des questions d'actualité, remettre les pendules à l'heure à la suite de fausses nouvelles et démystifier des phénomènes de consommation ».
L'inspecteur viral est la page Facebook du journaliste québécois Jeff Yates, spécialiste en démystification de fausses nouvelles et en vérification des faits et phénomènes de désinformation sur le Web.
Les décodeurs est un site du journal français *Le Monde*. Les décodeurs « vérifient déclarations, assertions et rumeurs en tous genres ; ils mettent l'information en forme et la remettent dans son contexte ». Leur outil Décodex permet de faire une recherche avec l'adresse ou le nom d'une page Web pour vérifier sa fiabilité.
Détecteur de rumeurs est un site de vérification des faits sur la science, lancé par l'Agence Science-Presse de Montréal.

 Se documenter à l'ère des fausses nouvelles

Évaluation des sources d'information

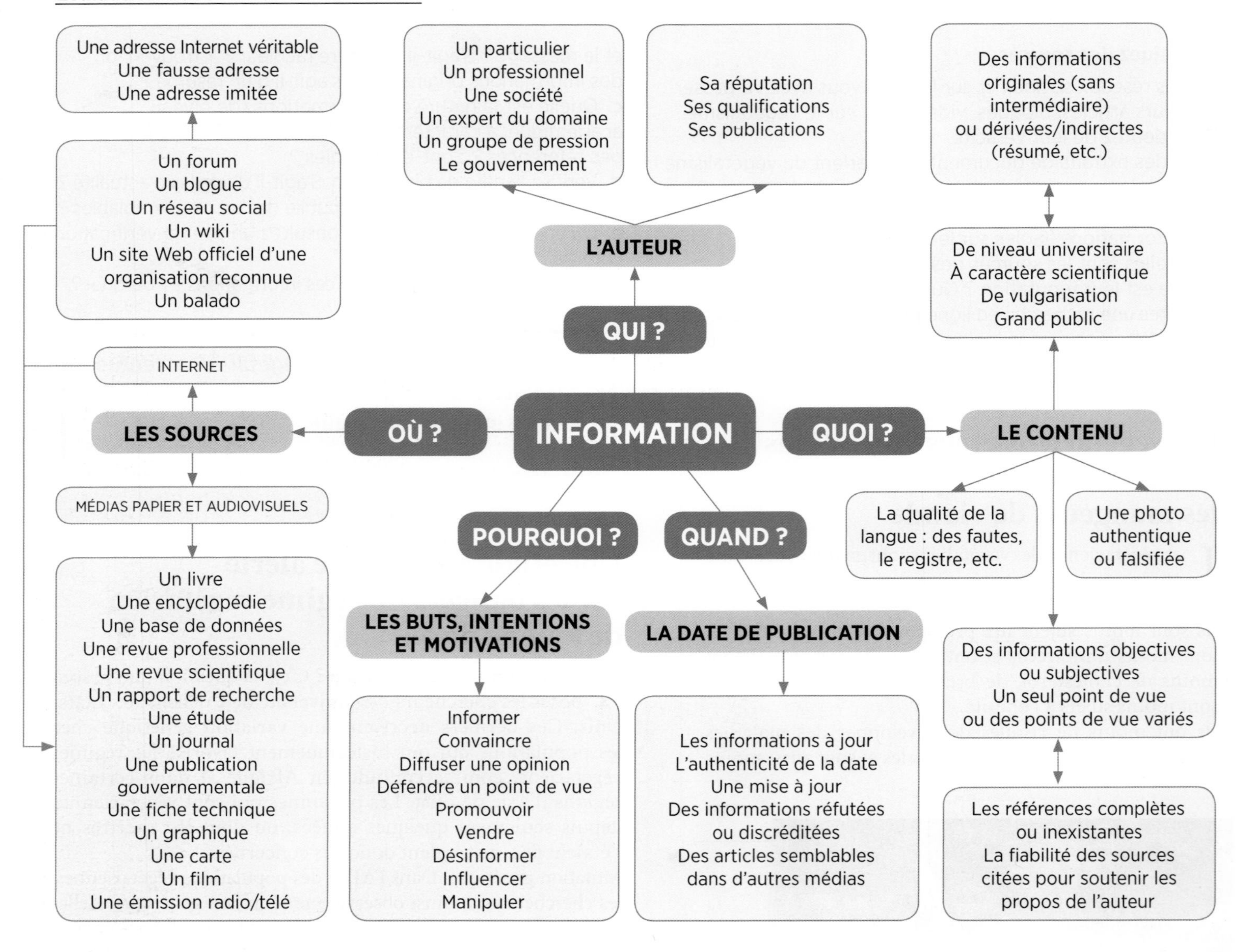

Se documenter efficacement

10. Visionnez la vidéo n° 02 et lisez les documents p. 15.

a. Cernez le sujet de ces documents.
b. Surlignez les mots clés.
c. Établissez ensuite les rapports logiques entre ces mots clés et illustrez-les sous forme d'une carte conceptuelle.
d. En vous basant sur cette carte, formulez une problématique.
e. Sélectionnez maintenant les sources d'informations pertinentes.

Le reportage vidéo

N° 02

Que se passerait-il si tout le monde était végan ?

LeMonde.fr

Texte 1

Les végétaliens et vegans ont-il un impact environnemental moins important que ceux qui mangent de la viande ?

En bref, plusieurs études montrent qu'un régime carné a un impact carbone plus important qu'un régime végétarien ou végétalien. Mais l'origine et les conditions de production des produits alimentaires doivent aussi être prises en compte. [...]
Pour répondre à votre question, définissons d'abord ces différentes notions :
Les végétariens ne mangent pas d'animaux : ni viande, ni poisson, mais peuvent se nourrir de produits d'origine animale, comme les œufs, le lait ou le fromage.
Les végétaliens, eux, ne mangent ni viande ni produits d'origine animale.
Le véganisme, enfin, est un mode de vie. Ils ont le même régime alimentaire que les végétaliens, mais refusent en plus de porter des produits d'origine animale comme la laine, le cuir, etc.

Pauline Moullot, *Libération*, Checknews.fr, 20/03/2018.

Texte 2

Le véganisme

Plus qu'un régime ou un mode de vie, le véganisme est un mouvement social et politique visant à libérer les animaux du joug humain. S'opposant au carnisme, les véganes renoncent autant que possible à utiliser des produits ou des services issus de leur exploitation.

Leurs arguments rencontrent aujourd'hui un écho de plus en plus favorable parmi les consommateurs, alors même que les animaux, sur terre et dans la mer, n'ont jamais été tués dans de si grandes proportions.

Cet essai est l'occasion pour ses auteurs de montrer que la société que les véganes appellent de leurs vœux (et préfigurent par leurs pratiques quotidiennes) repose sur une conception élargie de la justice. Une justice qui devrait embrasser l'ensemble des êtres doués de sensibilité.

Renan Larue et Valéry Giroux, *Le véganisme*, collection *Que sais-je ?*

> **Stop au bourrage de crâne : le mode de vie végan n'est ni écologique, ni éthique !**
>
> Éco-logique : le blog de Jean-François Dumas

Effet de serre selon l'alimentation
Par personne et par an en équivalent kilomètre automobile

	Bio	Conventionnel
Repas sans viande, sans produit laitier	281 km	629 km
Repas sans viande, avec produits laitiers	1978 km	2427 km
Repas avec viande et produits laitiers	4377 km	4758 km

Source : Foodwatch, rapport sur l'effet de serre dans l'agriculture conventionnelle et biologique. Visuel www.L214.com

11. Rédigez un courriel.

Votre amie vous écrit. Elle vous annonce son intention de devenir végane pour des raisons éthiques. Cependant, elle a quelques hésitations, car elle a entendu parler des risques de carences alimentaires et d'autres dangers pour la santé que peut entraîner un régime végétarien ou végétalien. Elle a besoin de conseils. Vous lui écrivez un courriel dans lequel vous exprimez votre avis concernant sa décision. Vous donnez des arguments et exemples pour justifier votre point de vue et vous lui conseillez des sources d'information fiables à consulter pour l'aider à prendre une décision éclairée.

Projet

Effectuer une recherche d'information

Après avoir élaboré une carte conceptuelle et formulé une problématique, vous amorcez votre démarche de recherche. Chaque membre du groupe doit trouver trois sources fiables. Par la suite, en groupe, vous comparez et vous confrontez chacune des sources. Établissez une liste des cinq sources les plus pertinentes en justifiant votre choix en fonction des critères énumérés ci-dessus.

Et si nous passions à table ?

1. Quiz Gastronomie.

a. Où peut-on acheter des spécialités pour gastronomes et fins gourmets ?
1. Dans une boutique bio.
2. Dans une épicerie fine.
3. Au marché de producteurs.

b. Qu'est-ce qu'un restaurant « étoilé » ?
1. Un restaurant fréquenté par des stars.
2. Un restaurant offrant une terrasse à ciel ouvert.
3. Un restaurant ayant reçu une distinction pour sa qualité.

c. Quel guide les gastronomes utilisent-ils pour trouver les meilleurs restaurants en France ?
1. Le guide Michelin.
2. Le guide du Routard.
3. Le guide œnologique.

d. Qu'est-ce qu'un « bouchon lyonnais » ?
1. Une bouteille de vin de Côtes du Rhône.
2. Un bouchon typique utilisé pour fermer les bouteilles.
3. Un restaurant traditionnel.

e. De quel écrivain vient l'expression faire un repas « gargantuesque » ?
1. Rabelais. 2. Balzac. 3. Zola.

2. Associez la situation à la bonne expression.

Mmm, tu veux la fin de mon plat ? Je me suis servie trop copieusement ! •
Tu prépares quoi ? Ça sent tellement bon ! •
Je peux me resservir ? •
Non, je n'ai pas faim ce soir, j'ai déjà mangé une petite salade au déjeuner. •
Ce riz est trop cuit, la sauce manque de vinaigre, ce poisson n'est pas assez frais... •

• Avoir un appétit d'oiseau.
• Avoir les yeux plus grands que le ventre.
• Mettre l'eau à la bouche.
• Faire la fine bouche.
• Manger comme quatre.

3. Vous êtes au restaurant, en France. Si vous êtes végétarien, quels plats pouvez-vous commander dans ce menu ? Et si vous êtes végan ?

4. Bienvenue au Sénégal ! Associez le nom du plat à ses ingrédients.

Poulet ou bœuf mafé •
Yassa poulet •
Thiébou dieun •
Jus de bouye •
Mbakahl aux arachides •

• Riz en sauce aux arachides et nététou (condiment traditionnel fait à base de graines de la plante nété), accompagné de poisson.
• Viande (poulet ou bœuf) cuisinée dans une sauce aux arachides, agrémentée de différents légumes et accompagnée de riz.
• Jus fait à base de fruits de baobab et de lait concentré.
• Riz et poisson farci cuits en sauce avec des légumes.
• Poulet en sauce au gingembre et citron, accompagné de riz.

Leçon 2

Synthétiser des informations

- Comparer le traitement des informations
- Prendre des notes
- Synthétiser des interventions orales

Projet : **Faire une synthèse**

Réfléchissez aux questions suivantes.

a. Quand vous lisez un texte ou écoutez une conférence, comment faites-vous pour retenir l'information essentielle ?
b. Dans le cadre de vos activités scolaires, professionnelles ou autres, vous avez sûrement dû résumer des documents et comparer des informations provenant de sources différentes. Quels documents avez-vous explorés ? Quel était l'objectif de cette activité ?
c. Citez d'autres contextes dans lesquels, selon vous, il est nécessaire de synthétiser des informations.

Comparer le traitement des informations

Texte 1

Paris s'embourgeoise-t-elle à outrance ?

La gentrification progressive de Paris ? Le phénomène, déjà décrit de manière plus locale dans certains arrondissements de la capitale, ne serait-il pas aujourd'hui en train de s'étendre de manière plus importante à l'échelle de la ville entière ? Comment cela pourrait-il se traduire dans l'usage des espaces urbains, et quelles en seraient les conséquences ?

Mais au fait, c'est quoi la gentrification ?

La gentrification est un phénomène qui se caractérise par une évolution sociale des habitants des quartiers populaires. Le prix de l'immobilier peu élevé attire une classe sociale principalement composée de jeunes, artistes pour certains, et qui sont particulièrement attirés par l'aspect populaire, voire underground du quartier qu'ils investissent. À New York City par exemple, le borough de Brooklyn est un bel exemple de gentrification. Alors qu'il était principalement occupé par des populations pour la plupart issues de l'immigration et/ou peu qualifiées, il a rapidement été pris d'assaut dès les années 90 par de jeunes artistes, ni extrêmement riches ni totalement pauvres, mais empreints d'une véritable soif d'« expériences culturelles ».

Caricaturalement, ces jeunes créatifs sont aujourd'hui ce que l'on appelle les « hipsters ». Ces barbus à bonnet qui se déplacent en skate, pour forcer le trait, se sont réapproprié un territoire jusqu'alors majoritairement occupé par certaines minorités. Devenu hype et branché, le prix de l'immobilier se met à flamber, et les rues passantes s'emplissent progressivement de commerces dont l'objectif est de satisfaire cette « expérience culturelle » tant recherchée. Par exemple, un simple café deviendra un nouveau lieu de découvertes torréfiées, misant sur la qualité des produits ainsi que sur leur éthique de production, mais aussi de préparation « à la main ».

Quand la « brooklynisation » se répercute à Paris

En ce qui concerne la capitale française, cette « brooklynisation » a déjà été observée et décrite depuis plusieurs décennies, et notamment depuis les années 60 et 70 mais de manières différentes. Depuis les quartiers originellement bourgeois de Paris, situés à l'Ouest, une certaine évolution sociale a en effet été repérée en direction du centre-ville dans un premier temps, et en passant par la rive Sud, c'est-à-dire par le 15e arrondissement, le 5e… Cette « élévation » de classe sociale à travers les arrondissements serait le reflet de la gentrification qui s'opère à Paris, comme l'illustre la BD *Revoir Paris* de Schuiten et Peeters.

Aujourd'hui, l'étude de ces classes sociales démontre une véritable expansion de la gentrification vers le quart Nord-Est de Paris. Si le processus ne se trouve pas encore dans une situation de stagnation, quelques poches de résistance sont encore observables, par exemple à la Goutte d'Or, au nord de la Gare du Nord. Toutefois, ces données sont à prendre avec des pincettes dans la mesure où l'on peut déjà y constater des indices précurseurs de gentrification, comme l'élévation du prix de l'immobilier…

À la recherche d'une meilleure « qualité » de l'espace public

Plusieurs éléments nous poussent à penser que la capitale se pare petit à petit d'un environnement plutôt favorable à la sur-représentation progressive des profils gentrifieurs.

Parmi ces éléments, et parmi les plus médiatiques, un indice emblématique pourrait être celui de la piétonnisation récente des berges de la Seine en plein cœur de ville. Si celle-ci est certes louable en matière de respect de l'environnement et de qualité du cadre de vie, elle implique en outre une mutation des modes de mobilité et d'usages des espaces publics. En effet, la prévision de la suppression progressive de la voiture personnelle en centre-ville (couplée par ailleurs à la faible accessibilité des transports parisiens) pourrait engendrer un usage de la ville davantage favorisé pour ses propres habitants, dont les catégories sociales s'orientent de plus en plus vers des catégories supérieures, ou de professions créatives… Ce que l'on appelle en somme, les « hipsters », responsables de la gentrification.

Quel avenir pour Paris ?

Le constat alors établi selon lequel Paris deviendrait le berceau d'une population gentrificatrice semble donc bien marqué par des indices forts. En plus de l'apparition exponentielle de petits commerces branchés, du lourd prix d'un logement en AirBnB (ou du logement tout court), la recherche d'une meilleure qualité de vie, « digne » de la séduction de Paris, y est le reflet de l'installation durable d'une population de moins en moins populaire. Les quelques endroits qui subsistent à cette emprise peuvent-ils durablement être exemptés de ce phénomène ? Si l'intérêt des gentrifieurs est d'investir les quartiers populaires pour créer de la mixité sociale, les locataires les plus défavorisés sont pourtant amenés à devoir s'exiler vers l'extérieur de la ville à cause de l'augmentation du loyer. Dans ce cas, quelles seront les dynamiques sociales parisiennes lorsque les anciens quartiers populaires ne seront plus que simples souvenirs ?

Historiquement, la gentrification passe donc par l'installation de classes plus aisées aux dépens des moins favorisées. Suite à la suppression du Marché de Noël des Champs-Elysées et de son offre commerçante plus abordable que les magasins installés sur l'Avenue, la gentrification passera-t-elle désormais par l'élimination des petits commerces en faveur des plus importants ? La gentrification de Paris passera-t-elle désormais par un tourisme uniquement destiné aux personnes plus favorisées ?

Lumières de la ville, 23 novembre 2017.

Texte 2

À qui appartient la ville ? Le difficile équilibre de la revitalisation urbaine

Quels sont les gentrificateurs des quartiers en mutation ? Est-ce le parc inauguré près de chez vous ? La place publique tout juste aménagée en face du café du coin ou la coop d'artistes qui voisine l'école de quartier ? Chose certaine, tous ces nouveaux lieux s'insèrent, à leur façon, dans le houleux débat soulevé par la gentrification en milieu urbain.

« *Ça nous arrive de nous faire traiter de gentrificateurs*, lance sans filtre Joseph Bergeron qui travaille pour La Pépinière. *Je trouve toujours ça étonnant, voire troublant, mais en même temps, ça traduit quelque chose par rapport à notre manière d'aborder les changements qui s'opèrent en ville depuis quelques années.* »

Surtout connu pour l'aménagement du Village au Pied-du-Courant et les Jardins Gamelin, tous deux situés dans Ville-Marie, l'organisme travaille depuis 2014 à « révéler les possibles de la ville », un nouvel espace collectif à la fois. Ces nouvelles formes d'interventions urbaines se retrouvent maintenant aux quatre coins de la métropole, tant au centre-ville que dans des quartiers plus excentrés, comme Montréal-Nord ou Mercier-Ouest. Certains de ses projets ont même pris racine à l'extérieur de l'île de Montréal, dont un à Laval et deux à Québec.

Joseph Bergeron n'a pourtant pas grand-chose du riche bourgeois en quête de profit. Enfant de quartier populaire, il a grandi dans Saint-Roch, à Québec, à une époque où le secteur manquait sérieusement d'amour. Depuis, il a posé ses pénates à l'ombre du stade, dans l'est de Montréal. Il a longtemps œuvré dans le milieu communautaire, flirté avec le militantisme anticapitaliste, avant de commencer à s'impliquer au sein de La Pépinière.

« *À première vue, nos aménagements peuvent avoir l'air d'être de la gentrification* », admet le jeune homme, laissant échapper un léger soupir. « *Mais c'est mal comprendre ce qu'on fait. On a un réel souci de travailler avec les communautés. En fait, nos espaces ne pourraient pas voir le jour sans cette collaboration, car ils sont d'abord imaginés par les gens des quartiers.* » Ouverts à tous, ils deviennent vite des lieux de rencontres informels où tous les résidents, peu importe leur logement ou leur revenu, peuvent se retrouver sans ouvrir leur portefeuille.

Dans les quartiers centraux, la ligne qui sépare la gentrification de l'amélioration de la qualité de vie est parfois bien mince. Faut-il cesser toute forme d'intervention ? « *Pas du tout*, dit Alexandre Maltais, chercheur postdoctoral à l'Université de Montréal. *Par contre, on gagnerait à repenser la manière dont on agit sur l'espace public.* »

Pendant longtemps, ajoute-t-il, des projets de revitalisation n'ont pas pris en compte les effets collatéraux de leurs réalisations. « *Ils sont pourtant nombreux. Ces interventions, qu'elles relèvent des pouvoirs publics ou de groupes d'urbanisme tactiques, jouent un rôle dans l'embourgeoisement des quartiers. Même louables, elles sont comme des aimants et les promoteurs immobiliers l'ont bien compris.* »

« *C'est un sujet délicat,* reconnaît le chercheur. *Tout le monde préfère vivre dans un quartier sécuritaire avec des fleurs, un quartier avec des commerces qui ne sont pas fermés et des gens qui se disent bonjour... Mais c'est important de trouver un équilibre pour que tous continuent de se sentir concernés.* »

Annick Germain, professeure à l'Institut national de la recherche scientifique (INRS), met en garde contre les amalgames faits par certains. « *Il faut que ça aille dans les deux sens ! On a tendance à mettre dans le même panier les ruelles vertes, le nouveau resto à la mode et les tours à condos. Tous ne participent pas de la même façon à la transformation des quartiers, leurs retombées ne sont pas les mêmes non plus.* »

Fragile équilibre

« *C'est parfois difficile de trouver un équilibre dans tout ça* », souligne pour sa part Jérôme Glad, cofondateur de La Pépinière, qui ne souhaite pas que ces projets servent à mettre des quartiers sur la map. « *Nous, ce qu'on veut, c'est d'abord servir les intérêts des communautés.* »

Depuis plus de trois décennies, l'architecte Ron Rayside se fait aussi un point d'honneur d'ancrer sa pratique dans les milieux de vie. « *Pourtant, ça m'arrive souvent de me faire traiter de gentrificateur,* lance le cofondateur de la firme Rayside Labossière, située dans le Centre-Sud. *Ça m'est même déjà arrivé quand je travaillais à des projets de coopératives d'habitation. Il faut le faire !* »

« *À force d'associer toutes les interventions [urbaines] à la gentrification, on risque de décourager ceux qui veulent contribuer à améliorer la qualité de vie des plus vulnérables,* note pour sa part Jérôme Glad. *Ce ne serait pas mieux de laisser la voie libre aux promoteurs et aux spéculateurs immobiliers.* »

Sans vouloir jeter de l'huile sur le feu, « *on est un peu toujours le gentrificateur de quelqu'un...*, lance Joseph Bergeron. *Après, il faut surtout voir comment composer avec ce statut et comment agir pour limiter les contrecoups.* »

Le Devoir, Florence Sara G. Ferraris, 19 mai 2018.

> **« Si le petit propriétaire de la boulangerie n'avait pas l'intention de déloger des gens, son commerce a tout de même un effet sur le nouveau branding du coin. Et ça, les promoteurs immobiliers l'ont bien compris. »**
>
> **Alexandre Maltais, chercheur postdoctoral à l'Université de Montréal.**

Synthétiser des informations

1. Répondez aux questions en analysant les informations présentées dans les textes p. 18-19.

a. Qu'est-ce que la gentrification ? Comment peut-on définir le phénomène ?
b. Quelles sont les causes de ce phénomène ?
c. Dans les textes, on utilise un autre terme pour parler de la gentrification. Quel est-il ?
d. Comment le phénomène de la gentrification a-t-il touché Paris ? La gentrification se manifeste-t-elle de la même façon à Montréal ? Et à Brooklyn ?
e. De quelle façon la gentrification a-t-elle un impact sur le transport ?
f. Quels sont les risques associés à la gentrification d'un quartier ?
g. « Dans les quartiers centraux, la ligne qui sépare la gentrification de l'amélioration de la qualité de vie est parfois bien mince. » À la lumière des informations présentées dans les deux textes, discutez de cette citation.

2. À l'aide du tableau ci-dessous, observez le point de vue des deux articles p. 18-19.

Ils portent tous les deux sur la gentrification, mais ils abordent cet enjeu selon des angles différents. S'agit-il d'informations convergentes ou divergentes ?

	Texte 1	Texte 2
1. Quelles sont les idées principales exprimées dans les deux textes ? Comment sont-elles développées par chaque auteur ?	...	...
2. De quelle façon le phénomène de gentrification est-il expliqué ?		
3. Qui sont les responsables de la gentrification ?		
4. Quelles sont les conséquences de la gentrification ? Quelles sont les répercussions sur les personnes touchées par le phénomène ?		
5. Sur quels aspects de la gentrification insiste-t-on dans chacun des textes (par exemple, aspects sociaux, urbains, politiques, culturels) ?		
6. Quel est le point de vue de chacun des auteurs par rapport à la gentrification ?		

3. Répondez aux questions en petits groupes.

a. Quels changements avez-vous observés dans les villes ou villages où vous avez déjà vécu ?
b. Y a-t-il eu d'importantes transformations ? Lesquelles ? S'agissait-il de gentrification ?
c. À votre avis, quels sont les avantages et les inconvénients liés à la gentrification ?
d. Quelles solutions pourraient permettre d'atténuer les effets négatifs liés à la gentrification ?
e. Discutez des impacts des initiatives suivantes sur un quartier visé par la gentrification. En tant que résidant de ce quartier, seriez-vous opposés à ces initiatives ?
1. Transformation d'un parking en parc pour enfant.
2. Ouverture d'un studio d'artistes.
3. Installation de voies réservées pour le vélo.
4. Organisation d'un marché agricole.
5. Ouverture d'une boulangerie.

4. Faites une synthèse de documents pour préparer une intervention sur la gentrification.

Vous faites un stage à la mairie de votre ville. Vous travaillez pour un conseiller qui doit intervenir lors d'une journée d'échanges et de réflexion sur la gentrification.
Il vous demande de faire une synthèse de trois documents (les articles p. 18 et 19 plus un document de votre choix) pour préparer son intervention portant sur les définitions de la gentrification et de ses multiples déclinaisons. Il doit également identifier des pistes d'action pour limiter ses impacts négatifs.

Mieux s'exprimer

Rédiger une synthèse

• Pour présenter une idée
Dans cet ouvrage, il est question de l'augmentation des cas de ...
L'article traite d'un enjeu particulier qui ...
Il s'agit d'un livre qui met en lumière les différences entre ...

• Pour mettre en relation des idées communes
Dans le même ordre d'idées, l'auteur(e) X abonde dans le même sens que l'auteur(e) Y ...
Il s'agit du même constat que dresse l'auteur(e) X ...

• Pour opposer une idée
Par contre, dans ce texte, l'auteur(e) défend plutôt l'idée que ...
L'auteur(e) X aborde la problématique sous un angle différent ...
Cependant, l'auteur(e) X ne semble pas d'accord avec les conclusions de l'auteur(e) Y.

Savoir-faire

Rédiger une synthèse

La synthèse

La synthèse est un texte qui regroupe les idées essentielles provenant de différents documents. Il s'agit d'extraire les informations importantes, de les hiérarchiser, de les comparer dans un texte organisé, cohérent et objectif (vous n'émettez pas votre propre opinion sur le sujet). Contrairement au résumé, qui consiste à résumer un seul document, la synthèse met en relation des idées exprimées dans plusieurs documents portant sur un même sujet.

Méthodologie de la synthèse

- Lire les documents et repérer les mots clés.
- Départager les idées principales des idées secondaires.
- Comparer les idées issues des différents documents : quel est le lien entre ces idées ? S'agit-il d'idées convergentes ou différentes ?
- Déterminer le point de vue exprimé par les différents auteurs.
- Organiser l'information sous forme de plan.
- Procéder à la rédaction d'un texte cohérent en reformulant les idées avec vos propres mots mais en utilisant les mots clés provenant des textes.

La reformulation : comment éviter le plagiat ?

Si vous rapportez directement les paroles de quelqu'un, provenant d'un document oral ou écrit, bien évidemment, vous devez reprendre l'information entre guillemets en citant les sources. Remarque : il faut utiliser les guillemets (« »). Par contre, vous pouvez citer indirectement une personne en reformulant ses propos, mais tout en précisant la source. Voici comment procéder :
1) Lire le passage et identifier les mots clés.
2) Identifier les liens entre les idées.
3) Trouver des expressions synonymiques.
4) Réécrire le passage en utilisant des expressions synonymiques.

Exemple :
« *La gentrification est un phénomène qui se caractérise par une évolution sociale des habitants des quartiers populaires. Le prix de l'immobilier peu élevé attire une classe sociale principalement composée de jeunes, artistes pour certains, et qui sont particulièrement attirés par l'aspect populaire, voire underground du quartier qu'ils investissent.* »
→ Selon *Lumières de la Ville*, la gentrification consiste en une transformation d'un quartier populaire dans le cadre duquel certaines personnes, notamment des jeunes et des artistes, emménagent dans un endroit en raison du prix abordable des loyers et de l'ambiance du quartier.

Structure d'une synthèse

Introduction
Dans l'introduction, vous amenez de façon originale le sujet sur lequel porte la synthèse au moyen d'une phrase accrocheuse (une déclaration, une phrase interrogative). Vous annoncez par la suite ce dont il sera question dans votre texte. À ce stade, vous pouvez présenter les documents dont vous allez parler (auteur, titre, année, etc.).
Exemple d'un sujet amené : *Les quartiers d'une ville peuvent-ils demeurer figés dans le temps ou sont-ils voués à se transformer au gré des habitants qui s'y installent ou y transitent ?*

Développement
Vous analysez une seule idée principale par paragraphe et vous comparez le traitement de cette idée dans chacun des documents. Il ne faut pas résumer chacun des documents dans des paragraphes différents ; il faut plutôt regrouper les idées communes à ces documents et voir de quelle façon ces idées sont abordées. Vous commencez chaque paragraphe en énonçant l'idée principale. Par la suite, vous expliquez comment cette idée est traitée dans chacun des documents.

Conclusion
La conclusion permet de rappeler les principales idées qui ont été abordées dans la synthèse et de terminer le texte par une ouverture ou un questionnement vers un autre aspect du sujet.

Réfléchissez aux questions suivantes.

a. Dans quel(s) contexte(s) prenez-vous des notes ? Dans quel but ?
b. Lorsque vous prenez des notes, quelle(s) stratégies(s) utilisez-vous ?
c. Comment faites-vous pour noter le maximum d'informations le plus rapidement possible ?
d. Comment organisez-vous les informations ? Utilisez-vous des cartes conceptuelles ou des schémas afin de hiérarchiser et/ou de mettre en relation les informations ?
e. Quel usage ultérieur faites-vous de vos notes ?
f. Selon vous, quelle est la meilleure méthode pour prendre des notes : à la main ou à l'ordinateur ?

Prendre des notes

5. Évaluez les avantages et les inconvénients d'une journée sans voiture.

Une grande métropole s'intéresse à l'idée d'implanter une journée sans voiture et veut s'inspirer de l'expérience de Paris. On vous demande de vous renseigner pour évaluer les avantages et les inconvénients d'une telle initiative.
Pour réaliser cette tâche, vous devrez visionner la vidéo n° 03 qui présente l'avis de deux experts en la matière. Vous devrez noter les informations essentielles afin de pouvoir produire un rapport synthétique qui s'adresse aux responsables des transports de la ville.

a. Pour vous aider, voici un exemple de prise de notes concernant l'introduction du reportage. Observez la façon dont l'information est organisée. Quelles sont les techniques utilisées ?

b. Avant de regarder le reportage, essayez de restituer les informations et présentez-les à votre partenaire.

c. Regardez l'introduction du reportage afin de confirmer si vous avez bien décodé les notes. Avez-vous repéré d'autres éléments importants qui devraient être notés ? Lesquels ?

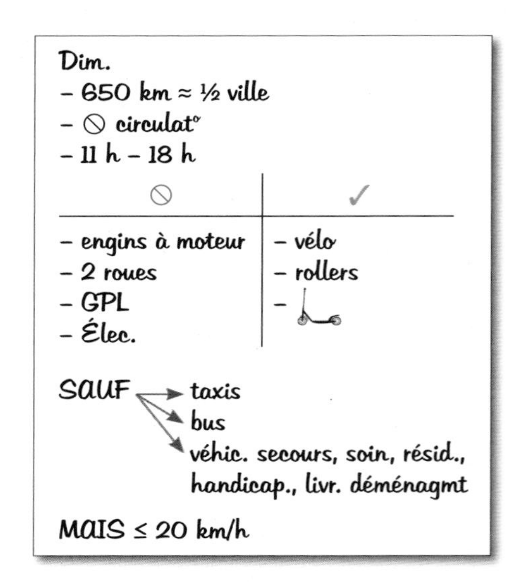

Le reportage vidéo

Quel avenir pour l'auto en ville ?

N° 03

bfmtv.com

Savoir-faire

Prendre des notes

- Inscrivez l'essentiel : plan ou idées principales, mots clés, dates, noms, références, exemples pertinents.
- Utilisez des **symboles** (pollut**ion** = pollut°), des **abréviat°** (change**ment** = chg**t** ; **tous** = **ts** ; toujours = **tjs** ; peut-être = **pê**), des **signes** (augmentation, croissance = ↗ ; donc, en conséquence = → ; important = *).
- Laissez de l'espace pour compléter et/ou annoter plus tard.

Point infos

QUELQUES RESSOURCES ET OUTILS POUR LA PRISE DE NOTES

- **La Banque de dépannage linguistique de l'Office québécois de la langue française et TERMIUM Plus®,** une banque de données terminologiques et linguistiques du gouvernement du Canada, proposent un inventaire exhaustif de **signes** et d'**abréviations** pour la prise de notes.
  http://bdl.oqlf.gouv.qc.ca)   https://www.btb.termiumplus.gc.ca/redacchap?lang=fra&lettr=chapsect1&info0=1.4#l
- Les amateurs de la prise de notes à l'ordinateur peuvent explorer l'application **Evernote** qui permet de classer les informations et de les synchroniser sur tous les appareils du même utilisateur.
- Plusieurs universités proposent des fiches méthodologiques accompagnées d'exercices :

Prendre des notes – Sciences Po – OpenClassrooms
https://openclassrooms.com/courses/prendre-des-notes

UQÀM | Université du Québec à Montréal

Prise de notes – Services à la vie étudiante – UQAM
https://vie-etudiante.uqam.ca/medias/fichiers/conseils-soutien/Prise_notes.pdf

Vous n'avez qu'à taper **les mots clés en gras** dans le moteur de recherche afin d'y accéder !

Synthétiser des interventions orales

6. Visionnez la suite et la fin de la vidéo n° 03. Notez les propos de chaque intervenant afin de produire une synthèse orale.

Suivez les étapes suivantes.

a. Regardez la vidéo une première fois pour identifier les intervenants. Notez les mots clés et les idées principales de leurs interventions.

b. Regardez la vidéo une deuxième fois. Complétez vos notes. Repérez les idées principales ainsi que les arguments et les exemples utilisés par les intervenants.

c. Organisez vos notes pour une synthèse. Aidez-vous des conseils p. 21.

d. Présentez à tour de rôle votre synthèse. Pour améliorer votre fluidité orale, faites d'abord votre synthèse en 3 minutes, puis en deux minutes et, enfin, en une minute.

Mieux s'exprimer

Rapporter des propos

Si vous citez indirectement un auteur dans le cadre d'une présentation orale, il faut tout de même préciser qui donne l'information. Voici quelques exemples :

Selon tel auteur, la piétonnisation des rues comporte de nombreux avantages.
D'après X, la fermeture de rue peut entraîner des effets néfastes non prévisibles.
La journaliste émet l'hypothèse que, à terme, les citoyens laisseront la voiture de côté.

Mettre des idées en relation

Pour exprimer les liens entre les idées, vous devez utiliser des **connecteurs logiques** (marqueurs de relation ou mots-charnières).

- **Temps :** Nous parlerons *tout d'abord de...* Il sera *ensuite* questions de ... *Enfin*, nous présenterons l'idée que ...
- **Opposition :** *En revanche*, le journaliste avance qu'il est beaucoup plus avantageux de ...
- **Conséquence :** La fermeture de rues entraînera de nombreuses congestions. *Par conséquent*, bon nombre d'automobilistes troqueront leur voiture pour un mode de transport alternatif.
- **Cause :** *Compte tenu de* l'augmentation de la pollution dans les grandes villes, les administrations municipales multiplient les initiatives qui visent à encourager le transport public.

7. Enquête. Sondez vos collègues sur les avantages et les inconvénients d'organiser des journées sans voiture dans votre ville.

Notez leurs propos et rapportez-les sous forme d'une synthèse. Utilisez des connecteurs logiques de l'encadré ci-contre, ainsi que les expressions entendues dans le reportage pour produire une synthèse cohérente.

Projet

Faire une synthèse

À partir du thème et des documents que vous avez choisis à la leçon 1, faites une synthèse des différentes sources que vous avez trouvées. Vous devez mettre en relation les idées exprimées dans les documents en fonction du sujet choisi.

On fait un tour en ville ?

1. Paris en chansons. Associez le début et la fin de ces refrains et couplets.

- Il est 5 heures ...
- J'suis le poinçonneur des Lilas ...
- Paris sera toujours Paris ! / La plus belle ville du monde ...
- Alors je m'enfonce dans Paris comme si c'était la première fois / Je découvre des paysages que j'ai pourtant vus 500 fois ...
- J'ai deux amours ...

- ... Malgré l'obscurité profonde / Son éclat ne peut être assombri.
- ... Mon pays et Paris.
- ... Paris s'éveille.
- ... Je crois que mon lieu de rendez-vous sera cette table en terrasse / Café-croissant-stylo-papier, ça y est tout est en place.
- ... Pour Invalides changer à Opéra.

2. Quiz. Devenez un vrai bobo parisien !

a. Vous êtes « bobo », qui êtes-vous ?
1. Un bourgeois-bohème, qui « gentrifie » Paris.
2. Une personne snob et râleuse, typique à Paris.

b. Lequel de ces vêtements portez-vous ?
1. Des santiags.
2. Un foulard.

c. Comment vous déplacez-vous ?
1. En moto.
2. À vélo.

d. Où prenez-vous votre café ?
1. Au bar PMU.
2. Dans un café-fleuriste.

e. Où faites-vous vos courses ?
1. Dans une boutique bio.
2. Dans une épicerie de nuit.

f. Que faites-vous le dimanche midi ?
1. Vous sortez pour un brunch avec vos amis.
2. Vous mangez dans un fast-food.

3. Complétez les devinettes avec le bon nom d'un quartier de Montréal.

Ville-Marie ; Le Plateau-Mont-Royal ; Mercier-Hochelaga-Maisonneuve ; Rosemont – La Petite Patrie

a. Ce quartier porte bien son dernier nom, car de nouvelles constructions à l'architecture contemporaine y voient le jour, pour servir d'habitation à de jeunes familles. C'est ...

b. Ce quartier, qui porte un nom de fleur et d'amour pour le pays, est multiculturel, calme mais avec de nombreux commerces, et les loyers y sont abordables. C'est ...

c. Ce quartier des affaires, des commerces et des théâtres, toujours en mouvement, semble par son nom appartenir à une jeune fille citadine. C'est ...

d. Ce quartier branché et très animé porte le nom du parc qui le surplombe. Depuis les hauteurs de ce parc, dont le nom a été donné en hommage au roi François 1er, la vue sur la ville est magnifique. C'est ...

Leçon 3

Faire un exposé

- Présenter le sujet
- Structurer l'exposé
- Ouvrir de nouvelles perspectives

Projet : **Présenter les résultats d'une recherche sous forme d'un exposé**

Faire un exposé

Réfléchissez aux questions suivantes.

a. Comment vous préparez-vous pour un exposé ?
b. Quels conseils donneriez-vous pour éviter le stress avant une présentation ?
c. Selon vous, qu'est-ce qui rend une présentation intéressante et engageante ?

Présenter le sujet

Le bilinguisme, tendance incontournable du XXIe siècle, comporte de nombreux avantages, mais certains parents et enseignants ont, malgré tout, des préoccupations au sujet du bilinguisme chez les enfants.

1. Préparez une présentation sur le thème du bilinguisme. Dans le cadre d'une rencontre regroupant des parents immigrants et des éducateurs, vous devez intervenir pour présenter des renseignements factuels sur le bilinguisme. Préparez votre intervention.

a. Lorsqu'on prépare une présentation, il est important de tenir compte du public auquel on va s'adresser. Réfléchissez aux questions susceptibles d'être posées lors de la rencontre. En petits groupes, présentez-les puis choisissez celle qui semble la plus intéressante.

b. Partagez des histoires ou des expériences de votre vie relatives au bilinguisme ou à l'apprentissage des langues en général. Choisissez-en une qui vous permet d'amener votre sujet.

c. Plusieurs mythes sont associés au bilinguisme. Complétez le tableau ci-dessous puis, en groupes de deux, comparez vos réponses et essayez de les justifier en vous basant sur ce que vous savez déjà sur le sujet (vos lectures, vos expériences, etc.).

Savoir-faire

Introduire un sujet

Une introduction comporte normalement trois parties :

Sujet amené
• Commencer par une phrase d'accroche.
• Raconter une histoire liée à votre propos.
• Poser une question ou tester les connaissances de votre public.

Sujet posé
• Bien définir le sujet spécifique, la question à laquelle s'intéresse le travail.

Sujet divisé
• Annoncer les éléments qui seront traités dans le développement.

	MYTHE	RÉALITÉ
Une personne bilingue est une personne qui maîtrise parfaitement deux langues et qui, naturellement, sans accent, passe d'une langue à l'autre en fonction des différents interlocuteurs qu'elle rencontre.		
Pour être bilingue, il faut avoir appris les deux langues simultanément.		
On peut être bilingue sans être biculturel.		
Les enfants bilingues qui grandissent avec deux langues prennent du retard dans leur développement par rapport à leurs camarades.		
Le bilinguisme retarde l'apparition de la maladie d'Alzheimer.		
Chez les enfants, le bilinguisme est responsable de confusions ou de répercussions négatives sur le cerveau.		
Le principe « un parent, une langue » ou « une personne, une langue » permet d'éviter d'embrouiller l'enfant qui est exposé à deux langues simultanément.		
Le cerveau des bilingues est plus performant dans un environnement bruyant pour trier les différents sons.		
Le bilinguisme augmente les performances du système cognitif des fonctions exécutives. Ce système est responsable de tous les processus impliquant l'attention, la sélection, l'inhibition, le changement, etc.		

2. Visionnez les vidéos n° 04, 05 et 06 puis recensez et comparez les définitions proposées.
À partir des informations fournies dans les vidéos, formulez une définition complète du bilinguisme en précisant les différents types de bilinguisme qui ont été expliqués par les chercheuses.

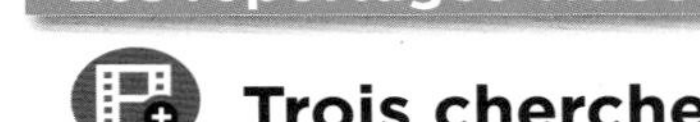

Trois chercheuses définissent le bilinguisme

N° 04, 05 et 06

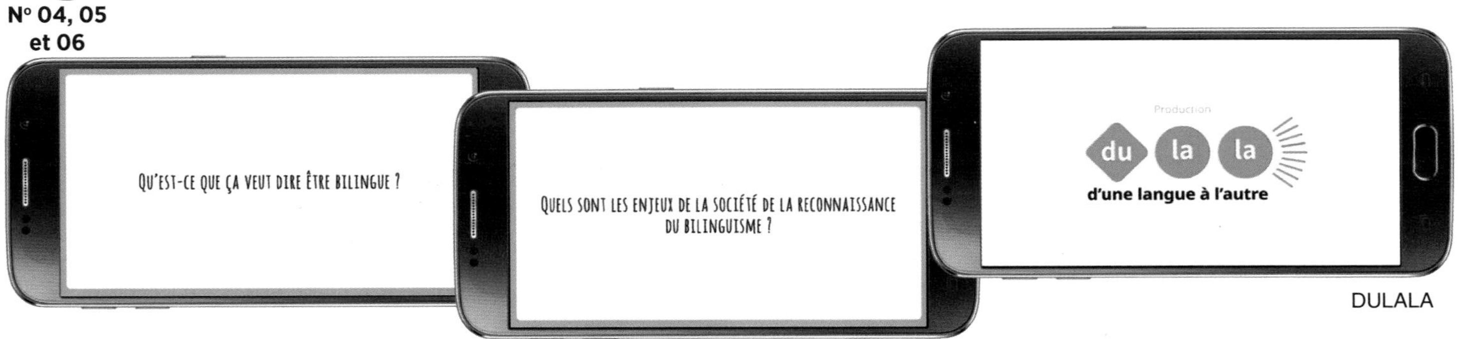

DULALA

Structurer l'exposé

3. Observez l'infographie ci-dessous et répondez aux questions.

a. De quelle façon les idées entourant le bilinguisme sont-elles structurées ?

b. Analysez et hiérarchisez les avantages présentés afin de construire un argumentaire susceptible de convaincre les parents.

c. Il existe plusieurs types de plan : chronologique, thématique, comparatif ou dialectique. Quel type de plan choisissez-vous pour l'organisation du développement ? Pourquoi ?

d. À partir des éléments présentés dans le tableau, rédigez un sujet divisé qui annonce le contenu d'une présentation.

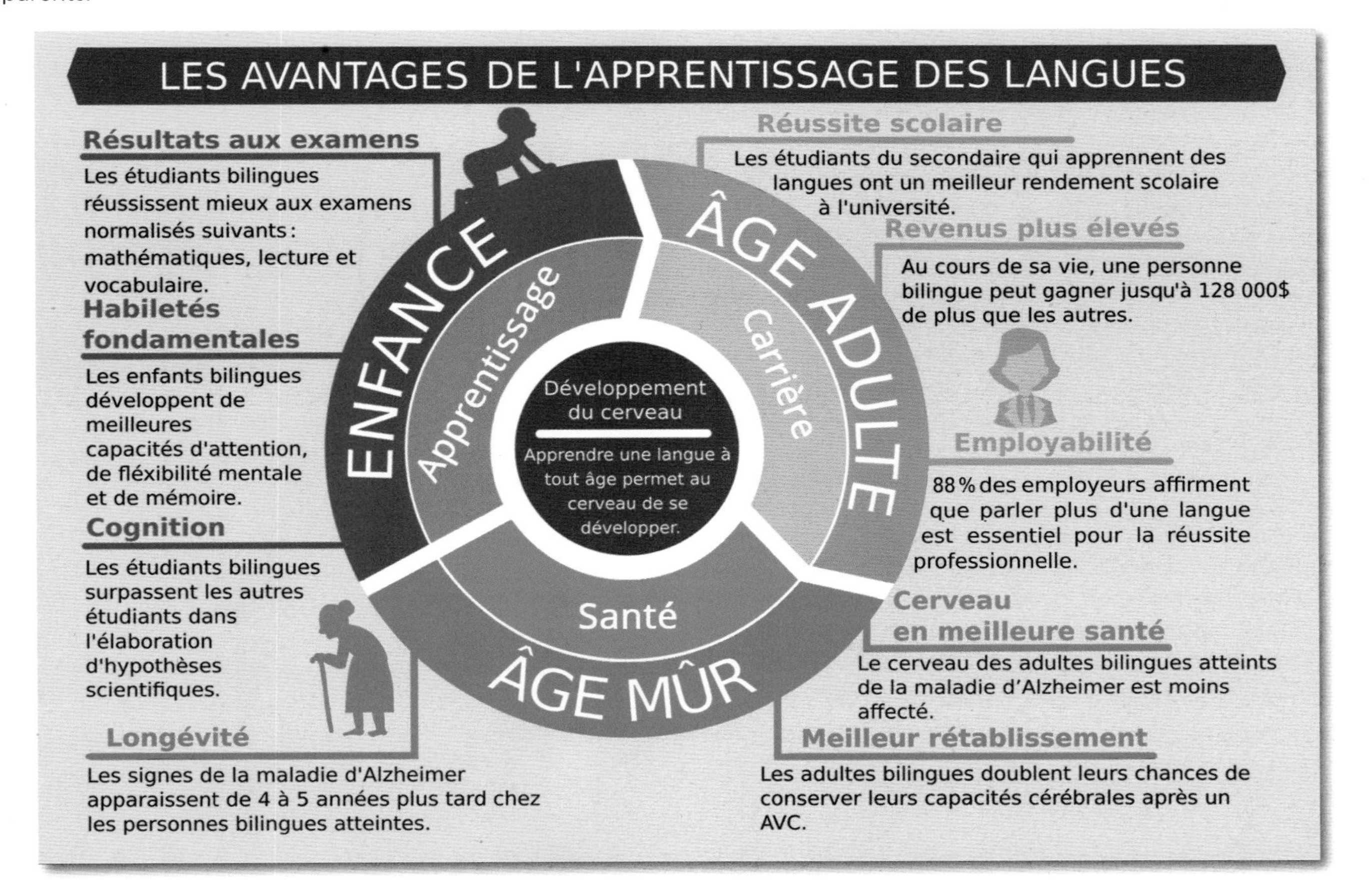

4. Lisez les textes p. 28-29 et répondez aux questions.

a. Quel est l'objectif de chaque article : informer, susciter la discussion, convaincre, passer à l'action, divertir ? Quels sont les éléments qui vous permettent de l'identifier ? Lequel de ces textes serait plus utile pour la préparation de votre intervention ? Pourquoi ?

b. Observez l'introduction des deux textes. Quels procédés les journalistes ont utilisés pour introduire leur sujet ?

c. Quels termes évitent de répéter le mot « avantage ».

d. Faites ressortir les idées principales de chaque article et élaborez un plan sous forme de schéma conceptuel.

e. Observez les trois paragraphes suivants : « Si le bilinguisme peut effrayer... cerveau. » (texte p. 28, dernier paragraphe), « En revanche, certains de ses résultats... M. Genesse. » et « Les résultats publiés en 2016... ils réussiraient. » (texte p. 29). Pour chacun d'eux, identifiez l'idée principale et analysez la façon dont les journalistes ont développé les idées secondaires.

f. Donnez des exemples de transitions qui permettent d'enchaîner les parties.

Texte 1

Le bilinguisme, un stimulant pour le cerveau des enfants

Les bénéfices de l'apprentissage de deux langues différentes rejaillissent sur le fonctionnement général du cerveau des enfants.

Le bilinguisme n'est pas un handicap, mais au contraire un atout pour le cerveau. Exemple, Laura parle avec la même aisance l'italien de sa maman et le français de son papa. À 11 ans, elle est parfaitement bilingue. Il faut dire que ses parents l'ont immergée dans leurs langues maternelles respectives dès sa naissance. Jusqu'à l'âge de 2 ans, il lui arrivait encore de mélanger l'italien et le français dans une même phrase, mais elle a rapidement appris à passer d'une langue à l'autre. Un jeu d'enfant, et une aubaine pour son cerveau en développement. Ainsi, non seulement son bilinguisme n'a jamais été un handicap, ni à l'école ni en société, mais elle est aujourd'hui une excellente élève.

Le fruit d'une longue exposition aux deux langages ? Il ne faudrait pas exagérer aujourd'hui les vertus du bilinguisme, comme on a hier brandi la menace d'un handicap majeur pour l'enfant. Cependant, pour la spécialiste mondiale du plurilinguisme, la psychologue Ellen Bialystok de l'Université de York au Canada : « *Les bénéfices du bilinguisme augmentent avec sa durée et plus on pratique, mieux c'est.* »

Peu importe la deuxième langue, d'ailleurs. « *Tous les enfants bilingues affichent le même bénéfice* », précise le Pr Bialystok. Quid du principe « Un parent, une langue » pour éviter d'embrouiller l'enfant ? « *C'était la règle autrefois. On sait maintenant que c'est complètement absurde*, soutient la psycholinguiste Ranka Bijeljac-Babic (université de Poitiers), *comme d'ailleurs l'interdiction que l'on faisait aux parents de ne pas parler dans leur langue natale.* »

Flexibilité mentale

Et l'accent ? Certains enfants en garderont un, d'autres non. « *On ne sait pas pourquoi, mais jusqu'à un certain point, on ne peut plus s'améliorer à ce niveau* », remarque-t-elle.

Un accent parfois stigmatisé en société : « *Certains ont, c'est vrai, des préjugés négatifs, mais d'autres lui trouvent du charme et pensent aussitôt à la richesse sous-jacente d'autres cultures.* » Le cerveau des bilingues ne fonctionne pas de la même manière que les autres. Il est par exemple beaucoup plus performant dans un environnement bruyant pour trier les différents sons. Il serait aussi mieux protégé contre l'apparition de la maladie d'Alzheimer et augmenterait la flexibilité mentale des enfants. [...] Quoi qu'il en soit, les neuropsychologues sont d'accord : « *Le bilinguisme augmente les performances du système cognitif des fonctions exécutives*, explique le Pr Bialystok. *Ce système est responsable de tous les processus impliquant l'attention, la sélection, l'inhibition, le changement, etc. Crucial pour toutes les pensées complexes.* » Le chef d'équipe du cerveau, en quelque sorte, celui qui décide où allouer les ressources.

Le mythe de la confusion des langues

Si le bilinguisme peut effrayer les parents ou les enseignants, c'est que l'enfant semble parfois chercher un mot ou, pire, le remplace par un mot étranger. « *C'est vrai qu'il y aura toujours une langue qui domine, mais cela peut changer selon les circonstances* », explique Ranka Bijeljac-Babic. La confusion, quand elle existe, n'est donc que transitoire. Comme lorsque l'on fait un séjour dans un pays étranger et qu'il faut ensuite revenir à son langage habituel en rentrant. En revanche, il est vrai que les enfants bilingues prennent parfois un peu de retard, par rapport à leurs camarades, dans l'acquisition de certains éléments de langage. Mais « *il faut les considérer dans la dynamique*, plaide la psychologue, *et, là, le bilinguisme est toujours un avantage pour le cerveau* ».

Lefigaro.fr, Damien Mascret, 22/05/2012.

Texte 2

Le bilinguisme, bon pour le cerveau ?

Certains bienfaits du bilinguisme sur le cerveau tendent à se confirmer. Mais la plupart de ses effets ne s'observent que dans des contextes très contrôlés ou demeurent rarement visibles dans les comportements adultes. Aperçu des récentes recherches scientifiques sur le sujet.

La perception du bilinguisme a connu un virage spectaculaire dans les dernières décennies. Durant la première partie du XXe siècle, il n'avait pas la cote auprès des scientifiques. « Chez les enfants, il était considéré comme responsable de confusions ou de répercussions négatives sur le cerveau, souvent en raison de méthodes d'évaluation aujourd'hui jugées discutables et d'échantillons composés d'enfants bilingues issus de familles défavorisées ou peu scolarisées », explique Fred Genesee, professeur au Département de psychologie de l'Université McGill.

Depuis le début du millénaire, les manchettes ne cessent, au contraire, d'annoncer des études sur les bienfaits cognitifs du bilinguisme. Parmi les scientifiques dont les travaux ont renversé la tendance, on trouve Ellen Bialystok, professeure et chercheuse à l'Université York de Toronto. En revanche, certains de ses résultats sont contestés, faute de pouvoir être reproduits. C'est le cas de ceux d'adultes bilingues accomplissant plus rapidement une tâche malgré des interférences. « Même s'il y a des controverses, les gens disent que le bilinguisme a un effet positif ou ne fait aucune différence. Plus personne ne dit qu'il y a un effet négatif », remarque M. Genesee.

Les théories mises en avant par les recherches d'Ellen Bialystok se confirment néanmoins par l'observation d'enfants en bas âge dans des contextes contrôlés : la gymnastique du cerveau d'une personne bilingue, exigeant d'inhiber une langue pour communiquer dans l'autre, renforcerait l'attention sélective et aiderait à faire fi des distractions dans la réalisation d'une tâche.

Faire fi des distractions

Les résultats publiés en 2016 dans le *Journal of Experimental Child Psychology* par Diane Poulin-Dubois, professeure en psychologie à l'Université Concordia, et la doctorante Cristina Crivello vont en ce sens. Les chercheuses ont mesuré le vocabulaire d'enfants bilingues et unilingues entre 24 et 31 mois, pour ensuite les soumettre à des épreuves. Elles ont observé des différences dans les activités avec des consignes conflictuelles, comme celle exigeant de mettre de petits blocs dans un grand panier et de grands blocs dans un petit panier après avoir fait l'inverse. Non seulement les bilingues s'en tiraient mieux, mais plus ils connaissaient de doublons – soit deux mots de langues différentes pour désigner une même chose – mieux ils réussissaient. [...]

L'âge d'apprentissage

S'il est possible d'apprendre une deuxième langue à tout moment dans la vie, l'âge de son acquisition pourrait influer sur notre mémoire de travail. Fred Genesee et la chercheuse Audrey Delcenserie ont demandé à une soixantaine d'universitaires de répéter des mots fictifs qu'ils venaient d'entendre et de dire à l'envers une série de mots ou de chiffres qu'on venait de leur énoncer. Les résultats dévoilés dans l'*International Journal of Bilinguism* en 2016 montrent que non seulement les bilingues réussissaient mieux que les unilingues, mais aussi que les personnes qui avaient acquis les deux langues simultanément en très bas âge réussissaient mieux que celles qui avaient appris l'une d'elles entre 4 et 15 ans.

Malgré les découvertes, Fred Genesee rétorque aux parents qui disent vouloir élever leurs enfants dans les deux langues ou les envoyer dans une école bilingue, que le plus grand avantage demeure les occasions de communication que le bilinguisme peut ouvrir. « Les bienfaits cognitifs sont bien, mais selon moi, ils ne sont pas assez importants pour motiver cette décision. »

Le Devoir, Étienne Plamondon Emond, 24 août 2017.

Savoir-faire

Rédiger le développement

Normalement, le développement est structuré par idées principales.
Vous annoncez d'abord l'idée principale et vous fournissez, par la suite, des exemples, des explications, des faits et des justifications qui constituent des idées secondaires et permettent de mieux comprendre l'idée avancée.

5. Visionnez la vidéo n° 07 et répondez aux questions.

a. Quels exemples permettent de constater les avantages du bilinguisme chez l'enfant ? Que prouvent ces expériences ?
b. Y a-t-il des inconvénients au bilinguisme chez l'enfant ?
c. Qu'est-ce que l'alternance linguistique et quels en sont les effets ?
d. Qu'est-ce que la période critique ? Y a-t-il un âge limite pour apprendre une langue ?
e. Quelles expériences permettent de constater les avantages du bilinguisme chez les personnes âgées ? Expliquez les résultats.

Le reportage vidéo

N° 07

Le cerveau bilingue

radio-canada.ca

6. Analysez la façon dont le journaliste de la vidéo a contextualisé son sujet amené, posé et divisé.

La vidéo suit le plan d'un exposé et comporte une introduction, un développement et une conclusion.

a. Le journaliste a présenté le développement de son sujet selon trois axes. Lesquels ? Quelles sont les idées principales associées à chaque axe ? Quels sont les exemples et les explications donnés pour soutenir les idées principales ?

b. La conclusion comprend normalement un rappel et une ouverture. De quelle façon le journaliste a-t-il incarné ces principes ?

Savoir-faire

Rédiger la conclusion

Rappel de l'information

Il s'agit du bilan des idées avancées dans le développement.

Ouverture

Dans un texte, il est impossible de couvrir tous les aspects liés à un sujet. L'ouverture permet de faire un lien entre ce dont on vient de parler et d'autres questionnements liés au sujet.

Conseils pour utiliser un logiciel de présentation

- Ne pas surcharger les diapositives : utiliser des mots clés.
- Ajouter des graphiques ou des images pour soutenir votre propos : attention aux images ou animations trop distrayantes !
- Ne pas rédiger de longs paragraphes continus : l'auditoire lira le texte et cessera de vous écouter.
- Utiliser une taille de police assez grande (environ 20-22 points).

Avantages sur le plan cognitif

- Protection contre les maladies neurodégénératives
- Capacités métacognitives accrues
- Amélioration des fonctions exécutives

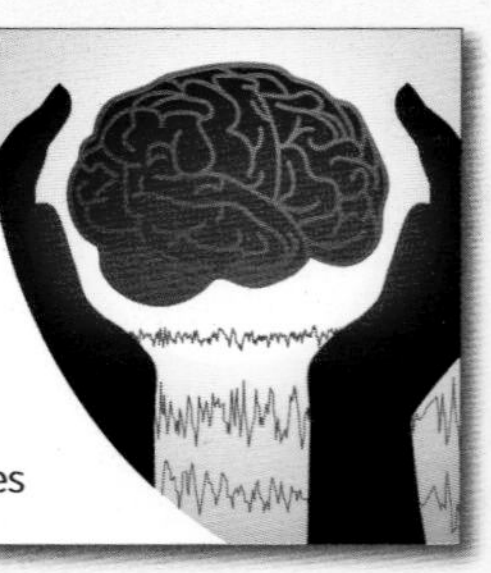

Ouvrir de nouvelles perspectives

Le Cameroun est un pays plurilingue qui tente de tirer pleinement profit des avantages du bilinguisme sur le plan collectif.

7. Lisez les articles p. 31 et analysez les avantages perçus d'un bilinguisme collectif et les initiatives mises en œuvre pour assurer son développement.

a. Décrivez les origines du bilinguisme au Cameroun.
b. Comment le bilinguisme se manifeste-t-il au sein du pays ?
c. Quels sont les objectifs du Cameroun en matière de bilinguisme ?
d. Quels sont les avantages perçus du bilinguisme ? Pourquoi le pays veut-il mettre en avant le bilinguisme ?

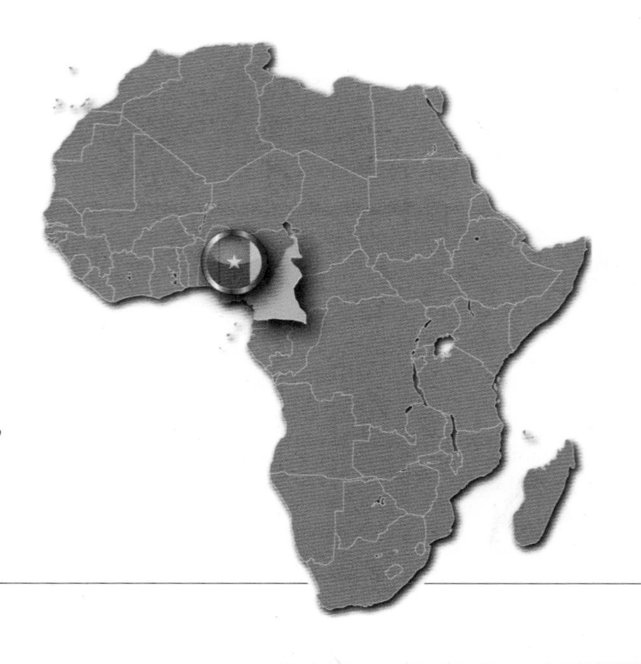

Texte 1

Vivre ensemble : bilingues et fiers de l'être

Avec deux langues officielles, des centaines de langues nationales et une multitude d'ethnies, le pays est un parangon du vivre-ensemble. Depuis des décennies, le Cameroun vogue entre francophilie et anglophilie. Le français et l'anglais, héritage de l'Histoire, sont en effet devenus les deux langues officielles du pays. Ce bilinguisme officiel du Cameroun est une particularité qui fait des envieux au-delà du pays. Il est la conséquence d'un long processus historique. La France a exercé tour à tour le mandat, puis la tutelle sur le Cameroun de 1916 (date à laquelle ce territoire est arraché à l'Allemagne) jusqu'au 1er janvier 1960 (proclamation de l'indépendance du Cameroun oriental). Et c'est tout naturellement que les dirigeants du Cameroun oriental français – qui représentait 70 % du territoire – ont reconnu les symboles du parrain français, la langue y compris. Mais la Grande-Bretagne avait également son mot à dire sur une partie du territoire camerounais. Le Cameroun occidental était en effet sous administration britannique et dans cette partie, c'est l'anglais qui était la langue de l'administration et des échanges. Une fois émancipé, le Cameroun a finalement adopté ces deux langues comme langues officielles.

Cet usage est ainsi consacré par la Constitution camerounaise. Toujours est-il que dans les faits, le Cameroun est divisé en deux zones linguistiques où l'une ou l'autre langue est prépondérante. Mais cela ne change rien au caractère bilingue du pays. Tout est mis en œuvre pour que sur le plan officiel, il n'y ait aucun déséquilibre entre les deux langues. La Constitution ayant prévu que l'anglais et le français sont les deux langues officielles « d'égale valeur ».

Cameroontribune, Simon Pierre Etoundi, 15/05/2018.

Texte 2

Promotion du vivre-ensemble : la Commission Musonge à l'écoute

L'objectif principal de *[l'exercice portant sur la promotion du vivre-ensemble]* est la collecte de toutes les informations visant à aider la Commission à établir un état des lieux de la pratique du bilinguisme, du multiculturalisme et du vivre-ensemble au Cameroun, en vue d'élaborer un plan stratégique pour la promotion de ces valeurs. À travers ces missions, la Commission voudrait permettre aux populations d'apprécier librement les pratiques du bilinguisme, du multiculturalisme et du vivre-ensemble. [...]

Selon le décret du chef de l'État portant création, organisation et fonctionnement de la CNPBM, cette structure placée sous son autorité est chargée d'œuvrer à la promotion du bilinguisme, du multiculturalisme au Cameroun, dans l'optique de maintenir la paix, de consolider l'unité nationale du pays et de renforcer la volonté et la pratique quotidienne du vivre-ensemble de ses populations. À ce titre, elle est chargée notamment de soumettre des rapports et des avis au président de la République et au gouvernement sur les questions se rapportant à la protection et à la promotion du bilinguisme et du multiculturalisme ; d'assurer le suivi de la mise en œuvre des dispositions constitutionnelles faisant de l'anglais et du français deux langues officielles d'égale valeur, et notamment leur usage dans tous les services publics, les organismes parapublics ainsi que dans tout organisme recevant des subventions de l'État ; de mener toute étude ou investigation et proposer toutes mesures de nature à renforcer le caractère bilingue et multiculturel du Cameroun ; d'élaborer et soumettre au président de la République des projets de textes sur le bilinguisme, le multiculturalisme et le vivre-ensemble ; de vulgariser la réglementation sur le bilinguisme, le multiculturalisme et le vivre-ensemble ; de recevoir toute requête dénonçant des discriminations fondées sur l'irrespect des dispositions constitutionnelles relatives au bilinguisme et au multiculturalisme et en rendre compte au président de la République ; d'accomplir toute autre mission à elle confiée par le président de la République, y compris des missions de médiations.

Cameroontribune, Rousseau-Joël Foute, 16/05/2018

8. Préparez votre exposé.

Répartissez-vous les tâches de cette façon : une personne sera responsable du plan, de l'introduction et de la conclusion et trois personnes prépareront un mini-exposé sur chacun des trois aspects du sujet.

Travail de préparation individuel

Chaque membre du groupe prépare une présentation de sa partie ainsi que les images qui l'accompagneront. Les membres du groupe peuvent choisir d'enregistrer leur partie respective.

Mise en commun

En groupe, visionnez les enregistrements vidéos de vos partenaires ou faites une présentation commune. Ensuite, donnez des conseils sur la façon dont chaque partie peut être améliorée.

Projet

Présenter les résultats d'une recherche sous forme d'un exposé

Après avoir trouvé des sources à la leçon 1 et fait une synthèse des documents à la leçon 2, présentez les résultats de votre recherche aux autres membres du groupe dans le cadre d'un exposé structuré.

Compréhension de l'oral – C1

N° 01

Écoutez l'enregistrement puis répondez aux questions.

1. Quelle est l'évolution historique du datajournalisme ?

2. Par quoi se traduit le datajournalisme dans les journaux ?
Cochez la bonne réponse.
a. De la datavisualisation et des articles à partir de données.
b. Des représentations graphiques et de l'archivage.
c. Des enquêtes et des répertoires de données accessibles.

3. Comment le datajournalisme transforme le journalisme ?
Cochez la bonne réponse.
a. Il restreint la collaboration.
b. Il amène une écriture plus littéraire.
c. Il crée une nouvelle méthode de travail.

4. Selon Agnès Chauveau, quels sont les apports du datajournalisme ?

5. Comment se développe un « buzz » ?

6. Quelle est la fonction qui reste aux journalistes actuels ?

Conseils

1. Lisez bien les questions avant d'écouter l'enregistrement ! Cela vous permettra d'identifier le thème de l'enregistrement, d'en repérer les mots clés, de concentrer votre écoute sur les points soulevés par les questions. Votre compréhension en sera améliorée, car elle possédera un objectif : répondre aux questions !

2. Les questions sont toujours posées dans l'ordre du discours que vous allez entendre. Vous allez donc entendre les réponses aux questions au fur et à mesure.

3. À l'examen, un espace de brouillon est prévu dans une colonne à droite des questions. Prenez-y des notes : placez-les près de la question qui leur correspond, il vous sera plus facile d'y répondre ! Même s'il vous manque des détails, ne vous inquiétez pas ! Les propos tenus par les locuteurs sont logiques : les mots clés vous permettent de reconstituer la réponse à la question.

Compréhension écrite – C1

La guerre à l'élevage est déclarée : qui veut la peau des animaux domestiques ?

Par Jocelyne Porcher, sociologue et directrice de recherches à l'INRA, auteur de nombreux ouvrages, dont Vivre avec les animaux, une utopie pour le XXIe siècle, *paru en 2011 aux éditions La Découverte.*

Après dix millénaires de vie commune avec les animaux, nous sommes aujourd'hui face à un risque inédit qui ne mobilise ni les médias, ni les politiques, celui d'une rupture anthropologique et politique majeure : l'extinction programmée de notre vie commune avec les animaux domestiques, en tout premier lieu avec les animaux d'élevage. […]

[…]. Il s'agit de soustraire définitivement notre alimentation des mains des éleveurs et des paysans pour la confier à des multinationales, des scientifiques et des investisseurs. [...]

L'agro-industrie, qui concentre pourtant déjà l'essentiel de la production et de la distribution, semble en effet tenir absolument à réduire à néant les paysans qui persistent à élever leurs vaches ou leurs cochons à l'herbe et aux champs, à respecter leurs animaux, à les aimer et à leur donner une vie aussi bonne que possible. Et qui tiennent également à offrir aux consommateurs des produits sains, bons, porteurs de sens et de vie. Et qui s'obstinent à défendre leur dignité et à revendiquer un sens moral dans le travail. Guerre à ces éleveurs ! […]

Multinationales, milliardaires et fonds d'investissement se sont avisés – tout comme leurs prédécesseurs au XXIe siècle – que la production agricole était plus rentable entre leurs mains qu'entre celles de paysans. […].

« Sortir les animaux du cycle de production », c'est l'objectif de New harvest qui finance les recherches de différentes entreprises sur l'agriculture cellulaire[1] : viande in vitro (*cultured meat*) du chercheur néerlandais Mark Post et de sa start-up Mosa Meat, mais aussi celles sur la viande de culture de poulet et de porc, le « lait » sans vache, l'œuf sans poule, issus de levures OGM, le cuir non issu d'animaux… Les entreprises de différents pays sont entrées dans une course technique et économique pour occuper les premiers le marché colossal de la viande in vitro et plus largement celui des substituts aux produits animaux. Mais pour que les consommateurs achètent d'ici une dizaine d'années leur viande in vitro dans les linéaires[2], il faut qu'ils soient convaincus que la viande, celle qui est issue d'un animal, est un aliment dangereux pour leur santé, désastreux pour la planète et cruel pour les animaux, quel que soit le système de production dont elle est issue. C'est pourquoi nous apprenons soudain que l'élevage détruit les écosystèmes, que la viande est cancérigène, et qu'en manger est un crime sans rémission ; seuls seront moralement sauvés les végans, ceux qui auront su trouver à temps le chemin de la justice et de la lumière. […]

Le véganisme, c'est-à-dire d'ici quelques années, pour le plus grand nombre, l'alimentation « propre » que fournira l'industrie alimentaire 4.0. Contre ces projets mortifères et contre ceux qui les portent, décideurs ou idiots utiles, il est nécessaire de défendre l'élevage et nos liens domestiques avec les animaux comme des composantes vitales de notre devenir humain. Le monde à venir que construisent les multinationales et les quelques milliardaires qui décident de quoi devront être faites nos vies est un monde de zombies et de robots, un monde sans animaux. Vivre avec les animaux demain est donc devenu un projet utopique qu'il faut défendre collectivement avec lucidité et courage.

1. Produits issus de cellules cultivées en laboratoire, et non d'êtres vivants, plantes ou animaux.
2. Rayons des magasins, étagères sur lesquelles on trouve les produits à acheter.

Nature et Progrès, septembre-octobre 2017.

Lisez le texte puis répondez aux questions.

1. D'après Jocelyne Porcher, quel risque vivons-nous actuellement ?

2. Contre qui l'agro-industrie lutte-t-elle ?

3. Sur quelles recherches agro-alimentaires se concentrent actuellement les entreprises ? Cochez la bonne réponse.
a. L'industrialisation intensive de l'élevage.
b. Le remplacement de l'élevage par des productions en laboratoire.
c. L'introduction des OGM dans l'élevage industriel.

4. Cochez Vrai ou Faux et justifiez votre réponse en citant un passage du texte.

	Vrai	Faux
a. La critique de l'élevage et du régime carnivore sert de propagande pour l'industrie agro-alimentaire 4.0. *Justification :*		
b. Le véganisme permet de résister aux produits industriels. *Justification :*		

5. Selon l'auteur, que peut-on faire pour résister au futur que prépare l'agro-industrie ? Cochez la bonne réponse.
a. Faire valoir nos relations avec les animaux.
b. Arrêter d'exploiter les animaux.
c. Créer une utopie humaniste novatrice.

Conseils

1. Lisez bien les questions avant de lire le texte ! Cela vous permettra d'identifier le thème du texte, d'en repérer les mots clés, de concentrer votre lecture sur les points soulevés par les questions. Votre compréhension en sera améliorée, car elle possédera un objectif : répondre aux questions !

2. Ne cherchez pas une compréhension de tous les détails ; c'est une compréhension globale, des points les plus importants du texte, qui vous est demandée. Aucune question ne peut porter sur un détail inutile. Donc, s'il y a un mot que vous ne connaissez pas, ne vous inquiétez pas ! Jugez d'abord de son importance dans le texte. S'il correspond à une idée principale, déduisez son sens du contexte : le rapport entre les mots et les idées est toujours logique.

3. Enfin, ne vous perdez pas dans le texte : les questions sont toujours posées dans l'ordre du texte que vous allez lire. Par exemple, la question numéro 1 ne peut pas faire référence à la fin du texte, mais uniquement au début du texte.

Compréhension et production écrites – C2

En vous aidant du texte de Jocelyne Porcher p. 32 et des documents de la leçon 1 (p. 13 et 15), écrivez un texte, de 700 mots minimum, pour répondre au sujet de votre choix : traitez un seul des deux sujets.

Sujet 1
Vous êtes lecteur d'un journal qui a publié une violente critique du régime végétarien, qu'il présente comme cancérigène et ne résolvant aucun problème de santé. Vous écrivez à la rédaction pour protester contre cet article, défendre le régime végétarien et sensibiliser les autres lecteurs à ce régime alimentaire qui respecte les animaux.

Sujet 2
Journaliste, vous écrivez un article dans la rubrique « Opinions » pour défendre un régime carnivore responsable et modéré (flexitarien). Vous dénoncez la situation négative de l'élevage industriel actuel, mais démontrez qu'un régime carnivore responsable et modéré améliorera la situation des humains comme des animaux, contrairement au véganisme.

Conseils

1. La production écrite C2, même si elle est basée sur la lecture de divers documents traitant du même thème, est bien différente de la synthèse du niveau C1 ! Il ne s'agit pas de synthétiser les documents, mais d'écrire un texte argumentatif témoignant d'une opinion.

2. Les textes et documents à lire et consulter avant d'écrire sont là pour vous fournir des idées, des éléments, des exemples. Les réutiliser est important, car ils prouvent votre compréhension des écrits. Mais vous n'êtes pas obligé d'être en accord avec leurs propos : vous pouvez réfuter leurs arguments !

3. Reformulez les propos des textes sur lesquels vous vous appuyez. Si vous reprenez une/des phrase(s) entières d'un document, il s'agit d'une citation : utilisez les guillemets (« ... ») et mentionnez la source (auteur, titre de l'article / support de publication).

4. Respectez bien le sujet : il vous donne un contexte, un rôle qui implique un registre de langue, un ton et un objectif (convaincre, critiquer, réfuter...). Cette adéquation au sujet est notée à l'examen.

UNITÉ 2

COMPRENDRE ET EXPLIQUER LE MONDE

Leçon 1

Raconter une suite d'événements

- Faire une chronologie
- Situer un événement dans le temps
- Suivre une évolution

Projet : Relater l'évolution d'un événement

Réfléchissez aux questions suivantes.

a. Quels sont les aspects de votre vie qui ont le plus changé au cours des 10 dernières années ?
b. Discutez des transformations profondes qu'ont connues différentes sociétés depuis les 50 dernières années sur le plan des relations humaines, de la technologie, de la médecine, du divertissement, etc.

Faire une chronologie

1. Le jeu à travers le temps. Répondez aux questions.

a. Jouez-vous à des jeux de société ou à des jeux vidéo ? Pourquoi ou pourquoi pas ?
b. Pourquoi le jeu est-il si important dans nos sociétés ? Peut-on s'en passer ?
c. Selon les statistiques, on consacre environ 30 minutes aux jeux vidéo par jour. À quoi ce besoin répond-il ?

2. Lisez l'article suivant.

Les tout premiers jeux de société

La nature humaine est joueuse, depuis toujours. Le jeu est devenu un phénomène de société depuis plus de 5 000 ans ; avec le succès des jeux vidéo ce n'est pas près de s'arrêter. L'homo sapiens serait-il avant tout un homo ludens ? [...]

Entre les balbutiements de la civilisation et les premiers jeux de société, il va en effet se dérouler 5 000 ans. Cependant, si l'on s'en tient à l'activité ludique *stricto sensu*, celle-ci accompagne l'homme depuis ses premiers pas, à l'instar des primates dont le jeu, avec ou sans objet, est une activité sociale. On a d'ailleurs retrouvé des objets miniatures qui remontent à 10 000 ans avant J.-C. dont on peut penser qu'il s'agit des premiers jouets.

Quand la société se prend au jeu

Mais revenons à la case Départ ! Nous sommes en Égypte, plus de 3 000 ans avant notre ère. Pour la toute première fois, la société se prend au jeu en concevant le tout premier véritable jeu de société connu. Il consistait à déplacer des pions sur 3 rangées de 6 cases. Bien plus tard, vers le Vᵉ siècle (après J.-C), les Perses en complexifient le principe : ils introduisent un principe de hiérarchisation des pièces. D'une certaine manière, les bases du jeu d'échecs étaient posées. Il prend le nom de Chatrang. Cependant, l'origine du jeu d'échecs est encore contreversée et les seules traces tangibles datent des années 600. Il s'agit de textes transcrits qui mentionnent l'existence de joueurs d'échecs. C'est d'ailleurs de cette période que remonte le véritable ancêtre officiel : le jeu indien Chaturanga. Rançon du succès, les échecs multiplient les légendes à leur égard. À partir de l'invasion de la Perse par les Arabes (en 637) , les échecs vont connaître un essor considérable.

Au cours des IXᵉ et Xᵉ siècle, on évoque les premiers traités sur le sujet et les premiers champions. Puis vers l'an mille, le jeu est introduit en Europe via l'Espagne alors musulmane.

Quand « Alea jacta est »

À l'époque romaine, les dés sont lancés ! Apparus chez les Égyptiens mais aussi en Inde, vers 3 000 ans avant notre ère, les dés faisaient largement partie du paysage ludique dans les couches populaires romaines comme dans les hautes sphères. On rapporte que l'empereur Néron n'hésitait pas à jouer sur un coup de dé la somme de 400 000 sesterces, soit l'équivalent de la solde de 400 soldats. Plus généralement, Grecs et Romains prisaient particulièrement les jeux de société stratégiques, comme le « jeu de poilis » (jeu de la ville) ou le jeu romain à caractère militaire « Latroncules ».

Quand on abat une nouvelle carte

Dans cette panoplie des jeux traditionnels, il reste une carte à jouer. Le jeu de cartes fera son apparition pour la toute première fois en 1370. Les jeux de cartes inondent l'Europe grâce à l'essor de l'imprimerie. À la fin du XIXᵉ siècle, les cartes adopteront des décors spécifiques, plus proches du réel. La voie est ouverte pour de nouveaux types de jeux, comme le Monopoly dont le premier lancer de dés date de 1930.

En 1971, l'univers ludique connaît une nouvelle aventure avec les tout premiers jeux de rôle, signe avant-coureur d'une société en pleine transformation tendant à allier performance individuelle et plaisirs partagés. Gary Gigax et son ami Dave Arneson conçoivent un jeu d'un genre nouveau : « Chainmail ». Bien qu'il s'agisse d'un jeu de guerre, des créatures fantastiques y sont incluses, ainsi que de la magie, et surtout la possibilité de jouer à « un contre un ». ▶

Quand le jeu n'en valait pas encore la chandelle
Cette volonté d'animer les longues nuits d'hiver ne date probablement pas d'hier. L'historien néerlandais Johan Huizinga considère que les sociétés humaines sont profondément façonnées par le « suspecie ludi », l'élément ludique. Guerre et paix, art, justice, langue, philosophie, tout ne serait que jeu. Bien que nos aïeux d'il y a 30 000 ans ne nous aient laissé aucune trace de jouets, leurs enfants s'amusaient vraisemblablement avec des objets dénichés ici ou là. [...]
À partir du moment où le nomade devient paysan (il y a plus de 10 000 ans), on découvre des objets miniaturisés d'outils, d'armes, des statuettes et des figurines représentant notamment des animaux. Peut-on parler de jouets ? On l'ignore bien évidemment. [...]

Un jeu à somme très positive !
Aujourd'hui, 700 nouveaux jeux sont mis sur le marché chaque année et compte tenu de la progression des ventes (+ 35 % en 2005), le jeu en vaut apparemment la chandelle. En 5 000 ans, le jeu a beaucoup rebattu les cartes au point de devenir un véritable empire au service ou au détriment de la société, à vous de juger. Il devient un enjeu de société tant du point de vue éducatif : 5 millions d'enfants américains seraient devenus addicts – qu'en termes écologiques : les trois principales consoles (Wii, Xbox 360 et Playstation) consomment 16 milliards de kWh par an, rien qu'aux USA, selon le *Natural Resources Defense Council* (NRDC). Face à une avidité de virtualité, les maîtres du jeu deviendront-ils les maîtres du monde ? Du moins, deviendront-ils les maîtres d'un monde qui, comme le pense le sociologue Michel Maffesoli, est en train de changer de paradigme : aujourd'hui et encore plus demain, place au présent et au *carpe diem*.

Les toutes, toutes premières fois, Fabrice, 19 septembre 2015.

3. Visionnez la vidéo n° 08 et répondez aux questions.

a. Qu'est-ce qui explique l'apparition des jeux chez l'humain ?
b. Quelles sont les caractéristiques qui assurent la pérennité d'un jeu ? Par exemple, pourquoi les gens jouent-ils encore au go et aux échecs ?
c. Que réserve l'avenir au jeu ?

Le reportage vidéo

Art et culture – Jeux de société

N° 08 https://www.tfo.org/fr/univers/tfo-247/100397683/art-et-culture-jeux-de-societe

tfo.org

 Raconter une suite d'événements

Situer un événement dans le temps

4. En vous basant sur une vidéo retraçant l'histoire des jeux vidéo, regroupez leur évolution en grandes périodes.

Vous pouvez, par exemple, visionner *L'histoire nous le dira :* https://www.youtube.com/watch?v=9GUK9dHlUrg

a. Voyez ce qui caractéristise les jeux vidéo en fonction de la technologie disponible.
b. Évaluez également l'impact de ces changements et les réactions survenues.

Périodes/Dates	Caractéristiques des jeux vidéo et de la technologie	Impacts et réactions
...	...	...

5. Enrichissez votre vocabulaire.

En petit groupe, donnez la signification des expressions provenant de l'univers du jeu citées dans le texte.
Inférez le sens en fonction du contexte, puis vérifiez votre interprétation sur un site Web.

a. Revenons à la case départ.
b. Les dés sont lancés.
c. Il reste une carte à jouer.
d. Le jeu n'en valait pas encore la chandelle. / Le jeu en vaut apparemment la chandelle.

6. Dressez une carte sémantique.

En vous inspirant des documents p. 36-37, enrichissez la carte sémantique suivante selon les catégories proposées.

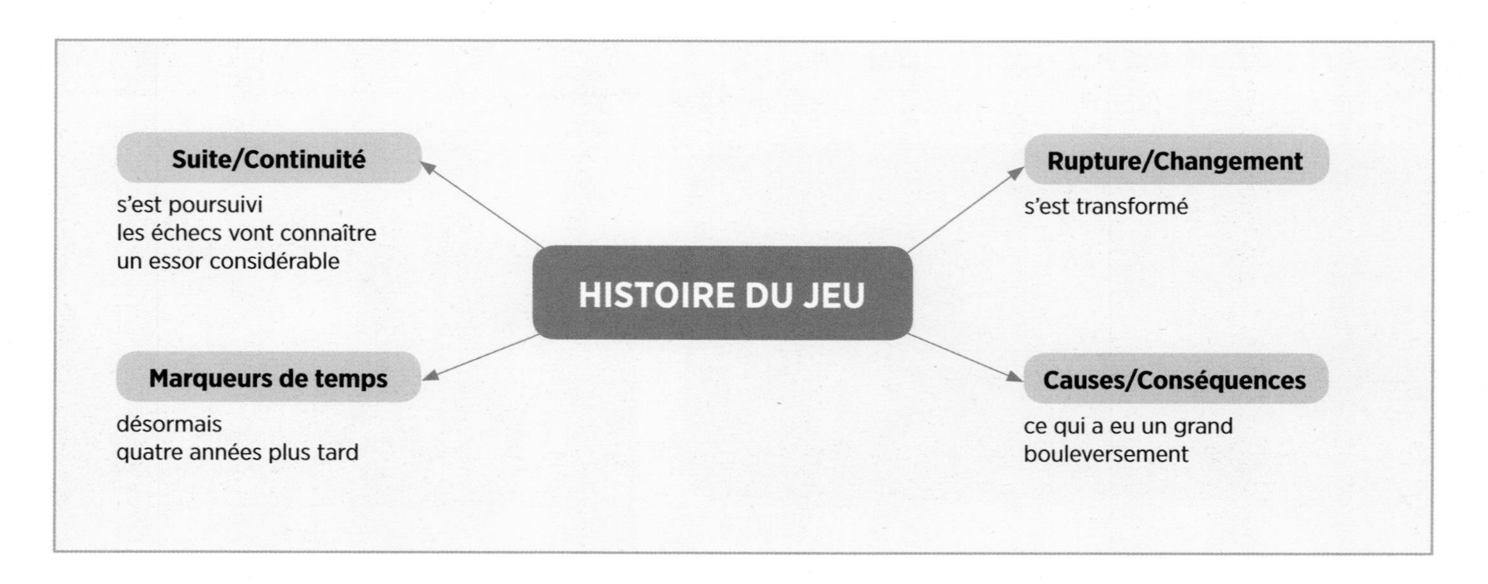

7. Observez et interprétez l'infographie ci-dessous.

Malgré la popularité croissante des jeux vidéo, la vente des principales consoles est en déclin depuis plusieurs années. En fonction des documents p. 36 et 37, comment expliquez-vous ce changement ?

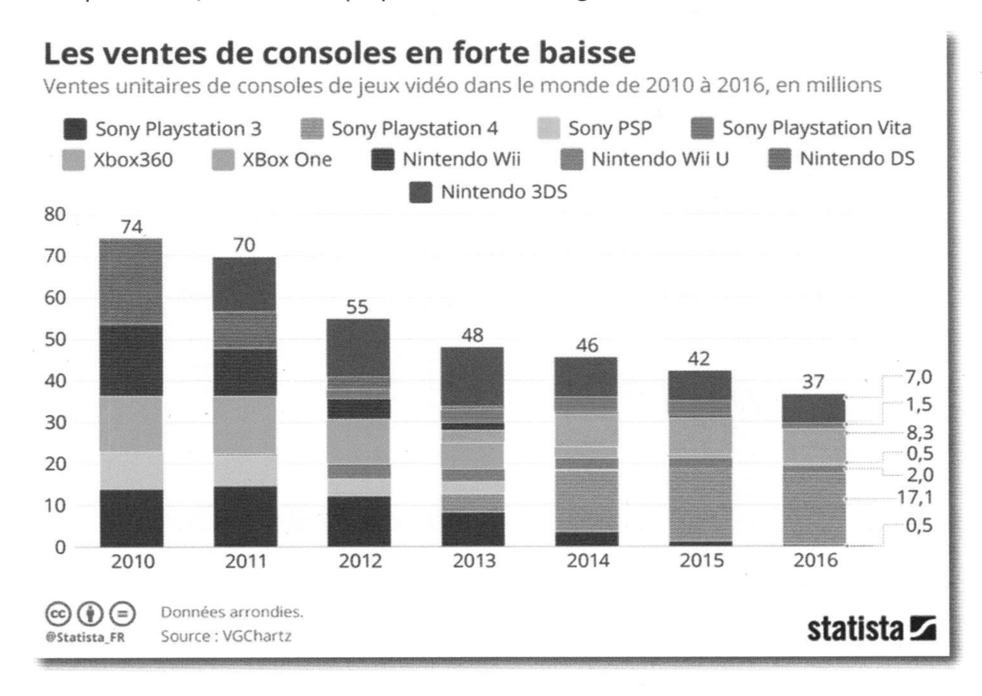

8. Lisez le point infos.

Qu'en pensez-vous ? Le jeu vidéo a-t-il sa place aux Jeux olympiques ?

LE JEU VIDÉO AUX JEUX OLYMPIQUES ?

Le sport électronique pourrait bien faire son entrée aux Jeux olympiques de Paris en 2024. Il s'agit d'une activité de plus en plus populaire qui compte de nombreux adeptes participant à des compétitions dans le cadre d'événements internationaux. Si certains y voient un parallèle entre le sport traditionnel et les jeux vidéo, notamment en ce qui concerne la précision, la vitesse d'exécution et la concentration, d'autres ne voient pas la valeur sportive relative à la condition physique.

L'actualité, Maxime Johnson, 9 février 2018.

9. Retracez comment votre rapport au jeu s'est transformé au fil de votre vie (à l'enfance, à l'adolescence, à l'âge adulte).

Suivre une évolution

10. Observez les deux photos ci-dessous qui ont été prises dans les transports en commun à des époques différentes.

Quel constat faites-vous ? Comment expliquez-vous les ressemblances ou les différences ?

11. Lisez le texte et faites les activités.

a. Dans le texte, trouvez des verbes qui expriment l'idée d'une transformation profonde.
b. Repérez les marqueurs de relation exprimant l'idée de temps et remarquez le ou les temps de verbe employé(s) dans les phrases.
c. Comment l'auteur présente-t-il l'évolution des relations humaines ?

Les relations humaines conventionnelles chamboulées par les nouvelles technologies

LE CERCLE/POINT DE VUE - Téléphonie, Internet, objets connectés... Ces outils, ayant pour but de transformer et d'améliorer notre quotidien, ont-ils pris l'ascendant sur notre vie sociale ?

Avant, les relations humaines traditionnelles consistaient en la capacité des individus à s'entretenir entre eux sur des sujets plus ou moins sérieux, au quotidien et en toutes circonstances : échanger sur les conditions de travail avec des collègues de bureau, sur la météo avec un voisin de palier ou sur le dernier épisode de sa série favorite avec un membre de la famille... Difficile de le contredire, mais difficile également de l'accepter : nous sommes devenus techno-dépendants. Qui se souvient de la dernière fois qu'il a rejoint une destination inconnue sans GPS ? Peut-on encore se passer de son téléphone ? Une étude a montré que les générations actuelles ont plus de difficultés à se passer de Facebook et de Twitter que d'être privé de manger, de fumer ou de faire l'amour. Il existe même des cliniques spécialisées dans la prise en charge des personnes ayant une addiction aux technologies et on ne compte plus les articles qui évoquent les nouvelles méthodes de « déconnexion ».

Transformation des relations sociales

La technologie aide, rend service, appuie les actes humains et permet les relations. Non, la technologie ne crée pas les échanges, elle les transforme. Jusqu'ici, pour écouler les vêtements de ses enfants devenus trop petits, on devait attendre la brocante annuelle de la ville ou du village. Aujourd'hui ? On peut déposer une annonce sur des sites de revente en quelques clics. Facile, pratique, utile. Ce qui n'empêche pas les brocantes de continuer à prospérer en parallèle. Il y a à présent une application pour tout. Il existe des réseaux sociaux pour ne plus aller faire son jogging tout seul, des communautés en ligne pour aller chasser des Pokémon en groupe, on peut choisir ses « coworkers » et son lieu de travail, même pour quelques heures... Ce que les internautes recherchent désormais, ce sont d'autres personnes qui partagent les mêmes centres d'intérêt autour d'événements qui leur ressemblent. Et cela est devenu accessible à tous.

Les exemples de relations sociales devenues possibles grâce aux nouvelles technologies ne se comptent plus. Rappelez-vous des premiers « Apéros Facebook » : des centaines, parfois des milliers d'internautes sans autres points communs que la proximité géographique et l'appartenance à un même réseau social. Un phénomène nouveau par son ampleur, rendu possible grâce aux réseaux sociaux et aux nouvelles technologies. Pour autant, rien de révolutionnaire dans son principe : la plupart étaient simplement des jeunes venus échanger autour d'un verre et se rencontrer ailleurs qu'entre les lignes de codes d'un réseau social. ▶

Des générations technologiques
Elles ont évolué, avec les outils technologiques et les nouveaux usages qui en ont découlé. La génération Y est née avec un clavier dans les mains, la génération Z ne peut se séparer de son smartphone. En plus de l'explosion des frontières géographiques, les nouvelles technologies ont créé une culture de l'immédiateté : on ne veut plus attendre une réponse à un SMS ou à un mail : on veut savoir dans la minute. Pourquoi ? Parce qu'on peut tout trouver, partout, tout le temps, dans (presque) toutes les circonstances. Autre tendance apparue avec les nouvelles technologies : la possibilité d'exercer et de faire partager ses passions partout dans le monde à l'aide de sites dédiés. Prenons en exemple, une jeune femme qui se trouve en voyage professionnel à Dallas, férue d'équitation et qui souhaite simplement participer à un événement dédié, sur place, le temps d'une soirée. La recherche et l'inscription sont simples via ces sites. Il lui est même possible de gérer sa participation à un événement lui correspondant directement depuis une application. Simple et efficace quand on se trouve à des milliers de kilomètres et qu'on ne connaît personne sur place. On peut également citer la possibilité de demander de l'aide, du soutien ou un conseil en quelques clics. Les forums existent depuis des années sur Internet, les réseaux sociaux les ont remplacés : les pages bons plans et réductions, les pages dédiées aux recherches d'emploi, celles pour revendre des vêtements pour enfants… Tout cela a été rendu possible grâce à Internet et aux supports (smartphones, ordinateurs, tablettes, etc.).

« Generation Now »
On entend souvent qu'il y aurait de moins en moins de rassemblements de masse, serait-ce la faute des réseaux sociaux et des nouvelles technologies en général ? Les concerts ne désemplissent pas, les salles de cinéma battent des records de fréquentation et il n'y a jamais eu autant de festivals. Idem pour les stades sportifs. Il arrive même qu'un événement lambda bénéficie d'un engouement exceptionnel sur les réseaux sociaux, et inversement. Tout va plus vite. Bien sûr, certains regretteront que lors de concerts ou autres événements de masse on compte plus de téléphones levés que de bras en l'air pour profiter du moment. Mais cela fait partie de l'évolution de ces relations sociales : les gens ressentent le besoin de tout partager, pour immortaliser l'instant présent : c'est la « Generation Now ».
Mais ces relations virtuelles ne se font pas au détriment de l'implication dans le monde réel, un internaute peut bien entendu rendre visite à ses voisins ou participer à des activités locales, au même titre que les « non connectés ». Le temps où les nouvelles technologies étaient vues comme une menace pouvant potentiellement enfoncer un utilisateur dans une « spirale d'isolement » est révolue, il est temps de les percevoir comme un moyen de s'ouvrir au monde et trouver plus rapidement des activités IRL (*In Real Life*).

LesEchos.fr, Dimitri Antoniades, 30/09/2016.

12. Écoutez la séquence radio n° 02 et répondez aux questions.

a. Par rapport au temps où Aristote a décrit l'amitié et l'avénement des réseaux sociaux, comment l'amitié s'est-elle transformée ?
b. Quel portrait la philosophe Anne Dalsuet dresse-t-elle sur l'amitié à l'ère des réseaux sociaux ? Justifiez votre réponse.
c. « L'amitié se nourrit de communication », a dit Montaigne. Commentez cette citation à l'ère des réseaux sociaux.
d. Avez-vous remarqué d'autres transformations dans les relations amicales sur les réseaux sociaux ?

La séquence radio

N° 02

Les réseaux sociaux et l'amitié

Tout comme les communications, la technologie a profondément transformé l'amitié. La philosophe Anne Dalsuet jette un regard sur les changements entraînés par les réseaux sociaux.

rts.ch

Projet

Relater l'évolution d'un événement

À la manière de l'évolution du jeu chez l'humain, trouvez un enjeu qui a subi d'importants changements au sein de la société. En tentant de contextualiser l'enjeu, faites une chronologie des principaux changements survenus dans le temps.

Jouons cartes sur table !

1. Trouvez le nom de jeux populaires qui se cachent derrière ces charades.

a. Mon premier est une situation sans conflit.
Mon deuxième est un véhicule militaire.
Mon tout est un jeu très populaire en France.

b. Mon premier est la première lettre de l'alphabet.
Mon deuxième est la lettre de l'alphabet qui précède « x ».
Mon troisième est un synonyme soutenu du verbe « appeler ».
Mon tout est un jeu de stratégie africain.

c. Mon premier est l'adjectif « beau » devant un nom commençant par une voyelle.
Mon deuxième est un synonyme de « enlève ».
Mon tout est un jeu de cartes très apprécié en Europe francophone.

2. Associez la situation au bon jeu.

Des enfants de 7 ans s'amusent par un après-midi pluvieux. •
Cinq adultes décident de faire un jeu de réflexion et de stratégie. •
Une personne seule place des cartes devant elle pour passer le temps. •
Dans les transports en commun, avec un stylo, un passager réfléchit. •

• La réussite.
• La bataille.
• Le tarot.
• Les mots-fléchés.

3. Devinettes. Répondez aux questions à l'aide des mots suivants.

le joker ; l'atout ; la pioche

a. Comment s'appelle cette carte qui permet de prendre les autres cartes au tarot ou à la belote ? ...

b. Je suis le tas de cartes non-distribuées dans lequel les joueurs peuvent se servir. Comment m'appelle-t-on ? ...

c. Je suis une carte spéciale, qui permet de remplacer n'importe quelle autre carte. Mon dessin est souvent une figure de fou du roi. Comment m'appelle-t-on ? ...

4. Quizz. Les expressions de l'amitié.

a. Que veut dire « être comme cul et chemise » ?
1. Être inséparables.
2. Ne pas s'entendre.
3. Avoir les mêmes goûts vestimentaires.

b. Qui a écrit pour célébrer son ami : « Parce que c'était lui, parce que c'était moi » ?
1. Proust.
2. Flaubert.
3. Montaigne.

c. Lorsque l'on déteste quelqu'un, que dit-on ?
1. Je ne peux pas le voir en peinture.
2. On est copain comme cochon.
3. Il me retourne le cerveau.

d. Que signifie « être sur la même longueur d'ondes » ?
1. Avoir les mêmes goûts musicaux.
2. Se comprendre facilement.
3. Être en relation à travers les réseaux sociaux.

e. Quel est le sens étymologique du mot « compagnon » ?
1. Celui avec lequel on vit.
2 Celui qui vient avec moi.
3. Celui avec lequel on partage le pain.

f. Complétez ce vers de Lamartine : « Un seul être vous manque et tout est ...
1. dépeuplé ».
2. triste ».
3. étrange ».

Leçon 2

Développer une idée

- Illustrer une idée
- Exprimer sa position
- Nuancer son point de vue

Projet : Rédiger un essai

Réfléchissez aux questions suivantes.

a. Quel est le lien entre la langue et la culture ? La langue peut-elle influencer une culture ? L'inverse est-il vrai ?

b. Est-ce que la langue qu'on parle peut jouer sur notre perception du monde et nos comportements ?

c. Est-ce qu'on change d'identité quand on change de langue ?

Illustrer une idée

Dis-moi ta langue, je te dirai comment tu penses

Allez dire à un Anglais, à qui vous rendez visite à Londres, que vous vous sentez « dépaysé », et vous le verrez sans doute faire les yeux ronds. La langue de Shakespeare ne dispose pas d'un terme signifiant ainsi le plaisir ou la surprise d'être désorienté parce qu'on est loin de chez soi… L'idée britannique la plus proche est celle de l'*homesickness*, mais elle dit plutôt le contraire, puisqu'on peut la traduire par « mal du pays ».

Dans tous les vocabulaires du monde, il y a ainsi des mots uniques, des mots qui n'existent pas, tels quels, dans les autres langues. Pourquoi ces particularismes ? Les objets, les idées, les sentiments ne sont-ils pas universels ? « Les mots intraduisibles reflètent l'histoire culturelle ou politique de chaque peuple », répond Michaël Oustinoff, maître de conférences en traductologie à l'université de Nice Sophia Antipolis et auteur de la *Traduction* (PUF, 2015).

En portugais, par exemple, le terme *saudade* désigne une forme d'humeur mélancolique empreinte de mal du pays. Et c'est l'histoire singulière du Portugal qui en fait le sens. Son origine est associée aux premières conquêtes coloniales portugaises en Afrique au XVe siècle. Grâce à ce mot tiré du vieux galicien, les colons installés à Madère, dans les Açores ou à Cap-Vert, pouvaient exprimer la nostalgie de la patrie désirée et des êtres chers. Depuis, la *saudade* est indissociable de l'âme portugaise.

En japonais, le terme *aware* a été créé par un poète et philosophe du XVIIIe siècle, Motoori Norinaga, pour parler d'un moment de transcendance devant la beauté éphémère des choses. L'*aware* est particulièrement évoquée par les Japonais devant l'éclosion furtive des premières fleurs de cerisiers au printemps, moment dont l'aspect fugace les ravit et qui donne lieu chez eux à une grande fête populaire.

De la même manière, l'*Utepîls* (« sortir boire une bière aux premiers beaux jours ») est né en Norvège parce qu'il correspondait à une coutume née de la météorologie nordique, et la *gattara* (« une dame qui vit entourée de chats »), en Italie, parce que les chats y lézardaient dans les rues. Et on pourrait multiplier les exemples…

L'anglais favoriserait l'analyse, et l'allemand, la synthèse

Ainsi, les vocabulaires ne sont pas interchangeables. Mais les grammaires non plus. En 2014, le neurolinguiste grec Panos Athanasopoulos, de l'université anglaise de Lancaster, a mené une expérience où il demandait à des locuteurs anglais, des locuteurs allemands et des sujets parlant les deux langues de décrire des vidéos projetées sur un écran. Elles montraient une femme en train de marcher vers une voiture ou encore un homme en train de pédaler sur son vélo vers un supermarché. Or, quoiqu'ils aient regardé le même film, les récits qu'en faisaient Anglais et Allemands étaient très différents. Les premiers insistaient plus sur le déroulement des événements (la femme marche d'un bon pas, l'homme appuie sur ses pédales), tandis que les seconds éludaient les détails de l'action pour se concentrer sur leurs objectifs (la femme se dirige vers une voiture, l'homme s'apprête à rejoindre un supermarché).

Plus étonnant encore : les locuteurs bilingues mettaient plus l'accent, lorsqu'ils se servaient de la première langue, sur l'action en cours, et lorsqu'ils employaient la seconde, sur sa finalité ! Serait-ce le symptôme d'une grammaire anglaise encourageant l'analyse et d'une grammaire allemande plus encline à la synthèse ? C'est une hypothèse qui colle avec le « présent continu », ce temps de la langue anglaise qui n'existe ni en français ni en allemand et qui insiste précisément sur l'action en train de se dérouler.

Lera Boroditsky, neurolinguiste à l'université de San Diego, s'est intéressée pour sa part non pas aux nuances de temps, entre les différentes langues, mais à celles touchant au masculin et au féminin. Elle s'est demandé si le genre des mots désignant des objets dans chaque langue pouvait influencer la façon de se les représenter. En 2002, avec une équipe de recherche de Cambridge, elle a ainsi demandé à des Espagnols et des Allemands d'attribuer des adjectifs à 24 objets qui ont un genre grammatical opposé dans ces deux langues. Ainsi ont-ils dû choisir les qualificatifs les plus appropriés pour évoquer une clé. ▶

Les locuteurs allemands ont préféré des adjectifs comme « dur », « métallique » ou « cranté », tandis que les hispanisants ont jugé qu'une clé était avant tout « petite » ou « dorée ». Or, « clé » est du masculin en allemand et du féminin en espagnol. Même différence d'appréciation pour le mot « pont ». Les Allemands ont vanté son « élégance », sa « fragilité » ou sa « splendeur » tandis que les Espagnols s'attardaient sur sa « force » ou sa « robustesse ». Or, cette fois, « pont » se dit au féminin en allemand, et au masculin en espagnol. Est-ce à dire que, de façon inconsciente, un mot féminin se charge, aux yeux de ceux qui le prononcent, de qualités jugées féminines, et vice versa ?

Il est évidemment tentant, au vu de ces exemples, de songer que les langues façonnent notre pensée, par leurs différences lexicales ou grammaticales. Différences parfois extrêmes : dans une langue amazonienne, le *pirahã*, parlé par l'ethnie du même nom, il n'existe aucun moyen, ni chiffre ni mot, permettant de compter au-delà de deux. La culture pirahã étant fondée sur l'expérience immédiate et sur une vie en clan restreint, réduit à la seule fratrie, cela ne pose peut-être aucun problème. Au-delà de deux, dans cette langue, on dit simplement « beaucoup ». Est-ce en *pirahã* qu'est né le proverbe assurant que quand on aime, on ne compte pas ?

Ça m'intéresse, Florian Bardou, 3 octobre 2017.

1. Lisez le texte p. 44-45 et répondez aux questions suivantes.

a. Quelles sont les idées principales du texte ? Quels procédés l'auteur utilise-t-il pour les annoncer et les illustrer ? Servez-vous de l'encadré « Savoir-faire » pour identifier ces procédés.

b. Peut-on vraiment affirmer que certaines langues orientent la façon dont on perçoit la réalité ? Quels exemples donne-t-on ? Croyez-vous que ces exemples traduisent réellement une différence de vision du monde ?

c. Certains mots semblent intraduisibles. Qu'est-ce qui les rend intraduisibles ? Citez des exemples de mots ou d'expressions intraduisibles dans les langues que vous connaissez ?

d. Lera Boroditsky a observé une différence relative à la perception d'objets inanimés en fonction de leur genre grammatical. Croyez-vous que cette différence peut également avoir un impact sur les relations entre hommes et femmes ?

e. *La langue de Shakespeare* désigne l'anglais. À quel auteur fait-on habituellement référence pour parler du français ? Parmi les langues que vous connaissez, utilise-t-on des auteurs pour faire référence à la langue ? Lesquels ?

Savoir-faire

Développer une idée

Il existe plusieurs procédés qui permettent de développer une idée.

Définition
Il s'agit de fournir une définition d'un concept.

Explication
Au moyen de faits et d'exemples, vous fournissez des explications sur l'idée.

Analogie
Vous utilisez une autre image pour développer votre idée.

Comparaison
Vous présentez l'idée selon des perspectives différentes en faisant ressortir les points convergents et divergents.

Exemple
Vous illustrez votre idée au moyen d'exemples qui permettent de mieux la comprendre.

2. Visionnez la vidéo n° 09 et répondez aux questions.

a. Pourquoi les linguistes sont-ils préoccupés par la survie des langues minoritaires ?
b. Quelles solutions sont préconisées pour éviter la disparition des langues ?
c. Si une langue est le reflet du patrimoine culturel de l'humanité, quel est l'impact de la disparition imminente de nombreuses langues sur la diversité de la pensée humaine ?
d. En utilisant l'analogie ou la comparaison, rédigez un paragraphe dans lequel vous faites un parallèle entre l'extinction des langues et un autre type de disparation causée par la modernité.

Le reportage vidéo

N° 09

Des langues en voie d'extinction

franceinfo: Daniel Fievet et Mathilde Munos

Exprimer sa position

Texte 1

Éliane Viennot : « Olympe de Gouges a lancé les prémices de l'écriture inclusive »

Politiques, hommes et femmes de lettres... tous tirent la sonnette d'alarme contre l'écriture inclusive. Eliane Viennot prend le contre-pied. La professeur de littérature française explique en quoi, ce système d'abréviation est l'incarnation « d'un changement de notre société ».

Qu'est-ce que l'écriture inclusive ? De quand date-t-elle et comment est-elle née ?

C'est un système d'abréviations qui a été trouvé pour donner une égale visibilité aux hommes et aux femmes dans la langue écrite, pour qu'ils pèsent autant les uns que les autres, qu'on s'intéresse autant aux uns qu'aux autres. En France, cela fait une quinzaine d'années que des gens l'utilisent. Cela s'est fait par du bricolage, avec des parenthèses, des traits d'union, des barres obliques, etc. On ne sait pas qui en est à l'origine. Personne n'a déposé de brevet. L'écriture inclusive a dû naître de la rencontre de deux exigences : de la sensation désagréable que l'on a à parler au masculin dit générique alors qu'on est censé parler des deux sexes, ou s'adresser aux deux sexes, et de l'envie d'aller vite, donc d'utiliser des abréviations. Il est en effet plus rapide d'écrire « étudiant.e.s » ou mieux encore, « étudiant·es » que « étudiants et étudiantes ». Le recours aux abréviations est vieux comme l'écriture !

Elle est déjà adoptée tous les jours par des milliers de gens. C'est une pratique relativement utilisée par la jeunesse, dans les groupes où l'on communique par courriels. Moi-même, cela fait quinze ans que je reçois des messages en écriture inclusive. Personne n'a attendu les Institutions pour commencer à la pratiquer.

Mais que faudrait-il alors employer, des parenthèses, des tirets ou des points ?

Il y a eu une évolution de l'usage des signes. À l'évidence, les gens qui sont à l'origine de cette écriture ont commencé avec des parenthèses. Ce signe est très accessible dans la langue française. On écrivait donc «étudiant(e)s». Mais très vite, des femmes ont protesté, parce qu'en général, ce que l'on met entre parenthèses dans un énoncé, c'est ce qui est moins important. Comme on ne voulait justement pas mettre les femmes « entre parenthèses », on est alors passé aux traits d'union, aux barres obliques, au point bas, au point milieu. Toutefois, beaucoup de gens continuent à utiliser ces différents signes. Il n'y a pas, à l'heure où nous parlons, d'unification dans cette écriture.

L'écriture inclusive n'est-elle pas une manière de sous-entendre que la langue française est discriminante ?

Non. Tous les mots qui désignent des activités humaines ont deux formes, féminine et masculine. Le problème n'est pas la langue française, c'est la manière dont on l'utilise. Si l'on veut s'exprimer justement, voire simplement être poli·e, le féminin et le masculin sont là, à notre portée. On peut très bien dire « les Français et les Françaises » plutôt que « les Français » seul. Pourtant, on a estimé longtemps que cela suffisait. Cela ne suffit plus.

Pourquoi y a-t-il selon vous des réticences à mettre un « e » à auteur, écrivain, docteur... ?

« Auteure » n'est pas un mot traditionnel en français. Le terme traditionnel est « autrice », qui vient du même mot latin qu'actrice, de même qu'on a le doublet auteur-acteur au masculin. Il avait disparu des dictionnaires, et quasiment du vocabulaire courant, parce qu'il a été systématiquement combattu à partir du XVIIe siècle, comme quelques autres (médecine, peintresse, poétesse...). Pour comprendre nos réticences, il faut remonter à ces condamnations.

Si ces mots ont été condamnés par les grammairiens masculinistes, c'est qu'ils désignaient des activités que les hommes estimaient leur chasse gardée. L'écriture, traditionnellement, c'est l'affaire des hommes, des scribes. De la même façon, ils ont considéré les femmes inaptes à être « docteur » ou « écrivain », ils ont donc combattu « doctoresse » et « écrivaine ». Ils n'ont en revanche jamais combattu le mot « actrice ». Cela leur semblait normal que des femmes montent sur la scène en montrant leur corps. C'était « dans la nature des femmes ».

Que pensez-vous du terme « Homme », qui, avec une majuscule permet d'associer le féminin et le masculin ?

C'est une invention. En français, le mot « Homme » avec ou sans majuscule veut dire « homme ». Ce n'est pas la traduction du mot latin *Homo*, qui voulait dire « homme » et « femme » (le mâle humain étant désigné par vir). Le vrai mot qui désigne l'humanité, c'est « humain ». C'est ce qu'ont compris beaucoup de pays. Depuis 1948 d'ailleurs, on parle de « human rights » ou de « derechos humanos ». La France, elle, campe sur « l'homme », en prétendant que ce terme englobe les femmes. Mais si c'était le cas, les Françaises auraient été citoyennes dès 1789 ! Or elles ont dû attendre 1944. [...]

Est-ce à la langue d'assurer l'égalité entre les sexes ?

La langue ne change pas la société, mais elle accompagne ses changements. Elle évolue avec elle. Elle peut donc aider à renforcer cette égalité. Nous en avons la preuve avec ce débat sur « homme » versus « humain ». Notre société française a changé. Elle est aujourd'hui plus apte à comprendre les enjeux qu'il y a dans le langage. C'est parce que nous progressons vers l'égalité que l'ancienne manière de s'exprimer tout au masculin nous devient insupportable.

Lefigaro.fr, Alice Develey, 05/11/2017.

Texte 2

Pour l'Académie, l'écriture inclusive est un « péril mortel »

Les Immortels, à l'unanimité, estiment que cette nouvelle pratique est un danger pour la langue française.

Les immortels de l'Académie française se sont fendus ce jeudi 26 octobre d'une déclaration au ton alarmiste condamnant vertement l'écriture inclusive. Ils vont même jusqu'à prédire un « péril mortel » pour l'avenir de la langue française. Pour rappel, cette graphie consiste à inclure le féminin, entrecoupé de points, dans les noms, comme dans « mes ami·e·s », pour le rendre « visible ». Le « point milieu », ce signe situé à mi-hauteur des lettres, peut être utilisé alternativement en composant un mot comme « lycéen·ne » comme suit : racine du mot + suffixe masculin + le point milieu + suffixe féminin.
Cette pratique défendue par certaines militantes féministes au prétexte que la langue française « invisibiliserait les femmes » a beaucoup fait parler d'elle ces dernières semaines alors qu'un manuel scolaire, destiné à des élèves de CE2, a été publié pour la première fois en écriture inclusive en mars 2017. On peut y lire que « grâce aux agriculteur.rice.s, aux artisan.e.s et aux commerçant.e.s, la Gaule était un pays riche ». L'éditeur a expliqué avoir choisi d'appliquer les recommandations du Haut Conseil à l'égalité entre les femmes et les hommes datant de 2015.

Prenant acte de la diffusion de cette « écriture inclusive » qui « prétend s'imposer comme norme », l'Académie française élève à l'unanimité une solennelle mise en garde : « La démultiplication des marques orthographiques et syntaxiques qu'elle induit aboutit à une langue désunie, disparate dans son expression, créant une confusion qui confine à l'illisibilité. On voit mal quel est l'objectif poursuivi et comment il pourrait surmonter les obstacles pratiques d'écriture, de lecture – visuelle ou à voix haute – et de prononciation. Cela alourdirait la tâche des pédagogues. Cela compliquerait plus encore celle des lecteurs.
Plus que toute autre institution, l'Académie française est sensible aux évolutions et aux innovations de la langue, puisqu'elle a pour mission de les codifier. En cette occasion, c'est moins en gardienne de la norme qu'en garante de l'avenir qu'elle lance un cri d'alarme : devant cette aberration « inclusive », la langue française se trouve désormais en péril mortel, ce dont notre nation est dès aujourd'hui comptable devant les générations futures.
Il est déjà difficile d'acquérir une langue, qu'en sera-t-il si l'usage y ajoute des formes secondes et altérées ? Comment les générations à venir pourront-elles grandir en intimité avec notre patrimoine écrit ? Quant aux promesses de la francophonie, elles seront anéanties si la langue française s'empêche elle-même par ce redoublement de complexité, au bénéfice d'autres langues qui en tireront profit pour prévaloir sur la planète. »

Lefigaro.fr, Marie-Estelle Pech, 26/10/2017

3. Lisez les textes p. 46-47 et répondez aux questions suivantes.

a. Quelle est l'origine de l'écriture inclusive ?
b. Expliquez en quoi consiste ce phénomène ?
c. Quels sont les enjeux liés à l'écriture inclusive ?
d. Quelle est la position défendue par Éliane Viennot ? Comment défend-elle ses idées ?
e. Quelle est la position de l'Académie française ? Comment exprime-t-elle son point de vue ?
f. Est-ce que les deux positions portent sur les mêmes aspects de la problématique ? Se contredisent-elles ?
g. L'Académie de la langue française pense que l'écriture inclusive rendra l'apprentissage du français plus difficile. Êtes-vous d'accord ? Justifiez votre point de vue.

Point infos

En 1653, l'Académie française est fondée sous la recommandation du cardinal de Richelieu. Elle regroupe des écrivains, des poètes et autres hommes ou femmes de lettres.
Au sein de la francophonie, d'autres organismes sont habiletés à faire des recommandations linguisitiques qui peuvent concerner certains territoires ou certaines régions, par exemple.

France : Délégation générale à la langue française et aux langues de France
Fédération Wallonie-Bruxelles : Conseil de la langue française et de la politique linguistique
Québec : Office québécois de la langue française
Suisse : Délégation suisse à la langue française

4. Passez du registre soutenu au registre standard.

Le texte sur la position de l'Académie française relève souvent du registre soutenu.
Transformez les phrases suivantes en remplaçant les expressions en gras par des structures synonymiques du registre courant.

a. Les immortels de l'Académie française **se sont fendus** ce jeudi 26 octobre d'une déclaration **au ton alarmiste** condamnant **vertement** l'écriture inclusive.

b. L'Académie française élève à l'unanimité une **solennelle** mise en garde : « La démultiplication des marques orthographiques et syntaxiques qu'elle **induit** aboutit à une langue désunie, disparate dans son expression, créant une confusion qui **confine** à l'illisibilité.

c. En cette occasion, c'est moins en gardienne de la norme qu'en garante de l'avenir qu'elle lance un **cri d'alarme** : devant cette **aberration** « inclusive », la langue française se trouve désormais **en péril mortel**, ce dont notre nation est dès aujourd'hui **comptable** devant les générations futures.

Nuancer son point de vue

5. Visionnez la vidéo n° 10 et répondez aux questions.

a. Évaluez les avantages et les inconvénients liés à l'écriture inclusive émis par les intervenants. Sur quels principes s'appuie la position de chacun ? Sur quels points s'entendent-ils ? Quel est leur point de discorde ?

b. Michael Edwards, membre de l'Académie française, a dit à propos de l'écriture inclusive : « C'est la chair même du français qui est ainsi rongée, et son esprit qui se trouve frappé d'une sorte de bégaiement cérébral ». En fonction du débat, à quoi fait référence cette métaphore ?

c. Sabine Panet ne pense pas que la langue française soit sexiste en elle-même, c'est plutôt l'usage qui en est fait. Êtes-vous d'accord avec ce constat ? Justifiez votre réponse.

d. La langue est une construction sociale. À ce titre, la langue peut-elle initier les changements ou en est-elle tributaire ?

Le reportage vidéo

N° 10

L'écriture inclusive ? Et si oui, comment ?

rtbf.be

6. Dans le tableau ci-dessous, consignez les expressions des intervenants qui montrent leur accord ou leur désaccord.

En accord	En désaccord
Je suis aussi féministe que vous. ...	Ça ne doit pas se faire d'une dénaturation de l'écriture à tel point qu'elle serait imprononçable. ...

7. Réfléchissez.

Dans la vidéo n° 10 et les articles p. 46-47, on mentionne des stratégies et des ressources qui permettent d'affirmer la présence des femmes dans la langue française : le point médian, l'accord de proximité, la féminisation des professions, les mots épicènes, l'utilisation des formes féminine et masculine.
Selon vous, lesquelles sont les plus faciles à appliquer ?

8. Modifiez le texte en respectant l'écriture inclusive.
La direction d'une entreprise veut envoyer cette note de service, mais elle veut s'assurer qu'elle respecte les principes de l'écriture inclusive. Apportez-y les modifications que vous jugez nécessaires.

> **Note de service**
>
> Chers collègues,
> Les employés de tous les secteurs sont priés de vérifier l'état de leur matériel informatique.
> Veuillez reporter toute anomalie à votre superviseur.
> Si vous avez besoin d'aide, n'hésitez pas à communiquer avec un technicien informatique.
>
> *Le directeur*

Mieux s'exprimer

Nuancer son point de vue

Il est possible de ne pas être ni tout à fait pour, ni tout à fait contre une idée. Dans ce cas, il faut nuancer son propos. Voici quelques exemples de formulations utiles.

- Je suis d'accord avec ce principe, mais dans la réalité ...
- Bien que cette situation soit exemplaire, il faut également considérer le fait que ...
- Je conviens que ce serait l'idéal, en revanche ...
- J'admets/Je reconnais que certaines personnes préfèrent procéder de telle manière, mais comment peut-on faire pour ...
- Il se peut que ce soit la meilleure solution, par contre ...
- On est d'accord sur tout sauf ...

9. Rédigez une recommandation.

L'institution où vous étudiez ou travaillez veut adopter une politique relative à l'adoption de l'écriture inclusive. Elle constitue un comité consultatif, dont vous faites partie. Avec d'autres membres du comité, discutez des avantages et des inconvénients liés à l'adoption de l'écriture inclusive. Ensuite, rédigez une recommandation dans laquelle vous expliquez et justifiez votre position.

10. Commentez des citations.

À partir de ce que vous avez lu et entendu dans cette leçon sur le thème des langues et la vision du monde, commentez les citations ci-dessous en faisant des liens avec les langues que vous parlez et les cultures que vous connaissez.

> « La langue est la feuille de route d'une culture, qui vous indique d'où ses habitants viennent et où ils vont. »
>
> Rita Mae Brown

> « Les limites de ma langue sont les limites de mon monde. »
>
> Ludwig Wittgenstein

> « Une langue est toujours un conservatoire d'idées disparues. »
> « La langue n'est que le reflet des mentalités. »
>
> Alain Rae

Projet

Rédiger un essai

À partir d'une des questions présentées ci-dessous, rédigez un essai dans lequel vous développerez l'idée du monde de demain selon l'angle que vous avez choisi. Utilisez une variété de procédés pour développer et illustrer vos idées.

Une langue, une culture ?
L'identité d'une personne est-elle liée à la langue qu'elle maîtrise ?
Peut-on partager une même culture sans parler la même langue ?
Inversement, peut-on parler la même langue sans partager la même culture ?

Une langue, une vision du monde ?
Reconnaissant qu'il existe des différences dans la vision du monde entre personnes parlant la même langue et des ressemblances entre des personnes qui en parlent des différentes, dans quelle mesure peut-on dire que la langue influence réellement la façon de penser ?

Une langue, une planète ?
Les langues disparaissent très rapidement. Peut-on penser qu'un jour l'humanité ne parlera qu'une seule langue ? Certains pensent qu'une meilleure intercompréhension est bénéfique pour l'humanité, alors que d'autres jugent le phénomène catastrophique. Coopération, diversité ou isolement ? Quelle vision du monde défendez-vous ?

Une langue, une nation ?
Dans de nombreux pays, plusieurs langues cohabitent. Dans ces contextes, comment l'unité nationale peut-elle être maintenue ? Comment les personnes en situation de langues minoritaires dans ces pays peuvent-elles s'épanouir ?

Quels bons mots !

1. Quiz. Pour chacun de ces mots, retrouvez le féminin adopté au Québec.

a. docteur
1. doctoresse 2. docteure 3. femme médecin

b. professeur
1. professeuse 2. professeure 3. professeur

c. maçon
1. maçonne 2. maçon 3. maçonnière

d. sculpteur
1. sculptrice 2. sculpteuse 3. sculpteure

e. sapeur-pompier
1. sapeuse-pompière 2. sapeure-pompier 3. sapeure-pompière

2. Francophonie. Répondez aux questions en utilisant les mots de la liste.

la Guyane ; le Sénégal ; la Wallonie ; la Belgique ; le wolof

a. Comment s'appelle la région francophone belge ? ...
b. Quelle est la deuxième langue officielle du Sénégal ? ...
c. Dans quelle partie d'Amérique du Sud parle-t-on français ? ...
d. L'écrivain Léopold Sédar Senghor est né dans quel pays ? ...
e. Quand Jacques Brel chante « Ce plat pays, qui est le mien », de quel pays parle-t-il ? ...

3. Associez ces expressions belges à leur signification.

Babeler. •	• Pleuvoir abondamment.
Donner une dringuelle. •	• Plaisanter.
Racuspoter. •	• Bavarder, radoter.
Dracher. •	• Laisser un pourboire.
Goûter bien. •	• Se plaindre, dénoncer quelqu'un.
Zwanzer. •	• Être bon, être savoureux.

4. Choisissez la bonne réponse à la phrase de votre colocataire suisse.

a. – Salut ! On dîne ensemble ?
1. – Avec plaisir, vers 12 h 30, ça te va ?
2. – Avec plaisir, vers 20 h 30, ça te va ?

b. – On a bien mangé ! Je vais relaver.
1. – Ce n'est pas la peine, j'ai déjà tout lavé deux fois !
2. – Merci beaucoup... Avec le lave-vaisselle en panne, ce n'est pas pratique.

c. – Tu n'as pas vu le fœhn ?
1. – Pardon, il est dans ma chambre, je me suis lavé les cheveux ce matin !
2. – Je l'ai mangé, il faut en racheter, désolée ...

d. – Je prends mon natel, on pourrait aller boire un verre ensemble ensuite !
1. – Ok, mais tu iras plus rapidement en bus. À tout à l'heure !
2. – Ok, appelle-moi en sortant ! À plus !

Leçon 3

Défendre ou critiquer un projet

- Faire l'état des lieux
- Présenter des arguments pour ou contre
- Évaluer un projet éducatif

Projet : Rédiger une proposition de projet

 Défendre ou critiquer un projet

Réfléchissez aux questions suivantes.

a. Quels sont les types de projets sur lesquels vous avez l'habitude de travailler dans le cadre de vos activités personnelles, professionnelles et académiques ?

b. Décrivez un projet qui a récemment été mis en place dans votre entourage et qui a attiré votre attention ou l'attention du public. Qu'est-ce qui a suscité l'intérêt autour de ce projet ?

c. À votre avis, est-il plus facile de concevoir et de réaliser un projet tout seul ou en collaboration ? Quels sont les avantages et les inconvénients de chaque modalité de travail ?

Faire l'état des lieux

Projets de loi sur la légalisation et la dépénalisation du cannabis : tendance mondiale alarmante ou encourageante ?

La prohibition du cannabis, consensus mondial depuis plus d'un siècle, serait-elle en train de partir en fumée ? Avec la Californie, qui a légalisé cette drogue le 1er janvier, et le Canada, qui s'apprête à le faire en octobre, cette hypothèse commence à prendre corps. Elle était pourtant encore farfelue quand l'Uruguay a ouvert la voie, en 2013, en légalisant de façon encadrée la culture et la consommation de cannabis. Si cette drogue douce se consomme depuis des siècles sous différentes formes pour des usages récréatifs ou thérapeutiques, elle était prohibée dans la quasi-totalité des pays du monde.
Mais contrairement à une idée répandue, cet état de fait était relativement récent dans l'histoire humaine. L'une des premières lois de prohibition du cannabis a été votée en Égypte en 1868, mais la plupart des pays occidentaux n'ont suivi que dans les années 1920 ou 1930, et la prohibition ne s'est vraiment mondialisée qu'après-guerre, comme le rappelle le *Transnational Institute* dans un rapport sur la question.

Le cannabis légalisé pour 1,5 % de la population mondiale

Au tournant du XXIe siècle, le constat d'échec à l'égard des politiques répressives a conduit les autorités de plusieurs pays à s'interroger sur l'opportunité de politiques alternatives, basée sur l'idée suivante : puisque nous n'arrivons pas à enrayer les trafics et à dissuader les consommateurs, acceptons cette consommation pour mieux l'appréhender et améliorer la prévention

La population concernée par la légalisation du cannabis récréatif

En 2018, avec l'entrée en vigueur de la nouvelle législation canadienne, environ 1,5 % de la population mondiale aura accès légalement au cannabis récréatif. Si la question de la légalisation agite le débat politique de nombreux pays, peu d'entre eux semblent aujourd'hui prêts à franchir le pas. Seule la Nouvelle-Zélande a officiellement engagé le processus, avec un référendum sur la question prévu d'ici à 2020.

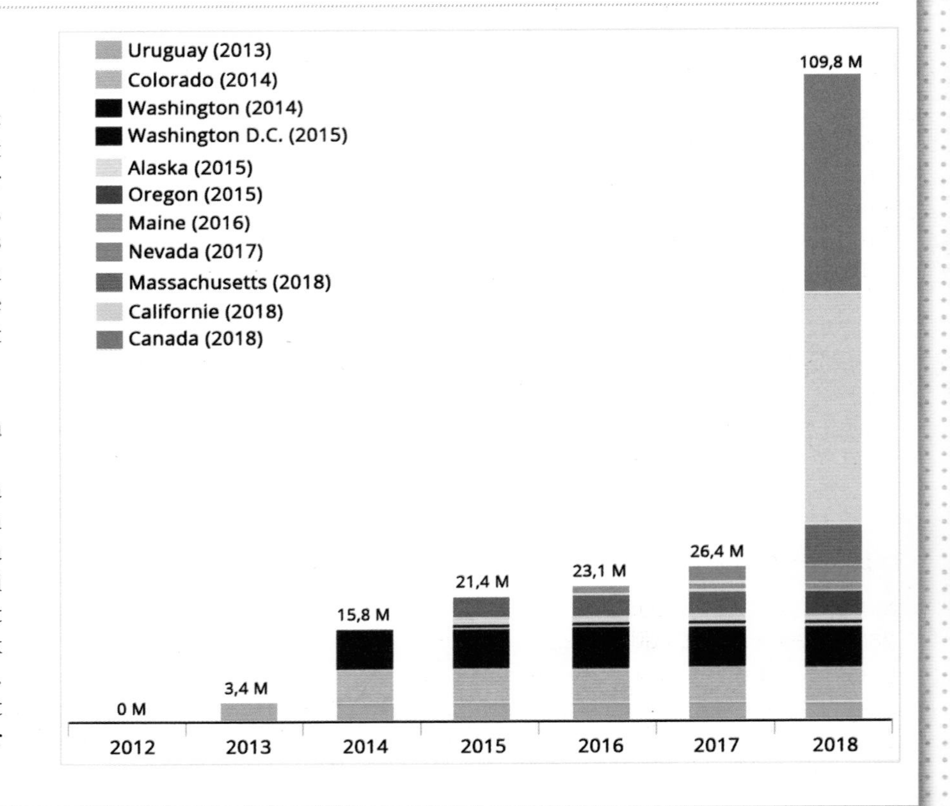

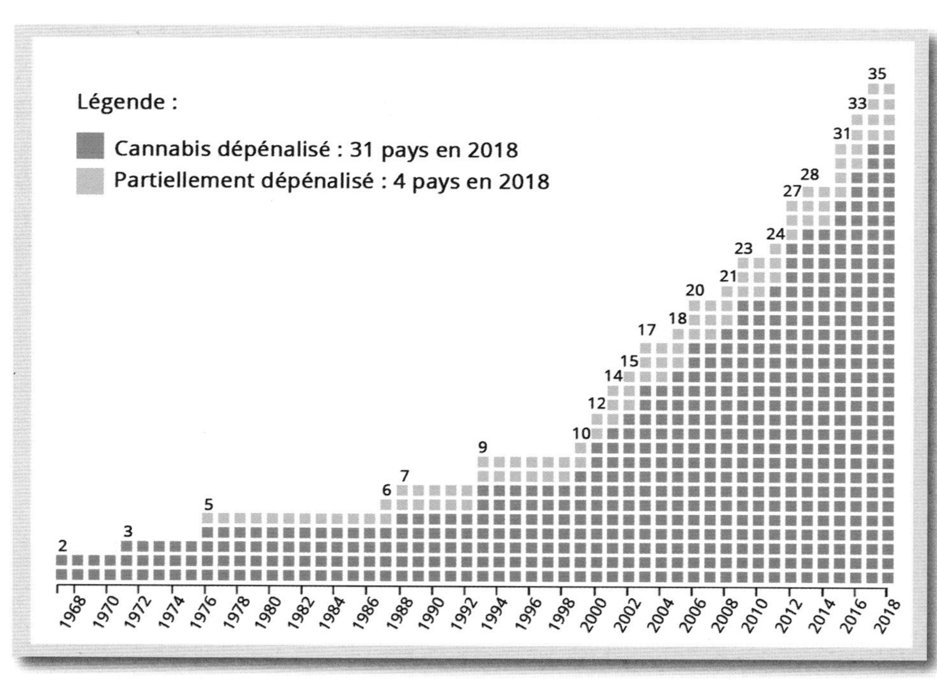

La dépénalisation, une solution intermédiaire qui séduit

En revanche, un grand nombre de gouvernements ont fait un autre choix pour desserrer l'étau répressif : la dépénalisation. La consommation et/ou la culture du cannabis restent officiellement illégales, mais elles sont tolérées ou soumises à des peines beaucoup moins lourdes, allant de la simple amende aux travaux d'intérêt général, en passant par la prescription d'une cure de désintoxication. Dans l'immense majorité des cas, cette politique de tolérance est réservée à la consommation personnelle de drogue, en petites quantités, et n'exonère pas les trafiquants. Elle maintient aussi souvent d'importantes contraintes pour les usagers (interdiction de fumer en public en Espagne et en Ukraine, pénalisation en cas de récidive en Italie, en Israël et en Lettonie, etc.).

Cette solution intermédiaire, généralement motivée par des visées pragmatiques, a séduit de nombreux gouvernements d'Europe et d'Amérique depuis le début du siècle. Pour plusieurs États américains, cela a représenté une première étape avant la légalisation pure et simple.

Le cannabis thérapeutique toujours peu accessible

Au-delà de l'enjeu récréatif, la question du cannabis se pose également sur un plan médical. De nombreux malades réclament, en effet, d'accéder à la marijuana ou aux dérivés du cannabis, non pas pour « planer » mais pour soigner ou atténuer douleurs, nausées, vomissements ou manque d'appétit.

Cette reconnaissance progressive des vertus thérapeutiques du cannabis a conduit, ces dernières années, de nombreux gouvernements à infléchir leur législation pour le rendre accessible aux malades. Mais derrière la quarantaine de pays concernés par le « cannabis thérapeutique » se décline une grande variété de situations : il est vendu en pharmacie sans ordonnance en Macédoine, cultivé par l'armée en Italie, mais accessible seulement sur prescription en Argentine, et seulement sous forme de spray au Brésil. En Hongrie, certains médicaments à base de cannabis sont accessibles aux patients atteints de sclérose en plaques, mais seulement après une validation, au cas par cas, des autorités. [...] Depuis le début des années 2000, 33 pays ont légalisé partiellement ou totalement le cannabis à usage thérapeutique.

La France isolée en Europe

L'Hexagone, bien que souvent cité comme le plus gros consommateur d'Europe de cannabis – en particulier dans sa version récréative – fait figure de quasi-exception sur le continent. Aucun gouvernement n'a jamais avancé vers la dépénalisation ou la légalisation, même si Emmanuel Macron a annoncé que les consommateurs seraient bientôt punis d'une simple contravention.

Seule l'utilisation thérapeutique est légale en France, depuis 2013. Mais un seul médicament ayant reçu une autorisation de mise sur le marché (le Marinol), cette légalisation est toute relative. Cette situation, régulièrement critiquée par les associations et certains professionnels de santé, commence à faire figure d'exception en Europe, où les législations se sont fortement assouplies depuis le début des années 2000.

LeMonde.fr, Maxime Vaudano et Pierre Breteau, 20/06/2018.

1. Lisez le texte p. 52-53 et observez les infographies puis répondez aux questions.

a. Quels sont les enjeux de société auxquels tendent à répondre les projets de légalisation de drogues douces dans différents pays du monde ?

b. Comment peut-on expliquer le tournant pris par les gouvernements de certains pays au début du XXIe siècle quant à leur politique concernant le cannabis ? Quelles solutions ont été adoptées afin de décriminaliser la culture et la consommation du cannabis à des fins récréatives et à des fins thérapeutiques ? Que pensez-vous de ces stratégies ?

c. Quels sont les secteurs et groupes sociaux qui bénéficieront de la légalisation de drogues douces ? Lesquels constitueront des groupes à risques potentiels ?

Unité 2 - Leçon 3 - Défendre ou critiquer un projet

2. Visionnez les vidéos n° 11 et 12.

Les reportages vidéo

N° 11

La révolution du cannabis en Uruguay, deux ans plus tard

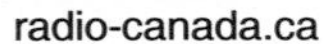
radio-canada.ca

N° 12

Légalisation du cannabis au Colorado : un bilan en demi-teinte

france24.com

3. Évaluez les effets de la légalisation du cannabis en Uruguay et au Colorado.

a. Remplissez le tableau ci-dessous.

	L'Uruguay	Le Colorado
Pourquoi légaliser le cannabis (historique, contexte, motivations et objectifs du gouvernement) ?		
Quelles sont les dispositions de la loi quant à la consommation et la possession (âge, quantité, culture à domicile), les coûts, la vente de produits dérivés, les points de vente, l'utilisation des revenus ?		
Quelles sont les restrictions imposées en ce qui concerne les lieux publics, les conditions de vente, la conduite, le tourisme ?		
Quelles mesures ont été mises en place pour assurer le suivi de l'expérience ?		
Quelles mesures ont été prises afin de contrôler la culture et la consommation ?		
Est-ce que la légalisation fait l'unanimité à l'intérieur du pays ?		
Quel est le premier bilan de la légalisation du cannabis ? Quelles sont les leçons à en tirer ?	❐ rassurant ❐ inquiétant	❐ rassurant ❐ inquiétant

b. Comparez la façon dont les administrations de ces deux pays ont légalisé et réglementé le cannabis.

c. En utilisant le lexique de l'encadré ci-contre, faites une analyse critique des deux projets de légalisation du cannabis. Relevez les points positifs et mettez en lumière les limites ainsi que les effets négatifs dans chacun des contextes.

4. Reformulez des phrases en employant des termes ou structures synonymiques.

Observez l'emploi des expressions idiomatiques dans les phrases ci-dessous.
Reformulez les phrases ou exprimez l'idée autrement.

a. La prohibition du cannabis, serait-elle en train de **partir en fumée** ? Cette hypothèse commence à **prendre corps**.

b. L'industrie a généré 600 millions d'euros en 2014. Les gens disent que l'**argent ne pousse pas dans les arbres**, et pourtant ....

c. Ce « pot » local sera vendu deux dollars cinquante, un cinquième du prix du marché noir. C'est comme ça que le gouvernement veut **couper l'herbe sous le pied** des narcotrafiquants.

Mieux s'exprimer

Défendre un projet

Le projet a le mérite de ..., a pour ambition de ..., habilite le gouvernement à ..., contribue à ..., comble une lacune importante ..., vient en aide à ..., répond à un besoin ..., tente de résoudre ..., soulève la question de ..., attire l'attention sur ..., crée de nouvelles avenues de croissance pour ..., renforce le contrôle, les compétences ..., ouvre des portes à ..., prend en compte ..., donne naissance à ..., reçoit l'appui de ... grâce à sa pertinence, à son caractère novateur ..., met fin à la discrimination, aux inégalités ..., intègre ..., favorise ..., sensibilise ...

Critiquer un projet

Le projet passe sous silence ..., crée de nouvelles contraintes, des tensions ..., risque de provoquer ..., rencontre une opposition car..., heurte les intérêts de ..., porte atteinte à ..., a une incidence défavorable sur ..., supprime/peut avoir des retombées négatives sur ..., promeut/encourage un mode de vie ...

Présenter des arguments pour ou contre

5. Répondez au sondage suivant.
Ensuite, compilez les réponses individuelles afin de dégager les tendances générales du groupe.

a. Êtes-vous favorable ou non à la légalisation du cannabis ?
❒ 1. Très défavorable
❒ 2. Plutôt défavorable
❒ 3. Plutôt favorable
❒ 4. Très favorable

b. Quels sont les principaux aspects négatifs de la légalisation du cannabis ?
❒ 1. Aucun effet négatif
❒ 2. Consommation des mineurs
❒ 3. Santé mentale
❒ 4. Accidents de la route
❒ 5. Banalisation des dangers
❒ 6. Dépendance
❒ Autre : ...

c. Quels sont les principaux aspects positifs de la légalisation du cannabis ?
❒ 1. Aucun effet positif
❒ 2. Déjudiciarisation
❒ 3. Contrôle de la qualité
❒ 4. Autre : ...

d. La légalisation du cannabis va-t-elle enrayer le marché noir ?
❒ 1. Totalement en accord
❒ 2. Plutôt en accord
❒ 3. Plutôt en désaccord
❒ 4. Totalement en désaccord

e. À quoi les revenus de la vente de cannabis devraient-ils être consacrés ?
❒ 1. Financement du système de santé
❒ 2. Dépenses générales de l'État
❒ 3. Lutte contre la toxicomanie

f. Lorsque le cannabis sera légal, serez-vous plus tenté(e) d'en consommer ?
❒ 1. Beaucoup moins tenté(e)
❒ 2. Cela n'aura pas d'impact
❒ 3. Beaucoup plus tenté(e)

g. Êtes-vous favorable à ce que les particuliers puissent faire pousser du cannabis à leur domicile ?
❒ 1. Très défavorable
❒ 2. Plutôt défavorable
❒ 3. Plutôt favorable
❒ 4. Très favorable

h. À quel endroit devrait-on autoriser la vente de cannabis ?
❒ 1. magasins d'état
❒ 2. magasins spécialisés privés
❒ 3. pharmacies
❒ 4. dépanneur (Québec)/ épiceries du coin
❒ Autre : ...

i. Êtes-vous favorable à la vente de produits comestibles contenant du cannabis ?
❒ 1. Très défavorable
❒ 2. Plutôt défavorable
❒ 3. Plutôt favorable
❒ 4. Très favorable

j. Êtes-vous favorable à l'installation d'un point de vente de cannabis dans votre quartier ?
❒ 1. Très défavorable
❒ 2. Plutôt défavorable
❒ 3. Plutôt favorable
❒ 4. Très favorable

Commentaire : expliquez vos choix de réponse et/ou exprimez votre opinion sur une des questions du sondage en présentant au moins trois arguments.

Adapté de : Radio-Canada, sondage législation cannabis.

Mieux s'exprimer

Présenter ses arguments

Introduire un argument
Nous savons tous que ..., On parle beaucoup de ..., Certains affirment que ..., Personne ne conteste que ..., Dans une étude sur... l'auteur affirme que ...

Hiérarchiser ses arguments
Commençons par ..., Une première remarque s'impose sur ..., Il faut d'abord rappeler que ...

Introduire un exemple
Par exemple ..., Ainsi ..., Comme en témoigne ..., Comme l'indique ..., Tel est le cas de ..., L'exemple le plus significatif nous est fourni par ..., L'expérience a prouvé que ...

Marquer une transition
Après avoir traité de la question de ..., Passons à ...

Insister, mettre en valeur
Il faut souligner que ..., Il est à noter que ..., Non seulement ... mais aussi ..., D'autant plus que ..., Et n'oublions pas que ...

Souligner une similitude
Également ..., Il en va de même pour ..., De la même manière ...

Récapituler, résumer
Après tout..., En somme..., En fin de compte ..., Toute réflexion faite ..., Finalement ..., Pour résumer ..., En un mot ..., Bref...

Conclure
Ainsi..., Nous avons donc vu que ..., Pour finir ...

6. Débattez.

a. Selon votre réponse à la question 1 du sondage *Êtes-vous favorable ou non à la légalisationdu cannabis ?* partagez-vous en groupes.
Groupe A. Très favorable
Groupe B. Plutôt favorable
Groupe C. Plutôt défavorable
Groupe D. Très défavorable

b. Une fois dans votre groupe, justifiez vos réponses et faites une liste d'arguments en faveur de votre position.

c. Ensuite, formez un nouveau groupe réunissant des personnes avec des opinions différentes (A, B, C et D). Débattez de la question et tentez de convaincre des membres de l'équipe.

d. Après le débat, avez-vous changé d'avis ? Dirigez-vous vers le groupe (A, B, C ou D) qui correspond à votre position finale. Est-ce que le débat a modifié la composition des groupes initiaux ?

Unité 2 - Leçon 3 - Défendre ou critiquer un projet

Évaluer un projet éducatif

7. Lisez le texte suivant et visionnez la vidéo n° 13.

Ubisoft lance Codex, un projet éducatif de jeux vidéo en milieu scolaire

Représentant un investissement de huit millions de dollars sur une période de cinq ans, **le programme Codex vise à** aider des établissements scolaires à tirer profit du potentiel des jeux vidéo. Selon Ubisoft, ces potentialités sont nombreuses.
En effet, **les responsables du projet estiment que** l'utilisation des jeux vidéo en contexte scolaire peut **avoir un impact positif** sur la persévérance et la motivation. **Des études,** mais aussi **de réels témoignages** provenant d'élèves et d'intervenants du milieu, **montrent que** le fait d'être impliqué dans un projet que l'on juge intéressant est un facteur qui peut jouer grandement sur ces variables. En retour, celles-ci sont décisives sur la réussite des jeunes. Pour Yannis Mallat, président-directeur général d'Ubisoft Montréal-Toronto, Codex constitue une façon de **mettre** le jeu vidéo **au service de** la réussite des élèves.

Ubisoft **est également d'avis** que ce programme peut **participer positivement à** l'enseignement et à l'apprentissage de plusieurs disciplines. Les mathématiques, grandement utilisées en programmation, représentent l'une d'elles. À cet effet, le site de Radio-Canada présente un reportage résumant les grandes lignes de Codex, dans lequel un élève du secondaire affirme que son intérêt et ses habiletés en mathématiques se sont améliorés en créant des jeux vidéo dans le cadre de ce programme. La firme de création multimédia pense aussi que la création de jeux vidéo **suscite le développement de compétences** recherchées chez les futurs diplômés, dont l'esprit créatif.
Le programme Codex constitue un regroupement de plusieurs initiatives d'Ubisoft destinées au milieu scolaire canadien, du primaire à l'université. Bien qu'il soit soutenu financièrement par cette entreprise, sa conception et son déploiement **font grandement appel à** des intervenants du milieu de l'éducation ainsi qu'à des organismes à but non lucratif.

École branchée, Dominic Leblanc, 25 novembre 2015.

Le reportage vidéo

Ubisoft et le raccrochage scolaire

N° 13

8. Répondez aux questions.

a. En une phrase, résumez l'idée principale du projet Codex.
b. Faites une synthèse des témoignages des différents acteurs impliqués dans le projet afin de mettre en évidence les forces de cette initiative. Pensez à d'autres avantages qui n'ont pas été mentionnés.
c. Selon vous, qu'est-ce qui pousse les grandes compagnies comme Ubisoft à faire des investissements significatifs dans ce type de projets ?
d. À votre avis, est-ce que l'apprentissage par le jeu est un bon moyen de combattre le décrochage et d'encourager les jeunes à s'intéresser davantage aux études ? Expliquez votre réponse. Cherchez d'autres moyens et stratégies qui pourraient contribuer à soutenir la persévérance scolaire ?
e. Trouvez des raisons pour lesquelles des écoles et des parents s'opposeraient à la participation au projet Codex ? Que leur répondriez-vous ?

9. Restituez un texte.

À cause d'un virus informatique, tous les documents concernant le projet Codex ne sont plus accessibles.
En vous basant sur les informations de l'article et de la vidéo précédents, restituez le texte de la proposition du projet en remplissant le formulaire ci-dessous.

TITRE Nom et slogan accrocheur afin d'attirer l'attention de la clientèle cible.
DESCRIPTION • **Formulation d'un problème rencontré.** • **Analyse de la situation :** historique, étude du contexte, causes et conséquences du problème. • **Expression d'un besoin, d'un désir, d'un souhait.** • **Proposition d'une solution.**
INNOVATION Originalité, contribution sociale, avancement d'un domaine, approche innovante, caractère interdisciplinaire, etc.
PARTENARIATS
BÉNÉFICIAIRES Clientèles et secteurs visés.
OBJECTIFS Habiletés ou comportements à modifier ou à acquérir.
ÉTAPES DE RÉALISATION ET ACTIONS À METTRE EN ŒUVRE
RETOMBÉES Effets visés et résultats espérés.

Mieux s'exprimer

Formuler une description, des objectifs, des actions

La description	Les objectifs	Les actions
Un sondage mené auprès de ... a démontré que ... L'analyse/l'étude/l'enquête a révélé les raisons principales pour lesquelles ... Le projet s'articule autour de ...	Le projet vise à/a pour but de/d' ... augmenter, améliorer, soutenir, faciliter, contribuer, renforcer, optimiser, poursuivre, attirer, développer, intensifier, déployer ...	Pour répondre à cette problématique, le projet propose de / notre organisation s'engage à ... élaborer, produire, organiser, offrir, fonder, créer, mettre en place, collaborer, concevoir ...

Point infos

• **Le Programme de Mobilité des Jeunes (PMJ) de l'Organisation internationale de la Francophonie (OIF)** a été conçu pour encourager les échanges entre jeunes de l'espace francophone, dans les domaines de la création d'emplois, de la protection de l'environnement, de l'éducation à la citoyenneté et à la démocratie et de l'utilisation des technologies de l'information et de la communication.
Son site portail www.jeunesse.francophonie.org offre une plateforme d'information et d'échange ainsi que de nombreux appels à projets et concours internationaux.

N° 14.1

ORGANISATION INTERNATIONALE DE la francophonie

Jeunes Ivoiriens, lauréats du concours Marché aux projets

N° 14.2

• **LOJIQ – Les Offices jeunesse internationaux du Québec –** est le regroupement d'organismes de mobilité internationale jeunesse.
LOJIQ a conçu des programmes pour permettre aux étudiants, professionnels, chercheurs d'emploi, entrepreneurs, artistes, citoyens engagés ou jeunes en démarche d'insertion socioprofessionnelle de réaliser un projet à l'international.

Pour proposer un projet, rendez-vous sur le site Web du LOJIC : https://www.lojiq.org/participer/ lojiq

Projet

Rédiger une proposition de projet

Vous avez sûrement déjà été témoin d'une situation problématique au sein d'une institution ou d'une communauté, par exemple, et avez probablement réfléchi à des solutions qui auraient pu y remédier.
Préparez une proposition de projet dans laquelle vous expliquez la problématique et vous proposez des solutions pour améliorer la situation.
Enregistrez une vidéo promotionnelle de votre projet (Inspirez-vous des vidéos ci-dessus).

Compréhension de l'oral - C1

N° 03

Écoutez l'enregistrement puis répondez aux questions.

1. Quelle « grande question » pose le présentateur ?
   a. D'où vient l'augmentation de l'usage des téléphones intelligents ?
   b. Peut-on développer une addiction aux outils numériques ?
   c. Les enfants et les adolescents passent-ils trop de temps sur leur téléphone ?
2. Citez deux symptômes associés à la dépendance au numérique chez les personnes en traitement.
3. Quelle est la différence entre les filles et les garçons révélée par la deuxième étude de Magali Dufour ?
4. Quel est l'impact de l'utilisation exagérée des réseaux sociaux chez les adolescentes ?
   a. Cela développe chez elles une vie sociale trop envahissante.
   b. Cela diminue leurs interactions sociales et leurs activités hors-ligne.
   c. Cela donne l'avantage aux loisirs plutôt qu'aux études.
5. Quel est l'effet des outils numériques sur la socialisation des jeunes ?
6. Quel est l'avantage des nouvelles technologies selon Sylvia Kairouz ?
7. Selon Sylvia Kairouz, de quoi les objets numériques nous éloignent-ils ?
   a. D'une interaction réelle avec notre environnement immédiat.
   b. De la conscience des distances géographiques.
   c. Des relations interpersonnelles.

Compréhension et production orales - C2

1. Monologue suivi : présentation du document

N° 03

Écoutez le document sonore et prenez des notes. Préparez un exposé de 5 à 10 minutes pour présenter son contenu, selon un ordre et une progression logique et cohérente.

Conseils

1. Il s'agit de faire un compte-rendu du document sonore : vous ne suivrez pas l'ordre du document, mais organiserez les propos selon un ordre logique et clair et en reformulant les idées.
2. Vous pourrez laisser de côté des détails ou exemples, mais votre exposé devra retransmettre précisément les points de vue présents dans le document sonore.
3. Vous devez rester neutre, ne pas ajouter de commentaires ou d'informations.
4. Essayez de noter le nom des intervenants et de les placer dans leur contexte (spécialités, professions, etc.) pour présenter leurs propos.

2. Point de vue argumenté et débat

1. Préparez un exposé d'une dizaine de minutes sur un des sujets au choix. Traitez un seul des deux sujets.

Sujet 1
En tant qu'auteur d'un blog intitulé « Modes de vie à l'heure du numérique », vous êtes invité à une émission de radio portant sur la dépendance au numérique. Vous exposez en quoi notre connexion aux autres par les outils numériques est un avantage. Vous soutenez qu'elle représente une réelle forme de socialisation, même si elle est encore nouvelle et, de ce fait, pas toujours bien maîtrisée ou comprise.

Sujet 2
En tant qu'animateur auprès d'adolescents, vous participez à une table-ronde sur les dépendances au numérique. Vous exprimez votre inquiétude face à l'usage addictif du numérique par les jeunes. Vous présentez votre réflexion sur les actions à mettre en place pour renforcer l'interaction sociale en dehors du monde virtuel, afin de minimiser la dépendance au numérique et de connecter les personnes à leur environnement immédiat.

2. Présentez ensuite votre exposé à un ou plusieurs camarades et réalisez un petit débat ensemble sur le sujet. Puis écoutez l'exposé d'un camarade. Présentez-lui d'autres arguments pour qu'il développe sa réflexion et réponde à vos critiques et réfutations.

Conseils

1. Vous développerez ici votre point de vue, selon un déroulement logique. Vos arguments seront soutenus par des exemples, données, références.
2. Comme le sujet porte sur le thème du document sonore, vous pouvez l'utiliser pour soutenir votre propos (exemples, références, idées...).
3. Respectez le sujet : il vous donne un contexte, un rôle (exemple : vous êtes un journaliste, un enseignant...) impliquant un registre de langue, un ton et un objectif (convaincre, réfuter...). Cette adéquation au sujet est notée à l'examen.
4. La dernière partie de l'épreuve est un petit débat avec les examinateurs. Ils vous présenteront des arguments opposés à votre point de vue : ayez confiance en vous ! Vous devez soutenir votre point de vue, mais pouvez le nuancer légèrement.

Production écrite – C1

1. Synthèse

En 200 mots, écrivez une synthèse de ces deux textes :
– « Connectés pour apprendre ? », (voir ci-dessous)
– « Ubisoft lance Codex », leçon 3, p. 56

Connectés pour apprendre ? Les élèves et les nouvelles technologies

Les technologies de l'information et de la communication (TIC) ont révolutionné presque tous les aspects de notre vie privée et professionnelle. Si les élèves ne sont pas capables de naviguer dans un environnement numérique complexe, ils ne pourront plus participer pleinement à la vie économique, sociale et culturelle du monde qui les entoure. [...]

Ce rapport présente une analyse comparative internationale – la première dans ce domaine – des compétences numériques des élèves et des environnements d'apprentissage conçus en vue de les développer. Il révèle l'immense décalage entre la réalité de notre école et les promesses des nouvelles technologies. En 2012, 96 % des élèves de 15 ans des pays de l'OCDE indiquaient avoir un ordinateur à la maison, mais seulement 72 % déclaraient utiliser un ordinateur de bureau, un ordinateur portable ou une tablette à l'école, et dans certains pays, moins d'un élève sur deux se disait dans ce cas. En outre, même lorsque les nouvelles technologies sont utilisées en classe, leur incidence sur la performance des élèves est mitigée, dans le meilleur des cas. Les élèves utilisant modérément les ordinateurs à l'école ont tendance à avoir des résultats scolaires légèrement meilleurs que ceux ne les utilisant que rarement. Mais en revanche, les élèves utilisant très souvent les ordinateurs à l'école obtiennent des résultats bien inférieurs dans la plupart des domaines d'apprentissage, même après contrôle de leurs caractéristiques socio-démographiques. [...].

Une interprétation possible de ces résultats est que le développement d'une compréhension conceptuelle et d'une réflexion approfondies requiert des interactions intensives entre enseignants et élèves – un engagement humain précieux duquel la technologie peut parfois nous détourner. Une autre interprétation pourrait être que nous ne maîtrisons pas encore assez le type d'approches pédagogiques permettant de tirer pleinement profit des nouvelles technologies, et qu'en nous contentant d'ajouter les technologies du XXIe siècle aux pratiques pédagogiques du XXe siècle, nous ne faisons qu'amoindrir l'efficacité de l'enseignement. [...].

Il ne faut pourtant pas baisser les bras face à ces constats. Les systèmes d'éducation doivent trouver des solutions plus efficaces afin de fournir aux professionnels de l'éducation des environnements d'apprentissage qui permettent de développer les pédagogies du XXIe siècle et qui dotent les enfants des compétences du XXIe siècle dont ils auront besoin pour réussir dans le monde de demain. La technologie est le seul moyen d'élargir au maximum l'accès à la connaissance. [...]. Les nouvelles technologies offrent d'excellentes plateformes de collaboration pour la création de connaissances, par le biais desquelles les enseignants peuvent partager et enrichir leurs ressources pédagogiques. Et point le plus important peut-être, la technologie peut être utilisée au service des nouvelles pédagogies plaçant les apprenants au cœur d'un apprentissage actif, en offrant des outils pour les méthodes d'apprentissage par investigation et des espaces de travail collaboratifs. La technologie peut ainsi renforcer l'apprentissage par l'expérience, favoriser les méthodes pédagogiques d'apprentissage par projet et par investigation, faciliter les activités pratiques et l'apprentissage collaboratif, permettre une évaluation formative en temps réel et soutenir les communautés d'apprentissage et d'enseignement, en offrant de nouveaux outils tels que les laboratoires virtuels et à distance, les didacticiels non linéaires très interactifs fondés sur une conception pédagogique de pointe, les logiciels sophistiqués d'expérimentation et de simulation, les médias sociaux et les jeux sérieux.

[...] Enfin, il est crucial que les enseignants deviennent des acteurs engagés de ce changement, en participant non seulement à la mise en œuvre des innovations technologiques, mais aussi à leur conception.

Andreas Schleicher, Direction de l'éducation et des compétences, « Avant-propos », *Rapport de l'OCDE*, 2015.

2. Essai argumenté

Écrivez un texte argumentatif de 250 mots minimum sur le sujet suivant.

L'école primaire où étudient vos enfants a décidé de doter chaque élève d'une tablette numérique. Au sein de l'organisation des parents d'élèves, un débat sur les avantages et inconvénients de cette mesure est en cours.

Vous écrivez un mail à l'organisation des parents d'élèves pour donner votre opinion, de manière argumentée, sur ce sujet.

Conseils

1. Vous développerez ici votre point de vue. Il suivra un déroulement logique, avec une introduction, une conclusion, une progression cohérente et des arguments soutenus par des exemples.

2. Le sujet portant toujours sur le même thème que la synthèse, vous pouvez utiliser les textes lus pour soutenir votre propos (exemples, références, idées...).

UNITÉ 3

RÉFLÉCHIR AUX RÉALITÉS POLITIQUES ET SOCIALES

Leçon 1

Préparer un débat

- Analyser et prendre position
- Préparer des arguments
- Débattre dans le cadre d'une concertation citoyenne

Projet : Participer à un café citoyen

Réfléchissez aux questions suivantes.

a. Qu'est-ce que les débats apportent à la société ? Est-ce qu'ils permettent de faire changer les idées et les opinions ?
b. Quels types d'arguments trouvez-vous les plus efficaces et convaincants ?
c. Avez-vous déjà participé à un débat qui vous a fait changer d'avis ? Quels arguments vous ont convaincus ?

Analyser et prendre position

1. Partagez vos connaissances sur l'intelligence artificielle.

L'intelligence artificielle suscite de l'excitation chez les scientifiques, mais aussi certaines craintes. Avant d'écouter les réflexions sur des questions majeures et les points de vue de trois sommités dans le domaine, recensez ce que vous savez déjà sur le sujet. Faites une liste des avancées technologiques qui, selon vous, auront un impact positif sur l'humanité et identifiez les aspects qui représentent des risques potentiels.

2. Visionnez la vidéo n° 15 et répondez aux questions.

a. Repérez les craintes mises en avant dans la vidéo. Comment les experts répondent-ils à ces craintes ?
b. Dans le domaine du travail, quelles seront les influences de l'intelligence artificielle ? Quels emplois seront touchés par elle ? Lesquels sont les moins susceptibles de l'être ?
c. Avec tous les développements que permettra l'intelligence artificielle, quel sera l'apanage de l'humain ?
d. Quelle devrait être la réponse des gouvernements pour encadrer l'intelligence artificielle ?

Le reportage vidéo

N° 15

La révolution de l'intelligence artificielle : excitation et craintes

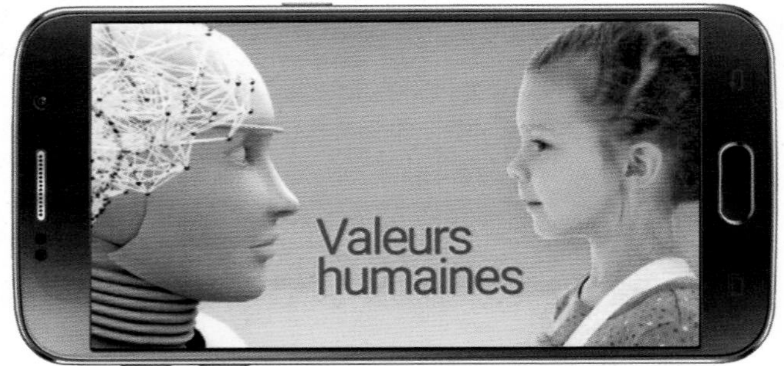

radio-canada.ca

3. Lisez le texte p. 63 et associez chaque interrogation aux thématiques ci-dessous.

- Le débat économique
- Le débat sociétal
- Le débat philosophico-scientifique
- Le débat juridique
- Le débat éthique

4. Observez les procédés utilisés par la journaliste pour introduire chacun des débats.

Repérez les verbes utilisés pour citer un expert, une étude, etc.

Point infos

L'Office québécois de la langue française vous propose un vocabulaire bilingue de 85 concepts liés à l'intelligence artificielle. Ce vocabulaire bilingue comprend également des données dans d'autres langues romanes dans plus du quart des fiches. De quoi faciliter la compréhension d'un domaine bien réel !

Les 5 débats de l'intelligence artificielle

Le 28 mai 2017, Alphago, l'intelligence Artificielle de Google remporte sa troisième manche contre Kee Ji, le numéro 1 mondial de Jeu de Go. [...] Dès le lendemain Google annonce mettre son champion à la retraite et consacrer ses efforts à des travaux plus utiles pour l'humanité. En effet, ce sont 20 à 30 milliards de dollars que les géants des technologies investissent pour faire avancer la recherche. Si l'effervescence scientifique ne fait aucun doute, si les premiers usages commencent à se concrétiser dans nos vies avec les assistants personnels, les questions restent néanmoins nombreuses et divisent nos élites. Petit tour d'horizon en 5 débats.

• Qu'est-ce que l'intelligence ?
Une question pour le moins passionnelle est celle de savoir si l'on pourra un jour imiter, voire dépasser l'intelligence humaine. C'est le fameux point de singularité défendu par le controversé Ray Kurzweil : le point d'inflexion au-delà duquel les hommes seront dépassés par les robots, de sorte que le progrès ne sera alors généré que par des supra-intelligences. Le directeur de l'ingénierie de Google situe ce point d'inflexion aux alentours de 2040-2050. Les scientifiques qui doutent de cet excès d'enthousiasme technologique critiquent la robustesse méthodologique du modèle d'explosion de l'intelligence. D'autres argumentent sur l'incapacité de toute IA à reproduire la spécificité de l'intelligence humaine : la créativité, la conscience de soi, l'émotion, la communication non verbale mais aussi la capacité d'adaptation ne sont pas imitables et feraient échouer les IA au célèbre test de Turing.

• Faut-il s'inquiéter du transhumanisme ?
La conviction des transhumanistes est qu'il faut passer d'une logique de réparation du corps humain à une logique d'amélioration de manière à éradiquer définitivement la maladie, voire le vieillissement. En 2014, Bill Gates, Elon Musk et Stephen Hawking se sont émus publiquement du fait que l'IA pouvait mener à la fin de l'humanité si la recherche n'était pas encadrée strictement. En France, des personnalités comme Luc Ferry ou Laurent Alexandre s'inquiètent du risque de dérive éthique et brandissent la menace d'un meilleur des mondes à la Huxley. Le futurologue Joël de Rosnay se fait plus rassurant, préférant parler d'hyperhumanisme. Pour lui, l'homme au cerveau augmenté n'est rien d'autre que la continuité de ce que l'homme a fait pour son propre corps, à savoir l'assister dans les tâches fastidieuses de son quotidien.

• Création ou destruction d'emplois ?
Robot avocat, journaliste, enquêteur, médecin, chauffeur... Toute tâche qui nécessite de traiter une grande masse d'informations à synthétiser, recouper pour identifier, calculer, déduire ou encore décider est inévitablement menacée de robotisation. Les dernières études estiment que 10 % des emplois présentent un risque élevé (sur 90 % de leurs tâches) de substitution par les intelligences artificielles. Mais l'impact à long terme est vu de manière plus ou moins optimiste par les économistes. Pour Daniel Cohen ou encore Jéremy Rifkin, on peut s'attendre à très peu de création d'emplois car le substitut de valeur se fait dans le même secteur d'activité, celui des services, rognant ainsi les emplois intermédiaires de la classe moyenne. Nicolas Bouzou rappelle que, comme le furent l'invention de la vapeur ou de l'électricité, l'intelligence artificielle est une « general purpose technology » qui aura un impact sur l'ensemble de l'économie. Il estime donc que ce n'est qu'après plusieurs décennies seulement que l'on pourra juger des innovations secondaires créatrices d'emploi.

• Faut-il une personnalité juridique à l'intelligence artificielle ?
Les partisans de la création d'une personnalité juridique font le parallèle avec la personnalité morale des entreprises, qui n'exclut pas celle des personnes physiques. Pour d'autres, faire payer les robots, c'est risquer de faire l'économie de l'enquête. Or la vraie question semble être aujourd'hui de s'assurer d'une possibilité de contrôle des intelligences artificielles. Laurence Devillers édicte 11 commandements pour les robots comme par exemple la traçabilité des algorithmes (« tu pourras toujours m'expliquer tes comportements si je te le demande ») et leur contrôle (« tu seras régulièrement contrôlé pour évaluer ce que tu as appris »).

• Que devient le travail dans un monde de robots ?
La fragmentation du travail intellectuel en tâches, déjà entamée par l'ubérisation via le modèle des plateformes, va s'accélérer avec la robotisation. Les experts s'accordent à dire que la logique de poste de travail où des salariés en CDI sont rémunérés en fonction du nombre d'heures accomplies n'a plus de sens dans ce monde post-révolutions numériques. Les métiers vont devoir tous évoluer pour apprendre à travailler avec l'IA, d'où un enjeu crucial de formation et d'accompagnement des salariés. Jean-Gabriel Ganascia évoque une évolution du travail au sens initial « labor » vers la notion chère à Hannah Arendt de travail « œuvre », où l'homme va exercer toute sa puissance créatrice et émotionnelle. Identifier, reconnaître les différentes formes de contribution sociétale (écrire sur Wikipédia, accompagner un proche malade, être membre d'une association, prendre des nouvelles des enfants d'un client...) et les valoriser seront des sujets majeurs, malheureusement trop vite évacués par la solution politique d'un revenu universel.

RHinfo, Caroline Faillet, 05/10/2017.

5. Répondez aux questions pour vérifier votre compréhension du sujet et des concepts clés liés à la problématique.

a. Expliquez en quoi consiste le point de singularité. À votre avis, est-ce une possibilité ?
b. Dans quelle mesure devrait-on utiliser l'intelligence artificielle à des fins médicales ? Selon vous, qu'est-ce qui ne serait pas acceptable ?
c. L'intelligence artificielle suscite des craintes quant à la perte d'emploi, mais croyez-vous qu'elle puisse également engendrer la création de nouveaux emplois ?
d. Un robot ayant commis un crime devrait-il être jugé de la même façon qu'un être humain ?
e. Pensez-vous qu'un robot puisse développer une conscience ?

6. Chaque paragraphe répond à une problématique. Trouvez des éléments de réponse à chacune des cinq problématiques et prenez position.

Préparer des arguments

7. Visionnez les vidéos n° 16 et 17 et répondez aux questions.

a. Les deux vidéos mettent en lumière les avantages de deux IA pour les personnes en situation de fragilité : une personne malade en perte d'autonomie et une personne seule. Quels sont ces avantages ?
b. En vous basant sur les informations du *Point infos*, pensez à d'autres arguments en faveur de ces deux projets.
c. À quels besoins et/ou enjeux sociaux tentent de répondre ces deux initiatives ?
d. Comment comprenez-vous le commentaire « une compagnie, pas un compagnon » fait par le patient au sujet de Pepper ?
e. Quelle est l'influence de l'apparence des robots sur la perception qu'on peut en avoir ? Expliquez.
f. Est-ce qu'un robot devrait avoir une identité, des caractéristiques qui le feraient ressembler à un humain ? Pourquoi ?
g. Laisseriez-vous un proche à l'hôpital être accompagné par un robot ? Jusqu'où seriez-vous prêts à accepter qu'il soit soigné par une IA ?
h. Comment réagiriez-vous si un ami vous annonçait qu'il allait s'acheter une coloc virtuelle ?

Les reportages vidéo

N° 16

Robots à l'hôpital : « une compagnie, pas un compagnon »

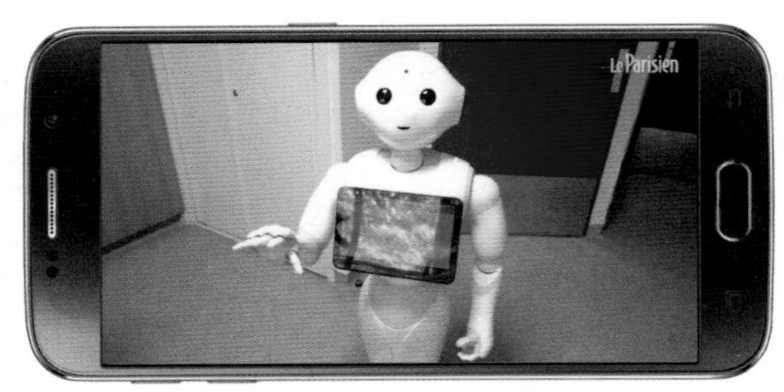

leparisien.fr

N° 17

Toi, mon amour, mon amie, mon robot de compagnie

numerama.com

Point infos

TOUS LES MOYENS SONT BONS POUR CONVAINCRE ?

Les arguments émotionnels sont souvent utilisés dans le domaine du marketing. Ils jouent sur la corde des émotions et s'adressent à la sensibilité du client pour susciter de sa part une réaction affective favorable.
Comme expliqué sur le site de ConseilMarketing, les arguments émotionnels jouent sur...
- **la valorisation du client** (« Qu'est-ce que ce produit va m'apporter à moi en tant que personne ») ;
- **le fait que l'humain est un animal social**... et donc qu'**il agit en fonction des autres** ;
- **les motivations essentielles** que sont l'amour, la gloire, l'argent, la sécurité, le confort, l'estime de soi.

D'après : ConseilsMarketing, 15 juillet 2018.

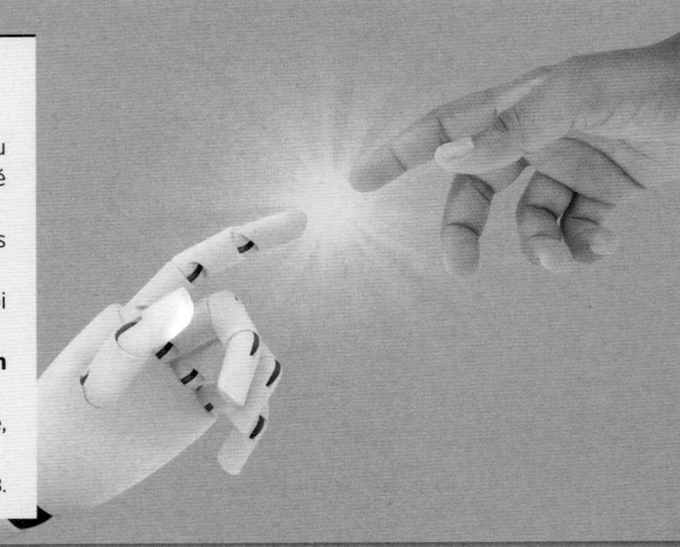

8. Trouvez d'autres publications en ligne sur le sujet de l'IA et répondez à la question suivante.

Les deux vidéos présentent le côté positif des projets sans mentionner leurs limites.
Quels sont les avantages et les dangers liés aux relations qui se développeront entre l'IA et des personnes en situation vulnérable ? Argumentez votre réponse.
Si le site consulté le permet, participez à la discussion avec d'autres internautes en laissant un commentaire en ligne.

9. Lisez les deux textes suivants. Que pensez-vous de ces deux initiatives ?

Texte 1

Dans les hôtels japonais, les robots remplacent déjà les employés

Pour faire face à la pénurie de main d'œuvre qui touche le secteur des services au Japon, plusieurs hôtels sont désormais tenus par des robots.

À Urayasu, près de Tokyo, 140 robots et machines « travaillent » dans les six étages de l'hôtel Henn na. Ramassage des ordures, machines porteuses de valises, robots multilingues pour permettre aux clients de s'enregistrer : tout est fait pour accueillir les voyageurs dans les meilleures conditions possibles. Chaque chambre est même équipée d'un robot baptisé « Tapia », un compagnon de vie conçu par l'entreprise japonaise MJI Robotics et capable de converser. L'établissement, inauguré en mars 2017 [...], compte une centaine de chambres. Mais avec la présence des robots, seuls sept employés sont nécessaires.

Et la robotisation des hôtels tend à s'étendre dans l'archipel nippon. Dans le premier hôtel géré par des robots, ouvert en 2015 et situé près de Nagasaki, les employés humains se font tout aussi rares. Une concierge humanoïde accueille les clients en japonais tandis que son collègue, un dinosaure robot, indique en anglais ou en japonais comment s'enregistrer. Mis à part le système de surveillance et le changement des draps, qui restent assurés par des employés humains, les robots s'occupent de tout. Autre particularité, l'hôtel – également détenu par H.I.S. – n'utilise pas de clés pour les chambres, mais un système de reconnaissance faciale.

Lefigaro.fr, Emmanuelle Oesterle, 27/07/2017.

Texte 2

Japon : une intelligence artificielle s'est présentée aux municipales

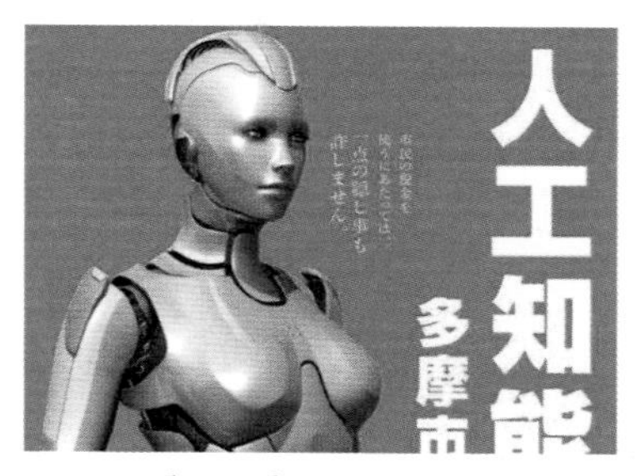

Le soulèvement des machines et leur prise de pouvoir, sujet de prédilection de nombreux livres et films de science-fiction, passera-t-il par les urnes ? C'est en tout cas en utilisant l'image d'un robot doté d'une intelligence artificielle que Michihito Matsuda a fait campagne pour les élections municipales de Tama, une ville d'environ 150 000 habitants située au sud-est de Tokyo, comme le rapporte *La Dépêche*.
Matsuda avait décidé de faire de l'intelligence artificielle son cheval de bataille, comme il l'a expliqué sur son compte Twitter. « Pour la première fois dans le monde, une IA se présente à une élection. L'intelligence artificielle va changer Tama. Avec la naissance d'un "maire-IA", nous allons conduire une politique impartiale et objective. Nous allons mettre rapidement en œuvre des lois bien renseignées et avec un savoir-faire technique pour diriger la nouvelle génération », a-t-il écrit au moment de se lancer dans sa campagne.

RTLfutur, Christophe Guirard,17/04/2018.

Selon les prédictions pour le futur de l'IA publiées sur le site Web Artificiel.net, de nombreux projets risquent d'échouer : « Chaque fois qu'une nouvelle technologie émerge, les précurseurs qui se lancent vaillamment dans des projets se heurtent à des difficultés imprévues. L'IA n'échappe pas à la règle, et les entreprises qui décident d'utiliser cette technologie peuvent être confrontées à des problèmes légaux, politiques ou économiques. Les projets risquent d'échouer, et compte tenu du coût élevé de cette technologie, ces échecs peuvent coûter très cher. Les projets les plus enclins à rencontrer le succès sont ceux qui découlent d'une stratégie claire et bien définie ».

Artificiel.net, Bastien L, 22 décembre 2017.

10. Faites des recommandations sur un projet après en avoir évalué les avantages et les dangers.

Vous êtes invité(e) à faire partie d'un groupe de travail qui doit évaluer le potentiel d'un des quatre projets, vus p. 64 et 65, afin de décider si ce type de projet pourrait être mis en place dans votre communauté (votre ville ou votre pays, votre entreprise, etc.).
Lisez le petit encadré *Artificiel.net* puis évaluez les avantages et les dangers potentiels de l'initiative de votre choix en tenant compte de votre contexte (social, politique, culturel, etc.).
Faites des recommandations aux décideurs et justifiez votre recommandation en présentant des arguments convaincants.

Savoir-faire

Avancer des arguments

Pour formuler un argument, on peut :
- relater **un fait** (événement réel, données véritables, etc.) ;
- fournir **un exemple** (expérience vécue, témoignage, etc.) ;
- inclure **une référence** ou **une citation** (résultats d'une enquête, d'une étude ou d'un sondage, avis d'experts, études sur un sujet, textes de loi, etc.) ;
- rappeler **un énoncé général** (maximes, proverbes, croyances communes et pensées qui ont traversé le temps comme « Mieux vaut prévenir que guérir »).

Unité 3 - Leçon 1 - Préparer un débat

Débattre dans le cadre d'une concertation citoyenne

11. Café citoyen sur la place des algorithmes dans notre vie quotidienne ! Lisez les scénarios suivants qui vous serviront de déclencheurs de discussion lors de la rencontre.

Le café citoyen est une pratique courante de consultation publique et un dispositif de conversation convivial visant à faciliter le dialogue constructif et le partage d'idées entre les citoyens, parties prenantes et experts.

Texte 1

Les algorithmes et la santé

Systèmes automatisés d'aide à la décision dans le domaine médical

Watson d'IBM est une IA qui analyse les données génétiques des patients, les informations recueillies lors de leur admission, leur historique médical et les compare avec 20 millions de données issues d'études d'oncologie clinique dans le but d'établir un diagnostic et proposer un traitement.

L'école de médecine de l'Université de Caroline du Nord a ainsi conduit en octobre 2016 une expérience montrant que les préconisations de Watson recoupaient les traitements prescrits par les cancérologues dans 99 % des 1 000 cas de cancer étudiés. Cette expérience a aussi démontré que dans 30 % des cas, Watson était à même de proposer davantage d'options thérapeutiques que les médecins.

Watson fonctionne sur le mode de l'« apprentissage supervisé ». Autrement dit, le système est accompagné pas à pas dans son apprentissage, ce qui permet d'en contrôler la logique, par opposition à un apprentissage non supervisé qui reviendrait effectivement à laisser une pleine et entière autonomie à la machine pour déterminer ses critères de fonctionnement.

Texte 2

Les algorithmes et le monde du travail

Systèmes automatisés d'aide au recrutement et à la gestion des ressources humaines

L'entreprise Cornerstone OnDemand est leader mondial des solutions cloud de formation et gestion des RH. Elle vend des logiciels d'aide au recrutement et à la gestion des RH. Ses technologies utilisent des algorithmes prédictifs et l'Intelligence Artificielle. Elle dispose de données de plus de 3 000 clients et 30 millions d'utilisateurs. D'après cette entreprise : « Les employés sont performants si le travail est adapté à leur profil et leur convient d'un point de vue personnel. L'aperçu réaliste des postes proposés « élimine » les candidats à qui les défis du poste ne conviennent pas, en leur montrant certaines réalités du travail avant qu'ils ne présentent leur candidature. » « Notre technologie de notation des profils permet un ajustement en continu de nos algorithmes et améliore la précision de la solution en fonction de vos données. Pas besoin d'effectuer des évaluations fréquentes et perturbatrices pour réétalonner les algorithmes. »

CNIL, Concertation citoyenne algorithmes, 14 octobre 2017.

Texte 3

Les algorithmes et le système judiciaire

La prise de décision du juge dans l'incertain

La cour municipale propose de piloter une IA qui assistera les juges dans leurs prises de décision. Notamment, au moment du jugement, l'algorithme calculera le pourcentage des chances de récidive et recommandera une peine. Pour arriver à une recommandation, l'algorithme calcule le risque sur la base de plusieurs facteurs : des facteurs historiques statiques, à savoir l'âge auquel la personne a commis sa première infraction et ses antécédents criminels ; des facteurs de risque dynamiques : occupation, fréquentations, relations amoureuses et familiales, remords exprimés, etc. Puis l'algorithme rapproche chaque cas particulier à un grand nombre de cas similaires.

À la suite de cette décision émise par l'algorithme, le juge a le choix de suivre la recommandation de l'algorithme ou de prendre sa propre décision, contre la recommandation de l'algorithme.

D'après : Déclaration de Montréal – IA responsible – Bilan des délibératins, pages 92-94.

Texte 4

Les algorithmes et la ville intelligente

Voitures autonomes : réglage de l'algorithme, partage de la rue et usage contingenté

Plusieurs arrondissements de la ville se sont rejoints pour créer des zones pilotes où la circulation sera organisée en priorité pour les véhicules électriques autonomes. Les véhicules autonomes y circuleront à une vitesse de 25 km/h pour assurer un maximum de sécurité des usagers, des cyclistes et des piétons. Cette politique garantira une fluidité, sans embouteillages, avec des feux de signalisation rendus dynamiques grâce à un réseau de capteurs connectés. Tout ceci permettra aux usagers d'envisager une activité dans leur véhicule sans être dérangés par des mouvements saccadés. Les véhicules avec conducteurs devront s'adapter à ces vitesses sous peine d'amendes dissuasives.

De plus, pour assurer sa politique zéro accident, la Ville mettra en place des barrières de sécurité sur les axes où les véhicules autonomes pourront aller à une vitesse « rapide » (50 km/h).

Finalement, les voitures autonomes deviendront un service d'usage partagé pour les citadins. Des critères de priorité d'accès sont gérés par une IA dans le but de maximiser la croissance économique prédictive de la ville.

Texte 5

Les algorithmes et l'éducation prédictive

AlterEgo, IA d'aide à l'apprentissage scolaire et à l'orientation scolaire

La Commission scolaire de la ville compte mettre en place AlterEgo, un nouveau moyen technopédagogique conçu pour améliorer l'accompagnement des élèves et pour personnaliser l'enseignement.

AlterEgo mesure en temps réel le degré d'attention des élèves, il identifie ce qui fait obstacle à leur compréhension et détecte les enfants en difficulté. Le dispositif est très simple : grâce à des capteurs logés dans un bracelet électronique et aux tablettes connectées sur lesquelles travaillent les enfants, AlterEgo détecte le stress ressenti par les enfants et le relâchement de leur attention. Il est aussi capable d'analyser les variations de vitesse de lecture, afin d'identifier les enfants qui ont des problèmes de compréhension. Cette IA fait aussi des recommandations pédagogiques. Elle peut suggérer de supprimer des parties du cours jugées inefficaces ou inadaptées à l'apprentissage ou recommander des suites d'exercices personnalisés pour chaque élève.

De plus, une IA oriente les élèves vers des métiers où la probabilité de réussir est très forte. Le choix est basé sur leur historique de données scolaires.

D'après : Déclaration de Montréal – IA responsible – Bilan des délibératins, pages 92-94.

12. Analysez chacune des cinq initiatives de la p. 66 en identifiant les éléments présentés dans le tableau ci-dessous. Formulez des questions à poser lors d'une discussion à venir avec d'autres participants.

Ce travail vous permettra de prévoir les arguments opposés et de les réfuter.

	Enjeux	Craintes et limites	Opportunités	Interrogations	Recommandations
Santé					
Monde du travail					
Ville intelligente					
Éducation					
Justice					

Mieux s'exprimer

Réfuter des arguments

« Je sais que vous allez me dire que …, mais, à mon avis, … / mais, comme le démontre l'étude …
Je sais que vous évoquerez aussi que …, mais je vous objecterais que … et, pour ma part, je pense que … pour les raisons suivantes … »
« Même si on sait que …, il vaut / il est tout de même mieux de … »
« Je pense que … pour telle et telle raison …
À cela vous pouvez m'objecter que … mais … »

Savoir-faire

Réfuter des contre-arguments et des objections

Lors de la préparation d'un débat, il est utile d'anticiper des arguments qui pourraient être soulevés par la partie adverse. La prévision d'arguments opposés permet de détruire a priori des contre-arguments de la partie opposée et d'écarter par anticipation les objections susceptibles d'être exprimées.

Modèle d'organisation des idées

Réfuter des contre-arguments
- Évocation de l'argument opposé
- Réfutation
- Énoncé de sa propre position, argument(s)

Réfuter des objections
- Énoncé et justification de l'argument
- Objections possibles
- Réfutations des objections

13. Rédigez une proposition de projet.
En vous inspirant des différents scénarios déclencheurs vus dans cette leçon, imaginez en équipe une initiative pour un déploiement responsable de l'IA qui puisse améliorer la vie des citoyens puis rédigez une proposition de projet.

Projet

Participer à un café citoyen

La classe sera organisée en cinq îlots thématiques sur l'IA (santé, justice, éducation, ville, monde du travail). Chaque îlot accueillera de quatre à six participants pour une discussion d'environ 20 minutes par étape.

Étape 1
Rejoignez le groupe qui se penchera sur le secteur qui vous intéresse le plus. En mettant en commun vos idées, discutez des enjeux éthiques et sociaux de l'IA à partir du scénario déclencheur correspondant. En vous basant sur le scénario, préparez-vous à défendre l'importance des algorithmes dans le secteur de votre choix.
Dressez une liste de contre-arguments et d'objections possibles et préparez-vous à les réfuter. Faites des recommandations pour les développeurs, les pouvoirs publics et les utilisateurs. En utilisant un tableau ou une affiche, notez les éléments clés de votre discussion.

Étape 2
Réorganisez les groupes de façon à discuter avec d'autres participants qui ont travaillé sur des questions différentes. À tour de rôle, essayez de convaincre le groupe de l'importance des algorithmes dans le secteur dont vous avez débattu à l'étape 1. Utilisez les expressions de l'encadré *Mieux s'exprimer* pour vos prises de parole. Chaque membre du groupe pourra présenter un argument opposé ou poser une question.

Étape 3
Votez pour les trois secteurs qui, à votre avis, bénéficieraient le plus de l'implémentation de l'IA et pour lesquels les risques de l'utilisation des algorithmes sur les plans social et éthique sont minimes ou gérables.

Parlons, citoyens !

1. Associez le début et la fin de ces citations d'orateurs et d'oratrices célèbres.

- Simone Weil : « Ma revendication en tant que femme c'est que ma différence soit prise en compte ...
- Jean Jaurès : « Il ne faut avoir aucun regret pour le passé, aucun remords pour le présent...
- Léopold Sédar Senghor : « Les racistes sont des gens qui ...
- Le Général De Gaulle : « Comme un homme politique ne croit jamais ce qu'il dit, ...
- Pierre Rabhi : « Il est vrai que c'est en initiant les plus petites actions ...

- ... il est étonné quand il est cru sur parole. »
- ... et une confiance inébranlable pour l'avenir. »
- ... que l'on amorce de grands changements. »
- ... et que je ne sois pas contrainte de m'adapter au modèle masculin. »
- ... se trompent de colère. »

2. Chassez l'intrus.

a. parler – tchatcher – discuter – se quereller – bavarder

b. se fâcher – se disputer – se chamailler – se réconcilier – se fritter

c. brailler – crier – pleurer – hurler – gueuler

d. débattre – complimenter – négocier – délibérer – parlementer

3. Dites si les lois suivantes sont vraies ou fausses.

a. En France, il est illégal de prendre des photos de policiers et de voitures de police même en arrière-plan.

b. En Suisse, il est interdit de tirer la chasse d'eau après 20 heures.

c. En Belgique, il est interdit de ne pas voter.

d. Au Luxembourg, le jardinage nudiste est autorisé une fois par mois.

e. Au Québec, les hommes doivent raser leur barbe le jour de leur mariage.

4. Associez ces expressions à leur signification.

- À proprement parler.
- Parler à cœur ouvert.
- Parler dans sa barbe.
- Parler de la pluie et du beau temps.
- Parler boutique.

- Échanger sur son travail.
- En vérité.
- Parler avec sincérité.
- Parler de banalités.
- Parler très bas.

Intervenir dans un débat

- Réfléchir au rôle du débat dans la société
- Animer un débat
- Participer à un débat

Projet : Organiser un débat

Réfléchissez aux questions suivantes.

a. Avez-vous déjà participé à un débat ?
b. Si oui, dans quels contextes débattez-vous généralement ?
c. Sur quel(s) sujet(s) aimez-vous débattre ?

Réfléchir au rôle du débat dans la société

Relancer le débat

Le dimanche soir, c'est du bonheur. Je regarde les débatteurs s'asticoter, avancer des arguments raffinés ou rentre-dedans, manier parfois la mauvaise foi. Ça fuse de partout. Ils ne lâchent pas leur point, tentent une esquive séductrice pour mieux attaquer à la jugulaire. À la fin de l'émission, j'ai appris sur la thématique de la soirée. Mes certitudes ont été remises en question. J'ai le cerveau qui crépite. Je viens de passer un formidable moment avec la bande d'*On n'est pas couché*[1], à TV5. Puis, je zappe à *Tout le monde en parle*[2], où on applaudit en chœur le dernier humoriste consensuel…

Mais pourquoi cette obsession du débat ? me demandera-t-on. C'est du monde qui s'obstine, qui crie, se chicane. C'est stérile ! Ça fait pleurer les gens !

On se prive de beaucoup en ayant peur de débattre. Le débat est essentiel pour asseoir une démocratie. L'opinion publique, pour s'exprimer avec sagesse, pour voter en connaissance de cause, doit être informée des enjeux ambiants. C'est nécessaire pour faire des choix éclairés. En ce sens, argumenter, confronter ses idées avec celles des autres aide en définitive à garder la démocratie vivace.

Mais bon sang que nous, les Québécois, avons de la misère[3] avec le débat ! Il y a dans sa crainte un vieux fond canadien-français de respect de l'ordre, l'idée qu'il ne faut pas faire de peine à autrui. Mais pas que.

En fait, on pourrait même avoir l'impression qu'on débat beaucoup au Québec, ces temps-ci. Sur les ondes, dans les quotidiens, des légions de commentateurs s'expriment sur la question du jour. Deux modes opèrent : on se crie des noms par chroniques interposées et ça vire à l'antagonisme. Ou alors, il y a apparence d'opposition qui dissimule un consensus lénifiant. Dans tous les cas, le mot « débat » est galvaudé. Vidé de sa charge, farci de clichés.

Car où peut-on débattre réellement, librement ?

À l'université ? De moins en moins. Des colloques et conférences sont proscrits, ou réservés aux « pareils » (genrés ou racisés). Beaucoup de professeurs paniquent à l'idée de nuire à leurs subventions ou à leur statut au sein du département. Sur les réseaux sociaux ? Ce sont des défouloirs souvent anonymes. Facebook et Twitter sont des communautés d'opinion où on se conforte entre semblables. Lorsqu'une idée dissonante émerge, elle est rapidement torpillée. On accusera son auteur d'amalgamer les choses et on pratiquera la phrase assassine pour éteindre toute discussion.

Dans les médias ? Où sont les émissions de débat ? Nos chaînes publiques devraient en proposer. Les sujets, du culturel au politique, foisonnent. Or, notre télévision se vautre dans le divertissement rassurant avec les mêmes sempiternelles vedettes. Tout se passe comme s'il était préjudiciable de débattre. Risqué de choquer, d'ennuyer, ou de perdre des téléspectateurs ou des auditeurs. Alors que le péril est bien plus grand de NE PAS débattre : étiolement de la démocratie, de la parole originale, danger de populisme et de paresse intellectuelle. Cela dit, plusieurs sujets sont aujourd'hui sulfureux. Notre époque postmoderne avance en terrain miné. Pour parler écologie, féminisme, immigration, islam politique, mieux vaut être un expert certifié, reconnu par ses pairs, et avoir LA bonne position. Tout point de vue surprenant sera perçu comme une trahison, une offense, et non pas comme une occasion de faire progresser les idées. Les mots eux-mêmes sont piégés, conçus pour faire trébucher du côté de l'anathème, intimider le non-initié.

Le débat – on devrait dire la « conversation », tant il est balisé – devient l'apanage de chapelles idéologiques, de représentants de lobbys ou d'ex-patentés qui ont un avis mou sur tout. Et tout ce beau monde poli est bien conscient que la police de la pensée rôde…

Les obstacles au débat sont nombreux. Mais il faut en retrouver le goût. Le débat est un muscle essentiel du corps démocratique. On doit le garder en forme. Et contrairement à ce que beaucoup croient, ce n'est pas un sport violent.

Il y a cette idée où il faut remporter le débat, écraser son adversaire. Un bon débat est pourtant celui où, sans se renier, on apprend à se nourrir du point de vue opposé, à nuancer. Écoutons les amateurs de sport qui, eux, savent débattre à propos du Canadien[4] ! Ils sont fougueux, passionnés. Transposons cette ferveur aux enjeux sociaux ! Ça pourrait même faire de la bonne télévision rassembleuse…

1. Émission française de débat télévisé.
2. Émission française de type talk-show.
3. Avoir des difficultés (Québec).
4. Équipe de hockey sur glace de la ville de Montréal.

L'Actualité, Daphné Caron, 11 mai 2018.

1. Lisez le texte p. 70 et répondez aux questions suivantes.

a. Pour la journaliste, à quoi sert le débat ?
b. Quels sont les problèmes relatifs au débat relevés par la journaliste ?
c. Comment décririez-vous le rapport au débat de la France ? Et celui du Québec ?
d. Parmi les cultures que vous connaissez, comment décririez-vous le rapport entretenu face au débat ? Discutez-en en binômes puis en grand groupe.

2. Écoutez les deux extraits de la séquence radio n° 04 et répondez aux questions.

Dans le cadre de la révision de la loi sur la bioéthique, les Français(es) sont appelé(e)s à se prononcer sur différents sujets relatifs à la santé, notamment sur la gestation pour autrui (GPA), soit le fait d'avoir un enfant par l'entremise d'une mère porteuse. Ce débat soulève d'importantes questions éthiques auxquelles des intervenants ayant des points de vue divergents veulent répondre.

a. Dans chaque extrait, de quelle façon le débat est-il introduit ? Quels sont les thèmes abordés ? Qui sont les intervenants du débat ?
b. Selon ces informations, l'objectif des deux débats est-il le même ?
c. Dans le deuxième extrait, deux intervenantes s'expriment sur la nature du débat. Selon elles, quelle est la particularité de ce débat ? Qu'est-ce qui le rend complexe aux yeux des intervenantes ?
d. D'après les intervenantes, quels sont les avantages du débat ? À quoi doit-il servir ?
e. Les intervenantes insistent sur l'importance d'écouter le point de vue de tout un chacun. Si le consensus n'est pas atteint à la fin d'une consultation publique, à qui revient la décision de trancher ? Comment peut-on s'assurer que l'avis des citoyens, en particulier celui des minorités, est respecté ?
f. Le sujet du débat concerne des questions sensibles et polarisantes. Le débat permet-il de réconcilier des points de vue divergents ou fait-il exacerber les divisions parmi les groupes opposés ? Justifiez votre réponse.

La séquence radio

N° 04

Quel monde voulons-nous pour demain ?

Fin de vie, procréation médicalement assistée (PMA) intelligence artificielle, gestation pour autrui (GPA)… Quel monde voulons-nous pour demain ? C'est la question que pose le Comité consultatif national d'éthique (CCNE), qui pilote les États Généraux de la Bioéthique.

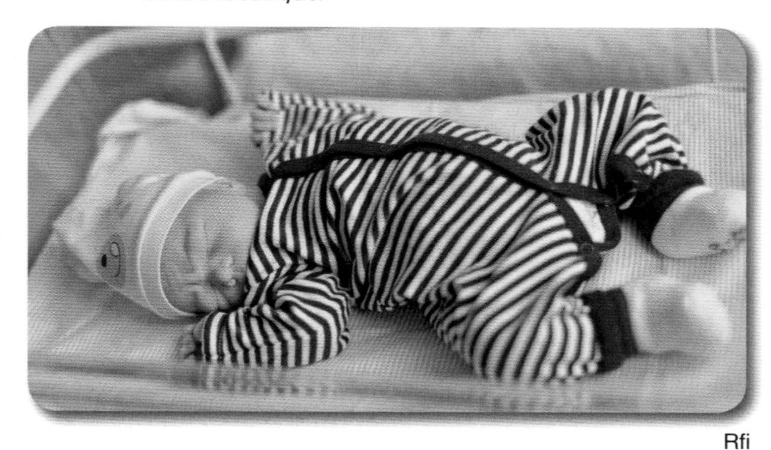

Rfi

3. Réfléchissez et débattez.

L'opinion des gens sur certaines questions sociales évolue rapidement. À votre avis, qu'est-ce qui explique la transformation rapide des mœurs d'une société ? Avez-vous des exemples d'enjeux sur lesquels l'opinion des gens s'est transformée depuis les dernières années ? Qu'est-ce qui fait qu'une personne et qu'une société changent d'avis sur certaines questions ?

Mieux s'exprimer

Introduire le débat

- **Présenter le sujet du débat et situer le contexte**
une histoire, une actualité, une vidéo ou une image provocante, une déclaration …
- **Expliquer les objectifs**
Nous sommes ici pour rechercher des causes de …, mieux comprendre …, partager des expériences …, construire une analyse ensemble …
- **Accueillir et présenter les intervenants**
C'est l'occasion pour nous de faire le point sur … à l'aide de nos invités …, Merci d'être avec nous ici aujourd'hui et d'avoir accepté notre invitation.

Animer un débat

4. Visionnez la vidéo nº 18 et observez la façon dont intéragissent l'animatrice et les deux intervenants.

5. Répondez aux questions suivantes.

a. Quels sont les risques liés au fait de vacciner un enfant ? Sur quelles preuves s'appuie chaque intervenant pour répondre à cette question ?
b. Quel est le point de vue des intervenants sur les bénéfices des vaccins ?
c. Quelles sont les recommandations des intervenants par rapport à la vaccination ?

6. Analysez le rôle de l'animatrice.

Quelle est son attitude ? Peut-on deviner sa position par rapport au sujet du débat ? Comment joue-t-elle son rôle de modératrice ? Comment agit-elle pour faire circuler la parole et pour assurer les tours de parole et les transitions ?

Le reportage vidéo

N° 18

Pour ou contre la vaccination ?

rtl.be

Mieux s'exprimer

Animer un débat

Pour donner la parole
Vous avez la parole ..., Nous vous écoutons., Je propose de donner la parole à ... pour approfondir un des aspects mentionnés, Comment expliqueriez-vous ce phénomène ?, Voyons ce que madame X peut nous dire sur le sujet., Que pensez-vous de ce qui vient d'être dit ?, Avez-vous des réactions par rapport à ça ?

Pour relancer
C'est-à-dire ?, Par exemple ?, Par rapport à quoi ?, Dans quelle mesure ?, Dans quel cas ?, Qu'entendez-vous par ... ?, Pourquoi dites-vous cela ?, Comment répondriez-vous à cette question ?, Seriez-vous prêt(e) à changer d'avis si on vous démontre que ..., C'est un peu technique pour nous. Donnez-nous un exemple., Voilà un échec. Parlez-nous d'une réussite., Tout à l'heure, nous avions évoqué ..., Pouvons-nous revenir à cette question ?

Pour rester concentré sur le sujet
Je suis désolé(e) mais le sujet dont nous débattons est ... , En revanche, nous prenons votre question en note. Nous y reviendrons peut-être s'il reste du temps., C'est un point intéressant ... mais revenons au sujet de ... qui est le propos du jour., Vous ne répondez pas à la question. Donnez-nous une réponse précise.

Gérer les tours de parole
Alors là, si vous parlez tous en même temps, on ne s'entend plus, on ne se comprend plus., Une personne à la fois s'il vous plaît., Je dois malheureusement vous arrêter., Allez-y, il reste quelques minutes, dites ce que vous avez à dire mais je vous demanderai d'être bref/brève., Alors il y a là visiblement des points de désaccord entre vous., Nous sommes bien ici pour confronter des idées dans le respect de chacun.

7. Analysez les interventions des participants de la vidéo.

Complétez le tableau ci-dessous et comparez les styles des deux intervenants. Lequel trouvez-vous le plus convaincant ? Justifiez votre réponse.

	Intervenant 1 Position	Intervenant 2 Position
Types d'arguments - par la cause - par la conséquence - d'autorité - par les valeurs - de la norme - par la comparaison	...	...
Tournures, expressions idiomatiques, citations pour introduire : un fait, un énoncé général, une référence, un exemple, une hypothèse, un témoignage, une objection, etc.		
Expression verbale Portée de la voix, intonation, débit, accents d'insistance, ton, etc.		
Langage non verbal Contact visuel, gestuelle, attitude, expression faciale, etc.		

8. Réfléchissez en petits groupes.

Les intervenants s'appuient sur des études scientifiques pour justifier leurs points de vue divergents. Comment peut-on séparer le vrai du faux ?

Participer à un débat

9. Lisez le texte suivant et répondez aux questions.

a. Selon l'article, pourquoi le gouvernement a-t-il procédé à l'obligation vaccinale ? Sur quels motifs s'appuie-t-il ?
b. À quelles sanctions s'exposent les parents qui refusent de vacciner leurs enfants ? Que pensez-vous de ces mesures ?
c. Comment qualifieriez-vous le ton de cet article ? Sur quels éléments vous basez-vous pour faire une telle affirmation ?
d. À part des risques liés aux vaccins, y aurait-il d'autres motifs pour lesquels les parents pourraient s'opposer aux vaccins obligatoires ?

Vaccination… L'obligation fait débat

La vaccination obligatoire a toujours soulevé les passions en France. Souhaitant clore le débat « pour ou contre », le gouvernement a rendu obligatoire 11 vaccins pour les enfants. Pourtant, des interrogations demeurent sur la pertinence de cette décision. […]

Au moins, pour les bébés nés après le 1er janvier, les parents n'auront plus de questions à se poser. Sauf censure de dernière minute du Conseil constitutionnel, ça sera 11 vaccins, pas un de moins ! Sans quoi ils ne pourront pas inscrire leurs rejetons à l'école, à la crèche ou en colonie de vacances. Les enfants non vaccinés, ou qui le sont insuffisamment, resteront donc à la porte des collectivités.

En faisant voter, fin 2017, l'extension de l'obligation vaccinale, le gouvernement a marqué sa volonté de clore le débat sur une question qui, en France, n'a jamais cessé de soulever les passions. Pour preuve, à l'issue de la concertation sur les vaccins, il y a un peu plus d'un an, les deux groupes de travail ne sont pas parvenus aux mêmes conclusions. Le jury citoyen n'a pas pu se résoudre à se prononcer pour ou contre l'obligation. Partant du principe que l'obligation ne se justifie que dans un contexte d'épidémie mortelle, le jury de professionnels, lui, a pris position en faveur de sa levée, y compris pour les trois vaccins placés sous ce régime depuis des décennies. Au final, le comité d'orientation a balayé les doutes, et pris tout le monde de court en recommandant… l'élargissement de l'obligation. […]

Quelles sont les sanctions ?

La sanction pénale pour refus de vaccination, qui prévoyait jusqu'à présent jusqu'à 2 ans de prison et 30 000 € d'amende pour les parents réfractaires, a été supprimée. Sans vaccination en règle, les enfants ne pourront toutefois pas être mis en collectivité et scolarisés, sauf contre-indication médicale à la vaccination. Les certificats de contre-indication devront être propres à des vaccinations précises et non généraux ou absolus car il n'existe pas de contre-indication médicale à l'ensemble des vaccinations, précise le ministère de la Santé. Quant aux médecins qui délivreraient un certificat de complaisance, ils s'exposent à des sanctions pénales pour « faux et usage de faux », soit 3 ans de prison et 45 000 € d'amende, et à une radiation de l'Ordre. Enfin, un enfant ayant développé un handicap lié à un manque de vaccination pourra poursuivre pénalement ses parents.

UFC QUE CHOISIR-HAUTE-LOIRE, 12/01/2018.

10. Connaissez-vous la situation sur ce thème dans d'autres pays ? Discutez-en en binômes.

11. Organisez un mini-débat sur le thème suivant : *Vaccination, choix personnel ou responsabilité collective ?*

Vous êtes invité(e) à participer à un débat télévisé d'une chaîne francophone qui portera sur la vaccination obligatoire. Pour vous préparer au débat, mettez en application tout ce que vous avez appris sur le sujet et effectuez des recherches supplémentaires afin d'approfondir vos connaissances et d'enrichir votre argumentation.

• Formez des groupes de 6 personnes et distribuez les rôles :
- Animateur(trice)
- Ministre de la santé
- Pédiatre
- Mère d'un enfant ayant un système immunitaire déficitaire
- Responsable d'une crèche
- Membre du mouvement anti-vaccins

• L'objectif de ce débat est de faire entendre les diverses positions idéologiques. Préparez les arguments selon le rôle que vous allez jouer et défendez votre position lors du débat. Aidez-vous des expressions de l'encadré *Mieux s'exprimer* p. 72.

Pour ou contre le *chief happiness officer* ?

Convaincues des bienfaits du bien-être au travail sur la productivité, des entreprises se dotent d'un responsable du bonheur. Derrière l'effet d'annonce, ce nouveau manager a-t-il toujours les moyens d'agir ? Rien n'est moins sûr.

Chief happiness officer (CHO), chief wellness officer (CWO), ou encore feel good manager : sous différentes appellations, le responsable du bonheur au travail a fait son apparition dans quelques entreprises. Le réseau social professionnel Linkedin recense 556 CHO. Toutes les entreprises qui les emploient se prétendent conscientes de l'imbrication entre bien-être et performance. « Mais nombre d'entre elles manquent de sincérité », lance Laurence Vanhée, ancienne chief happiness officer de la Sécurité sociale belge. Pour cette fervente promotrice de ce type de poste, cela ne fait aucun doute : « Le bonheur au travail n'est jamais décorrélé de la performance. » Avec 54 % des salariés français qui seraient désengagés ou fortement désengagés vis-à-vis de leur entreprise, selon une étude d'Ipsos pour Steelcase, le CHO vise à inverser le phénomène en rendant plus agréable, certains diront plus humaine, la vie en entreprise.

Un argument sincère ou de façade ?

Au quotidien, le CHO agit comme un médiateur au sein de l'entreprise et combat la mauvaise communication à l'origine de bien des maux. « Il favorise le dialogue, entretient la motivation individuelle et stimule l'esprit d'équipe », détaille Emmanuel Stanislas, fondateur du cabinet de recrutement Clémentine. De plus, pour cet expert, se doter d'un CHO peut être un argument – sincère ou de façade – pour gagner du terrain dans la guerre des talents. Sur des marchés de l'emploi extrêmement tendus, comme celui du numérique, une entreprise soucieuse du bien-être de ses salariés peut faire la différence. S'il y a quelques années, les salariés étaient d'accord pour stresser, parfois souffrir afin d'obtenir une promotion, l'image de la réussite professionnelle est en train de changer.

L'enjeu de la position hiérarchique

L'erreur consisterait à croire qu'améliorer le bonheur de chacun passe par des solutions identiques. « A-t-on demandé aux collaborateurs ce qu'ils veulent ou bien ce qu'ils préfèrent ? Vaut-il mieux une table de ping-pong ou moins de bruit sur le plateau lorsqu'ils passent leurs appels ? », interroge Emmanuel Stanislas. « Le CHO ne doit pas penser à la place des salariés », martèle Laurence Vanhée. Autre écueil soulevé par la spécialiste : la position peu élevée des CHO. « En France, ils se situent bien souvent à un niveau opérationnel et non stratégique. S'ils veulent pouvoir influencer les décisions, leur place est au comité de direction. » La faible portée de leurs actions tendrait à dégrader l'image du CHO, réduit au mieux à un rôle d'animateur, au pire à un faire-valoir de la « coolitude » de l'entreprise. À en croire Laurence Vanhée, cela a poussé certains CHO siégeant au comité de direction à changer de titre pour préserver leur crédibilité.

Atout bien-être et offre aux entreprises

D'ailleurs, comme dans la vie, viser le bonheur revient à se lancer dans une course sans fin. La concept de bien-être revêt des aspects bien plus concrets. Si bien que des prestataires de services intègrent la thématique du bien-être au sein de leur offre. Comet Meetings loue des salles le temps d'un comité de direction ou d'une formation, avec la promesse de rendre les réunions plus productives. Camille Texier, issue d'une formation en neurosciences, est l'atout bien-être de cette entreprise. À deux reprises, elle interrompt la journée des clients de Comet Meetings pour quelques exercices de respiration, d'étirement ou de méditation accompagnée. Si elle reconnaît que les cadres de la Défense gardent les bras croisés et le regard méfiant lors de la première séance, la réticence disparaît en fin de journée, quand « ils repartent en pleine forme après une journée de réunions ».

Les Echos, Florent Vairet, 9 avril 2018.

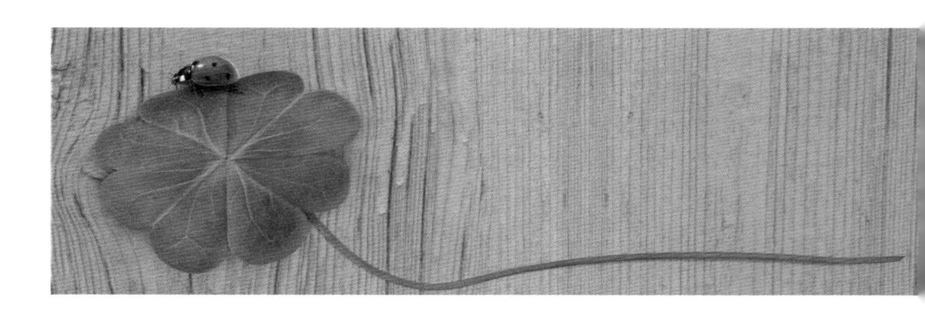

12. Lisez le texte p. 74 et répondez aux questions.

a. Qu'est-ce qu'un responsable du bonheur ?
b. Quelles sont ses responsabilités ?
c. Quels sont les défis auxquels doivent faire face les responsables du bonheur ?

13. Dressez les arguments pour et contre le poste de responsable du bonheur.

14. Simulez une réunion de travail.

En petits groupes, simulez une réunion de travail dans laquelle vous devez convaincre ou non votre patron d'embaucher un responsable du bonheur. À la fin de la discussion, le patron prendra une décision en résumant les arguments qui l'ont convaincu. Utilisez les expressions de l'encadré *Mieux s'exprimer*.

Mieux s'exprimer

Participer à un débat

• Prendre la parole, réagir, interrompre
Je voudrais dire, ajouter ...
Je voudrais souligner, exposer, citer un cas personnel, vous donner un exemple ...
Je veux réagir par rapport à ce que vous venez de dire ...
Je peux répondre sur tous les points ...
Je n'ai pas la même interprétation que vous ...
Ce que vous dites est quand même très imprécis à mes yeux ...
Pour compléter/ajouter à/revenir à ce que X disait au sujet de ...
Vous permettez ..., Permettez-moi de ...
Attendez, je voudrais juste ajouter/dire que ...
J'ai une question à poser à ..., juste une petite question.
Vous dites que ... Mais moi, je vous dis que ...
C'est des propos gratuits. On suppose, on admet, mais on se repose sur quoi ? Ce sont des dogmes et des postulats.

• Refuser de céder la parole
Attendez ! Je n'ai pas fini, je termine.
Je vous ai laissé parler, laissez-moi finir !
Ne me coupez pas la parole !
Ne m'interrompez pas tout le temps !
Je vous ai écouté, maintenant c'est à mon tour.
Est-ce que je peux dire ce que j'ai à dire.
Pouvez-vous arrêter de m'interrompre !

• Conclure un débat et remercier les participants
En somme, il est clair que cette façon de faire est la plus judicieuse ...
En résumé, les bénéfices l'emportent largement sur les effets négatifs ...
Cette solution comporte des avantages indéniables qui ...
Par conséquent, je suis convaincu(e)/sûr(e)/certain(e) qu'il faut ...
C'est dans l'intérêt supérieur de la société/de l'entreprise/du gouvernement de faire ...
Merci à vous ..., merci d'être venus, d'avoir dit oui à notre invitation.
Merci d'avoir suivi ce débat.

Projet

Organiser un débat

En groupe de 5, organisez un débat sur un enjeu.
Un membre de l'équipe jouera le rôle de l'animateur, deux membres seront pour et deux membres seront contre la question du débat. Informez-vous sur le sujet pour trouver des arguments justifiant votre position.

Pour aller plus loin, créez une page consacrée à votre débat sur la plateforme WIKIDÉBATS (https://wikidebats.org) et partagez vos arguments avec le reste de la planète !

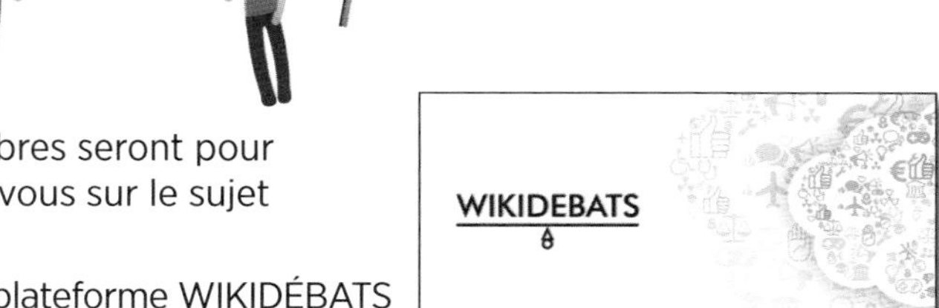

Plein les yeux !

1. Associez chaque journal au pays où il est édité.

Le Temps •	• La Belgique
Le Quotidien •	• La France
Le Devoir •	• Le Luxembourg
Le Chien Bleu •	• Le Québec
Le Soir •	• La Tunisie
L'Équipe •	• La Nouvelle-Calédonie

2. Quiz. Êtes-vous un pro des médias ?

a. À quelle heure passe le journal télévisé le plus regardé en France ?
1. 12 h. 2. 20 h.

b. Connaissez-vous *Le P'tit Libé* ? Il s'agit...
1. du journal *Libération* en petit format.
2. du journal *Libération* adressé aux enfants.

c. La chaîne francophone TV5 monde a sa meilleure audience...
1. en Afrique. 2. en Asie.

d. *Le Gorafi* est un site d'informations...
1. qui ne contient que des pastiches.
2. qui reprend les articles du journal *Le Figaro* en verlan.

e. Les radios françaises doivent s'assurer d'émettre un pourcentage de musique française de...
1. 40 %. 2. 90 %.

3. Associez ces programmes de télévision à leur description.

Plus Belle La Vie •	• Ce jeu télévisé est animé par Alain Chabat. Deux candidats s'affrontent autour d'épreuves drôles et décalées.
Recherche appartement •	• Dans ce dessin animé franco-britannique, trois enfants deviennent des super-héros la nuit : Yoyo, Bibou et Gluglu.
Fort Boyard •	• Un agent immobilier aide des clients à trouver l'appartement de leur rêve.
Burger Quizz •	• Cette série qui se déroule à Marseille met en scène la vie des habitants du quartier du Mistral.
Pyjamasques •	• Une équipe réalise des épreuves physiques et intellectuelles. Pour gagner le trésor du fort, ils devront affronter certains dangers et de drôles d'animaux...

Leçon 3

Mener une enquête

- Saisir une nouvelle réalité
- Participer à une enquête
- Préparer un questionnaire
- Interpréter les résultats d'un sondage

Projet : Mener une enquête sur un enjeu de société

Réfléchissez aux questions suivantes.

a. Avez-vous déjà répondu à un sondage ? Qu'est-ce qui vous donne envie d'y participer ?
b. Avez-vous déjà effectué une enquête, une étude ou un sondage ? Si oui, comment avez-vous procédé ?
c. Selon vous, quelles sont les étapes à respecter pour mener à bien une enquête ?

Saisir une nouvelle réalité

1. Visionnez la vidéo n° 19, lisez le texte et répondez aux questions.

a. Qu'est-ce qu'un influenceur ?
b. Quelle est la différence entre un influenceur et un micro-influenceur ?

Le reportage vidéo

N° 19

Les micro-influenceurs, nouveaux chouchous des publicitaires

rtbf.be

Influencer, c'est quoi ?

Un terme qu'on entend *ad nauseam* et qui pourtant demeure encore relativement flou pour la plupart d'entre nous. « *A priori, nous sommes tous à un certain degré influenceurs* », affirme Geneviève Allaire, chargée de compte chez Bicom, une agence montréalaise de relations publiques. Elle n'a pas tort : on influence nos amies lorsqu'on parle d'une nouvelle boutique qui nous fait triper ou d'un revitalisant qui a sauvé notre crinière après une teinture ratée.

La différence majeure entre le commun des mortels et les influenceurs professionnels est une question de portée et de visibilité. Leurs recommandations n'atteignent pas seulement les oreilles de leur entourage immédiat, mais celles de milliers, et parfois de millions, de followers qui les suivent sur les réseaux sociaux. C'est ce contact sans intermédiaire qui est devenu une ruée vers l'or pour les compagnies désireuses de s'adresser de façon authentique et directe à leur public.

Une opportunité qui n'est pas à sous-estimer lorsqu'on constate que 74 % des consommateurs utilisent les réseaux sociaux pour dénicher leur prochaine perle rare en matière de shopping.

« *Les influenceurs apportent beaucoup de crédibilité au message que souhaite véhiculer une marque, car ils sont en mesure de la présenter de façon organique dans un contexte qui va interpeller leurs abonnés,* explique Geneviève. *L'influenceur a la possibilité de créer une conversation en temps réel autour d'une marque ou d'un produit. Il y a un concept d'instantanéité et d'échange que les médias traditionnels ne peuvent pas atteindre.* »

Clin d'œil, 16 février 2017.

2. Réfléchissez aux questions suivantes.

a. Qu'est-ce qui explique le succès de Lindell Nuyttens présentée dans la vidéo ?
b. Quelles sont les différences entre les influenceurs et les médias traditionnels dans leur façon de communiquer avec le public ?
c. Est-ce que les influenceurs se font payer pour leur travail ? Comment peut-on faire pour le savoir ?
d. À quoi s'attendent les entreprises qui donnent du matériel à des influenceurs ?
e. À votre avis, les influenceurs représentent-ils une tendance temporaire ou sont-il là pour rester ?

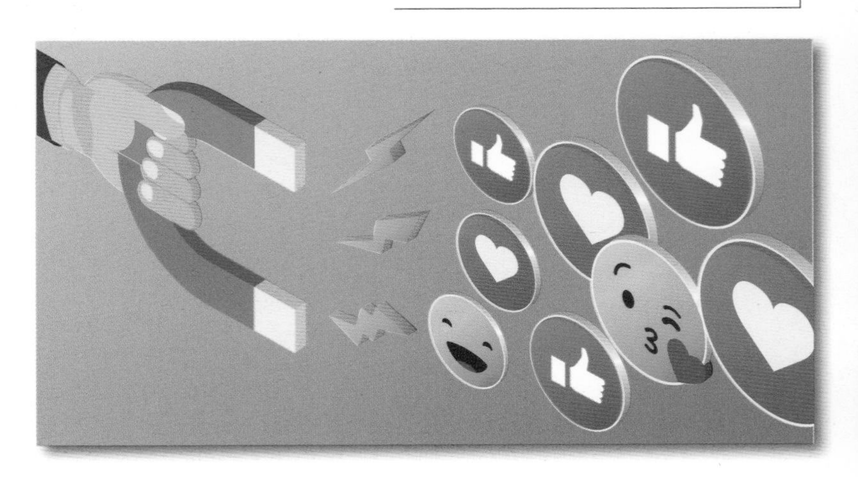

Participer à une enquête

3. Répondez au sondage suivant.

Quels sont les impacts des influenceurs sur les habitudes en matière d'achat ?

a. Qu'est-ce qui influence le plus vos décisions relatives à vos achats ?

1. Recommandations. ❒
2. Conseils d'experts. ❒
3. Publicités à la télévision ou dans les magazines. ❒
4. Publicités en ligne. ❒
5. Recherche sur des sites Web. ❒

b. La publicité a-t-elle une influence sur vos comportements ?

1 = pas du tout 5 = beaucoup

1 2 3 4 5

c. Suivez-vous des influenceurs ?

Oui ❒
Non ❒
Si oui, qui ? ...

d. Quelle est votre perception des influenceurs ?

e. Faites-vous confiance aux influenceurs ?

1 = pas du tout 5 = beaucoup

1 2 3 4 5

f. Quelles qualités recherchez-vous auprès d'un influenceur ?

1. Crédibilité. ❒
2. Authenticité. ❒
3. Notoriété. ❒
4. Expertise. ❒
5. Autre : ...

g. Si vous apprenez qu'un influenceur a été payé par une entreprise pour parler de son produit, cela changerait-il votre perception ?

1. Absolument pas. ❒
2. Un peu. ❒
3. Plutôt. ❒
4. Beaucoup. ❒

h. Pour quel type de produits et de services seriez-vous susceptibles de faire confiance à un influenceur ?

1. Produits de beauté. ❒
2. Mode. ❒
3. Voyage. ❒
4. Restaurants. ❒
5. Jeux vidéo. ❒
6. Matériel informatique. ❒
7. Sport. ❒
8. Mode de vie. ❒
9. Autre : ...

i. Quels réseaux sociaux utilisez-vous ?

1. Facebook. ❒
2. Instagram. ❒
3. Youtube. ❒
4. Snapchat. ❒
5. Twitter. ❒
6. Autre : ...

j. En moyenne, combien d'heures passez-vous par jour sur les plateformes suivantes ?

1. Télévision.
   0-2 h ❒ 3-5 h ❒ 6-9 h ❒ + 10 h ❒
2. Ordinateur.
   0-2 h ❒ 3-5 h ❒ 6-9 h ❒ + 10 h ❒
3. Tablette.
   0-2 h ❒ 3-5 h ❒ 6-9 h ❒ + 10 h ❒
4. Téléphones intelligents.
   0-2 h ❒ 3-5 h ❒ 6-9 h + 10 h ❒

k. Dans quelle tranche d'âge vous situez-vous ?

1. 13-17 ❒
2. 18-35 ❒
3. 36-50 ❒
4. 51-65 ❒
5. 65-80 ❒
6. 80 et plus ❒

4. Compilez les réponses au sondage dans la classe.

Quelles tendances observez-vous ? Comment interprétez-vous ces résultats ? Compte tenu des résultats obtenus, si une entreprise fait ce sondage, croyez-vous qu'elle devrait faire appel aux services d'influenceurs ?

Unité 3 - Leçon 3 - **Mener une enquête**

Préparer un questionnaire

5. Réfléchissez.

Le concept de viralité est une nouvelle réalité qui touche l'univers des réseaux sociaux.
Comment peut-on expliquer le fait qu'une vidéo, qu'une photo ou qu'une publication deviennent virales ?

Comment une vidéo devient-elle virale ?

Une vidéo virale, c'est le rêve de tous les marketeurs. Elle représente la meilleure façon de se différencier sur la Toile. Des études montrent que les personnes qui regardent du contenu partagé plutôt que des vidéos qu'elles découvrent en surfant prescrivent et achètent beaucoup plus de produits que ceux qui tombent par hasard sur du contenu. Mais qu'est-ce qui fait qu'on s'emballe pour une vidéo alors que d'autres ne suscitent pas de réactions ?

Unruly, une agence spécialisée dans les technologies de marketing, apporte une réponse. Son analyse de 430 milliards de vues de vidéos et de 100 000 données de consommateurs révèle les deux moteurs les plus puissants du succès viral : la réaction psychologique (comment le contenu nous touche) et la motivation sociale (pourquoi on veut le partager). Plus l'intensité de l'émotion suscitée par le contenu sera grande, plus les gens auront tendance à le partager – la réponse du Web au bouche-à-oreille, la façon la plus efficace de faire de la pub.
Nous explorons ici ce qui rend un contenu partageable, en utilisant l'analyse faite par Unruly de la vidéo « Puppyhood » de Purina, vidéo qui a récolté 5 millions de vues en six semaines après son lancement en mai 2015. Nous notons aussi, à partir des observations d'Unruly, qu'une minorité de personnes sont responsables de la grande majorité des partages et que la plupart des partages se produisent peu après le lancement d'une vidéo.

Les « super partageurs » mènent la danse
Environ 18 % des utilisateurs Internet partagent des vidéos au moins une fois par semaine, et presque 9 % en partagent quotidiennement. Les entreprises devraient trouver des moyens d'atteindre ces « super partageurs » responsables de plus des quatre cinquièmes de l'ensemble des partages.

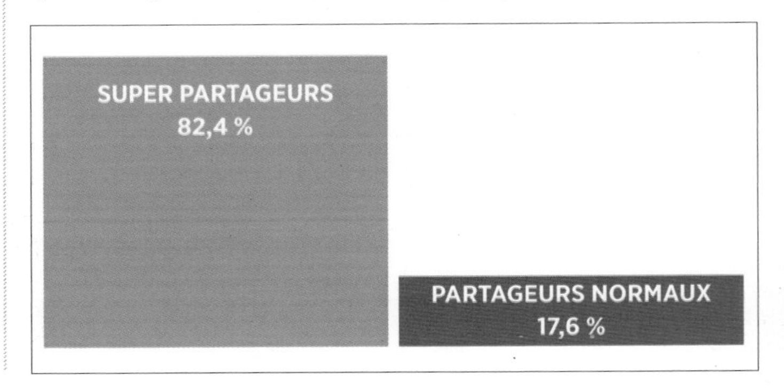

Pourquoi les gens partagent : la motivation sociale
Unruly a identifié 10 motivations du partage social. Les meilleures vidéos révèlent une grande diversité de motivations. Regardons les motivations sociales avancées par les visionneurs de « Puppyhood ». La recherche de réaction des autres était très importante, mais les trois quarts des visionneurs ont trouvé d'autres bonnes raisons de la partager.

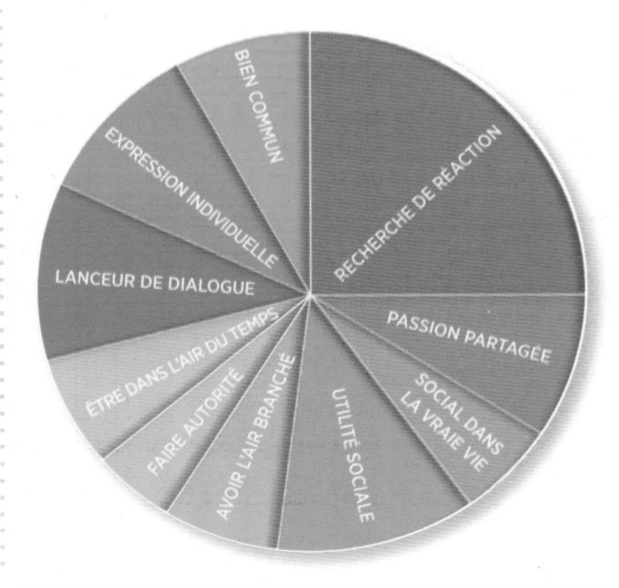

- **RECHERCHE DE RÉACTION** « Je veux voir ce qu'en pensent mes amis. »
- **PASSION PARTAGÉE** « Ça me permettra de me connecter avec mes amis autour d'un intérêt commun. »
- **SOCIAL DANS LA VRAIE VIE** « Je pourrai entrer en relation avec mes amis hors ligne. »
- **UTILITÉ SOCIALE** « Ça pourrait être utile à mes amis. »
- **AVOIR L'AIR BRANCHÉ** « Je veux être le premier à le dire à mes amis. »
- **FAIRE AUTORITÉ** « Je veux montrer mon savoir. »
- **ÊTRE DANS L'AIR DU TEMPS** « Ça parle d'une tendance ou d'un événement actuels. »
- **LANCEUR DE DIALOGUE** « Je veux commencer une conversation en ligne. »
- **EXPRESSION INDIVIDUELLE** « Ça raconte quelque chose de moi. »
- **BIEN COMMUN** « C'est pour une bonne cause, et je veux rendre service. »

La réaction émotionnelle

La plupart des gens pensent que l'humour est la raison principale du partage, mais il s'agit d'une réaction difficile à provoquer et spécifique selon les cultures. Les entreprises devraient essayer de susciter une multiplicité de réponses positives afin d'être sûres que le contenu fasse écho. Encore une fois, plus une réaction est intense, mieux c'est.

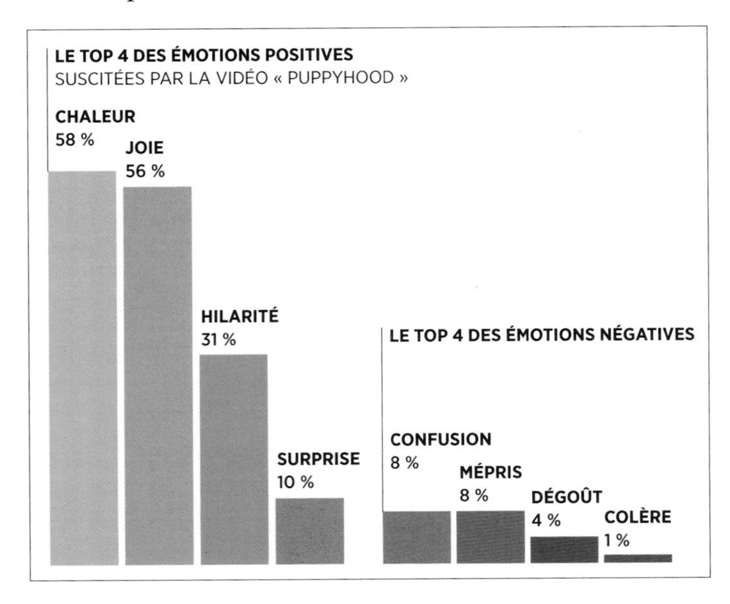

Le bon timing est essentiel

Plus une vidéo générera de partages dans les deux jours suivant son lancement, plus son « pic viral » sera haut, et plus le nombre de partages sera important. Les professionnels du marketing devraient envisager de faire des campagnes d'anticipation afin de maximiser leur visibilité durant ce créneau. Le jour de lancement fait aussi une différence : la plupart des partages se font le mercredi (jour optimal), le jeudi et le vendredi.

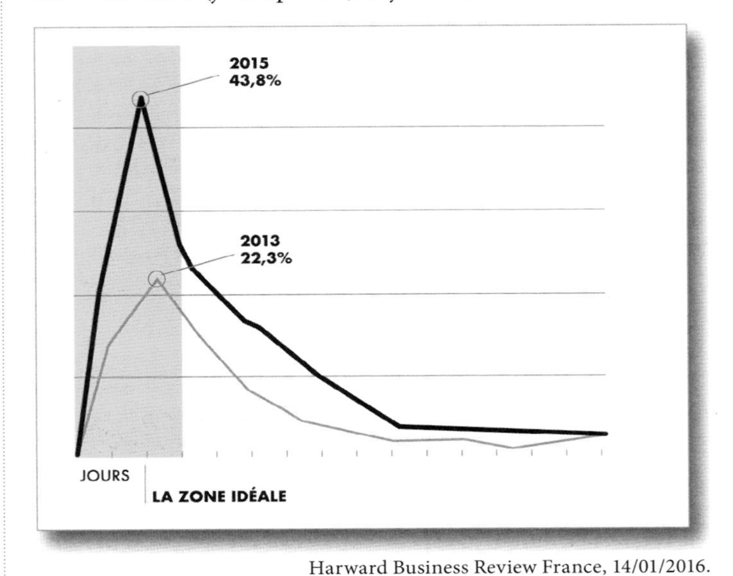

Harward Business Review France, 14/01/2016.

6. Lisez le texte p. 80-81 et faites les activités.

a. Transformez des phrases tirées de l'enquête sur laquelle se base l'article pour les rapporter indirectement.

Exemple : « Je veux voir ce qu'en pensent mes amis. » → *Les personnes consultées ont indiqué qu'elles voulaient voir ce qu'en pensaient leurs amis.*

1. « Ça me permettra de me connecter avec mes amis autour d'un intérêt commun. »
2. « Je pourrai entrer en relation avec mes amis hors ligne. »
3. « Ça pourrait être utile à mes amis. »
4. « Je veux montrer mon savoir. »
5. « Ça parle d'une tendance ou d'un événement actuel. »
6. « Je veux commencer une conversation en ligne. »
7. « Ça raconte quelque chose de moi. »
8. « C'est pour une bonne cause, et je veux rendre service. »

b. Restituez les questions du sondage.

Le texte qui précède présente les résultats d'une enquête sur les raisons qui expliquent la viralité d'un partage. En petits groupes, formulez des questions qui permettraient d'obtenir les réponses rapportées dans l'article. Inspirez-vous du sondage de la page 79.

Exemple : « Environ 18 % des utilisateurs d'Internet partagent des vidéos au moins une fois par semaine, et presque 9 % en partagent quotidiennement. » → *À quelle fréquence partagez-vous du contenu sur le Web ?*

Point infos

Outils accessibles en ligne qui facilitent la vie

Il existe des sites Web qui permettent de créer des formulaires en ligne et de compiler automatiquement les réponses. Google Forms en est un exemple.

Viralité et mèmes : un phénomène social

« Une image vaut mille mots ». Les mèmes sont des expressions, des situations ou des pensées représentées sous forme de vidéos, textes, images ou tout autre type de création multimédia de façon divertissante. Si le contenu est jugé intéressant, osé ou encore original par les internautes, il se propagera très rapidement.

Influencia.online, 7 mars 2017.

Interpréter les résultats d'un sondage

7. Visionnez la vidéo n° 20 et répondez aux questions.

a. Quelles sont les caractéristiques d'un politicien qualifié de populiste ?
b. Quelles sont les origines du populisme ?
c. Quels éléments ou quelles situations peuvent inciter les populations à prêter l'oreille ou à embrasser un discours populiste ?
d. Quelles solutions pourraient freiner la montée du populisme ?
e. Dans la vidéo, que veut-on dire par « ouverture » et « fermeture » d'une population ? Comment ces deux concepts sont-ils expliqués par les intervenants ?

Le reportage vidéo

N° 20

Prospectives : le populisme

radio-canada.ca

8. Lisez le texte.

Un sondage sur le populisme au Canada

OTTAWA – La réputation du Canada en tant que pays entretenant une vision du monde ouverte et optimiste, contrairement à la montée du pessimisme et du nationalisme un peu partout sur la planète, se trouve remise en question par les résultats d'une nouvelle enquête.

Les résultats d'un sondage **mis sur pied par** la firme EKOS et La Presse canadienne indiquent que **bon nombre de** Canadiens entretiennent des opinions profondément en accord avec certains courants très sombres du monde.
Moins de la moitié des Canadiens se retrouvent du côté « ouvert » de l'indice conçu par EKOS et La Presse canadienne, un outil qui vise à mesurer le mouvement populiste au pays.

Le reste de la population épouse une vision très fermée par rapport au reste du monde ou se retrouve à la frontière entre les deux tendances. Ce groupe d'indécis représente une partie potentiellement volatile et changeante de l'opinion publique.

Le sondage mené auprès de 12 604 personnes visait à évaluer le point de vue des Canadiens par rapport à celui des électeurs qui ont appuyé deux des résultats populistes les plus étonnants de dernières années, soit l'élection de Donald Trump et la sortie du Royaume-Uni de l'Union européenne.

Ces deux résultats sont interprétés comme la conséquence du mécontentement d'une partie de la population mise de côté par les transformations technologiques, culturelles et économiques. Une population qui cherche à reprendre une forme de pouvoir en bousculant le statu quo politique et en favorisant de nouvelles approches draconiennes.

Est-ce que le Canada pourrait faire face aux mêmes enjeux ? La question demeure en suspens.

Selon les résultats du sondage, 46 pour cent des Canadiens affichent une ouverture d'esprit face au reste du monde et face à leurs concitoyens. Les taux les plus élevés ont été observés en Colombie-Britannique et dans les provinces de l'Atlantique.

Cependant, 30 pour cent des Canadiens sondés disent ressentir un sentiment d'insécurité quant à l'avenir économique et culturel. Le sentiment est particulièrement fort en Alberta et en Saskatchewan. Les quelque 25 pour cent restants présentent des opinions mitigées.

Pour évaluer le niveau de populisme des Canadiens, EKOS et La Presse canadienne ont recueilli les résultats de deux sondages téléphoniques [...] au sujet des perspectives économiques, de la mobilité des classes, de l'immigration et de la tolérance. Les sondeurs ont aussi demandé aux répondants s'ils considéraient les mouvements populistes comme positifs ou non.

Les réponses ont ensuite été positionnées sur un spectre allant d'« ouvert » à « rangé », une nouvelle méthode de classification des opinions politiques qui va plus loin que le spectre traditionnel « gauche-droite ».

« Les questions maintenant sont : Voulez-vous qu'on relève le pont-levis ? Que pensez-vous des gens qui n'ont pas la même couleur de peau que vous ? Que pensez-vous de l'importance de la contestation ? Doit-on vivre dans une société ordonnée ou plus chaotique ou créative ? », explique le président d'EKOS Frank Graves.
La marge d'erreur des sondages téléphoniques est de 0,9 pour cent, 19 fois sur 20.

La Presse canadienne, Stéphanie Levitz, 22/01/2018.

9. Relevez toutes les expressions relatives à l'interprétation des résultats d'un sondage.

Inscrivez-les dans le tableau ci-dessous.

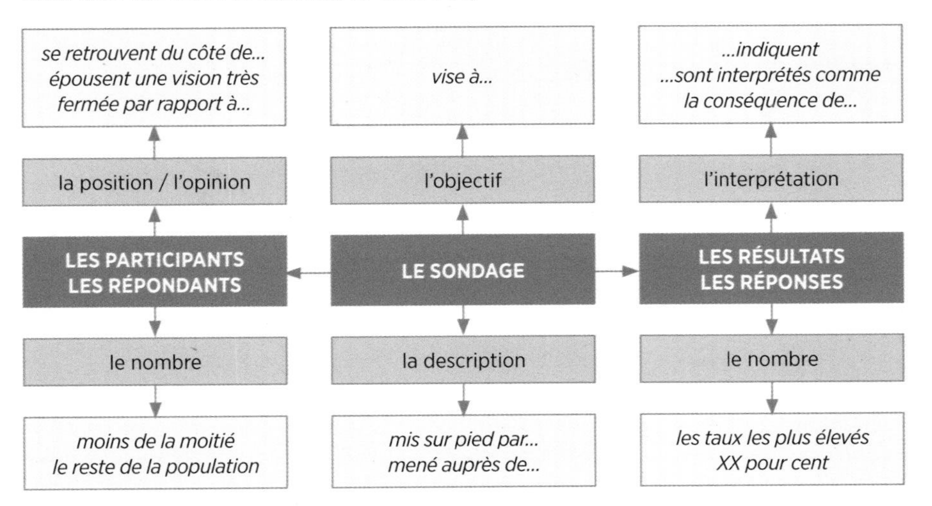

10. Réfléchissez.

Compte tenu des résultats de ce sondage, peut-on dire que certains pays sont à l'abri du populisme ? Justifiez vos réponses.
Qu'en est-il de votre pays ?

Accord des noms collectifs et des expressions de quantité

Réfléchissez aux questions ci-dessous et expliquez les accords dans les phrases qui suivent.

- Qui fait l'action, le groupe ou les individus qui le constituent ?
- Est-ce que l'accent est mis sur la collectivité ou la pluralité ?
- Quel déterminant précède le nom collectif ?

a. **L'ensemble des questions** **a permis** de comprendre les motivations des répondants.
b. **Une masse de renseignements** **ont été recueillis**.
c. **La majorité des experts** **s'entend** sur cette question.
d. **Une minorité de citoyens** **sont opposés** à ce projet de loi, et **une grande majorité d'entre eux** **ont voté** en sa faveur.
e. Selon le sondage, **30 % du personnel** qui **a été invité** à se prononcer **ont réagi** favorablement.
f. Le sondage indique que **45 % de la population** **a voté**.
g. **Un participant sur dix** **a rempli** tout le questionnaire.
h. **Le tiers des commentaires reçus** **contenait** des objections à ce projet.
i. **Tous les employés** **ont reçu** le questionnaire. **La plupart** y **ont répondu**.
j. **La plupart du travail** **se fait** en équipe.

En petits groupes, formulez des règles régissant les accords des noms collectifs et des expressions de quantité. Ensuite, confirmez-les en grand groupe.
Le texte *Un sondage sur le populisme au Canada* p. 82 contient plusieurs exemples de noms collectifs et d'expressions de quantité. Repérez-les et observez les accords !

Projet

Mener une enquête sur un enjeu de société

En petit groupes, ciblez une nouvelle réalité sur laquelle vous aimeriez connaître l'opinion de l'ensemble de vos collègues.
Après avoir mis en contexte l'origine du phénomène qui vous intéresse, formulez une série de questions que vous poserez au reste de la classe. Compilez et interprétez les réponses obtenues et présentez les résultats de votre enquête dans le cadre d'un forum sur les réalités émergeantes.
Prévoyez une séance de questions à la fin de votre présentation.

Compréhension et production orales – C2

1. Monologue suivi : Présentation du document

N° 05

Écoutez le document sonore et prenez des notes. Préparez un exposé de 5 à 10 minutes pour présenter son contenu, selon un ordre et une progression logique et cohérente.

2. Point de vue argumenté et débat

1. Préparez un exposé d'une dizaine de minutes sur un des sujets au choix. Traitez un seul des deux sujets.

Sujet 1
Vous participez à un café-citoyen portant sur l'égocentrisme. Vous soutenez que l'image de soi prend trop de place dans notre société et qu'il faut retrouver une logique de partage et d'ouverture aux autres afin d'aller vers des réalisations en commun épanouissantes et utiles. Vous expliquez le rapport à soi que cette ouverture aux autres implique.

Sujet 2
Auteur d'une page Instagram vous représentant, suivie par des milliers de personnes, vous êtes invité(e) dans une émission de radio portant sur le bien-être personnel. Vous soutenez que cultiver son attention à soi-même est fondamental pour être heureux et vivre bien, et exposez votre réflexion sur la manière dont, à l'heure actuelle, cela est possible.

2. Présentez ensuite votre exposé à un ou plusieurs camarades et réalisez un petit débat ensemble sur ce sujet. Puis, écoutez l'exposé d'un camarade. Présentez-lui d'autres arguments pour qu'il développe sa réflexion et réponde à vos critiques et réfutations.

Production orale – C1

1. Choisissez un sujet.

Option lettres et sciences humaines :
Lisez les textes de l'Unité 3 « Les 5 débats de l'intelligence artificielle » (leçon 1, p. 63), « Dans les hôtels japonais, les robots remplacent déjà les employés » (leçon 1, p. 65) « Japon : une intelligence artificielle s'est présentée aux municipales » (leçon 1, p. 65).

À partir de ces lectures, préparez un exposé argumentatif de 15/20 minutes répondant à la problématique suivante : « L'utilisation de l'intelligence artificielle peut-elle être bénéfique pour l'humanité ? »

Option sciences
Lisez les textes de l'Unité 3 « Les 5 débats de l'intelligence artificielle » (leçon 1, p. 63), « Dans les hôtels japonais, les robots remplacent déjà les employés » (leçon 1, p. 65) « Japon : une intelligence artificielle s'est présentée aux municipales » (leçon 1, p. 65).

À partir de ces lectures, préparez un exposé argumentatif de 15/20 minutes répondant à la problématique suivante : « Les recherches sur l'intelligence artificielle et son développement représentent-ils un progrès scientifique et humain ? »

2. Présentez ensuite votre exposé à un ou plusieurs camarades et répondez à leurs questions. Puis écoutez l'exposé d'un camarade et posez-lui des questions pour qu'il développe sa réflexion.

Conseils

1. L'épreuve de production orale C1 n'est pas une synthèse. Vous devez présenter votre opinion personnelle de manière organisée et argumentative.
2. Les documents fournis vous donneront des idées, des exemples, des pistes de réflexions. L'examinateur s'attendra aussi à ce que vous introduisiez des idées, commentaires ou exemples qui ne se trouvent pas dans les documents.
3. Votre exposé devra avoir une introduction, qui amène la problématique fournie par le sujet, une progression logique, une conclusion.
4. L'argumentation à la française, valorisée à l'examen, doit faire apparaître différentes facettes de la problématique. Ainsi, n'optez pas pour un exposé répondant à la problématique dans un seul sens, du type « Oui » ou « Non », mais développez un « Oui, mais... » ou « Non, mais... ».
Exemple : « Le travail est-il nécessaire au bonheur ? »
→ « Une activité reconnue socialement est importante pour se sentir heureux (partie 1), cependant les conditions de travail doivent être respectueuses de l'individu (partie 2). » / « On peut tout à fait être heureux sans travailler (partie 1), cependant, posséder et maîtriser une sphère d'activités contribue à l'épanouissement personnel (partie 2). »

Production écrite – C1

1. Synthèse

En 200 mots, écrivez une synthèse de ces deux textes :
– « Enfants youtubeurs : poussins aux jeux d'or », ci-dessous
– « Influencer, c'est quoi ? », leçon 3, p. 78

Enfants youtubeurs : poussins aux jeux d'or

[...]
Kalys a 11 ans. Athéna en a 6. Elles sont encore très jeunes, mais sont déjà suivies par quelque 1,4 million d'abonnés sur la plateforme d'hébergement de vidéos YouTube. Tous les jours ou presque, depuis quatre ans, les deux sœurs déballent de nouveaux jouets ou relèvent des défis en tout genre sur leur chaîne, Studio Bubble Tea. Elles ont tout de professionnelles, emploient le même gimmick au début de chaque vidéo : « *Hello les copains, coucou les Bubble fans !* » Derrière cette mécanique bien huilée se trouve Mickaël, leur père. Avant de lancer sa chaîne « familiale », il a tourné quelques sketchs avec sa fille aînée « *pour lui faire plaisir* ». Puis, en 2014, « *dans la même logique d'amusement* », il décide de mettre ses filles en scène sur YouTube. La mayonnaise prend, si bien que le père de famille abandonne son poste d'ingénieur pour se consacrer à son activité en ligne.
[...] Depuis, de nombreuses chaînes dites « familiales » font florès. Une activité qui, si elle peut paraître anodine sur la forme, est le théâtre d'enjeux qui dépassent les enfants. « *Derrière la caméra, les parents servent leurs propres intérêts économiques et financiers* », estime Mᵉ Dalila Madjid, avocate au barreau de Paris spécialiste du droit du travail et de l'Internet.

« Cocktail magique »

La logique mercantile de YouTube, qui rémunère ses créateurs de contenus en fonction de leur nombre de vues, n'est plus un secret. Cette course à l'audience se traduit par un rythme de production quasi industriel chez les youtubeurs. [...] Si l'on en croit le site Social Blade, qui recense les données des fameux « influenceurs » (ces personnalités du Web qui se servent de leur exposition pour influer sur les comportements d'achats), la chaîne Studio Bubble Tea engrangerait près de 1 500 euros pour 800 000 vues quotidiennes. Soit un chiffre d'affaires annuel de 500 000 euros. Et ce sans compter le soutien de géants du jouet et du dessin animé, qui lui offrent produits à tester et voyages à la rencontre d'acteurs ou de sportifs de haut niveau. « *Pour ces marques, les chaînes familiales représentent un cocktail magique en matière de marketing direct au vu du nombre d'enfants qui regardent ces vidéos et qui cherchent à les imiter* », explique le président de l'Observatoire de la parentalité et de l'éducation numérique (Open), Thomas Rohmer.
A priori, le fait que cette activité dégage de l'argent n'a rien de répréhensible. Ce sont les conditions de travail des mineurs devant la caméra qui inquiètent les associations de protection de l'enfance. [...] De fait, à l'heure actuelle, les enfants youtubeurs ne sont pas protégés, contrairement aux mineurs artistes. Pas de limitation horaire ni d'accompagnement psychologique : ces mineurs ne font l'objet d'aucun contrôle et échappent au radar des autorités publiques. [...]

« Gratification de l'ego »

[...]
Ces chaînes « familiales » inquiètent aussi car elles feraient courir aux enfants un risque d'ordre psychologique. « *À partir du moment où de l'argent tombe tous les mois du fait de cette activité, on se rapproche d'une forme de prostitution enfantine* », estime par exemple le psychanalyste Michaël Stora, également président de l'Observatoire des mondes numériques en sciences humaines.
La formulation est dramatique, et suggère un préjudice moral majeur. Mais pour Michaël Stora, pas de doute, exposer ses enfants à un public aussi large que celui de YouTube comporte des risques : « *Ce phénomène de mode vient perturber le développement personnel de l'enfant.* » Notions d'intimité et de vie privée mal assimilées, confiance limitée en ses propres parents, difficultés à se construire par rapport à ses pairs… La course aux « likes » est loin d'être saine. « *C'est une perpétuelle gratification de l'ego. Montrer que sa vie est toujours bien remplie sur la base d'activités calibrées pour correspondre à ce qui se vend, cela fait de ces enfants des objets de consommation* », souligne la psychologue spécialiste de la jeunesse et des usages numériques Vanessa Lalo. [...]

Libération, Arthur Le Denn, 22 août 2018.

2. Essai argumenté

Écrivez un texte argumentatif de 250 mots minimum sur le sujet suivant.

Vous venez de créer une marque éco-responsable de jouets en bois. Un débat est en cours avec vos associés concernant l'utilisation de chaînes familiales Youtube pour assurer votre publicité.
Vous écrivez à vos associés un mail argumenté pour présenter votre point de vue sur la stratégie marketing à mettre en place et les problèmes éthiques posés par le recours à ces chaînes.

Conseils

1. Exprimez votre point de vue personnel sur le sujet de manière logique et argumentée.
2. Les textes fournis pour la synthèse vous donneront des idées et des références, mais vous devrez aussi développer des arguments et exemples qui vous sont propres.

UNITÉ 4

CONSOMMER RESPONSABLE

Leçon 1

Dénoncer

- Repérer des informations et des opinions
- Analyser des données
- Dénoncer des inégalités
- Alerter l'opinion publique avec plus de force

Projet : Lancer une pétition en ligne

Réfléchissez aux questions suivantes.

a. À quelle fréquence remplacez-vous vos appareils électroménagers, votre ordinateur ou votre portable ? Pour quelles raisons ?

b. Pensez-vous que les appareils électroménagers et technologiques soient volontairement conçus pour ne pas durer ?

c. Avez-vous entendu parler de l'obsolescence programmée ?

Repérer des informations et des opinions

Texte 1

Apple visé par une enquête en France pour « obsolescence programmée »

Le parquet de Paris a ouvert une enquête préliminaire contre Apple pour « tromperie » et « obsolescence programmée », vendredi 5 janvier, indiquent l'Agence France-Presse et Reuters ce lundi. Le géant américain est accusé d'avoir volontairement ralenti certains anciens modèles d'iPhone en vue d'augmenter ses ventes.

Apple a-t-il volontairement ralenti certains modèles d'iPhone pour doper ses ventes ? La marque à la pomme a en tout cas récemment reconnu ralentir certains anciens modèles à travers son système de mise à jour. Non pas pour inciter ses clients à changer plus souvent de modèle, mais plutôt pour éviter d'endommager des appareils dont la batterie serait en fin de vie, assure le géant californien.

Pas de quoi convaincre l'association française « Halte à l'obsolescence programmée (HOP) » qui a déposé une plainte le 27 décembre, estimant que ce ralentissement volontaire de certains modèles vise avant tout à accélérer leur remplacement.

Ce lundi, la justice française lui a donc emboîté le pas en ouvrant une enquête pour « obsolescence programmée » et « tromperie ».

Pour Émile Meunier, avocat de l'association HOP joint par RFI, cette décision est un « succès », d'autant plus que l'enquête a été ouverte en moins de huit jours. Une preuve selon lui que les éléments apportés par l'association « étaient suffisamment convaincants et tangibles ».

L'enquête est désormais entre les mains de la Direction générale de la concurrence, de la consommation et de la répression des fraudes (DGCCRF). Une instance qui a des pouvoirs de police judiciaire en ce qui concerne les délits du code de la consommation, et « l'obsolescence programmée est un délit du code de la consommation », souligne Me Meunier.

Pour lui, cette enquête est en tout cas le signe que « la France bouge et de nombreux autres pays ont bougé ou vont bouger » et pourrait pousser Apple à revoir sa manière de construire ses appareils pour s'adapter à des consommateurs « qui ont envie de produits durables et réparables ».

rfi.fr, 09/01/2018.

Texte 2

Obsolescence programmée : la justice française ouvre une enquête contre Epson

Après Apple, c'est au tour d'Epson d'être accusé de « tromper » les consommateurs en « programmant » la durée de vie de ses cartouches d'encre. Une enquête préliminaire a été ouverte le 24 novembre dernier pour « obsolescence programmée » contre le fabricant d'imprimantes par le tribunal de Nanterre, a-t-on appris jeudi. Une première en France.

L'enquête a été confiée à la DGCCRF, le service en charge de la répression des fraudes en France. À l'origine de la plainte, déposée en septembre dernier, l'association HOP, « Halte à l'obsolescence programmée », accuse Epson de bloquer les impressions alors que les réserves d'encre de ses imprimantes ne sont pas vides.

Laetitia Vasseur, déléguée générale et co-fondatrice de l'association, est fatiguée de changer sans arrêt les cartouches. « Vous avez une puce qui prévient que la cartouche est vide. Or ce calcul est mal calibré puisqu'on peut constater qu'il reste parfois jusqu'à 20 à 50 % d'encre. Sachant que le litre d'encre coûte plus de 2 000 euros, soit plus qu'un parfum de luxe, c'est complètement aberrant », s'indigne-t-elle.

Une aberration pénalement répréhensible. Depuis deux ans, l'obsolescence programmée peut constituer un délit en France. « C'est une première dans le monde puisqu'il n'y a pas de délit d'obsolescence dans les autres pays. « Cela fait plusieurs années que je travaille sur ces questions et les mentalités ont changé. Le tout jetable devient insupportable pour de plus en plus de personnes », note Émile Meunier, l'avocat de l'association HOP.

rfi.fr, 29/12/2017.

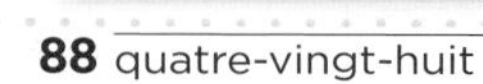

1. Lisez les deux articles page 88.

a. Cherchez dans les articles les mots associés aux termes juridiques suivants :
1. un délit
2. une enquête
3. la justice
4. une plainte
5. répréhensible

b. Retrouvez dans les articles les synonymes de :
1. augmenter
2. concret
3. suivre
4. un abus de confiance

c. Les deux articles portent sur la même thématique. Faites-en la synthèse en 150 mots.

2. Visionnez la vidéo n° 21 et répondez aux questions suivantes.

a. Que signifient pour vous les expressions « stratégie de conception » et « pousser le machiavélisme jusque-là » dans le contexte de l'émission ?
b. Les journalistes emploient quelques anglicismes lors de leur échange. Repérez-les et donnez leur équivalent en français.
c. Pourquoi la journaliste affirme-t-elle que tout le monde dit vrai dans cette histoire ?
d. Quel reproche principal fait-on à Apple ?

Le reportage vidéo

N° 21

iPhone : Apple en accusation

lefigaro.fr

3. Réfléchissez à l'obsolescence programmée.

a. Quels autres produits vous font penser à l'obsolescence programmée ? Mettez en commun vos connaissances.
b. L'obsolescence programmée est un sujet qui fâche. Expliquez pourquoi.
c. Vous êtes membres de l'association « Halte à l'obsolescence programmée ».
Vous vous voyez offrir deux minutes de temps d'antenne à la radio et vous souhaitez inciter les gens à joindre un recours collectif visant un produit sujet à l'obsolescence programmée.
Évoquez les raisons du recours collectif, en expliquant le problème de base et les doléances des consommateurs.

Point infos

DEUX EXEMPLES EMBLÉMATIQUES D'OBSOLESCENCE PROGRAMMÉE

• Les bas nylon de Dupont de Nemours

Dans les années 1940, Dupont lance les premiers bas de nylon. Réputés pour leur extrême solidité, ils connaissent immédiatement un vif succès auprès des femmes de l'époque.
Cependant, cette solidité a un impact direct sur les ventes qui commencent à stagner. La formule originale du bas nylon doit être révisée, afin de réduire la solidité des bas et pousser les consommatrices à acheter des produits neufs.

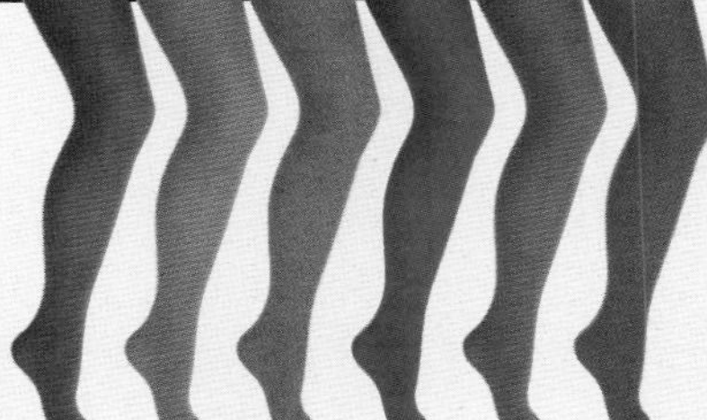

• Les ampoules à incandescence

Les premières ampoules à incandescence, commercialisées en 1881, avaient une durée de vie d'environ 1 500 heures. En décembre 1924, alors que leur durée de vie moyenne atteint 2 300 heures, les principaux fabricants d'ampoules s'unissent pour créer une entreprise commune, Phœbus, qui forme un « comité des 1 000 heures », dont la mission sera de modeler la production d'ampoules afin que le filament de tungstène ne dépasse pas la durée de vie décidée par le groupement d'entreprises.

D'après : obsolescenceprogrammee.fr.

Analyser des données

4. Observez les deux infographies ci-dessous.

a. Selon vous, que démontrent-ils ? Résumez la problématique.
b. Analysez les données de ces deux infographies en vous servant des expressions de l'encadré *Mieux s'exprimer*.

> ***Mieux s'exprimer***
>
> **Analyser une infographie**
>
> Cette infographie montre / indique / révèle ...
> Selon ces statistiques, on peut constater / remarquer ...
> D'après ces chiffres, on peut observer / noter / relever ...
> En examinant attentivement les chiffres, on s'aperçoit ...
> En analysant dans le détail l'infographie, on se rend compte ...

Part de revenu des 10% les plus aisés dans le monde, 2016

Région	Part dans le revenu national (en %)
Europe	37%
Chine	41%
Russie	46%
États-Unis/ Canada	47%
Afrique sub-saharienne	54%
Brésil	55%
Inde	55%
Moyen-Orient	61%

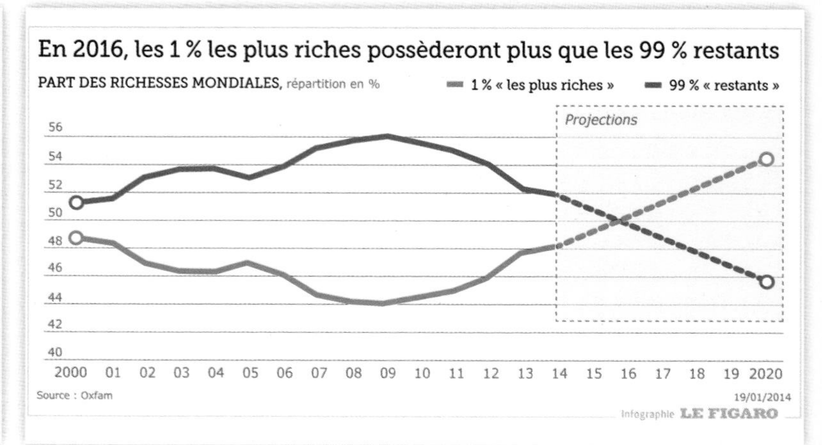

lefigaro.fr, 16/02/2015.

5. Lisez l'article et ajoutez à votre première analyse le vocabulaire de l'opposition et de la comparaison repéré dans l'article.

Dans le monde, près de 850 millions d'individus survivent dans l'extrême pauvreté avec moins de 1,9 $ par jour, sans accès à l'eau potable, à l'éducation, à la santé, et sans opportunité d'un avenir meilleur. À l'extrême opposé, depuis une dizaine d'années, une élite d'ultra-riches a émergé. L'année 2017 a battu un record alarmant : le nombre de milliardaires dans le monde a connu sa plus forte hausse de l'histoire. Leur fortune a augmenté de 762 milliards de dollars, soit sept fois le montant nécessaire par an pour sortir de l'extrême pauvreté les personnes qui en sont touchées.

Le constat que nous faisons est sans appel : si la société est globalement plus riche, elle est pourtant incapable d'offrir une vie meilleure au plus grand nombre. En 2017, 82 % de la croissance a profité aux 1 % les plus riches alors que les 50 % les plus pauvres n'en ont récupéré que des miettes. En France, les inégalités se creusent aussi : les 10 % les plus riches détiennent plus de la moitié des richesses nationales quand les 50 % les plus pauvres se partagent seulement 5 % du gâteau.

L'extrême richesse qui s'est accumulée sur les comptes bancaires des 1 % les plus riches, sans entraves et sans règles, alors qu'elle est aussi le produit du travail des 99 % restants de la population, n'a pas fait l'objet d'un partage équitable. Des scandales d'évasion fiscale tels que les Paradise Papers, les écarts de rémunérations au sein de grandes entreprises ou la réforme fiscale d'Emmanuel Macron montrent que les responsables économiques et politiques ne sont pour l'instant pas décidé.e.s à s'attaquer sérieusement à cette injustice.

Contre les inégalités : pesons de tout notre poids !

Pour lutter contre les inégalités, des solutions existent pourtant et demandent une forte volonté, certes de la part des entreprises, mais surtout, des responsables politiques. Sans mesures fortes, les pays pauvres et riches resteront privés de leurs recettes fiscales, tandis que les personnes les plus vulnérables, souvent des femmes payées à des salaires indécents resteront enfermées dans la pauvreté. Sans mesures fortes, la France verra ses citoyen.ne.s et petites entreprises payer la facture des pratiques irresponsables de grandes entreprises, dans un climat d'injustice et de stigmatisation des plus pauvres. Sans mesures fortes, comme le reconnaissent de plus en plus d'institutions comme le Fonds monétaire international (FMI) ou l'OCDE, cet accroissement continu des inégalités, in fine, portera atteinte à la croissance et à la prospérité économique de tou.te.s.

Face à l'indignation contre les inégalités, il est temps d'agir de tout notre poids pour peser et ré-équilibrer les choses. Pour cela, Oxfam s'adressera aux grandes entreprises pour leur demander de tourner le dos à des pratiques nocives : évasion fiscale, grands écarts salariaux, versement record de dividendes, et d'emprunter la voie d'une économie plus humaine et inclusive. Mais des mesures volontaristes ne suffiront pas à gagner le combat contre les inégalités. Des mesures publiques ambitieuses doivent être adoptées et s'imposer aux entreprises et aux contribuables.

Oxfam France, 2018.

Dénoncer des inégalités

6. En petits groupes, répondez aux questions sur le texte de la p. 90.

a. L'article utilise de nombreuses expressions afin de dénoncer les inégalités. Relevez-les.

b. Expliquez la signification de l'expression « peser de tout son poids » dans le contexte de cet article.

c. Oxfam évoque quelques pistes pour lutter contre ces inégalités. Laquelle vous semble la plus pertinente ? Voyez-vous d'autres solutions ?

d. Quel titre donneriez-vous à cet article ?

Point infos

LES INÉGALITÉS DE SALAIRE ENTRE LES HOMMES ET LES FEMMES

Les inégalités de salaire entre les hommes et les femmes est l'une des injustices les plus criantes et visibles qui soient. D'ailleurs, personne ne conteste leur existence. Alors, pourquoi les autorités ne prennent-elles pas ce problème à bras le corps ?

En Islande, une nouvelle loi prévoit désormais d'interdire formellement les écarts de salaires injustifiés entre les hommes et les femmes. Avec ce nouveau texte, les entreprises, qu'elles soient publiques ou privées, seront tenues de prouver qu'elles ne se rendent coupables d'aucune discrimination.

En France aussi ce type de discrimination est interdit. Encore heureux. Seulement voilà, aucune mesure de contrôle n'est prévue par la loi. Résultat : les hommes gagnent toujours 23 % de plus que les femmes…

positivr.fr, Axel Leclercq, 27/11/2017.

7. Visionnez la vidéo n° 22 et répondez.

a. Synthétisez les causes de la différence entre les données sur les salaires des hommes et des femmes en Allemagne.

b. Visionnez à nouveau cette vidéo et relevez tous les connecteurs logiques.

8. Visionnez la vidéo n° 23 et lisez le *Point infos* ci-dessus.

Expliquez pourquoi, encore aujourd'hui, un écart entre les salaires des hommes et des femmes perdure. Travaillez en petit groupe.

Les reportages vidéo

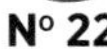

Les injustices salariales

N° 22

arte.tv

N° 23

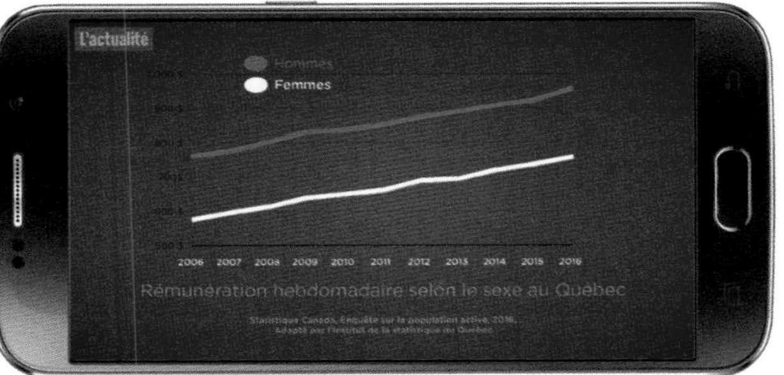

lactualite.com

9. Inventez un slogan.

Votre groupe souhaite organiser une campagne de sensibilisation aux inégalités de salaire entre les hommes et les femmes ou les plus riches et les plus pauvres. Envisagez chaque aspect du problème, imaginez un slogan et un message percutants que vous pourriez publier sur les réseaux sociaux pour lancer votre campagne.

Alerter l'opinion publique avec plus de force

Est-il vrai qu'il existe un « continent de plastique » dans l'océan ?

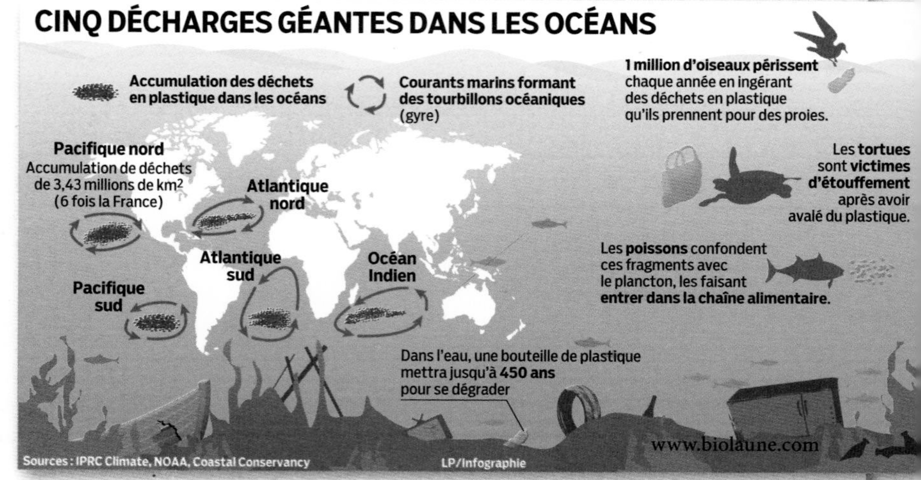

En 1997, le marin américain Charles Moore découvre dans l'océan Pacifique un immense amas de déchets de plastique flottant et stagnant à la surface de l'eau sur plus de 3,4 millions de kilomètres carrés, soit six fois la superficie de la France ! Une incroyable et triste découverte. Ce continent est celui de la honte.
Imaginez : une décharge en pleine mer qui, selon les estimations, pourrait contenir quelque 750 000 débris plastique par km². Et s'il n'y avait que lui... Cinq autres zones du même acabit ont depuis été repérées, dans les grands tourbillons (ou gyres) présents au cœur de chaque océan, là où tous les courants font converger les eaux. Dans l'Atlantique Nord, à environ 3 000 km des côtes françaises, cette étendue de détritus atteint deux fois la superficie de l'Hexagone. À elles toutes, ces masses de plastique forment ce qu'on appelle le « 7e continent ».

Une alerte à la pollution qui dure depuis 20 ans

Depuis vingt ans, les scientifiques alertent sur cette vaste pollution des mers. D'abord parce que sa taille ne fait que croître : chaque année, des millions de tonnes de plastique issues de nos déchets quotidiens terminent, poussées par le vent et transportées par les fleuves et les rivières, dans les cinq gyres de la planète, faute d'être correctement collectées et recyclées ! Ensuite, parce que les matières plastiques se décomposent sous l'effet de la houle en de minuscules fragments ou filaments impossibles à récupérer en l'état actuel. En 2016, des chercheurs membres de l'Expédition 7e continent, qui étudie depuis 2013 les vortex océaniques, ont montré que les rayons solaires et l'oxygène démultiplient cette pollution. À tel point qu'un débris de quelques millimètres produit 1 000 milliards de nanoparticules !
Les substances qui polluent déjà l'eau (tels les PCB ou pyralènes, issus des industries) viennent se coller aux déchets, s'ajoutant aux toxiques que le plastique contient déjà (phtalates, bisphénol A). Quand les poissons et autres animaux marins les avalent par inadvertance, c'est toute la chaîne alimentaire qui est contaminée !

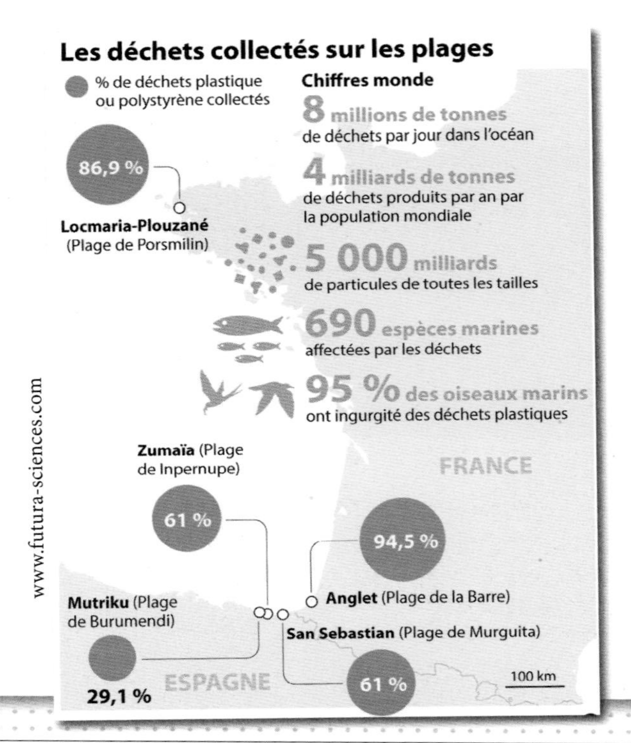

Les déchets ne sont pas les seuls responsables

Et les chiffres les plus récents noircissent le tableau. En avril 2017, l'équipe scientifique de l'expédition Tara a révélé que la pollution au plastique a gagné l'océan Arctique, emportée par le courant.
Un mois plus tôt, une autre étude accablante dévoilait toute l'étendue du problème. Loin de se limiter aux déchets, les sources de microplastiques proviennent pour deux tiers du lavage des fibres synthétiques (en particulier les microfibres) de nos vêtements et de l'usure des pneus !
Alors, que faire contre ces poubelles flottantes ? Les gyres se trouvant hors des eaux territoriales, aucun État ne se sent responsable. Des projets ont bien été envisagés, tels que les immenses barrages flottants du jeune Néerlandais Boyan Slat, conçus pour épurer les zones d'accumulation — sauf qu'ils sont inefficaces face aux nanoparticules. Désespérant.
Pour l'heure, le plus urgent semble de réduire les emballages plastiques, d'intensifier le recyclage... d'éviter les fibres synthétiques.

Science & Vie, 17/10/2017.

10. Visionnez la vidéo n° 24 sans le son.

Faites la liste des conséquences de la pollution marine aux hydrocarbures.

11. Lisez l'article de la page 92 et visionnez la vidéo n° 24 avec le son. Relevez dans les documents :

a. les problèmes de pollution que nos océans subissent ;
b. les conséquences de la pollution sur la flore et la faune maritimes.

Le reportage vidéo

N° 24

La pollution marine aux hydrocarbures

lefigaro.fr

12. Travaillez en groupes de trois. Listez le vocabulaire que vous pouvez employer pour dénoncer un problème.

Faites attention à l'emploi éventuel du subjonctif dans le cas des connecteurs, des verbes et des adjectifs.

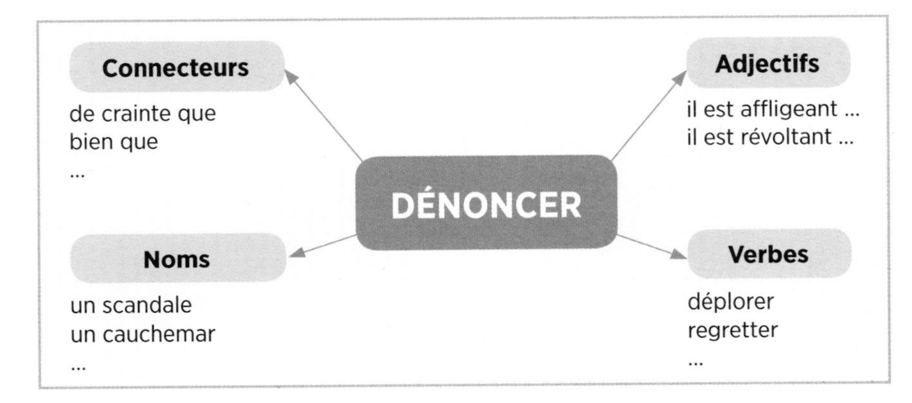

13. En vous basant sur les données présentées dans les deux infographies p. 92, mettez en évidence les dangers de la pollution des océans.

14. Vous désirez alerter l'opinion publique d'une manière plus rigoureuse. Réécrivez certaines des phrases de l'article pour leur donner plus d'emphase.

Par exemple :
- Depuis vingt ans, les scientifiques ne cessent d'alerter sur cette vaste pollution des mers.
- Les déchets ne sont malheureusement pas les seuls responsables.

Projet

Lancer une pétition en ligne

1. Choisissez votre cause.
2. Sélectionnez un titre court qui met l'accent sur le scandale que vous voulez dénoncer. Soyez concis et direct.
3. Faites un historique de la situation et donnez des arguments pour alerter l'opinion publique.
4. Expliquez ce qui doit changer et quels sont les acteurs impliqués ou à impliquer.
5. Respectez l'opinion des autres.

Zéro déchet !

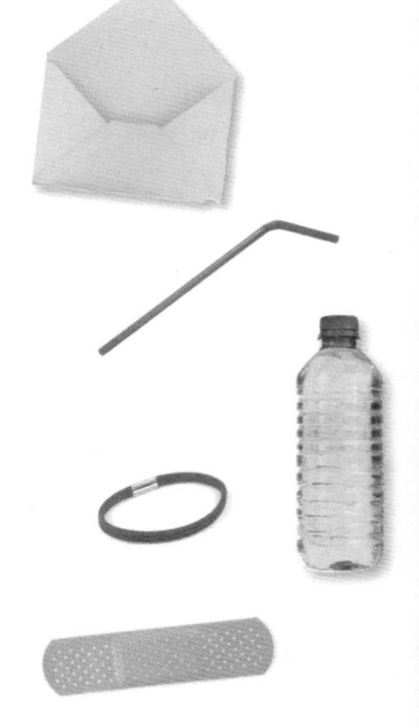

1. Ces déchets sont-ils recyclables ou non recyclables ? Associez les mots à la bonne image.

- un pansement •
- une enveloppe en papier •
- une canette de soda •
- une paille en plastique •
- un pot de cornichons •
- une bouteille d'eau •
- un élastique à cheveux •
- un papier de bonbon •

• 

• 

2. Associez ces expressions avec le verbe « jeter » à leur signification.

Jeter de l'huile sur le feu. •	• S'installer quelque part.
Jeter l'argent par les fenêtres. •	• Abandonner.
Jeter l'éponge. •	• Aggraver une situation.
Jeter un coup d'œil. •	• Gaspiller de l'argent sans compter.
Jeter de la poudre aux yeux. •	• Chercher à impressionner par une apparence trompeuse.
Jeter l'ancre. •	• Regarder rapidement.

3. Quiz. Soyez un bon écolo !

a. Quel petit-déjeuner choisissez-vous ?
1. Des œufs, du bacon et des tartines de pâte à tartiner.
2. Des fruits de saison, un yaourt maison et des noisettes.

b. Ce week-end, vous partez faire du shopping...
1. à un vide-greniers.
2. dans un centre commercial.

c. Au supermarché, vous n'oubliez jamais...
1. d'acheter en vrac.
2. d'acheter les promos.

d. Pour nettoyer votre salle de bains, rien de mieux que...
1. l'eau de javel.
2. le vinaigre blanc.

e. À quelle fréquence mangez-vous de la viande ?
1. Tous les jours.
2. 2 ou 3 fois par semaine.

f. Le dimanche soir, vous en profitez pour...
1. nettoyer votre boîte mail.
2. prendre un bon bain chaud.

Leçon 2

Protester

- Exposer une cause
- Se révolter
- Alerter sur des conséquences
- Exprimer son indignation

Projet : Écrire une lettre à un député

Réfléchissez aux questions suivantes.

a. De quels mouvements ou campagnes de protestation avez-vous entendu parler ? Y avez-vous participé ?
b. Citez les droits qu'ont les consommateurs dans votre pays ou votre région.

Exposer une cause

1. Visionnez la vidéo n° 25 et lisez les deux textes p. 96-97.

Le reportage vidéo

N° 25

Le boycott : une arme pour changer notre société

i-boycott.org

Texte 1

I-Boycott : *H&M* et *Petit Navire* visés par les consommateurs !

Dans un monde où la politique a perdu son autorité sur la sphère économique, celui qui a vraiment le pouvoir, désormais, c'est le consommateur. En déterminant qui est digne de recevoir son argent, seul l'acheteur peut en effet exercer une influence sur les grandes entreprises. Forts de ce constat, deux Français ont décidé de créer *I-Boycott*, une plateforme qui fédère les consommateurs pour faire pression sur les marques.

Officiellement lancée le 1er juin, *I-Boycott* a déjà deux campagnes à son actif. L'une vise la marque de prêt-à-porter *H&M* (on lui reproche les conditions de travail imposées aux ouvriers), l'autre s'attaque à *Petit Navire* (dont les méthodes de pêche sont montrées du doigt). L'appel au boycott aura-t-il un impact sur ces deux enseignes ? Il est trop tôt pour le dire, mais les premiers chiffres sont plutôt encourageants. La campagne *H&M* est déjà suivie par 6 114 personnes tandis que celle de *Petit Navire* est soutenue par 4 617 consommateurs militants.

Il faut dire qu'*I-Boycott* met tout en œuvre pour que les opérations fonctionnent. Son but : les relayer au maximum, notamment sur les réseaux sociaux. La force d'un boycott réside dans l'engouement qu'il suscite. Il faut donc convaincre, encore et toujours ! Mais les fondateurs de la plateforme ne se limitent pas au rôle de père Fouettard. L'idée n'est pas de désigner les mauvais élèves pour les réduire à néant, mais bien de nouer un dialogue constructif.

H&M et *Petit Navire* ont par exemple été avertis des campagnes qui les visaient et ont été invités à répondre à tous les boycottants, la plateforme se chargeant de faire le lien. Ainsi, chacun dispose de l'éclairage nécessaire pour décider s'il continue ou non à bouder les marques concernées.

I-Boycott en est convaincu : si les grandes entreprises écoutent les consommateurs (et vice versa !), chacun devrait au final y trouver son compte. Mais ce n'est pas tout : *I-Boycott* entend bien lancer aussi des campagnes de *buy-cott*. L'idée : donner un coup de pouce aux marques qui brillent par leurs bonnes habitudes en appelant les internautes à acheter prioritairement chez elles ! Et attention, ce système ne cache aucune contrepartie financière. *I-Boycott* ne fonctionne qu'avec les dons.

I-Boycott ? Un outil malin et efficace pour influencer la marche de l'économie mondiale et la vie des grandes entreprises. Une superbe initiative !

positivr.fr, Axel Leclercq, 14/06/2016.

Texte 2

Légalement, qu'en est-il de l'appel au boycott ?

L'appel au boycott se trouve au cœur des libertés fondamentales d'expression et d'opinion. Ses limites sont donc les mêmes que celles qui encadrent des libertés qui ne sont pas absolues. Ainsi, un appel au boycott basé sur des informations fausses peut constituer un délit de diffamation. De même, la liberté d'expression et d'opinion ne peut permettre d'appeler à discriminer sur des critères strictement énumérés à l'article L.225-1 du Code pénal : critères d'origine, de sexe, de race, de religion, de nation... Ainsi les appels au boycott des produits israéliens, russes ou anglais sont illégaux, dans le sens où le facteur discriminant est la nationalité. De plus, une confusion sur la légalité de l'appel au boycott semble entretenue chez une partie de l'opinion publique en raison de l'article L.225-2 du Code pénal souvent mal interprété. Le délit d'entrave à une activité économique n'est sanctionné que lorsqu'il se fonde sur un des critères de discrimination prohibés par l'article L. 225-1 du Code pénal. De plus, l'entrave à l'activité économique ne se matérialise que par une action positive sur les moyens de production ou de distribution. En aucun cas l'appel à la liberté de conscience du consommateur n'est à lui seul constitutif d'une entrave à l'activité économique. L'appel au boycott est donc parfaitement légal s'il ne diffame pas et ne s'appuie pas sur les critères énumérés à l'article L.225-1 du Code pénal. Il est un moyen d'action pacifique et efficace comme il s'est illustré à de nombreuses reprises dans l'Histoire. Plusieurs boycotts ont eu un écho très important par le passé : le boycott des bus de Montgomery en 1955 après l'appel de Martin Luther King, le boycott de *Nestlé* en 1977 et le boycott des entreprises sud-africaines pendant l'apartheid.

i-boycott.org.

2. Répondez aux questions.

a. Donnez votre avis sur le boycott. Est-ce une bonne stratégie ? Pesez le pour et le contre.

b. Hormis le boycott, discutez en petit groupe d'autres moyens d'action possibles qui permettraient de contrebalancer certains excès du néo-libéralisme.

c. Un « consommacteur » est une personne qui veut influencer la société et son modèle de production par ses achats. Ce mot, contraction de *consommateur* et *acteur* est appelé un mot-valise. Ce procédé est très employé pour créer des néologismes (*adulescent, clavardage*...). Connaissez-vous d'autres mots-valises ou pourriez-vous en créer ?

3. Préparez une campagne de boycott. Travaillez en groupes de quatre.

En suivant les étapes proposées par *i-boycott.org*, concevez un argumentaire pour sensibiliser l'opinion publique et appeler au boycott d'une compagnie. Attention, tout n'est pas possible ! Lisez le texte sur la légalité du boycott p. 97 pour vous assurer que vous n'enfreignez pas la loi. Quels contre-arguments pourriez-vous développer pour vous porter au secours de la compagnie incriminée ? La classe déterminera la meilleure campagne.

Savoir-faire

Construire un argumentaire

Le titre et l'intro

• Mettez le nom de l'entreprise en évidence et présentez-la brièvement à l'aide de quelques chiffres parlants, si besoin (n'utilisez pas son logo !).
• Soyez concis et direct.
• Insistez sur l'urgence de la situation en mettant en avant les efforts consentis jusqu'à présent, s'il y en a eu, et de relayer les valeurs de l'entreprise souvent présentes dans la « charte éthique » sur leur site internet.

La description et le mot-dièse (aussi appelé mot-clic ou hashtag)

• Décrivez le scandale de façon objective : agrémentez votre texte d'une vidéo (libre de droits ou avec le consentement de son auteur) qui expose la problématique, s'il en existe. (Les associations de terrain constituent de très bonnes sources.)
• Exposez vos revendications : insistez sur ce que vous aimeriez voir changer.
• Respectez les autres : n'appelez pas à la haine, ne les menacez pas et n'inventez pas de faits.
• Choisissez un mot-dièse.

Le seuil

Définissez un seuil de boycottants en fonction de la taille de l'entreprise ciblée, de l'urgence de la situation dénoncée et du potentiel de mobilisation de votre campagne. Référez-vous aux campagnes précédemment lancées sur la plateforme au besoin.

Les sources

Assurez-vous que vos sources sont fiables et objectives : plus elles le seront, plus les gens seront convaincus de la pertinence de votre appel au boycott.

La diffusion

Il ne vous reste plus qu'à publier votre campagne sur la plateforme et à la diffuser le plus largement possible à travers les médias traditionnels (communiqué de presse), les réseaux sociaux, vos partenaires et tout autre support permettant de toucher le maximum de « consommacteurs » !

Se révolter

4. Lisez les deux textes et visionnez la vidéo n° 26, p. 99.

Texte 1

Glyphosate : l'Argentine fortement impactée

L'Organisation mondiale de la Santé avait publié une mise en garde concernant les effets potentiellement cancérigènes du glyphosate. En Argentine, il semblerait que le produit ait causé la mort de plusieurs dizaines de personnes.

L'Argentine : le premier utilisateur mondial du glyphosate

L'Argentine est un pays qui consacre près de 60 % de ses terres cultivées au soja transgénique. Pour obtenir un rendement toujours plus intensif, le pays utilise environ 300 000 tonnes de glyphosate chaque année. Le fabricant vante les mérites de son produit dans des spots publicitaires, où il promet une agriculture abondante. Néanmoins, les risques liés à l'épandage de ce produit ne sont jamais mentionnés.

Et pourtant, selon l'OMS, le glyphosate est classé parmi les produits potentiellement cancérigènes. Sofia Gratica a porté plainte contre l'État. Elle dispose de la liste complète des victimes dans son village. Son propre bébé, atteint d'une malformation, est mort seulement deux jours après sa naissance. Et pour cela, ni le fabricant ni l'État n'ont été inquiétés. C'est donc le propriétaire du champ où les pesticides sont dispersés par avion qui a été condamné à trois ans de prison avec sursis.

Les cas de cancer se multiplient d'année en année

Le nombre de malades ne fait que croître depuis une décennie. Pour comprendre, plusieurs enquêtes (indépendantes) ont été ouvertes en Argentine. Toutes parviennent à la même conclusion et établissent ainsi un lien direct entre l'utilisation du glyphosate et l'humain. Dans le village de Sofia Gratica, 33 % des personnes sont malades et près de 80 % des enfants possèdent des pesticides dans leur sang.

En Argentine, les cas de cancer recensés ont été multipliés par trois en seulement dix ans. Les bêtes qui entrent en contact avec le glyphosate meurent rapidement, les ouvriers chargés de le manipuler développent des maladies et les enquêtes pointent toutes dans le même sens. Alors que l'Argentine a pris la troisième place parmi les pays exportateurs de soja transgénique, le pays ne semble pas avoir encore conscience des enjeux sur la santé de ses millions d'habitants.

VivreDemain, Sharon, 29 décembre 2017.

Texte 2

L'un des pires scandales sanitaires du XXIe siècle

[...] Ce livre choc révèle l'un des plus grands scandales sanitaires et environnementaux de l'histoire moderne. Il montre que, face à l'impuissance ou l'absence de volonté des agences et des gouvernements pour y mettre fin, la société civile mondiale se mobilise : en octobre 2016, s'est tenu à La Haye le Tribunal international Monsanto, où juges et victimes ont instruit le procès du Roundup, en l'absence de Monsanto, qui a refusé d'y participer. Donnant son fil conducteur au livre, ce procès a conduit à un avis juridique très argumenté, qui pourrait faire reconnaître le crime d'« écocide », ce qui permettrait de poursuivre pénalement les dirigeants des firmes responsables.

Marie-Monique Robin, journaliste et réalisatrice, est lauréate du Prix Albert-Londres (1995). Elle a réalisé de nombreux documentaires couronnés par une trentaine de prix internationaux et reportages tournés en Amérique latine, Afrique, Europe et Asie. Elle est aussi l'auteure de plusieurs ouvrages, dont *Voleurs d'organes, enquête sur un trafic* (Bayard), *Les 100 photos du siècle* (Le Chêne/Taschen), *Le Sixième Sens, science et paranormal* (Le Chêne), *100 photos du XXIe siècle* (La Martinière). À La Découverte, elle a déjà publié : *Escadrons de la mort, l'école française* (2004, 2008), *L'École du soupçon* (2006) et, en coédition avec ArteÉditions, le best-seller *Le Monde selon Monsanto* (2008, 2009), *Notre poison quotidien* (2011), *Les Moissons du futur* (2013) et *Sacrée Croissance !* (2015).

Éditions La Découverte.

5. Analysez les textes p. 98 et la vidéo n° 26.

a. Énumérez les dangers du glyphosate. Réfléchissez sur les conséquences de son utilisation.
b. À votre avis, qu'est-ce qu'il faudrait que les gouvernements, les producteurs et les citoyens aient fait d'ici quelques années pour améliorer la situation ?

Le reportage vidéo

N° 26

Le combat contre le glyphosate

tv5monde

Le reportage vidéo

N° 27

La pomme de la discorde

france.tv

6. Visionnez la vidéo n° 27.

a. En quoi la pomme du Limousin est-elle spéciale ?
b. À quelle double menace font face les pommes de cette région ?
c. Énumérez les conditions à respecter lors de l'utilisation des pesticides.
d. Pourquoi la pomme du Limousin est-elle devenue la « pomme de la discorde » ? Cherchez l'origine de cette expression.

i Point infos

LES PESTICIDES : UN BREF ÉTAT DES LIEUX

• Après deux ans de négociations, les vingt-huit États membres de l'Union européenne ont voté, le lundi 27 novembre 2017, en faveur de la prolongation de l'utilisation pour cinq ans du glyphosate. Dix-huit pays ont voté en faveur de la proposition de l'exécutif européen, tandis que neuf s'y sont opposés et un s'est abstenu, la majorité qualifiée requise étant ainsi atteinte. La France, qui préférait un renouvellement de trois ans, a voté contre la proposition de la Commission européenne.

• En France, premier producteur agricole en Europe et deuxième consommateur de pesticides derrière l'Espagne, le secteur agricole consomme de plus en plus de produits phytosanitaires avec une hausse de 20 % en sept ans. Les rendements, pourtant, ne progressent plus : céréales, oléagineux, poires, pommes ou betteraves sont moins productifs qu'en 2009.

• Depuis le 1er janvier 2017, les collectivités locales et les établissements publics de France ne peuvent plus employer de pesticides pour l'entretien des espaces verts. Seuls les produits de biocontrôle et les produits utilisables en agriculture biologique sont autorisés.

Alerter sur des conséquences

7. Lisez le texte et répondez.

a. Observez le tableau p. 100. Quelles seraient les conséquences de la disparition des pollinisateurs ?
b. Lisez l'article suivant et faites l'activité de reformulation. Aidez-vous du tableau « Savoir varier les formulations ».

Néonicotinoïdes, les pesticides tueurs d'abeilles

Soupçonnés depuis quelques années déjà, les néonicotinoïdes ont vu récemment leur statut de « tueurs d'abeilles » confirmé par deux études, l'une européenne et l'autre canadienne.
Les résultats de ces travaux de recherche valident la nocivité pour les pollinisateurs, et particulièrement pour les abeilles, de cette classe de pesticides utilisés depuis 30 ans en agriculture. Les néonicotinoïdes diminueraient en effet les capacités des pollinisateurs d'établir de nouvelles colonies dans l'année suivant l'exposition, réduisant les chances de survie des populations éventuelles.
Des expériences menées en Europe (Allemagne, Grande-Bretagne et Hongrie) auprès de trois espèces d'abeilles ont démontré une variation de l'impact de deux insecticides (la clothianidine et le thiaméthoxame), faisant partie de la grande famille des néonicotinoïdes, sur les pollinisateurs des cultures de colza, selon la période de l'année et le site. ▶

Les abeilles et autres pollinisateurs en quelques chiffres

- reproduction de plus de 80 % des espèces végétales
- 153 milliards d'euros par an en valeur de l'activité de pollinisation
- 10 % du chiffre d'affaires de l'agriculture mondiale
- reproduction de plus de 75 % des cultures dans le monde
- 35 % de la production alimentaire mondiale en tonnage

Des effets négatifs ont ainsi été constatés lors de la floraison sur les espèces d'abeilles présentes en Hongrie et en Grande-Bretagne, mais pas sur celles de l'Allemagne. Des effets persistants – au-delà de l'hiver – ont aussi été notés sur les sites hongrois avec un déclin observé d'un quart de la colonie le printemps suivant. De plus, la capacité de reproduction des abeilles sauvages (*Bombus terrestris* et *Osmia bicorne*) sur ces territoires diminuerait avec l'augmentation des résidus de néonicotinoïdes.
Du côté canadien, la récente étude rapporte une augmentation de la mortalité des abeilles ouvrières et des reines lorsque les colonies sont exposées à des doses de néonicotinoïdes similaires à celles retrouvées dans les champs de maïs traités. « L'espérance de vie des abeilles serait ainsi réduite de 23 % lors d'une exposition précoce, soit lors des neuf premiers jours de leur cycle de vie », ont rapporté les chercheurs. Exposées à ces insecticides pendant quatre mois – la durée de la saison des abeilles –, les colonies démontreraient aussi, en plus d'une perte de leurs membres, une baisse d'activité au niveau de leurs comportements sociaux.
Les chercheurs canadiens ont noté de plus que la toxicité des néonicotinoïdes doublerait lors de la présence d'un fongicide, une substance également utilisée en agriculture.

Que sont les néonicotinoïdes ?
Les néonicotinoïdes regroupent les insecticides les plus utilisés à l'échelle de la planète. Ils servent à traiter de façon préventive les semences contre les ravages des insectes. Par conséquent, ils se retrouvent dans toutes les parties de la plante. On parle alors de pesticides systémiques. Comme ils sont composés le plus souvent de dérivés chlorés qui se dégradent peu, ils persistent dans l'environnement.
Ces substances, qui ne recèlent qu'une dizaine de molécules, démontrent une grande toxicité. Elles ciblent le système nerveux des insectes, empêchant les pollinisateurs de s'orienter, allant jusqu'à causer leur mort…

Agence Science-Presse, Isabelle Burgun, 6 juillet 2017.

Savoir-faire

Savoir varier les formulations

Utiliser des synonymes
Soupçonnés depuis quelques années déjà...
Suspectés depuis quelques années déjà...

Nominaliser
Les pesticides sont utilisés par les pomiculteurs...
L'utilisation des pesticides par les pomiculteurs...

Passer de la voix passive à la voix active
Les pesticides sont dispersés par avion...
L'avion disperse les pesticides...

Passer de la voix active à la voix passive
L'Argentine utilise environ 300 000 tonnes de glyphosate chaque année.
300 000 tonnes de glyphosate sont utilisées chaque année (par l'Argentine).

Condenser
Ils servent à traiter de façon préventive les semences contre les ravages des insectes.
Ils servent à traiter les semences contre les ravages des insectes.

Mettre en relief
Les néonicotinoïdes diminueraient en effet les capacités...
Ce sont les néonicotinoïdes qui diminueraient en effet les capacités...

8. Relisez les autres articles de cette leçon.
Sélectionnez différentes phrases et réécrivez-les en utilisant chacune des stratégies proposées dans l'encadré *Savoir-faire*.

9. Écoutez la séquence radio n° 06.
a. Quel est l'impact des produits chimiques sur les pollinisateurs dans la province du Sichuan ?
b. Résumez les résultats de la récente étude de l'INRA. Comment les chercheurs sont-ils parvenus à ces conclusions ?

La séquence radio

N° 06

Une étude accablante

La journaliste Nathalie Fontrel présente une nouvelle étude sur l'impact des pesticides sur les abeilles.

franceinter.fr

10. Visionnez la vidéo n° 28 et discutez en petits groupes de la situation au Canada.

Est-elle différente de celle observée dans d'autres pays ? Quelles sont les spécificités de l'Ontario ?

Le reportage vidéo

N° 28

Les abeilles menacées par les pesticides

radio-canada.ca

Le reportage vidéo

N° 29

« Il faut inventer un autre modèle. »

franceinter.fr

Exprimer son indignation

11. Visonnez la vidéo n° 29.

À la manière d'Arnaud Daguin, vous êtes l'invité d'une matinale. Vous disposez de trois minutes de temps d'antenne. À deux, préparez de la manière la plus percutante possible un « coup de gueule » sur les conséquences de l'utilisation des néonicotinoïdes en reprenant certaines des informations obtenues dans les documents de cette leçon. Vous pouvez aussi choisir un autre problème auquel vous êtes sensible.

12. Jeu de rôles. Après avoir lu les documents et visionné les vidéos n° 28 et 29, préparez votre argumentaire en vue du débat suivant.

La mairie du village organise une table ronde sur l'utilisation des pesticides et vous y êtes invités. Répartissez-vous les rôles suivants, selon le nombre de participants, en les dédoublant au besoin : un apiculteur qui voit ses abeilles décimées et soupçonne l'utilisation de pesticides ; un pomiculteur qui a peur de perdre sa récolte à cause des nuisibles ; deux agriculteurs, l'un spécialisé dans l'agriculture biologique, l'autre fervent utilisateur du glyphosate qui craint pour ses rendements ; un écologiste ; un revendeur de pesticides qui prend la défense du pomiculteur ; le maire du village qui tente à tout prix d'apaiser le conflit ; un ou plusieurs parents d'élèves qui se questionnent sur les répercussions des pesticides sur la santé de leurs enfants ; de simples citoyens en quête d'informations.

Projet

Écrire une lettre à un député

Endossez le rôle de Fabrice Micouraud, porte-parole de l'association *Allassac ONGF*, et rédigez une lettre à votre député où vous ferez part de vos inquiétudes pour la santé des habitants de votre municipalité et exigerez des actions. Aidez-vous du vocabulaire entendu dans le reportage *La pomme de la discorde* p. 99 et des structures de l'encadré *Mieux s'exprimer*.

Mieux s'exprimer

Savoir rédiger une lettre

Je souhaite, par la présente, vous faire part de mon mécontentement à propos ...
Je souhaite par la présente lettre protester contre ...
Je vous adresse la présente au nom des habitants de la commune
afin de vous faire part de notre vive préoccupation face à la situation ...
Ainsi et pour toutes les raisons exposées auparavant, je vous demande de mettre fin à ...
En vous remerciant de l'attention que vous aurez bien voulu accorder à ces remarques ...

Résiste !

1. À quel événement historique correspondent ces descriptions ? Indiquez la bonne réponse.

La Révolution Française – Mai 68 – La manifestation du 1er mai –
La grève générale aux Antilles françaises – Les Marches Républicaines

a. Suite aux attentats du 7, 8 et 9 janvier 2015 dont les victimes sont notamment la rédaction du journal *Charlie Hebdo*, des policiers et des clients d'un supermarché casher, les Français se sont rassemblés dans toutes les villes de France dès le 10 janvier. 44 dirigeants de divers pays ont également participé au cortège de Paris le 11 janvier.

b. La fête du Travail donne lieu chaque année à de nombreuses manifestations. Dès le XXe siècle, cette date devient une journée de lutte et de célébration des combats des salariés.

c. De 1789 à 1799, la France connaît des bouleversements politiques et sociaux avec la révolte du peuple contre le roi Louis XVI et l'ordre établi, guidée par la bourgeoisie. Cette période verra la naissance de la Déclaration universelle des droits de l'homme.

d. La jeunesse étudiante parisienne se révolte emportant avec elle le monde ouvrier et plus largement celui des travailleurs. Les étudiants se rebellent contre l'autorité, le capitalisme et la politique du Général de Gaulle. Ils remettent en question la société traditionnelle française.

e. En 2009, les Guadeloupéens et les Martiniquais se révoltent contre la vie chère car les produits de la vie courante et le carburant ont des prix très élevés. Cette crise paralyse les deux îles durant un mois et demi.

2. Associez ces slogans aux manifestations où ils ont été criés.

Je suis Charlie.

Il est interdit d'interdire.

Je vote pour la planète.

Et un pas en avant et deux pas en arrière, c'est la politique du gouvernement.

Pour l'égalité homme femme, on repassera.

- La marche pour le climat.
- Les Marches Républicaines du 10 et 11 janvier.
- Mai 68.
- La marche pour l'égalité homme femme.
- La manifestation du 1er mai.

3. Devinez qui se cache derrière ces portraits de personnages contestataires célèbres.

Olympe de Gouges – Coluche – Aimé Césaire –
Daniel Cohn-Bendit – Simone de Beauvoir

a. Je suis un poète, dramaturge mais aussi homme politique né en Martinique en 1913. J'ai fondé avec Léopold Sédar Senghor le mouvement littéraire de la négritude en réaction à l'oppression du système colonial français.

b. Je suis franco-allemand. J'ai fait mes études à l'université Paris-Nanterre où j'ai activement milité durant mai 68. On me surnommait à cette époque Dany le rouge. Je suis à présent journaliste et ancien député européen.

c. Je suis une des figures littéraires et féministes les plus marquantes du XXe siècle grâce notamment à mon œuvre *Le Deuxième Sexe*. J'ai participé au mouvement de la libération des femmes dans les années 70.

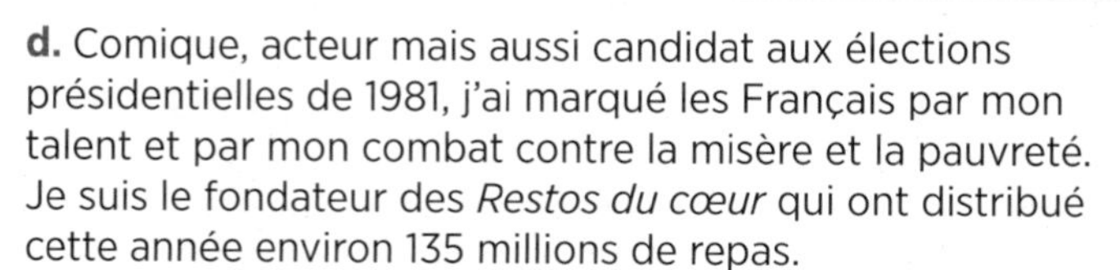

d. Comique, acteur mais aussi candidat aux élections présidentielles de 1981, j'ai marqué les Français par mon talent et par mon combat contre la misère et la pauvreté. Je suis le fondateur des *Restos du cœur* qui ont distribué cette année environ 135 millions de repas.

e. Auteure de la Déclaration des droits de la femme et de la citoyenne, je me suis battue pour les droits civils et politiques des femmes lors de la Révolution Française mais aussi pour l'abolition de l'esclavage. J'ai été guillotinée en 1793.

Leçon 3

S'impliquer

- Repenser son rapport au monde
- Promouvoir des actions
- Se documenter et véhiculer le changement

Projet : Enquêter sur les causes qui amènent à agir

Réfléchissez à la question suivante.
La société actuelle tend à faire de nous de simples consommateurs et nous fait croire que le bonheur réside dans la possession d'une multitude de choses bien souvent inutiles. À votre avis, quels petits gestes quotidiens peuvent nous aider à repenser notre rapport au monde et à la société de consommation ?

Repenser son rapport au monde

Éloge de la simplicité volontaire

J'ai donné mon téléviseur. Je ne regarde plus les unes de presse et les journaux télévisés. Il s'en dégage trop de violence, trop de clinquant. Je vais au théâtre et au cinéma. Je lis des romans, de la philosophie et de la poésie. J'imite le promeneur solitaire de Rousseau. Je marche dans les bois ou au bord d'une rivière et je médite. J'emprunte le langage des oiseaux, des arbres, de l'eau et des insectes. Je me reconnecte avec la nature. Je rêvasse. Je vais parfois au café. Je prends mon temps. Je regarde les gens courir. Ils sont pressés et stressés. Ça klaxonne. Des enfants, comme des agnelets, attachés les uns aux autres par une corde, sortent d'une garderie. On leur apprend déjà la discipline. On les éduque. Bientôt, ils deviendront grands. Ils feront des études. Ils travailleront. Ils riront et ils pleureront, puis, un jour, ils mourront riches ou pauvres, seuls ou en famille, avec un peu d'amour et un peu de vie.

Je ris du destin de l'homme. Quelle comédie ! Il travaille durant les meilleures années de sa vie avant de prendre sa retraite et d'attendre, usé et déprimé, sur une chaise à bascule, le wagon de la mort. La plus grande partie de son temps est dévorée par le boulot, le transport, le téléphone, les malentendus et le ressentiment.

Une vieille dame m'a dit un soir, alors que j'étais stressé par un projet professionnel et plusieurs engagements que j'avais du mal à honorer : « Si la vie te frappe, ne lui rends pas les coups. » Sa phrase, formulée comme une boutade, m'a beaucoup amusé. Je lui ai répondu avec dérision : « Entendu, je lui offre davantage mon dos ! » Elle m'a répliqué avec une grimace en coin : « Oui, laisse la vie te frapper... jusqu'à épuisement. » « Faut-il aimer la vie malgré les échecs, l'ennui et le mal ? » « Absolument. Nous sommes les invités de la Terre et nous devons l'aimer. La vie, c'est sacré, on l'aime ou on la quitte ! »

J'ai décidé depuis de ne plus empêcher le déroulement naturel des événements.

Cet échange ne m'a pas seulement fait rire, mais il m'a surtout fait réfléchir. Il m'a appris le véritable sens du lâcher-prise. J'ai décidé depuis de ne plus empêcher le déroulement naturel des événements. Non seulement c'est illusoire, mais c'est aussi contre-productif. Le naufragé, pour s'en sortir, ne doit pas résister au courant ; il doit, au contraire, en suivre le sens jusqu'à ce qu'il soit rejeté sur la rive.

J'ai appris aussi à ne plus pester contre le climat. Lorsque je tire le rideau et que je découvre la neige, le verglas, la grisaille ou la pluie, ou peu importe, je les accepte avec le sourire. Un peu comme le footballeur qui bloque le ballon : pour l'amortir, il doit suivre son mouvement, car s'il l'accueille brusquement, il risque de se blesser, du moins servir l'équipe adverse.

Plus nous sommes légers, plus nous sommes heureux.

Un jour, ma mère m'a fait remarquer que j'avais beaucoup d'objets inutiles dans mon appartement. Elle m'a dit que le stress est proportionnel aux futilités que nous traînons avec nous. Plus nous sommes légers, plus nous sommes heureux.

C'est elle qui m'a appris à vivre dans la simplicité volontaire. Je me suis débarrassé des choses encombrantes. Je ne suis pas exigeant : mes vêtements sont sans marque, je n'achète ni produits de beauté ni objets de luxe. Je suis devenu minimaliste, heureux comme un têtard dans un ruisseau.

Huffpost, Karim Akouche, 17/09/2017.

1. Lisez l'article p. 104.

a. Identifiez la nature du document, son origine et sa fonction. Dégagez le thème essentiel abordé. Repérez les informations principales. Explicitez l'enjeu et la portée du texte, la position de l'auteur et son point de vue.

b. Opposez la nouvelle vie de l'auteur à celle des gens qui l'entourent. Soulignez cette opposition en vous aidant de l'encadré ci-contre.

c. Comment décririez-vous le mouvement de simplicité volontaire ? Utilisez des gérondifs et des connecteurs d'addition.

Mieux s'exprimer

Exprimer l'opposition
- au lieu de
- à la place de + infinitif
- contrairement à
- au contraire de + nom
- à l'inverse de
- à la différence de
- en revanche + proposition
- pourtant
- néanmoins
- cependant
- mais
- or
- alors que
- tandis que
- ...

Exprimer l'addition
- de plus
- d'autre part
- qui plus est
- en outre
- de surcroît
- non seulement ... mais encore

2. En petits groupes, lisez le résumé du livre de Pierre Rabhi.
Comparez sa vision de la sobriété heureuse à celle de la simplicité volontaire présentée p. 104. Partagez-vous les convictions de l'auteur ?

Vers la sobriété heureuse

Pierre Rabhi a vingt ans à la fin des années cinquante, lorsqu'il décide de se soustraire, par un retour à la terre, à la civilisation hors sol qu'ont largement commencé à dessiner sous ses yeux ce que l'on nommera plus tard les Trente Glorieuses.
Après avoir dans son enfance assisté en accéléré, dans le Sud algérien, au vertigineux basculement d'une pauvreté séculaire, mais laissant sa part à la vie, à une misère désespérante, il voit en France, aux champs comme à l'usine, l'homme s'aliéner au travail, à l'argent, invité à accepter une forme d'anéantissement personnel à seule fin que tourne la machine économique, point de dogme intangible. L'économie ? Ce n'est plus depuis longtemps qu'une pseudoéconomie qui, au lieu de gérer et répartir les ressources communes à l'humanité en déployant une vision à long terme, s'est contentée, dans sa recherche de croissance illimitée, d'élever la prédation au rang de science. Le lien filial et viscéral avec la nature est rompu ; elle n'est plus qu'un gisement de ressources à exploiter – et à épuiser.
Au fil des expériences de vie qui émaillent ce récit s'est imposée à Pierre Rabhi une évidence : seul le choix de la modération de nos besoins et désirs, le choix d'une sobriété libératrice et volontairement consentie, permettra de rompre avec cet ordre anthropophage appelé « mondialisation ». Ainsi pourrons-nous remettre l'humain et la nature au cœur de nos préoccupations, et redonner, enfin, au monde légèreté et saveur.

Actes sud (Babel NE).

3. Visionnez la vidéo n° 30.

a. « Vivre mieux avec moins » : comment Marcel Guillaume explicite-t-il le concept de simplicité volontaire ?
b. Pourquoi est-ce important de s'intégrer dans un groupe pour entreprendre cette démarche ?
c. Quel est le leitmotiv de la simplicité volontaire, selon M. Guillaume ? Expliquez pourquoi.

4. Jeu de rôles à deux.
Vous faites partie d'un groupe de simplicité volontaire et vous voulez persuader votre ami(e) de se joindre à vous. Cependant, il/elle ne veut rien changer dans sa vie. À l'aide d'arguments solides, essayez d'être le plus convaincant possible malgré les raisons qu'il/elle vous oppose.

Le reportage vidéo

N° 30 **Vivre mieux avec moins : la simplicité volontaire**

vimeo.com

5. Lisez les textes et comparez les actions des quatre organismes.
Selon vous, lequel permet d'opérer le plus grand changement dans notre rapport au monde ou aux autres ?

La simplicité volontaire est une façon de repenser son rapport au monde, mais il y en a d'autres. D'un bout à l'autre de la francophonie, des associations, des particuliers et des commerçants œuvrent pour instaurer et promouvoir de nouvelles façons de consommer et redéfinir notre rapport à l'éducation, à l'environnement, à la réinsertion sociale, au microcrédit solidaire, entre autres. En voici quelques exemples.

Texte 1

Ici, vous venez avec vos propres contenants (bocaux, bouteilles, sacs en coton ou autres) et les remplissez selon vos besoins. Farines, pâtes, riz, sucres, thés, cafés, biscuits, épices, fruits secs, produits pour le corps, produits de nettoyage, etc. Vous n'achetez que la quantité dont vous avez besoin.
Vous serez séduits par l'ambiance et les bonnes odeurs évoquant les épiceries d'antan. Et très rapidement vous constaterez que vos déchets domestiques diminuent.
Leur mot d'ordre : ACHETER VRAC EST UN ACTE POUR LA PLANÈTE !

Texte 2

Le modèle de Zebunet repose sur un schéma vertueux : un petit montant prêté à une famille lui permettra d'acquérir un animal d'élevage. Les revenus tirés amélioreront durablement la situation financière de la famille.
Au Burkina Faso, une truie à 150 € donnera naissance à une trentaine de petits en 24 mois, chacun pouvant être revendu autour de 50 €, un investissement qui a du sens !
Zebunet soutient particulièrement les femmes dans ses projets, car elles sont souvent à la tête des familles et des budgets du quotidien. Participer à l'amélioration de leurs revenus renforce leur place sociale, la sécurité alimentaire de leur famille et priorise les dépenses pour leurs enfants.

Texte 3

Insertech est un organisme à but non lucratif québécois d'insertion sociale et professionnelle.
Ses objectifs :
– préparer au marché du travail des jeunes adultes en difficulté face à l'emploi, en leur offrant un encadrement personnalisé et un programme d'insertion salarié de six mois dans leur atelier d'économie sociale en informatique ;
– prolonger la vie des appareils informatiques en les reconditionnant et en les réparant pour qu'ils soient réutilisés dans la communauté. Ce qui ne peut pas être réemployé est recyclé écologiquement et localement ;
– vendre à la communauté des appareils informatiques reconditionnés et des services de qualité et de faible impact environnemental. Le travail des membres d'Insertech aide les citoyens et les organismes à accéder à la technologie à moindre coût et de façon responsable.

Texte 4

Depuis 2012, INITIC a installé trois salles informatiques, dont bénéficient trois communautés de la région de Kpalimé, au Togo. Plus de 1 000 jeunes fréquentent ces écoles et ont aujourd'hui accès à de l'équipement informatique fiable, adapté à l'enseignement, qui leur permet de se familiariser avec les TIC.
L'ambition de l'équipe est maintenant d'étendre son action par la mise en place d'une salle informatique dans une nouvelle école, chaque année.
L'originalité de l'action réside dans le choix des technologies utilisées dans la conception de salles au coût, à la consommation et à la maintenance réduits : des nano-ordinateurs tels que des *Raspberry Pi* neufs (peu coûteux et fiables), plutôt que des ordinateurs conventionnels d'occasion « mis à la retraite » en Europe ou ailleurs.
L'action d'INITIC inclut aussi un important travail de transfert de compétences aux enseignants locaux, qui assurent ensuite à leur tour l'initiation des jeunes aux TIC.

6. Lisez les deux textes suivants.

Que ce soit sur Internet ou dans le monde réel, connaissez-vous d'autres associations, sites ou actions particulièrement intéressants ? Discutez-en en petits groupes et préparez-vous à présenter vos idées.

Sur Internet aussi, il est possible de changer le monde et de consommer autrement.

Texte 1

Lilo (www.lilo.org) est un moteur de recherche Web qui finance des projets d'intérêt général et protège la vie privée des Internautes.

À chaque recherche, vous accumulez des « gouttes d'eau » que vous pouvez ensuite offrir à différents porteurs de projets – associations, ONG, fondations et entreprises de l'économie sociale – actifs en France et dans le monde. À ce jour, plus de 850 000 € ont déjà été redistribués pour l'éducation, la santé, la protection de l'environnement et la lutte contre l'exclusion, entre autres causes.

Lilo peut aussi être utilisé en classe pour soutenir des projets pédagogiques.

Texte 2

Les voisinages PROXiiGEN permettent notamment de se mettre en contact avec ses voisins, d'échanger des informations, partager des groupes d'intérêt, proposer et trouver du covoiturage courte distance, échanger des services, prêter ou emprunter des objets et faire la promotion d'un événement ou d'une bonne adresse. Ils ont mille et une autres idées, services et partage à offrir pour une économie collaborative de proximité entièrement gratuite !

7. Observez l'infographie suivante.

Selon vous, quel modèle de consommation peut aboutir aux énoncés un à six ?

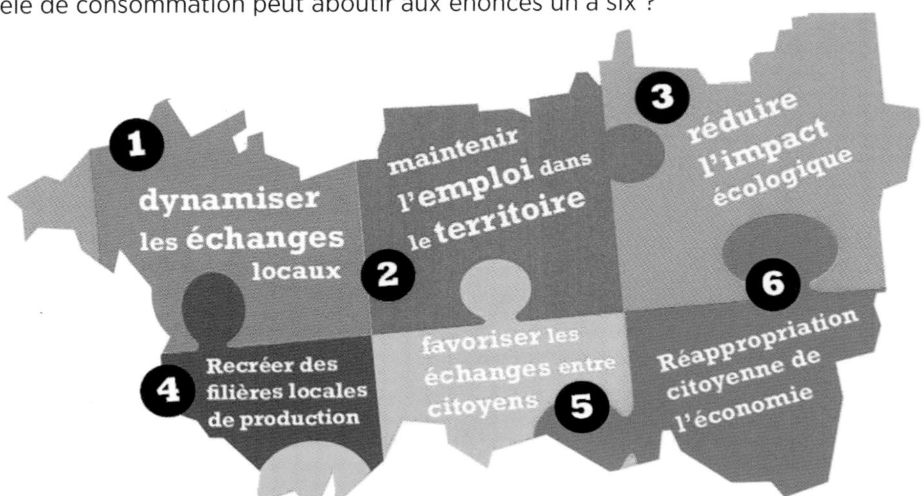

Promouvoir des actions

8. Visionnez la vidéo n° 31 et lisez l'article p. 108.

En quoi l'initiative présentée permet-elle d'atteindre chacun des six objectifs vus dans l'activité précédente ? Voyez-vous des limites au modèle mentionné ?

Le reportage vidéo

N° 31

Une monnaie locale en plein essor

bfmtv.com

Le Rozo, la monnaie locale qui décolle

Depuis 2016, de curieux billets circulent à Saint-Nazaire : la monnaie locale Le Rozo est en passe de gagner son pari avec un nombre croissant d'adhérents.

De Saint-Nazaire à Guérande en passant par la Brière, ils sont aujourd'hui près de 90 professionnels qui adhèrent à la monnaie locale Le Rozo. Qu'ils soient boulangers, libraires, magasins d'alimentation, restaurateurs, cinémas ou encore acupuncteurs, tous ont en commun les mêmes valeurs adoptées à travers la signature d'une charte en rejoignant l'association : défendre une consommation responsable et la production locale en adoptant une monnaie utilisée par un nombre grandissant de professionnels attachés à la défense des circuits courts, redonner une valeur à l'argent en passant d'une consommation individuelle à une consommation collective, soutenir des projets éthiques et locaux. Aujourd'hui, environ 300 particuliers ont glissé les fameux billets de rozos dans leur porte-monnaie, tous illustrés par des artistes locaux, et les utilisent au quotidien chez les commerçants adhérents.

Pas de distributeurs automatiques pour se procurer les fameux billets, mais un réseau très organisé de comptoirs de change disséminés sur la Presqu'île pour toujours avoir des rozos à portée de portefeuille : 4 à Saint-Nazaire (la librairie l'*Embarcadère*, le spécialiste de la bière *La Cavayou*, le magasin *La Corbeille* et le café *Au Pré Vert*), un à La Baule et un à Guérande. Comment se passent les achats en rozos au quotidien ? « C'est très facile à utiliser, 1 rozo = 1 euro », nous explique Sarah-Trichet Allaire, libraire à l'*Embarcadère*. Et le réseau s'agrandit progressivement grâce notamment à la demande des clients adhérents qui aimeraient régler en rozos dans certains commerces et les incitent à adopter la monnaie locale, ou aux adhérents professionnels qui se créent progressivement un réseau de fournisseurs avec des transactions en rozos, un excellent moyen pour diminuer ses frais bancaires ! « Depuis 2017, on peut aussi échanger des rozos contre des retz'ls, une autre monnaie locale utilisée Sud Loire et qui prône les mêmes valeurs », ajoute Youenn Legrand de *La Cavayou*. La multitude d'artisans et de producteurs locaux de la région est un formidable atout pour le vivier de points de ventes attachés à la même défense des circuits courts et des produits locaux.

Depuis la loi du 31 juillet 2014 relative à l'économie sociale et solidaire (ESS), les monnaies locales sont officiellement reconnues comme moyen de paiement complémentaire, et servent à financer des projets respectueux de l'environnement, ou encore du commerce équitable. Une trentaine de monnaies telles que Le Rozo existent en France, elles sont de plus en plus largement adoptées au quotidien : l'Eusko au Pays basque reste la plus emblématique avec plus de 750 000 euskos en circulation en 2017. La ville de Bayonne a même récemment gagné un procès face à l'état qui tentait de lui interdire le versement d'indemnités ou de subventions en monnaie locale. « L'utilisation du Rozo nous réapprend que l'argent est avant tout un moyen d'échange », explique Pascal Locuratolo, un des trésoriers de l'association. « Nous avons aujourd'hui 17 000 rozos en circulation avec un double impact : favoriser la consommation locale mais aussi financer une action responsable. En effet, les rozos récoltés sont placés dans une banque éthique, la Nef, qui finance à son tour des projets ayant une utilité écologique et/ou culturelle. Dépenser 1 rozo est un véritable acte sociétal ».

Saint-Nazaire News, Soizick David, 26/03/2018.

9. Écoutez la séquence radio n° 07.

a. La journaliste utilise l'expression « *un monde des Bisounours* ». D'après le contexte, expliquez la signification de cette expression.

b. Retrouvez dans le reportage les synonymes de :
1. la valorisation personnelle
2. une personne rejetée par un groupe
3. trouver des points communs
4. avide d'argent

c. La philosophe Corine Pelluchon évoque trois types d'écologie : environnementale, sociale et mentale. Donnez-en une brève explication.

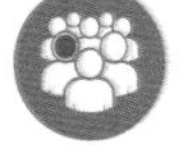

d. En petits groupes, discutez les raisons évoquées par Corine Pelluchon pour expliquer les difficultés à changer nos styles de vie. Partagez-vous la vision de la philosophe ?

La séquence radio

N° 07

Pourquoi avons-nous tant de mal à changer nos styles de vie ?

La philosophe Corine Pelluchon nous explique pourquoi, malgré le changement climatique à l'œuvre, nous avons tant de difficultés à changer nos styles de vie.

10. Lisez le texte sur le film « Demain ».
Discutez les raisons qui pourraient provoquer la disparition d'une partie de l'humanité d'ci 2100.

Le film « Demain »

Et si montrer des solutions, raconter une histoire qui fait du bien, était la meilleure façon de résoudre les crises écologiques, économiques et sociales, que traversent nos pays ? Suite à la publication d'une étude qui annonce la possible disparition d'une partie de l'humanité d'ici 2100, Cyril Dion et Mélanie Laurent partent avec une équipe de quatre personnes enquêter dans dix pays pour comprendre ce qui pourrait provoquer cette catastrophe et surtout comment l'éviter.
Durant leur voyage, ils rencontrent les pionniers qui réinventent l'agriculture, l'énergie, l'économie, la démocratie et l'éducation. En mettant bout à bout ces initiatives positives et concrètes qui fonctionnent déjà, ils commencent à voir émerger ce que pourrait être le monde de demain…
Le film est construit autour de cinq chapitres couvrant une partie des champs de la vie quotidienne et proposant, dans chacun de ces domaines, des solutions.

Se documenter et véhiculer le changement

11. Étudiez les pages 12 à 18 du dossier pédagogique du film « Demain » → DVD Dossier *documents*.
Faites des recherches ou réfléchissez à une initiative qui permettrait, à son échelle, de changer le monde et rédigez un article qui pourrait figurer dans ce dossier.
Votre article doit présenter les éléments suivants :
1. QUI : une ou deux personnes impliquées dans le projet, leur parcours universitaire ou professionnel et leurs qualités.
2. POURQUOI : les objectifs de l'initiative.
3. COMMENT : les actions concrètes à entreprendre dans l'avenir.
4. RÉSULTATS : les retombées ou l'impact (immédiat et à long terme).

Projet

Enquêter sur les causes qui amènent à agir

Vous êtes journaliste et vous voulez solliciter l'avis des gens sur leur implication dans les sphères sociales, environnementales, culturelles, etc.

1. Commencez par interroger les autres étudiants sur les valeurs et implications qui leur tiennent à cœur. Voici un exemple de questions à poser (vous pouvez en proposer d'autres) :
– Quelle(s) cause(s) vous touche(nt) le plus ?
– Êtes-vous impliqué(e) dans certaines causes ? Si oui, sous quelle forme : bénévolat, dons, travail ?
– Quels sont, selon vous, les domaines où il faudra s'impliquer davantage dans l'avenir et pourquoi ?

2. À partir des informations obtenues, faites une synthèse.

3. Élargissez l'enquête à votre entourage et votre famille. Trouvez-vous des différences selon l'âge, le sexe ou le milieu social des personnes interviewées ?

Compréhension écrite – C1

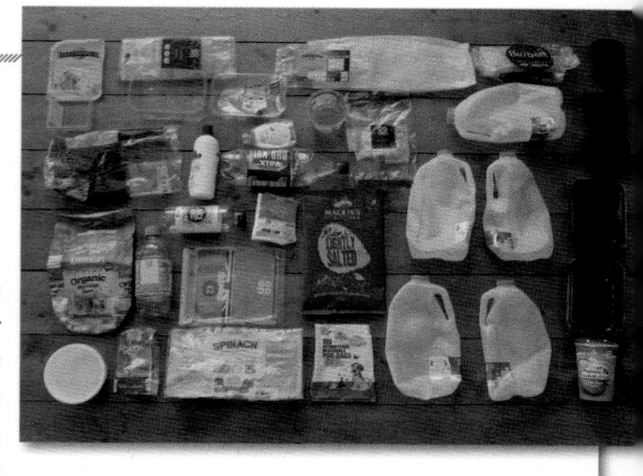

Contre l'utilisation abusive de plastique, les « Plastic attacks » arrivent en France

Des animations d'un genre un peu particulier promettent d'égayer la corvée hebdomadaire du ravitaillement au supermarché dans les mois à venir. Samedi 2 juin, plusieurs enseignes de grande distribution [...] seront le théâtre d'une série de « Plastic attacks », des actions qui promeuvent une réduction substantielle de l'utilisation des plastiques à usage unique et le suremballage. [...]

Mouvement citoyen, Plastic attack gagne tranquillement du terrain. Il a vu le jour le 27 mars, à Keynsham (Royaume-Uni) [...]. Vingt-cinq clients s'étaient donné rendez-vous dans leur supermarché habituel pour faire leurs emplettes. Une fois passés à la caisse, ils ont dégainé ciseaux et cutters afin de libérer leurs achats des emballages inutiles, qu'ils ont ensuite déposés dans des chariots vides devant le magasin. Trois ont ainsi été remplis. Diffusée sur les réseaux sociaux, la vidéo de leur action est devenue virale, avec près de 17 millions de vues.

Visant à responsabiliser le secteur de la grande distribution sur sa surconsommation de plastiques, souvent superflus, et à affirmer la volonté des consommateurs de voir se développer des alternatives au plastique à usage unique, des « Plastic attacks » ont été rééditées en avril à Amsterdam, Bratislava, Bruxelles ou Oslo avant d'arriver en France.

Le collectif citoyen français est animé par un groupe d'étudiants en master « responsabilité sociale et environnementale » [...]. Pour son porte-parole, Arnaud Ramos : « *Au-delà du recyclage, la grande distribution doit changer de politique en matière d'emballages. Ces actions menées par des consommateurs et clients sont un moyen efficace de les interpeller de manière totalement pacifique et apolitique. Pour y participer, il suffit de s'inscrire sur la page Facebook dédiée et de se présenter sur le site choisi et à l'heure convenue pour faire ses courses.* »

Soutenue par les ONG Zéro Waste France et Les Amis de la Terre, Plastic attack France a également lancé, le 28 mai – jour du dévoilement par la Commission européenne d'un projet de directive visant à réduire « *drastiquement* » l'utilisation des produits en plastique à usage unique quotidien comme les couverts, assiettes ou gobelets, les pailles ou les coton-tige – une pétition en ligne sur la plate-forme Change.org. Intitulée « Pour en finir avec les emballages plastique à usage unique », elle s'adresse aux [grands] groupes [...]. Elle leur enjoint de débarrasser leurs rayons des emballages plastiques destinés à la promotion de produits ou à la protection des fruits et légumes [...], ou encore des bouteilles en plastique.

Le groupe Carrefour [...] a rebondi sur l'annonce des « Plastic attacks » imminentes pour se positionner en élève modèle. Dans un communiqué, jeudi 31 mai, l'enseigne a annoncé un objectif de « *100 % d'emballages recyclables, réutilisables ou compostables* » pour les produits à la marque de l'enseigne d'ici à 2025, afin de passer du « jetable à une économie circulaire ».

[...]. Saluant la « réactivité » du groupe Carrefour, Zéro Waste France, par la voix de sa chargée de campagne, Laura Châtel, reste néanmoins sur ses gardes. « *Nous nous assurerons qu'il ne s'agit pas d'un coup de com' et d'une expérimentation ponctuelle réduite à quelques magasins, comme c'est souvent la stratégie de ces grandes enseignes. Pour être crédibles, elles doivent prendre des engagements clairs et détaillés, et fixer et respecter des échéances précises.* »

[...]. « *Afin de développer des matériaux de substitution non carbonés alors que le prix du baril de pétrole reste compétitif, il faut créer de la masse,* a expliqué au Monde Laurent Vallée, un énarque secrétaire général du groupe Carrefour. *Cela nécessite donc une réponse collective, un mouvement associant les industriels, les pouvoirs publics, les éco-organismes, les distributeurs, les grandes marques.* »

Le Monde.fr, Patricia Jolly, 01/06/2018.

Lisez le texte puis répondez aux questions.

1. Quel est le but des « Plastic attacks » ?
2. Comment se déroulent les « Plastic Attacks » ?
3. Cochez Vrai ou Faux et justifiez votre réponse en citant un passage du texte.

	Vrai	Faux
Les « Plastic attacks » prennent de l'ampleur. *Justification :*		

4. Quelle forme prend l'engagement dans les actions des « Plastic attacks » ? Cochez la bonne réponse.
a. Une implication militante soutenue.
b. Une participation individuelle ponctuelle.
c. Une mise en réseau de contributeurs permanents.
5. Pourquoi Plastick attack France a-t-il choisi la date du 28 mai pour lancer sa pétition ?

6. À qui s'adresse cette pétition ? Cochez la bonne réponse.
a. Aux consommateurs.
b. À la grande distribution.
c. Aux politiciens.

7. Cochez Vrai ou Faux et justifiez votre réponse en citant un passage du texte.

	Vrai	Faux
Aucune grande enseigne n'a répondu positivement à l'appel de Plastick attack. *Justification :*		

8. Selon Laura Châtel, qu'est-ce qui est nécessaire pour garantir l'implication des grandes enseignes ?

9. Selon Laurent Vallée, comment la réduction de l'utilisation du plastique peut-elle avoir lieu ?

Conseils

1. Lisez bien les questions avant de lire le texte, car elles vous renseignent tout de suite sur le thème du texte. Ici, il parlera du plastique et de sa sur-utilisation dans les grandes enseignes (questions 1, 2, 3, 7, 8, 9). À partir des questions 4, 5 et 6, vous pouvez imaginer qu'il sera question d'un mouvement militant contre cette sur-utilisation du plastique. En lisant le texte, vous chercherez donc à comprendre quel est ce mouvement, son impact, les solutions qui sont proposées à la sur-utilisation du plastique.

2. Compréhension en contexte : les questions « vrai ou faux » contiennent toujours une reformulation du propos du texte. Si cette reformulation n'est pas claire, identifiez bien le contexte de cette question. Par exemple, pour la question 3 : la question 4 porte clairement sur le quatrième paragraphe, la question 3 ne peut donc concerner que les paragraphes précédents. Que disent-ils qui correspond à cette reformulation ?

Production orale – C1

1. **Choisissez un sujet.**

Option lettres et sciences humaines
Lisez l'article de Patricia Jolly et le texte « Vers la sobriété heureuse » (leçon 3, p. 105).

Option sciences
Lisez l'article de Patricia Jolly p. 110 et le texte « Est-il vrai qu'il existe un continent de plastique dans l'océan ? » (leçon 1, p. 92).

2. **À partir de ces lectures, préparez un exposé argumentatif de 15/20 minutes répondant à la problématique de l'option choisie.**

3. **Présentez ensuite votre exposé à un ou plusieurs camarades et répondez à leurs questions. Puis écoutez l'exposé d'un camarade et posez-lui des questions pour qu'il développe sa réflexion.**

Compréhension et production écrites – C2

En vous aidant de l'article du *Monde* p. 110 et des documents de la leçon 1 (« Analyser des données », p. 90) et de la leçon 3 (« Vers la sobriété heureuse », « Vivre mieux avec moins : la simplicité volontaire », p. 105 ; « Le Rozo, la monnaie locale qui décolle », p. 108), écrivez un texte de 700 mots minimum, pour répondre au sujet de votre choix.
Traitez un seul des deux sujets.

Sujet 1
Membre d'un groupe de simplicité volontaire, vous publiez une tribune dans un quotidien grand public. Pour vous, il est urgent de sortir radicalement de nos modes de vie afin de pallier les dysfonctionnements sociaux et environnementaux de notre société. Vous appelez les lecteurs à agir de manière responsable.

Sujet 2
Chef d'entreprise, vous publiez une tribune dans un journal économique. Vous démontrez que, si nous devons être responsables écologiquement et socialement, la fin de la consommation que prônent certains n'est pas une solution viable. Pour vous, d'autres solutions existent qui préserveront à la fois notre mode de vie et notre planète.

Conseils

1. Appuyez-vous sur les textes et documents fournis pour développer votre argumentation. Ici, le sujet 1 vous incitera à reprendre les arguments et idées développés dans les textes sur la simplicité volontaire. Vous pourrez soutenir cette position grâce aux graphiques de la p. 90 et au rapport de l'Oxfam. Au contraire, dans le sujet 2, vous réfuterez le bien-fondé de la simplicité volontaire. Vous nuancerez et proposerez des solutions concernant les problèmes évoqués par les graphiques de la p. 90 et le rapport de l'Oxfam ; le texte sur la monnaie Rozo (p. 108) pourra vous y aider.

2. Avant d'écrire et de construire le plan de votre argumentation, analysez le contexte donné par le sujet. Ici, pour le sujet 1, il s'agit d'un texte militant, qui vise à convaincre un public non-averti. Sans tomber dans un registre familier, vous n'emploierez pas non plus un langage académique. Surtout, vous expliquerez la situation de manière à marquer les esprits et influencer vos lecteurs. Dans le sujet 2, vous êtes un professionnel, vous devrez employer un vocabulaire plutôt soutenu, voire technique. Vous réfuterez le positionnement des partisans de la simplicité volontaire, mais devrez convaincre et justifier habilement votre position.

UNITÉ 5

ENTRER DANS LE MONDE DU TRAVAIL

Leçon 1

Chercher un emploi

- Rédiger une lettre de motivation
- Soigner son identité numérique
- Apprendre à rédiger un curriculum vitae

Projet : Rédiger un curriculum vitae

Réfléchissez aux questions suivantes.

a. Avez-vous déjà rédigé une lettre de motivation ?
b. Quelles informations, selon vous, doivent y figurer ?
c. Quelle structure vous semble optimale pour une lettre de motivation ?
d. En quoi diffère-t-elle d'un curriculum vitae et quelles informations vient-elle y ajouter ?

Rédiger une lettre de motivation

1. Lisez l'annonce ci-dessous et les deux lettres de motivation.

CARLOC13 

Postuler REF : DIRMmar

Leader régional de la location de voiture recherche pour son agence de Marseille–Marignane un(e) responsable d'agence

Vos principales missions
- Superviser une équipe de dix personnes
- Assurer la gestion administrative et financière de l'agence
- Développer la clientèle

Profil recherché
- Vous avez une expérience de cinq ans ou plus dans un domaine similaire
- Vous êtes titulaire d'une licence professionnelle en commerce ou en gestion
- Vous maîtrisez l'anglais et vous avez le sens du contact
- Vous êtes doté d'un sens inné du leadership
- Vous aimez les défis et atteindre les objectifs
- Vous maîtrisez la suite bureautique Microsoft Office
- Vous disposez du permis B

Nous vous offrons
- Un salaire évolutif composé d'un salaire fixe et de commissions
- Un CDI – localisation : Marseille–Marignane (13)
- De réelles perspectives d'évolution au sein de notre entreprise

Vous vous reconnaissez dans ce profil ? N'hésitez plus, envoyez-nous votre candidature en cliquant sur le bouton postuler !

Lettre 1

Clément Marty
12, rue Charles Monier
13 800 Istres
Tél. : 06 12 32 49 20
clement.marty@courriel.com

Carloc13
À l'attention du service
des ressources humaines
58, rue Henri Tomassi
13 009 Marseille

Réf : DIRMmar

Istres, le 3 novembre 2018

Madame, Monsieur,

L'offre d'emploi parue sur votre site Web a retenu toute mon attention. Carloc13 s'est en effet imposé, durant ces dernières années, comme le leader régional incontesté de la location de véhicules à destination des particuliers.

Titulaire d'une licence professionnelle en commerce, j'ai le plaisir de vous proposer ma candidature pour le poste de responsable de l'agence de Marseille-Marignane. J'ai acquis une solide expérience dans le domaine du service à la clientèle, puis dans celui de l'administration d'une franchise d'un de vos principaux concurrents dans le cadre de mes précédents emplois. Cette expérience, cumulée à la formation que j'ai suivie dans le cadre de mes études, font de moi un homme de terrain doté d'un grand sens de l'écoute et, j'en suis convaincu, un excellent candidat pour ce poste. Le stage que j'ai effectué au Royaume-Uni en 2016 m'a permis de parfaire ma maîtrise de l'anglais. Mes compétences dans le domaine de la gestion de personnel et du planning me permettent de savoir fixer des objectifs ambitieux et de mettre tout en œuvre pour que mon équipe, sous ma gouverne, les atteigne.

Je suis convaincu que mes compétences sauront trouver toute leur expression au sein de ce poste et que mon esprit d'initiative saura contribuer au succès de votre succursale de Marseille-Marignane.

Je me tiens à votre disposition pour tout renseignement complémentaire. En espérant que ma candidature retiendra votre attention, veuillez agréer, Madame, Monsieur, ma considération distinguée.

Clément Marty

Vous trouverez en pièce jointe mon CV.

Lettre 2

Camille GÉRARD
3, rue Edmond Rostand
13 700 Marignane
Tél.: 06 52 89 87 38
camille.gerard@internet.fr

Réf. : DIRMmar

Monsieur,

J'ai une licence en gestion des affaires, vraiment motivée et disponible sur-le-champ, je veux postuler pour l'offre d'emploi que vous avez fait paraître ce matin, pour le poste de responsable d'agence.

J'aiétudiéàl'écoledesHautesÉtudesCommerciales (HEC) de Marseille, et j'ai eu mon diplôme en 2011. À la suite de ça, j'ai pu mettre en pratique ce que j'avais appris pendant mes études, en travaillant au service financier de plusieurs entreprises. Mon expérience professionnelle m'a permis d'être capable de faire mon travail de manière efficace et responsable. Ayant travaillé dans plusieurs secteurs reliés au service à la clientèle, je connais les différentes situations que l'on rencontre lorsqu'on doit travailler avec des particuliers.

Être la responsable de votre agence serait pour moi une belle opportunité, et je ne doute pas de correspondre au profil que vous recherchez. Je fais aussi du bon travail en équipe et je sais faire confiance et déléguer. Je suis également dynamique, honnête et appliquée.

Je suis à votre entière disposition pour toutes les informations complémentaires que vous souhaiteriez avoir et vous prie de croire, Monsieur, en mes sincères salutations.

Camille Gérard

2. Répondez aux questions.

a. Les candidats vous semblent-ils répondre de manière adéquate aux exigences du poste ?
b. Pouvez-vous identifier un lexique ou des tournures spécifiques à ce type de lettre ?
c. Quel serait, selon vous, le meilleur candidat ? Quels critères avez-vous utilisés pour faire ce choix ?

3. En utilisant la grille ci-dessous évaluez les qualités des deux lettres.

a. Réfléchissez aux améliorations que vous pourriez apporter à la lettre qui vous semble la moins bien rédigée.
b. Faites un bilan collectif avec votre enseignant(e).

		☺	😐	☹
Première partie	• Le candidat formule de manière adéquate sa candidature. • Le candidat démontre clairement son intérêt pour le poste.			
Deuxième partie	• Le candidat met en relation ses expériences professionnelles avec le poste. • Le candidat met en relation ses études avec le poste. • Le candidat fait part de ses qualités et compétences.			
Troisième partie	• Le candidat évoque les synergies qui pourront être mises en place et les profits que l'entreprise pourra escompter s'il est recruté.			
Respect du format	• La lettre de motivation tient sur une page. • Le lieu, la date y figurent. • Le candidat utilise une formule de politesse adaptée, prend contact et congé de manière adéquate. • Les coordonnées du destinateur figurent dans la lettre.			
Contenus	• Le lexique est précis et accrocheur, il n'y a pas de verbes, de noms ni d'adjectifs ternes. • La longueur des phrases est adaptée. • La structure de la lettre est facilement perceptible (paragraphes). • Il n'y a pas de fautes d'orthographe.			

4. Visionnez la vidéo n° 32.

Le présentateur propose des conseils avant d'envoyer sa candidature. Voyez-vous d'autres conseils à donner ?

Le reportage vidéo

Réussir sa lettre de motivation

N° 32

sciences-u-paris.fr

5. D'après vos observations, quelle structure de lettre vous semble optimale ?

Nommez chacune des sous-parties de la lettre suivante.

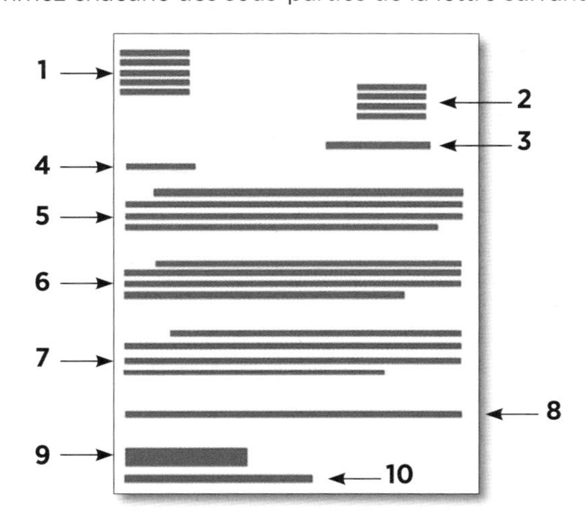

Unité 5 - Leçon 1 - Chercher un emploi

6. Lisez l'article.

a. En petit groupes, classez les règles présentées dans l'article par ordre d'importance et expliquez votre choix à la classe.
b. Quels autres mots clés ajouteriez-vous pour compléter la liste ?

Les règles d'or de la lettre de motivation

• Une page, pas plus
Une lettre de motivation ne doit jamais excéder la longueur d'une page, l'inverse serait signe d'un manque d'esprit de synthèse et ne motiverait pas le recruteur à la lire.

• Aucune faute d'orthographe
L'orthographe est d'une importance capitale : sachez qu'à la première faute, 90 % des recruteurs arrêtent de lire votre lettre. Il est primordial de faire relire votre lettre pour valider qu'il n'y ait aucune faute.

• Transparence
Tâchez de vous vendre, mais ne soyez pas hypocrite, cela ne servirait à rien et pourrait vous mettre dans l'embarras lors de l'entretien ou même après.

• Clarté
Allez droit au but dans votre lettre, inutile de paraphraser pour faire une lettre un peu plus longue. Donnez des arguments de poids, et cohérents avec votre profil, votre objectif et l'offre à laquelle vous répondez.

• Pertinence et personnalisation
Montrez que vous connaissez l'entreprise, le domaine d'action, cela montrera que vous vous êtes renseigné, et que vous n'écrivez pas la même lettre à chacune des offres d'emplois auxquelles vous répondez.
Faites preuve d'originalité dans votre lettre de motivation afin de vous détacher de la masse, l'impact de votre lettre sera plus important (mais sans dépasser les limites !).

• Motiver et accrocher le lecteur
Votre lettre doit être positive et doit motiver le recruteur à vous rencontrer.

• Politesse
Soyez courtois et poli : terminez toujours votre lettre de motivation en précisant que vous restez à disposition du lecteur pour plus d'informations et en concluant par la formule de politesse standard.
Les formules de politesse à connaître :
– « Je reste à votre entière disposition pour plus d'informations et vous prie d'agréer, Madame, Monsieur, l'expression de mes salutations distinguées. »
– « Veuillez agréer, Madame, Monsieur, mes salutations distinguées. »
– « Je vous prie d'agréer, Monsieur, mes respectueuses et sincères salutations. »
– « Je vous prie de croire, Madame, Monsieur, à l'expression de mes sentiments distingués. »

• Les petits + à connaître
– Évitez les phrases trop longues.
– Votre lettre doit être cohérente avec votre CV mais pas une redite, elle doit être complémentaire.
– Si vous décidez de mettre un titre, essayez de donner votre profil en l'orientant vers vos objectifs.
– Ne commencez jamais votre lettre par « Je ».
– Ne soyez pas vantard.
– N'utilisez pas les formules négatives.
– Évitez les répétitions.
– Ne soyez pas pompeux, inutile de multiplier les formulations trop polies.
– Ne soyez pas misérable, on ne vous embauchera pas par pitié.
– Ne soyez pas trop bref (5 lignes ne sont pas suffisantes).
– Si vous tapez votre lettre, n'utilisez pas de polices excentriques. Arial ou Times seront parfaites.
– Une lettre envoyée par la poste ou déposée au recruteur, même tapée, doit être signée.

• Quelques mots clés
Action, adaptabilité, bon, relationnel, proaction, anticipation, autonomie, croissance, culture d'entreprise, défi, esprit d'équipe, initiative, positiver, disponibilité, actualité.

• Erreurs souvent commises, à éviter
– On dit : « Je réponds à votre offre d'emploi » et non pas « Je réponds à votre demande d'emploi ».
– On sollicite des informations complémentaires et non supplémentaires.
– On ne dit pas : « Veuillez accepter, Madame, mes respectueux hommages. » Trop lourd et inadapté au domaine professionnel.
– Vérifiez si vous vous adressez à une dame ou un monsieur, et adaptez votre lettre en fonction.

etudiant.aujourdhui.fr › Jobs / Stages.

7. Rédigez une lettre de motivation.
Trouvez une annonce dans un journal ou sur Internet qui correspond à vos objectifs de carrière et à vos désirs.
a. Rédigez une lettre de motivation pour ce poste en tenant compte des règles d'or.
b. Soumettez-la à votre binôme.

8. Évaluez une lettre de motivation.

Vous êtes conseiller en recherche d'emploi.
Votre binôme vous fait parvenir sa lettre de motivation avant de la soumettre.

a. À l'aide de la grille et des règles d'or vues auparavant, évaluez la lettre.
b. Renvoyez à votre binôme sa lettre en transmettant vos remarques ou suggestions d'amélioration en utilisant des pense-bêtes adhésifs.

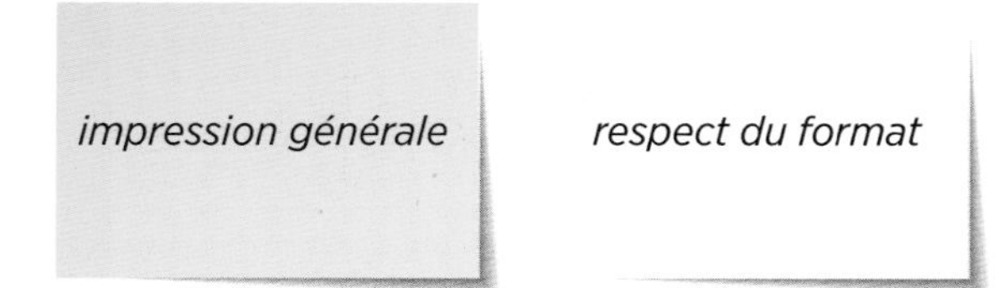

9. Observez l'infographie ci-contre.

a. Êtes-vous surpris(e) par les résultats de cette enquête ?
b. Pensez-vous qu'il y ait des différences importantes avec le taux d'efficacité de ces mêmes canaux dans votre pays. Si oui, lesquelles ?

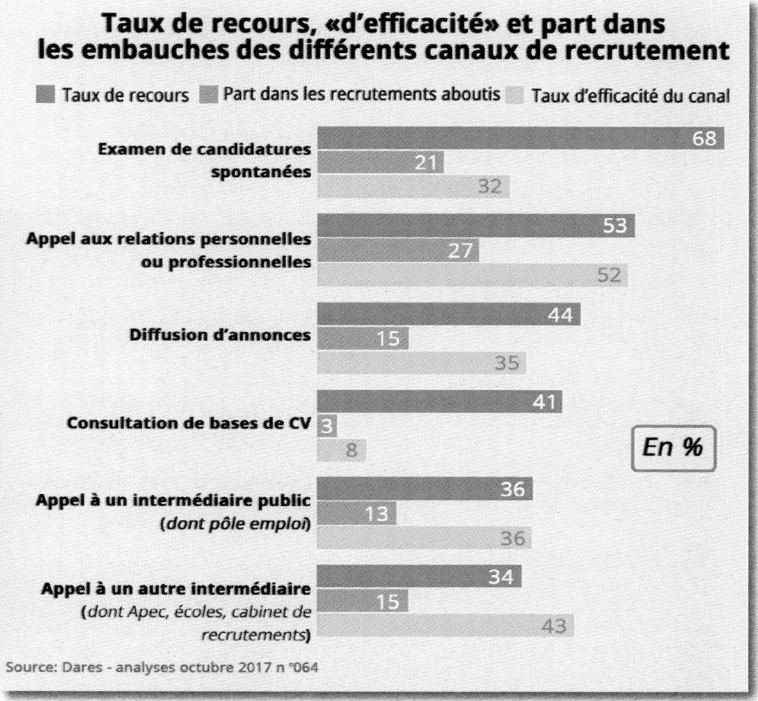

Soigner son identité numérique

10. Lisez le *Point infos*.

Quelles autres recommandations feriez-vous aux personnes qui désirent présenter leur candidature, que ce soit en ligne ou dans le monde réel ?

Point infos

CONTRÔLER SON IDENTITÉ VIRTUELLE

Plus d'un tiers des recruteurs utilisent les réseaux sociaux lorsqu'il s'agit d'embaucher des cadres. Définir et soigner votre identité virtuelle est primordial pour faire bonne impression, attirer un chasseur de têtes et booster votre carrière. Sur les réseaux sociaux professionnels, n'hésitez pas à ajouter régulièrement des contacts afin d'agrandir votre cercle de relations.

Pensez aussi à poster vos actualités ou des articles de presse qui concernent votre secteur d'activité. Un bon moyen pour se faire remarquer. Enfin, n'hésitez pas, si ce n'est déjà fait, à vous inscrire sur Twitter et à « suivre » les comptes de personnalités en rapport avec votre domaine de compétences. Cette veille constante vous permettra peut-être même de tomber un jour sur une annonce d'embauche.

Gare au faux pas numérique

Si les réseaux sociaux sont pleins de ressources pour booster votre profil, ils peuvent aussi vous jouer de mauvais tours.

Avant de vous lancer dans un processus de recrutement, assurez-vous de nettoyer les traces de votre vie étudiante ou de votre adolescence sur Facebook et Instagram ! Si jamais certaines recherches Google dirigent un fin limier vers votre vieux skyblog, vous pouvez utiliser votre droit à l'oubli.

Slate.fr, 28 mai 2018.

Apprendre à rédiger un curriculum vitae

11. Lisez les *Instructions pour l'utilisation du CV Europass.*
Quels points traités vous surprennent le plus ?

Instructions pour l'utilisation du CV Europass

Avant de commencer :
cinq principes de base pour un bon CV

❶ Concentrez-vous sur l'essentiel

- Un employeur consacre généralement moins d'une minute à l'examen d'un CV avant de décider si le candidat passe la barre de la première sélection. Montrez-vous convaincant pour ne pas perdre vos chances.
- Si vous répondez à une offre d'emploi, suivez rigoureusement la procédure définie par le recruteur. L'annonce définit parfois la façon de poser sa candidature (CV, formulaire à remplir, candidature en ligne), la longueur ou le format du CV, la lettre de motivation, etc.
- Soyez bref : dans la plupart des cas, deux pages A4 suffisent amplement, indépendamment de votre formation ou votre expérience. Si vous êtes diplômé de l'université, ne vous étendez pas sur vos années de lycée, sauf si cela représente un intérêt pour l'emploi visé.
- Votre expérience professionnelle est limitée ? Commencez par votre éducation et votre formation, soulignez vos expériences de volontariat et vos stages.

❷ Soyez clairs et concis

- Utilisez des phrases courtes. Évitez les clichés. Concentrez-vous sur les éléments pertinents de votre formation et de votre expérience professionnelle.
- Illustrez votre CV par des exemples. Quantifiez vos résultats.
- Mettez votre CV à jour au fur et à mesure de l'expérience acquise. N'hésitez pas à supprimer une information ancienne ou sans rapport avec votre candidature.

❸ Adaptez systématiquement votre CV au poste recherché

- Soulignez les points forts qui répondent aux attentes de l'employeur, concentrez-vous sur les compétences requises pour l'emploi.
- Décrivez brièvement les expériences professionnelles ou les formations non pertinentes pour le poste visé.
- Justifiez toute interruption dans vos études ou votre carrière ; citez les compétences acquises à cette occasion.
- Avant d'envoyer votre CV à un employeur, vérifiez une dernière fois qu'il correspond au profil requis.
- Ne gonflez pas artificiellement votre CV ; vous risqueriez de vous discréditer lors d'un entretien.

❹ Soignez la présentation de votre CV

- Présentez vos compétences d'une manière claire et logique, afin de faire ressortir vos atouts.
- Commencez par l'information la plus pertinente.
- Évitez toute faute d'orthographe ou de ponctuation.
- Imprimez votre CV sur du papier blanc.
- Respectez la police de caractères et la mise en page proposées.

❺ Vérifiez votre CV une fois rempli

- Éliminez toute faute d'orthographe ; assurez-vous que votre CV est formulé d'une manière claire et logique.
- Faites relire votre CV par un proche afin de vérifier que son contenu est clair et facile à comprendre.
- N'oubliez pas de joindre une lettre de motivation à votre CV.

Instructions pour l'utilisation du CV Europass – europass.cedefop.europa.eu – © Union européenne, 2002-2017.

12. Lisez le *Point infos.*
Connaissez-vous des particularités d'autres pays ?

ATTENTION AUX DIFFÉRENCES CULTURELLES

Il existe des particularités selon les différents pays. Ainsi, au Canada, par exemple, on ne fera jamais figurer la photo, l'état civil et le nombre d'enfants sur un CV, alors que ces informations sont souvent présentes sur les curriculum vitae français. Avant de faire parvenir votre CV, assurez-vous de bien respecter les spécificités de chaque pays en ce qui concerne le contenu et la mise en forme. Au besoin, demandez conseil auprès d'un ressortissant du pays en question.

13. Lisez l'encadré *Du verbe au nom*.
À deux, essayez de relater différentes expériences que vous pourriez mettre dans votre CV en utilisant la nominalisation.

Du verbe au nom

Bien qu'on ne puisse pas toujours prédire comment transformer un verbe en nom, voici quelques suffixes courants.

Verbe	Nom	Suffixe
diriger	direction	-tion
participer	participation	-ation
ouvrir	ouverture	-ure
réussir	réussite	-te
surveiller	surveillance	-ance
présider	présidence	-ence
revoir	révision	-sion
connecter	connexion	-xion
prendre rendez-vous	prise de rendez-vous	-ise
synthétiser	synthèse	⚠
encoder	encodage	-age
accompagner	accompagnement	-ment
trier	tri	⚠
essayer	essai	

Projet

Rédiger un curriculum vitae

1. Téléchargez le modèle de CV EUROPASS et les instructions sur le site suivant : http://europass.cedefop.europa.eu/fr/documents/curriculum-vitae ou consultez les trois fichiers de EUROPASS (europass_cv-instructions, cv-exemple-1, cv-exemple-2)→ DVD Dossier *documents*.
2. Rédigez votre CV pour accompagner votre lettre de motivation en vue de postuler à l'emploi que vous avez identifié précédemment.
3. Ensuite, recensez les difficultés que vous avez rencontrées pour rédiger votre CV et faites-en part à la classe. Discutez-en collectivement, essayez de trouver la meilleure solution dans chacun des cas. En cas de doute, faites appel à votre professeur(e).

14. Lisez le texte.
Que vous ayez de l'expérience ou non, il y a sans doute des compétences et des qualités que vous avez acquises dans le cadre de vos loisirs et que vous pourriez mettre en valeur afin d'obtenir un emploi.
Lesquelles ? Dans quel cadre les avez-vous développées ? Échangez avec vos partenaires.

1er job : que mettre dans un CV quand on n'a pas d'expérience ?

Vous ne savez pas quoi mettre dans votre CV, vous n'avez aucune expérience dans le monde professionnel ? Pas de panique. Chaque candidat dispose d'une compétence secrète. À vos blocs-notes ! [...]

Une expérience oubliée...
Vous l'avez sans doute oublié, mais vous possédez peut-être une expérience dans le baby-sitting, le soutien scolaire ou le dépannage informatique. Vous êtes ou avez été bénévole pour une association ? Vous avez donné, un été, un coup de main dans l'entreprise d'un de vos parents ou d'une connaissance ? Toute expérience, même minime, peut être répertoriée sur le CV. Attardez-vous sur les tâches effectuées. Et mettez en valeur les compétences et qualités développées.

Des connaissances précises
Si ce n'est pas le cas, pensez alors à parler de vos compétences/connaissances dans des domaines tels que l'informatique, la bureautique... Pourquoi pas dans le jardinage également !

Transformer une passion en compétence
Vous avez des passions, des hobbies ? Le sport, le théâtre, la musique, la photographie... sont autant d'activités qui peuvent être évoquées également. Pensez à préciser ce que vous faites exactement et la fréquence. De même pour les voyages à l'étranger, qui peuvent être des expériences riches d'enseignement (débrouillardise, maturité...). D'autant plus si vous avez pu, durant vos différents séjours, développer des compétences linguistiques. Cela peut être une bonne entrée dans le secteur du tourisme, souvent à l'affût de candidats polyglottes. [...]
Voilà, à vous maintenant de faire valoir et défendre vos compétences (secrètes) !

Studyrama emploi, Rachida Soussi.

Au boulot !

1. Choisissez la bonne réponse.

a. Qu'est-ce qu'un nez ?
1. C'est un parfumeur créateur.
2. C'est un infirmier spécialisé en chirurgie plastique.

b. Les employés des pompes funèbres sont populairement appelés des croque-morts. Pourquoi ?
1. Parce que les croque-morts devaient mordre l'orteil des défunts pour s'assurer qu'ils étaient bien morts.
2. Parce que le verbe *croquer* signifiait « faire disparaître ».

c. Pour assurer sa sécurité, une personne célèbre engage...
1. un garde du corps.
2. un protège-corps.

d. Une sage-femme est...
1. une professeure de savoir-vivre.
2. une femme dont le métier consiste à aider à l'accouchement.

e. Si vous êtes technicien de surface, vous...
1. nettoyez et faites le ménage.
2. êtes footballeur.

2. Retrouvez l'année de ces événements du monde du travail.

1841 – 1906 – 1936 – 1950 – 1958 – 1965 – 1982 – 2000

a. La semaine de 35 heures.
b. La création de l'assurance chômage.
c. Les femmes peuvent exercer une profession sans l'autorisation de leur mari.
d. Le repos de 24 heures obligatoire et la création du ministère du Travail.
e. La semaine de 40 heures et deux semaines de congés payés.
f. La création du salaire minimum (SMIG).
g. La semaine de 39 heures et cinq semaines de congés payés.
h. L'interdiction du travail des enfants de moins de 8 ans.

3. Associez et retrouvez la profession des personnes suivantes.

- Béatrice récolte le miel des ruches du MBAM, le Musée des Beaux-arts de Montréal. •
- Vicky travaille au casino de Monaco. Sa spécialité est la roulette. •
- Manatea vit à Tahiti à la Pointe de Vénus. Grâce à lui, les bateaux sont guidés la nuit. •
- Ayoub est Marocain. Pour son travail, il doit mesurer très précisément différents espaces. •
- Adam vit à Sion en Suisse. Il s'occupe d'un troupeau de 750 moutons. •

- • Berger.
- • Gardien de phare.
- • Géomètre.
- • Apicultrice.
- • Croupière.

Leçon 2

Passer un entretien d'embauche

- Se préparer à un entretien d'embauche
- Faire le bilan de ses qualités et compétences
- Déjouer les pièges
- S'exprimer efficacement

Projet : Simuler un entretien d'embauche

Réfléchissez aux questions suivantes.

a. Avez-vous déjà passé un entretien d'embauche ?
b. Comment vous y étiez-vous préparé(e) ? Que manquait-il, le cas échéant, à votre préparation ?
c. Avez-vous été surpris(e) par les questions qui vous ont été posées ?
d. Votre candidature a-t-elle été retenue ? Qu'est-ce qui, selon vous, a fait la différence ?

Se préparer à un entretien d'embauche

1. Lisez l'article suivant et écoutez la séquence radio n° 08.

Comment se préparer à un entretien d'embauche ?

Pour réussir un entretien d'embauche, il ne suffit pas d'arriver à l'heure et de faire preuve d'assurance : il faut d'abord s'être bien préparé. Voici quelques suggestions.

• Choisissez vos vêtements à l'avance. Si vous savez comment les gens s'habillent dans l'entreprise pour laquelle vous postulez, adoptez le même type de tenue vestimentaire.

• Assurez-vous de connaître le chemin et le temps requis – prévoyez une marge d'erreur – pour vous rendre au lieu de l'entrevue.

• Préparez les documents à apporter : lettre de présentation, copies de CV, portfolio, copie de diplômes, liste de références, etc. Réunissez le tout dans une chemise pour ne pas paraître désordonné. Prévoyez aussi un crayon et un calepin (ou votre agenda) pour noter le prochain rendez-vous, le cas échéant. Renseignez-vous abondamment sur l'entreprise (services offerts, clientèle cible, objectifs, nouveaux projets, actualité, etc.) en consultant, par exemple, son site Web, son rapport annuel, vos connaissances, les journaux spécialisés et les communiqués de presse.

• Relisez l'offre d'emploi et notez les compétences recherchées par l'employeur, la formation requise, les tâches et les responsabilités du poste, etc.

• Analysez et mémorisez votre CV : quelles sont vos forces et en quoi constituent-elles un atout pour l'emploi convoité ? Quelles sont vos faiblesses ? Que faites-vous pour y remédier ?

• Enfin, faites une simulation : préparez des réponses aux questions fréquemment posées en entrevue et demandez à un proche de vous interviewer. Vous saurez ainsi si vous vous exprimez clairement et si vous pouvez résumer votre parcours de façon cohérente – et concise ! N'apprenez surtout pas vos réponses par cœur, mais retenez ce que vous souhaitez mettre de l'avant… Bon succès !

Journal *Métro*, 6-8 avril 2018.

La séquence radio

N° 08

Comment réussir son entretien d'embauche ?

Comment répondre aux questions des recruteurs ? Comment s'habiller ? Comment se tenir ? Comment convaincre qu'on est LA perle rare pour le job ?

rfi.fr

2. Répondez aux questions.

a. Parmi les conseils proposés, lesquels jugez-vous les plus pertinents et lesquels seraient, selon vous, optionnels ?
b. En vous basant sur vos propres expériences et celles de votre groupe, quels autres conseils pouvez-vous donner ?

Faire le bilan de ses qualités et compétences

3. Remplissez les tableaux suivants.

Ces tableaux vous serviront à vous préparer le plus efficacement possible à votre entretien et à pouvoir répondre de manière adéquate aux questions qui vous seront posées.

Tableau 1

Qualités personnelles	Exemples : *polyvalent, rigoureux...*
Compétences techniques	Exemples : *maîtrise des principaux traitements de texte et tableurs...*
Compétences transversales	Exemples : *rédaction, gestion d'équipe...*
Réalisations	Exemples : *bénévolat, stages...*

Tableau 2

Compétences et habiletés	Avantages pour l'entreprise
Dans le cadre de mes études, j'ai rédigé de nombreux documents, tels que des dissertations, des mémoires dont la qualité a été soulignée par mes professeurs.	Je pourrai prendre en charge la rédaction de tous les documents et rapports que votre entreprise aura besoin de publier en faisant preuve d'autonomie et d'efficacité.
...	...

4. Comparez vos réponses.

a. Donnez chacun un exemple de la façon dont vous avez rempli le tableau 2.

b. Quelles formulations des liens entre « compétences et habiletés » et « avantages » pour l'entreprise vous semblent les plus convaincantes ? Expliquez pourquoi.

5. Trouvez un emploi auquel vous souhaiteriez postuler. Listez les compétences nécessaires pour ce poste.

a. Sont-elles essentielles ou souhaitables ?

b. Quelles questions l'employeur pourrait-il formuler pour obtenir des informations sur votre degré de maîtrise de ces compétences ?

Compétences	Essentielle	Souhaitable	Questions possibles de l'employeur
Esprit d'équipe	...	...	Préférez-vous travailler seul ou en équipe ?
...	...	...	...

c. Quelles réponses pourriez-vous donner à ces questions ?

d. Parmi vos expériences, lesquelles sont en adéquation avec ce poste ?

e. Quelles sont les qualités et les spécificités de votre profil qui vous permettront de vous démarquer des autres candidats ?
Utilisez les informations sur l'entreprise et le poste du fichier *entretienEmbauche* afin de peaufiner votre préparation
→ DVD Dossier *documents*.

Déjouer les pièges

6. Lisez les questions ci-dessous et trouvez les meilleures réponses.
Ces questions sont souvent posées en entretien d'embauche et peuvent parfois s'avérer déstabilisantes.

a. À votre avis, qu'est-ce que l'employeur veut réellement savoir en vous posant chacune de ces questions ? Discutez-en entre vous.

b. Réfléchissez à la meilleure façon de répondre et faites une mise en commun.

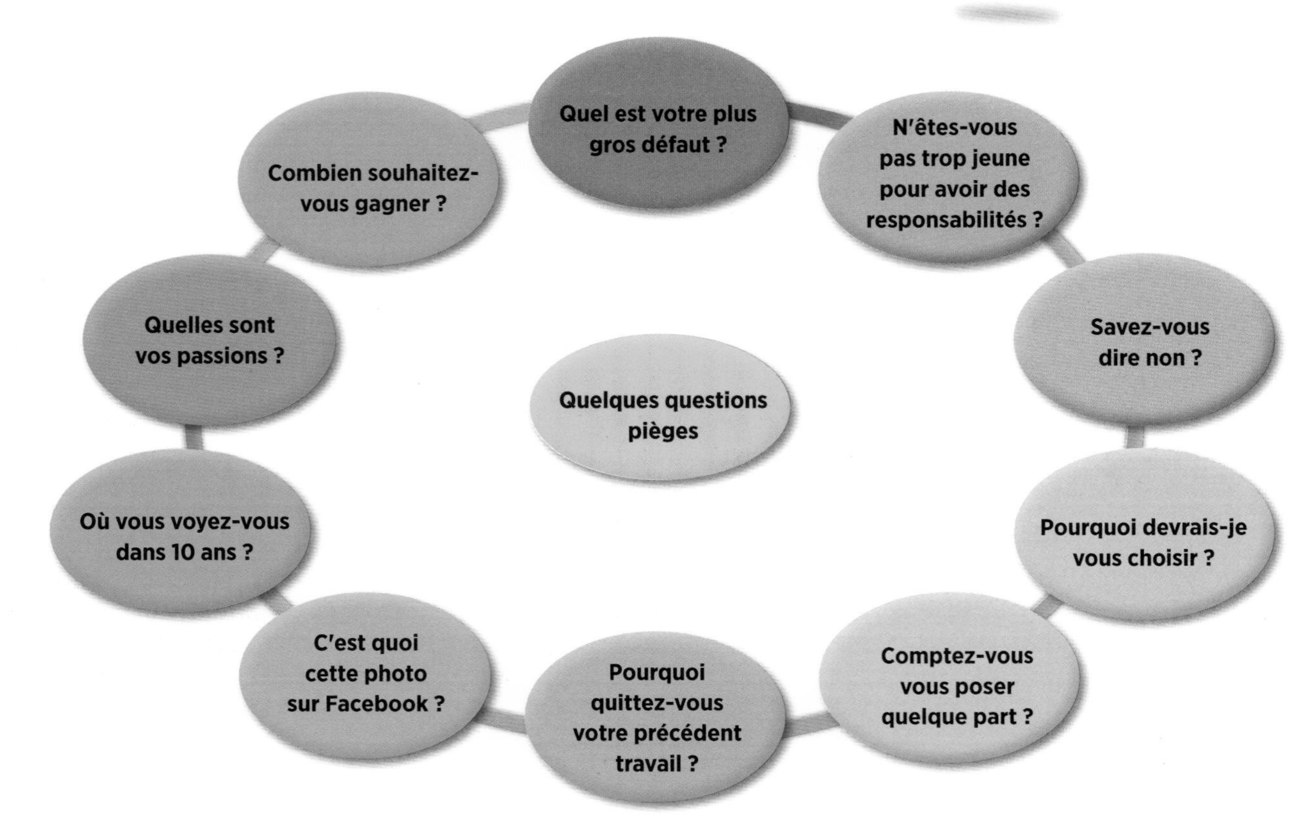

7. Regardez la vidéo n° 33 dans laquelle un directeur de cabinet de recrutement donne des pistes de réponses.
Cela corrobore-t-il ce que vous pensiez ?

Le reportage vidéo

N° 33

Pièges en entretien d'embauche

lexpress.fr

S'exprimer efficacement

8. Lisez le texte ci-dessous et les documents p. 126.

a. En petits groupes, discutez des techniques et des phrases qui pourraient vous avantager ou, au contraire, vous porter préjudice.
b. Faites un tableau pour répertorier tous ces éléments et ajoutez-y les éléments que votre groupe aura trouvés.

Dans un entretien d'embauche, chaque détail compte : non seulement vos réalisations et vos expériences, mais aussi vos qualités et l'impression que l'employeur aura de vous. Par conséquent, il est très important de faire attention à la façon de vous exprimer. La même idée peut être formulée de plusieurs manières, certaines vous avantageront, d'autres pourraient vous porter préjudice. De même, votre intonation et votre débit de parole en disent autant sur vous que les phrases que vous prononcez, tout comme votre posture. Voici quelques conseils afin de maximiser vos chances de succès lors de votre entretien.

Cinq phrases à placer lors d'un entretien d'embauche

Il n'est pas toujours évident de se démarquer lors d'un entretien d'embauche. Voici 5 informations à placer pour s'assurer de faire mouche auprès de votre recruteur.
L'entretien d'embauche est souvent un moment redouté. En cause, la peur que nos réponses ne soient pas satisfaisantes pour notre recruteur. Se présenter, ce que l'on peut apporter à l'entreprise : toutes ces questions « classiques » sont souvent considérées comme des pièges. Yves Gautier, coach CV et emploi, nous donne des pistes pour savoir y répondre au mieux et se démarquer.

Les phrases à placer lors d'un entretien pour plaire au recruteur

« Mon parcours peut se résumer en trois axes »
« Souvent les candidats reviennent sur toute leur vie, ça part un peu dans tous les sens, ça manque de synthèse », prévient notre coach. Pour y remédier, appuyez-vous sur trois axes de compétences pour résumer votre parcours. « Il faut présenter une synthèse de son parcours professionnel, les gens retiennent peu de choses, il faut leur mâcher le travail ». En étant structuré et synthétique, vous avez plus de chance de délivrer un bon message.

« Voilà ce que je peux apporter en plus »
« Le problème du recruteur c'est que souvent il a des cases à remplir. Mais si vous remplissez seulement les cases, ce n'est pas forcément ça qui fait que vous allez être sélectionné pour le poste. » Il faut aller plus loin que ce que l'on vous demande, et mettre en valeur ce que vous apportez en plus pour l'entreprise. « Ça peut être un réseau, la maîtrise d'un logiciel, des compétences en vidéo, en informatique, en base de données ... », cite par exemple notre expert.

« J'ai bien compris les objectifs »
Il est important de faire comprendre à votre potentiel recruteur que vous avez parfaitement saisi les objectifs du poste. Les énumérer au cours de la conversation est primordial. « Quand vous dites à un recruteur : Monsieur, j'ai bien compris les objectifs, celui-ci, celui-ci et celui-ci, la personne en face est rassurée », explique en effet Yves Gautier.

« J'ai un plan d'action pour ce poste »
Si dès l'entretien vous pouvez énoncer un plan d'action au vu de tout ce qui a été dit, c'est un énorme atout. « J'ai bien compris que la priorité dans ce poste était de développer le trafic du site internet, nous pourrions envisager un tel jeu concours qui nous permettrait de récolter des adresses mails, etc. ... Il ne faut pas hésiter à proposer plusieurs pistes », conseille notre coach.

« Je vous remercie de m'avoir reçu(e) »
Peu de personnes y pensent et pourtant cela est très utile et peut se faire de deux manières possibles.

- « Vous pouvez envoyer un petit mot rapide en disant, Monsieur, je tenais à vous remercier pour la qualité de votre accueil. Il est également conseillé de souligner un aspect spécifique de l'entretien : j'ai particulièrement apprécié la vision stratégique sur telle chose et je serais heureux(se) de vous revoir pour en parler plus en détails. »
- Vous pouvez sinon envoyer un courrier pour dire que

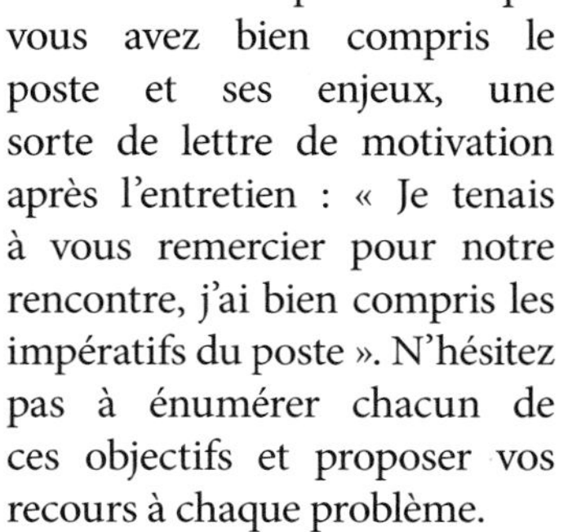

vous avez bien compris le poste et ses enjeux, une sorte de lettre de motivation après l'entretien : « Je tenais à vous remercier pour notre rencontre, j'ai bien compris les impératifs du poste ». N'hésitez pas à énumérer chacun de ces objectifs et proposer vos recours à chaque problème.

Marie Claire, Flore Ducauze.

Savoir-faire

Réussir un entretien d'embauche

Phrases à éviter

Pour vous aider à réussir en entretien d'embauche, voici dix phrases qui pourraient vous porter préjudice et donner une mauvaise impression à l'employeur.
- « Laissez-moi me présenter... »
- « Combien de temps durera l'entretien ? »
- « Désolé(e), je n'ai pas eu le temps de me renseigner sur le poste / votre entreprise. »
- « Mon ancien patron est un incompétent. »
- « J'ai absolument besoin de ce travail ! »
- « Désolé(e), je suis très stressé(e). »
- « Je l'ai déjà précisé sur mon CV. »
- « Quel est le salaire exact ? »
- « Je ne souhaite pas répondre à cette question. »
- « Je n'ai pas de questions. »

Conseils

- Ne démontrez pas un manque de confiance en utilisant les constructions « Je pense que ... », « Il me semble que ... », utilisez plutôt « Je suis persuadé que ... », « Je suis convaincu de ... »
- Attestez votre motivation et votre implication pour le travail que vous avez déjà réalisé : « Je suis très satisfait de ce que j'ai fait. ».
- N'exprimez pas des doutes, ne dites pas « Je ne sais pas si ... », « Cela me paraît un peu difficile. », restez toujours positif. Vous devez manifester de la confiance.
- Parlez assez fort pour être bien entendu, mais pas trop rapidement.
- Regardez votre interlocuteur dans les yeux.
- Ne gesticulez pas trop.

Point infos

LES SIX PRINCIPAUX MOTIFS DE REFUS DE CANDIDATURE

Les candidats en recherche d'emploi seront inévitablement confrontés à un rejet de candidature à un moment ou à un autre. Le marché de l'emploi actuel étant très compétitif, aucun candidat n'est à l'abri d'un refus, malgré un CV solide et une technique d'entretien éprouvée. Alors que certains employeurs vous exposeront les motifs de refus de façon détaillée, d'autres se contenteront d'une réponse concise pour expliquer leur choix. Ce manque de précisions revêt parfois un caractère de frustration pour les candidats.
Voici les six principaux motifs de refus, à la suite de l'envoi d'une candidature ou après un entretien.

1. Votre CV n'a pas réussi à se démarquer.
2. Vos motivations n'ont pas été suffisamment clairement exposées.
3. Vous n'avez pas préparé l'entretien en amont.
4. Vous n'avez pas su démontrer votre esprit d'équipe.
5. Vous avez laissé transparaître un manque de motivation.
6. Vous étiez en compétition avec un candidat plus expérimenté.

D'après : Page personnel, 07 avril 2017.

9. En binômes, préparez une mini-simulation d'entretien d'embauche.

L'un jouera le rôle du responsable des ressources humaines, l'autre celui du candidat.
Pensez à introduire tous les points vus dans cette leçon qui peuvent avantager le candidat lors de son entretien.
Le responsable des ressources humaines devra poser au moins trois questions pièges.

10. Présentez votre simulation à la classe.

Discutez en petits groupes des points à revoir puis faites une mise en commun.

Projet

Simuler un entretien d'embauche

Deux personnes joueront le rôle de responsables des ressources humaines, la troisième personne celui de la candidate ou du candidat. Enfin, la quatrième personne observera l'entretien.

La candidate ou le candidat annonce la nature du poste retenu précédemment. Avec l'aide de l'observateur, les deux personnes responsables des RH complètent la liste des questions qu'elles entendent poser durant l'entretien, pendant que le candidat se prépare à répondre aux questions. Une fois ce travail de préparation effectué, l'entretien débute.

À chacune des réponses de la candidate ou du candidat, les responsables RH transcrivent leurs impressions et commentaires, tandis que l'observateur note les différents points qui nécessiteraient des améliorations, tant sur le déroulement de l'entretien, la qualité des réponses apportées ou la qualité de la langue (voir grille ci-dessous).

À la fin de l'entretien, faites un bilan collectif. Refaites l'entretien en changeant de rôles.

	POINTS	NOTE
PRISE DE CONTACT		
Parlez-moi de vous.	*Capacité de synthèse et élocution.*	
...		
FORMATION		
Pensez-vous que vos études vous ont bien préparé(e) pour ce poste ?	*Pertinence de la formation.*	
...		
EXPÉRIENCE		
Quelle est la réalisation dont vous êtes la plus fière ou le plus fier ?	*Adéquation de l'expérience avec le poste. Ampleur des réalisations. Niveau de responsabilités assumées.*	
...		
ATTITUDE ET PERSONNALITÉ		
Comment vos collègues de travail vous décriraient-ils ?	*Adéquation de la personnalité du candidat avec les valeurs de l'entreprise, degré de confiance du candidat.*	
Comment réagissez-vous à la pression ?	*Efficacité dans la gestion du stress.*	
...		
CONNAISSANCE DE L'ENTREPRISE		
Qu'est-ce qui vous attire dans notre entreprise ?	*Intérêt et détermination du candidat.*	
MISE EN SITUATION		
Si un conflit éclate avec un autre employé, que faites-vous ?	*Capacité à gérer les conflits, intelligence relationnelle.*	
...		
QUESTIONS COMPLÉMENTAIRES		
Pourquoi vous embaucherions-nous plutôt qu'un(e) autre candidat(e) ?	*Motivation et confiance du candidat.*	
...		

Engagé !

1. Quiz. Soyez le candidat idéal/la candidate idéale !

a. La veille de votre entretien, vous...
1. organisez un repas arrosé avec tous vos amis pour vous porter chance.
2. faites une répétition pour mémoriser ce qui vous semble important.

b. Le jour de l'entretien, vous n'oubliez pas d'apporter...
1. votre CV et de quoi prendre des notes.
2. votre porte-bonheur.

c. Durant l'entretien, à la question, *pourquoi quittez-vous votre précédent emploi ?* il vaut mieux répondre :
1. « Mon ancien boss ne pouvait rien m'apprendre. »
2. « Je recherche de nouveaux défis. »

d. Votre interlocuteur vous demande où vous vous voyez dans 5 ans. Vous répondez :
1. « À votre place. »
2. « Intégré à votre équipe de travail et participant à de nombreux projets. »

e. Votre interlocuteur ou interlocutrice vous demande si vous avez des questions, vous lui demandez...
1. si l'entreprise a des projets d'avenir.
2. si vous pouvez poser quatre semaines consécutives de congés payés la première année.

f. La semaine suivant votre entretien, vous...
1. téléphonez tous les jours pour savoir si vous êtes engagé(e).
2. envoyez un courrier pour savoir si vous êtes engagé(e).

2. Associez ces entreprises françaises à leur secteur d'activité.

- Auchan •
- Engie •
- Bouygues •
- LVMH •
- Saint-Gobain •
- Société générale •
- Capgemini •
- Groupama •

- • Le luxe.
- • La production, la transformation et la distribution de matériaux.
- • La banque.
- • Les assurances.
- • L'énergie.
- • Les services du numérique.
- • La grande distribution.
- • La construction, l'immobilier et les télécoms.

3. Associez ces expressions à leur signification.

- Travailler à la chaîne. •
- Travailler au rabais. •
- Travailler d'arrache-pied. •
- Travailler son personnage. •
- Travailler à son compte. •

- • Travailler pour un salaire trop bas.
- • Travailler un rôle pour jouer la comédie.
- • Être son propre patron.
- • Travailler énormément.
- • Travailler en répétant toujours le même geste.

Leçon 3

Faire un stage en entreprise

- Comprendre le stage
- Décrire des missions
- Préparer un rapport de stage

Projet : Rédiger un rapport de stage

Faire un stage en entreprise

Réfléchissez aux questions suivantes.

a. Les stages sont-ils, selon vous, une composante nécessaire à toute formation ? Pourquoi ?
b. Si vous pouviez choisir l'entreprise dans laquelle effectuer un stage, laquelle choisiriez-vous ? Pour quelles raisons ?
c. Les stages devraient-ils obligatoirement être rémunérés ?
d. Pensez-vous que certaines entreprises abusent des stages ?
e. Quelles conditions doivent être réunies pour qu'un stage soit bénéfique ?
f. Quels éléments vous semblent devoir contenir un rapport de stage ? Comment le subdiviseriez-vous ?

Comprendre le stage

1. Lisez l'article et discutez en petits groupes.

a. Pourquoi peut-on affirmer que les stages constituent un moyen d'intégration dans la vie active ?

b. Comparez la législation française relative aux stages à celle de votre pays ou à celle d'une autre région du monde. Discutez des différences.

STAGES : ils contribuent à votre réussite et rassurent les employeurs. Choisissez-les bien.

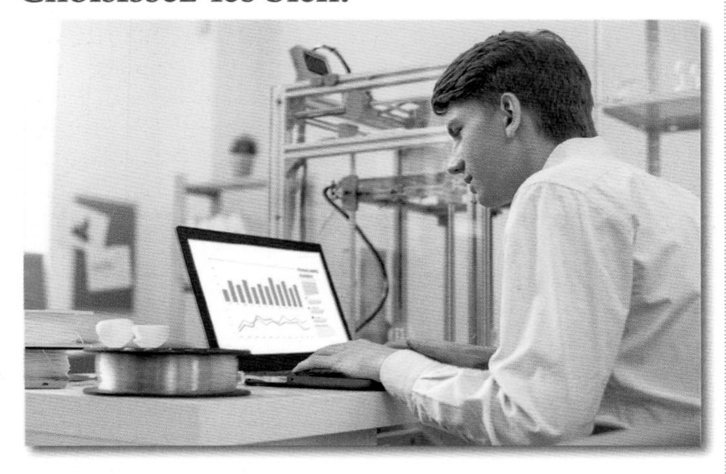

Chaque année, environ 1,6 million d'étudiants quittent momentanément les bancs de l'école pour partir en stage. Quelle est l'utilité de ces immersions dans le monde de l'entreprise ? Pour Philippe Deljurie, spécialiste du recrutement, le stage est déterminant, car il est une transition entre un cursus pédagogique et la vie professionnelle.
Petit rappel préliminaire sur ce qu'est un stage : il s'agit, selon la législation française, d'une période de formation pratique en entreprise, dans le cadre d'un cursus pédagogique.
Le stagiaire n'est pas salarié de l'entreprise, il n'est pas lié à l'entreprise qui l'accueille par un contrat de travail, mais la relation entre le stagiaire, l'entreprise et l'organisme de formation est régie par une convention.
Depuis 2009, tout stage d'une durée de plus de deux mois doit faire l'objet d'une rémunération, et il n'est pas possible d'effectuer un stage d'une durée de plus de six mois.

Un moyen d'intégration dans la vie active
Fort de ce rappel, il est évident que le stage contribue fortement à l'objectif du cursus de formation : s'insérer le plus rapidement et le mieux possible dans la vie active. Cette faculté à s'insérer et les conditions d'insertion étant un critère objectif qui permet de comparer les différentes formations entre elles.
Le stage est le moyen de réaliser la transition entre un cursus purement pédagogique et la vie professionnelle. Pour que le ou les stages effectués jouent pleinement leur rôle, il ne suffit pas de les empiler, mais, au contraire, être le résultat d'une tactique réfléchie, afin de valider, par exemple, les objectifs suivants :
• Pour un étudiant qui se cherche : les stages doivent permettre, par exemple, de se familiariser avec le monde de l'entreprise : cela signifie qu'il ne faut pas hésiter à effectuer des stages dans différentes entreprises, des grands groupes comme des PME, des start-ups ou des associations.
La diversité permet à l'étudiant de mieux comprendre le fonctionnement d'une entreprise, tant sur un secteur ou sur un métier que dans les relations entre les personnes. Avec différentes expériences dans différents environnements, l'étudiant gagne en maturité et en crédibilité quand il s'agira d'expliquer au futur employeur les raisons de son choix.
• Pour un étudiant qui a une idée précise de ce qu'il veut faire : dans ce cas, il est préférable de concentrer ses stages sur le secteur ou le métier recherché, de manière à gagner, là encore, en crédibilité côté expertise et savoir-faire au moment de rechercher un poste.
À quelques exceptions près, il est rare qu'un candidat à un poste soit seul en lice. La question est alors de pouvoir faire la différence avec les autres candidats, et les stages seront alors clairement un facteur différenciant. [...]
Les stages ont toute leur place dans le cursus pédagogique et dans l'intégration dans la vie active. À l'étudiant de porter toute l'attention et la préparation qu'il doit à sa recherche et aux entretiens.

L'Obs Le Plus, Philippe Deljurie, 24/07/2015.

2. Lisez les deux articles et visionnez les vidéos n° 34 et 35.

a. Par groupes de quatre, discutez des aspects positifs ou négatifs qui peuvent naître lors d'un stage.
b. Relevez tous les éléments qui permettent de comparer les stages à une forme d'« esclavage ».
c. Pourquoi, à votre avis, les diplômés suisses acceptent-ils des stages non payés ?
d. Seriez-vous prêts à accepter un stage non rémunéré ? Discutez-en.

Texte 1

Les tâches qu'un stagiaire a le droit de refuser d'effectuer

Parfois, un stage se transforme en cauchemar parce que les missions confiées n'ont rien à voir avec celles initialement prévues. Pour éviter les déconvenues, voici quelques tâches que le stagiaire peut refuser de faire dans sa journée de travail. [...]
– Mener à bien la mission du stage seul. Un stagiaire n'est pas un chargé de projet, c'est un jeune en cours de formation. Il doit donc être supervisé dans son travail.
– Remplacer un salarié (titulaire du poste absent, accroissement d'activité). Une entreprise n'a pas le droit d'embaucher un stagiaire plutôt qu'un salarié.
– Un stage non rémunéré. Un stage qui dure plus de deux mois doit être rémunéré.
– Finir après 19 heures tous les soirs. Le stagiaire n'est que peu rémunéré par l'entreprise. Il serait donc malvenu de lui demander systématiquement de faire des heures supplémentaires.
– Engager des dépenses personnelles pour l'entreprise. Toutes les activités de l'entreprise doivent être financées par elle.
– Assister aux entretiens disciplinaires. Licencier un salarié ou le recadrer, voilà des missions qui ne sont pas dévolues au stagiaire. Celui-ci, par correction pour le salarié concerné, ne doit même pas assister aux entretiens.
[...]

D'après : FranceInfo, 23/06/2014.

Texte 2

Les entreprises où les stagiaires sont heureux

[...] Les étudiants sont heureux en entreprise s'ils ont le sentiment d'être utiles à leur équipe et à leur entreprise. C'est la stratégie du groupe Mars : « On leur confie des projets de A à Z : de la conception à la réalisation, en passant par la gestion du budget et de la com. Leur recrutement correspond à un besoin précis », raconte Valérie Savoye, directrice talent France. Même son de cloche chez Séverine Lafon, responsable recrutement et marque employeur pour Air Liquide : « Nous n'avons pas de campagnes de recrutement de stagiaires précises. Nous leur confions des missions selon nos enjeux du moment. » [...]

Les stagiaires et les alternants plébiscitent aussi les entreprises qui ont mis en place de véritables programmes d'intégration et d'accompagnement pour eux. Pour la start-up Theodo, le suivi démarre… avant même l'arrivée du stagiaire dans les locaux ! « À partir du moment où la personne est recrutée, elle est considérée comme faisant partie de la boîte. Donc son manager, appelé "coach" chez Theodo, la rencontre, prépare son arrivée, répond à ses questions et on l'invite aux événements team-building qui ont lieu une fois par mois », se félicite Benoît Charles-Lavauzelle qui ajoute que les coachs les aident dans la rédaction de leur rapport de stage et la préparation de leur soutenance.
[...]

Les Echos Start, Clémence Boyer, 17/01/2016.

Les reportages vidéo

N° 34 **Les stages : tremplin ou exploitation ?**

francetvinfo.fr

N° 35 **Stagiaires : les nouveaux esclaves**

rts.ch

3. En groupes, réfléchissez à d'autres situations qui pourraient avoir des répercussions positives ou négatives sur votre expérience de stage.

La moitié de chaque groupe préparera une liste de points positifs et l'autre moitié une liste de points négatifs. Procédez ensuite à une mise en commun avec votre professeur(e).

Faire un stage en entreprise

Décrire des missions

Les missions effectuées lors d'un stage pratique sont généralement nombreuses et permettent au stagiaire d'avoir une idée claire du monde professionnel, en intégrant une entreprise de son choix.

4. Voici quelques missions qu'un stagiaire peut effectuer lors d'un stage. En binômes, associez chaque mission à un ou des secteur(s) d'activité.

- Accueillir, accompagner et renseigner les clients.
- Assurer un suivi de dossiers RH.
- Analyser les coûts et les ventes.
- Concevoir et analyser les chaînes d'approvisionnement.
- Comprendre la gestion de l'entretien des chambres et des réservations.
- Distribuer des chèques et cartes de crédit.
- Effectuer une étude de marché.
- Identifier et proposer des opportunités de développement.
- Installer, entretenir et réparer les équipements informatiques.
- Organiser la livraison des produits et services.
- Participer à la rédaction de propositions commerciales.
- Préparer un plan d'investissement.
- Programmer des sites Web et des systèmes informatiques.
- Réaliser une veille concurrentielle.
- Réceptionner et assurer le suivi de dossiers de candidature.
- Traiter le courrier.

5. En binômes, choisissez une entreprise, un département ou un service (différent pour chaque binôme).

a. Proposez dix missions à un stagiaire potentiel.
b. Présentez votre liste à la classe.
c. La classe fait une mise en commun et subdivise les missions en missions principales et secondaires en justifiant son choix.

6. En vous aidant de l'encadré *Mieux s'exprimer*, rédigez un paragraphe sur dix missions sélectionnées dans l'activité 4.

7. Visionnez la vidéo n° 36.
C'est le témoignage de Lisa Bardet, étudiante en Gestion des entreprises et des administrations sur son expérience de stage.

a. Relatez le parcours de l'étudiante.
b. Notez toutes les missions effectuées par la stagiaire. Comparez-les à vos listes de missions. Retrouvez-vous des missions que vous aviez déjà relevées ?

Mieux s'exprimer

Décrire les missions d'un stage

Au cours de ce stage, différentes missions m'ont été confiées.
Ma première mission principale était ...
J'ai pu également effectuer plusieurs missions secondaires ...

8. Humour. Visionnez la vidéo n° 37.

a. Caractérisez le stagiaire.

b. Dans ce sketch, on n'entend pas les répliques du directeur, mais on peut les deviner. En binômes, reconstituez-les et rejouez la scène.

Le reportage vidéo

N° 36

Lisa - Étudiante DUT GEA en stage

youtube.com

Le reportage vidéo

N° 37

L'aide-comptable stagiaire

youtube.com

Préparer un rapport de stage

9. Lisez le texte suivant et rédigez l'introduction d'un rapport de stage.

En vous aidant des encadrés *Savoir-faire* et *Mieux s'exprimer*, vos expériences personnelle et professionnelle, vos aspirations ou des informations glanées sur Internet, simulez la rédaction de l'introduction d'un rapport de stage.

Rédiger un rapport de stage

Vous devez rédiger un rapport de stage ? Ce travail peut vous sembler lourd à faire, mais il n'en demeure pas moins nécessaire. Certes, il donne lieu à une évaluation, mais il vous permet aussi de revenir sur votre expérience en tant que stagiaire et d'en tirer pleinement profit. Un bon rapport est clair et précis : les idées s'y succèdent de façon logique et ordonnée, le lecteur doit facilement s'y retrouver.

Dans la vaste majorité des cas, le rapport de stage se décline en quatre parties.

1. Introduction

Présentez le contexte du stage. Comment s'inscrit-il dans votre parcours ? Pourquoi avoir opté pour celui-là plutôt qu'un autre ? N'hésitez pas à « raconter une histoire » à la personne qui vous lit.

2. Présentation de l'entreprise où se déroule le stage

Sans trop entrer dans les détails, parlez de l'entreprise dans laquelle vous avez effectué votre stage. Quels sont ses activités, sa mission, son effectif, ses clients ?

3. Description du stage et des missions

Adoptez un ton professionnel pour dresser un bilan. Quels ont été les apports de ce stage ? Quelles difficultés avez-vous rencontrées ? Comment les avez-vous surmontées ? Vous pouvez également identifier des axes d'amélioration.

4. Conclusion

Sans revenir sur ce qui précède, expliquez ce que votre stage vous a apporté à l'aide d'une analyse critique, mais positive. Quelles compétences avez-vous acquises ou pu mettre en pratique lors de votre stage ? Quelles lacunes avez-vous identifiées ? Ce stage vous confirme-t-il dans votre projet professionnel ou vous incite-t-il à le redéfinir ? Quelles leçons en retirez-vous ?
Vous devez démontrer que vous avez compris comment vous servir de cette expérience pour aller de l'avant.
À ne pas oublier : dans les deux dernières parties, vous devez mettre en évidence les bénéfices que vous avez retirés de ce stage.

Même s'il a pu s'avérer négatif, un séjour en entreprise peut vous avoir beaucoup appris.

Mise en page et rédaction : claires et impeccables

Lors de la rédaction, n'hésitez pas à employer les caractères gras pour faire ressortir des éléments clés, ainsi que des couleurs et des images si vous avez cette possibilité. Évitez toute lourdeur visuelle et divisez le tout en paragraphes distincts : cela facilitera la lecture. Votre plan doit se voir dans la structure du texte. Ainsi, un court survol devrait rapidement renseigner votre lecteur sur le contenu. Qui plus est, votre style gagnera à être fluide et simple : évitez les tournures lourdes et alambiquées et allez droit au but. Portez une attention toute particulière à la ponctuation, à la grammaire et à l'orthographe. Quand vous aurez terminé, n'hésitez pas à demander à un tiers de vous relire.

Pour finir...

Pourquoi ne pas envoyer votre rapport de stage et des remerciements à l'entreprise qui vous a embauché ? En laissant une trace et en démontrant votre professionnalisme, vous pourriez peut-être l'encourager à vous embaucher un jour...

Savoir-faire

Rédiger l'introduction d'un rapport

L'introduction d'un rapport de stage doit contenir les éléments suivants :

Remerciements

Exprimez votre gratitude à toute personne qui vous a encadré(e) lors du stage ou qui a fait de ce stage une expérience intéressante et valorisante.

Détails du stage et raisons de votre choix

Présentez les détails du stage en évoquant son objectif, sa durée, son lieu ainsi que le secteur économique de l'entreprise ; exposez les raisons qui vous ont poussé(e) à choisir le stage en question en précisant les liens avec votre expérience préalable et vos aspirations.

Mieux s'exprimer

Rédiger l'introduction d'un rapport

J'aimerais commencer ce rapport de stage par des remerciements ...
Je souhaite tout d'abord remercier ...
Aussi/Enfin, je tiens à remercier ...
J'ai choisi cette entreprise en premier lieu parce que ...

Faire un stage en entreprise

10. En petits groupes, observez les deux infographies ci-contre et étudiez la répartition des secteurs d'activité en France.

a. Quel rapide portrait de l'économie française pouvez-vous faire à partir de votre observation ?

b. Vous allez effectuer un stage au SYTRAL (Syndicat mixte des Transports pour le Rhône et l'Agglomération Lyonnaise), où votre mission sera d'aider à poursuivre les études sur le développement du réseau.
Étudiez l'organigramme de la seconde plus grande autorité organisatrice de transport urbain de France. Expliquez son fonctionnement.
Dans quel département travaillerez-vous ?

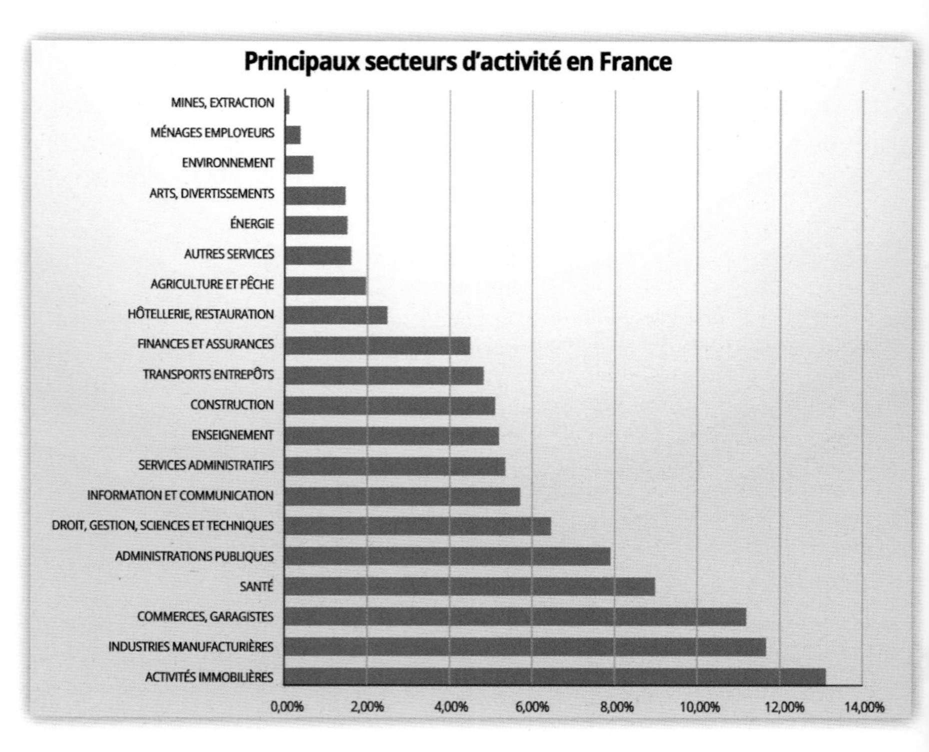

11. Nommez les secteurs d'activités de diverses entreprises.

Voici une douzaine d'entreprises connues mondialement inscrites au CAC 40, le principal indice boursier de la Bourse de Paris :

- AccorHotels
- BNP Paribas
- Crédit agricole
- Essilor
- Michelin
- Renault
- Axa
- Carrefour
- Danone
- L'Oréal
- Orange
- Total

Pouvez-vous nommer le secteur d'activités de chacune d'elles ?

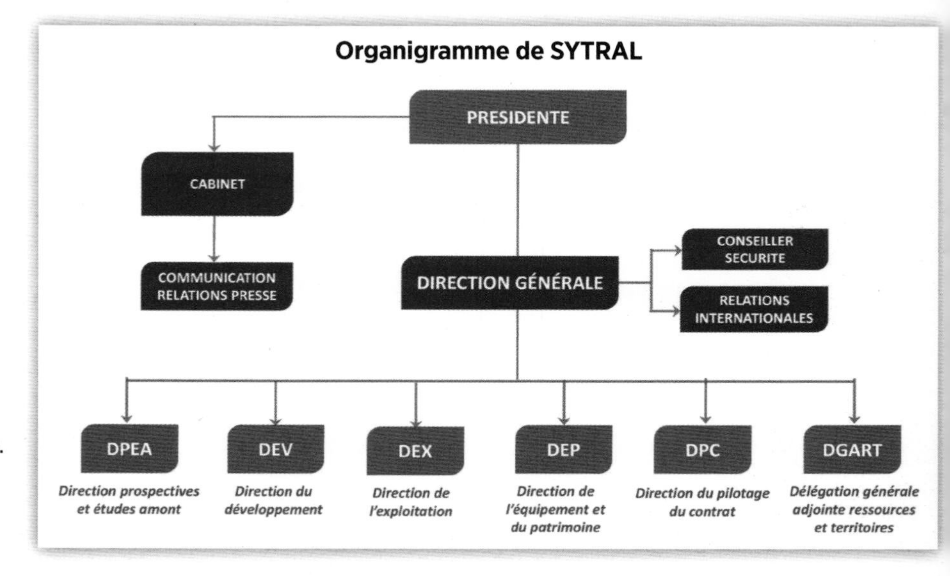

12. Recherchez des informations sur une entreprise.

a. En binômes, choisissez une entreprise de la liste de l'activité 11 qui corresponde le mieux à vos aspirations professionnelles.
b. Décrivez l'entreprise choisie à l'aide des éléments présentés dans l'encadré *Savoir-faire*.
c. Rédigez un paragraphe sur l'entreprise en vous aidant de l'encadré *Mieux s'exprimer*.

Savoir-faire

Décrire les circonstances du stage

La description des circonstances du stage doit contenir les éléments suivants :
Date de la création de l'entreprise – fondateurs – type d'entreprise (grand groupe, PME, TPE, association, etc.) et raison sociale – secteur économique – siège social – nombre d'employés dans le pays et dans le monde – structure et organisation interne (services et départements) sous forme d'un organigramme – nom de la Présidente-directrice générale ou du Président-directeur général – position sur le marché – spécialisation et missions.

Mieux s'exprimer

Décrire les circonstances du stage

En troisième année du diplôme ... j'ai effectué un stage au sein de ..., au service de ...
L'entreprise/société a été créée en ... par ... et est spécialisée dans le secteur ...
Elle regroupe ... d'employés qui sont divisés en ... départements sous la direction du ...
Les missions de l'entreprise consistent en ...
La société fait face à des enjeux tels que ...

13. Lisez le *Point infos*.

À quoi sert une convention de stage ?

Point infos

Une convention de stage est un document obligatoire pour effectuer un stage en entreprise. Il s'agit du contrat qui définit le cadre de la mission et qui doit être signé par les trois parties concernées par le stage : l'étudiant, l'entreprise et l'établissement de formation (école ou université).
Comme tout contrat de travail, la convention de stage permet de préciser, entre autres, les engagements mutuels suivants : définition des missions confiées au stagiaire, objectifs du stage, accueil et encadrement, montant de la rémunération, modalités de son versement, régime de protection sociale, horaire, dates de début et fin, afin de protéger les stagiaires et de poser un cadre précis au stage.

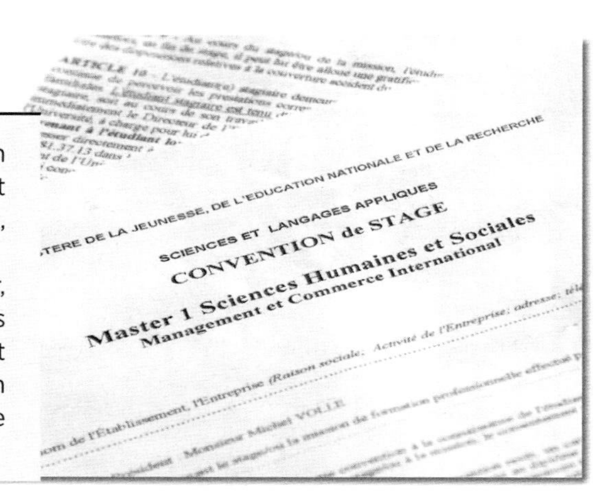

14. Lisez les encadrés *Savoir-faire* et *Mieux s'exprimer*.

Quels sont les points importants qui doivent apparaître dans la conclusion d'un rapport de stage ?

Savoir-faire

Rédiger la conclusion d'un rapport de stage

La conclusion de votre rapport de stage doit répondre à votre introduction

Si votre rapport de stage inclut une problématique, ce qu'imposent parfois les professeurs, votre conclusion doit bien sûr répondre dans un premier temps à cette problématique. Dans tous les cas, relisez votre introduction de rapport de stage, elle décrit votre envie de découvrir un secteur, des métiers et pose certaines questions que vous vous posiez avant votre stage... Votre conclusion doit ainsi y répondre.
Les grandes questions existentielles du rapport de stage :
1. Votre stage vous a-t-il permis de vous conforter dans votre projet professionnel / « plan de carrière » ?
2. Votre stage vous a-t-il appris quelque chose : méthode de travail, contacts, entreprises ?
3. Souhaitez-vous travailler plus tard dans ce type de métier / entreprise ? [...]
La conclusion ne doit pas développer de nouvelles idées, mais peut proposer une ouverture : nouvelle problématique, qui montre que vous pensez déjà à la prochaine étape... Vers quels nouveaux secteurs d'activité ou métiers souhaiteriez-vous vous orienter, avec quels objectifs ? Proposez une problématique complémentaire de celle traitée dans votre rapport. [...]

D'après : Le Parisien Étudiant.

Mieux s'exprimer

Rédiger la conclusion d'un rapport de stage

Ce stage a été très enrichissant pour moi, car il m'a permis de découvrir dans le détail le secteur du ..., ses acteurs, contraintes ... et il m'a permis de participer concrètement à ses enjeux au travers de mes missions variées comme celle du ... que j'ai particulièrement appréciée. Ce stage m'a aussi permis de comprendre que les missions créatives n'étaient pas les plus adaptées pour moi ... et je préfère m'orienter vers les métiers de ... qui me conviennent mieux.[...]
L'entreprise ... qui m'a accueilli pendant ce stage fait face à une période charnière ... et je suis très fier d'avoir pu contribuer, participer à cette révolution. L'évolution des usages et l'adaptation de l'entreprise au changement de son environnement ...
Fort de cette expérience et en réponse à ses enjeux, j'aimerais beaucoup par la suite essayer de m'orienter via un prochain stage, vers le secteur ... avec des acteurs de petites tailles, et un important développement d'avenir.

D'après : Le Parisien Étudiant.

Projet

Rédiger un rapport de stage

En vous aidant du fichier *Exemple de rapport de stage* → DVD Dossier *documents* et des parties que vous avez déjà rédigées au cours de la leçon, rédigez votre rapport de stage définitif sur l'entreprise de votre choix.

Compréhension de l'oral - C1

N° 09

Écoutez l'enregistrement et répondez aux questions.

1. Quel est le thème de ce reportage ?
2. Sur quel aspect l'entreprise Airbnb met-elle l'accent dans ses locaux ?
3. Selon Danièle Linhart, quelle orientation prennent actuellement les Directions des Ressources Humaines ?
4. Donnez trois exemples de services pour les employés mis en place dans les entreprises.
5. Quel est le but de ces nouveaux services pris en charge par les entreprises ?
a. Rendre les employés plus efficaces et capables de supporter des conditions de travail difficiles.
b. Permettre un épanouissement des employés dans leur travail et leur vie personnelle.
c. Lutter contre les mauvaises images d'eux-mêmes que les employés peuvent développer.
6. Pourquoi Danièle Linhart fait-elle un parallèle avec le management de Henry Ford ?
a. Pour montrer sa similarité avec la méthode de management utilisée à l'heure actuelle.
b. Pour faire la chronologie des méthodes de gestion des équipes dans les entreprises.
c. Pour souligner les progrès réalisés dans le management.
7. Selon Danièle Linhart, quel devrait être le principe de base du management ?

Compréhension et production orales - C2

1. Monologue suivi : présentation du document

N° 09

Écoutez le document sonore et prenez des notes. Préparez un exposé de 5 à 10 minutes pour présenter son contenu, selon un ordre et une progression logique et cohérente.

2. Point de vue argumenté et débat

1. **Préparez un exposé d'une dizaine de minutes sur un des sujets au choix. Traitez un seul des deux sujets.**

Sujet 1
Vous êtes Directeur des Ressources Humaines, invité à une table ronde sur le bien-être au travail. Face aux conditions de travail actuelles, il vous semble indispensable que les entreprises investissent dans la « DRH bienveillante » et dispensent des services de bien-être au travail, pour aider les employés à gérer leurs objectifs professionnels et leur vie personnelle.

Sujet 2
Directeur d'une petite entreprise, vous êtes interviewé à la radio sur le sujet du bien-être au travail. Vous réfutez la nécessité d'une Direction des Ressources Humaines s'occupant du bien-être au travail, car vous défendez une autre vision de la gestion des employés : une collaboration fondée sur la confiance mutuelle et l'envie commune de réaliser quelque chose.

2. **Présentez ensuite votre exposé à un ou plusieurs camarades et réalisez un petit débat ensemble sur ce sujet. Puis écoutez l'exposé d'un camarade. Présentez-lui d'autres arguments pour qu'il développe sa réflexion et réponde à vos critiques et réfutations.**

Production orale - C1

1. **Lisez les deux documents suivants.**
À partir de ces lectures, préparez un exposé argumentatif de 15 à 20 minutes répondant à la problématique suivante : « La réduction du temps de travail est-elle nécessaire à une amélioration de la qualité de vie ? »
2. **Présentez ensuite votre exposé à un ou plusieurs camarades et répondez à leurs questions. Puis écoutez l'exposé d'un camarade, et posez-lui des questions pour qu'il développe sa réflexion.**

Document 1

Qui croit encore à la semaine de 32 heures ?

[...]

• Le Collectif Roosevelt : retrouver de la croissance

Fondé notamment par Stéphane Hessel, Edgar Morin ou encore Pierre Larrouturou, chantre des 32 heures depuis le début des années 1990, le collectif Roosevelt milite pour une baisse drastique du temps de travail, d'autant plus en période de faible croissance. Il constate que la productivité française est l'une des meilleures au monde, avec une forte natalité, ce qui a contribué à augmenter la force de travail disponible depuis 1974. « Si, dans le même temps, la durée individuelle du travail avait baissé de 33 %, le chômage serait resté à son faible niveau de 1974, avance le collectif. Le seul moyen de rééquilibrer le marché du travail pour augmenter vraiment les salaires et sauver les retraites, c'est de s'attaquer frontalement au chômage. Ce qui passe par une forte baisse du temps de travail. »

[...]

• Christiane Taubira : consacrer plus de temps aux loisirs

En juin dernier, c'était Christiane Taubira qui « rêvait d'un monde où on peut travailler 32 heures [...] dans une semaine, pour avoir du temps pour se consacrer aux autres dans des associations, d'aller au musée, sur la plage, de déambuler, marcher, parler à ses voisins, d'aller en librairie, au cinéma, au théâtre ». [...]

Qu'en disent ceux qui ont testé la semaine de 32 heures ?

Aux États-Unis, l'Utah a décidé en 2008 de réduire le temps de travail de ses fonctionnaires. Pour éviter des coupes dans les effectifs en période de crise, le gouverneur impose à 18 000 des 25 000 employés publics une semaine de quatre jours. Après six mois, deux tiers des employés estimaient que la mesure les rendait plus productifs et que cela améliorait l'ambiance au travail mais aussi à la maison en réduisant les conflits. [...]

Le Figaro.fr, Géraldine Russel, 15/10/2015.

Document 2

Sujet philo : « Travailler moins, est-ce vivre mieux ? »

[...] On s'est demandé ce qu'un économiste aurait répondu à l'un des sujets de philo tombé au bac mercredi : « Travailler moins, est-ce vivre mieux ? »

[...]

Travailler, c'est s'émanciper

[...] Travailler, c'est s'émanciper de sa condition, c'est conquérir son autonomie, choisir son destin, construire la réalisation de soi et s'épanouir. L'arrivée massive des femmes sur le marché du travail a ainsi constitué l'une des grandes révolutions du XXe siècle, par le travail, les femmes ont conquis leur indépendance, leur autonomie, leur liberté, leur place dans la société. Il y a donc pire dans la vie que de travailler, c'est de ne pas travailler. Dans nos sociétés hantées par la crise et le chômage de masse, la question du travail est devenue la première revendication.

Le travail, c'est aussi une question très politique et culturelle

L'actualité nous montre que plusieurs conceptions s'opposent. En Allemagne, ou au Royaume-Uni par exemple, tout vaut mieux pour être heureux que le chômage et l'inactivité, y compris des « petits boulots », mal payés et souvent précaires, parce que travailler, même dans ces conditions, c'est garder un lien social, c'est être utile, c'est participer à la société, c'est gagner, même péniblement, sa vie et donc créer les conditions d'un avenir meilleur. Alors que ces petits boulots, ces mini-jobs sont, en France, globalement rejetés et jugés dégradants et condamnables. Nos sociétés sont à la recherche d'un nouvel équilibre entre le travail qui est en pleine mutation, le temps libre et l'épanouissement. Je terminerai par cette citation de l'écrivain italien Primo Levi, qui, au cours de sa vie avait beaucoup côtoyé le malheur. Primo Lévi disait ceci : « *Pour vivre heureux, il faut forcément avoir quelque chose à faire, mais pas quelque chose de trop facile* ».

France Info, Vincent Giret, 16/06/2016.

Conseils

1. Vous devrez développer votre point de vue de manière logique et argumentative. Construisez un plan qui vous permette d'aborder les différentes facettes de la problématique. Ici, par exemple, vous devrez à la fois montrer que la réduction du temps de travail peut améliorer la qualité de vie mais aussi que celle-ci se nourrit du travail. Selon votre opinion, vous mettrez l'une ou l'autre davantage en évidence.

2. Pour cela, repérez les idées des documents que vous pourrez utiliser : ils présentent eux aussi différentes facettes de la problématique. Ici, le document 1 plaide pour la réduction du temps de travail, tandis que le document 2 rappelle la valeur du travail et ses problématiques actuelles.

Production écrite – C1

1. Synthèse

En 230 mots, écrivez une synthèse de ces trois textes de la leçon 3 :
– « Stages : ils contribuent à votre réussite et rassurent les employeurs. Choisissez-les bien. », p. 130
– « Les tâches qu'un stagiaire a le droit de refuser d'effectuer », p. 131
– « Les entreprises où les stagiaires sont heureux », p. 131

2. Essai argumenté

Écrivez un texte argumentatif de 250 mots minimum sur le sujet suivant.

Vous participez à un mouvement pour la mise en place d'un statut protecteur du stagiaire dans votre pays. Vous écrivez à un collectif francophone pour leur proposer de collaborer. Vous présentez la situation des stagiaires dans votre pays et les actions et solutions que vous voudriez mettre en place.

UNITÉ 6

S'INTÉRESSER À LA CULTURE

Leçon 1

Commenter une fiction

- Présenter et comprendre un personnage
- Découvrir un personnage de théâtre
- Présenter et caractériser un film
- Critiquer un film

Projet : Rédiger une critique cinématographique

Unité 6 - Leçon 1 - Commenter une fiction

Discutez.

Parlez de vos goûts littéraires et présentez ensuite le dernier livre que vous avez lu, en dévoilant son intrigue et en dépeignant en quelques phrases le personnage principal.

Présenter et comprendre un personnage

1. Faites une première lecture de l'extrait de Balzac.

a. Choisissez quatre adjectifs pour décrire votre première impression de maître Frenhofer.
b. Qu'est-ce qui vous fascine ou vous choque dans la description de ce personnage ?

Le Chef-d'œuvre inconnu (extrait)

Publiée une première fois dans le journal L'Artiste *en 1831,* Le Chef-d'œuvre inconnu *est une nouvelle d'Honoré de Balzac qui sera par la suite intégrée à* La Comédie Humaine *en 1846. En 1612, le jeune peintre Nicolas Poussin souhaite rencontrer le peintre François Porbus auquel il voue une profonde admiration, afin de devenir son élève. Au moment de frapper à la porte, il fait la rencontre de maître Frenhofer.*

Accablé de misère et surpris en ce moment de son outrecuidance[1], le pauvre néophyte ne serait pas entré chez le peintre auquel nous devons l'admirable portrait de Henri IV, sans un secours extraordinaire que lui envoya le hasard. Un vieillard vint à monter l'escalier. À la bizarrerie de son costume, à la magnificence de son rabat de dentelle, à la prépondérante sécurité de la démarche, le jeune homme devina dans ce personnage ou le protecteur ou l'ami du peintre ; il se recula sur le palier pour lui faire place, et l'examina curieusement, espérant trouver en lui la bonne nature d'un artiste ou le caractère serviable des gens qui aiment les arts ; mais il aperçut quelque chose de diabolique dans cette figure, et surtout ce je ne sais quoi qui affriande[2] les artistes. Imaginez un front chauve, bombé, proéminent, retombant en saillie sur un petit nez écrasé, retroussé du bout comme celui de Rabelais ou de Socrate ; une bouche rieuse et ridée, un menton court, fièrement relevé, garni d'une barbe grise taillée en pointe, des yeux vert de mer ternis en apparence par l'âge, mais qui par le contraste du blanc nacré dans lequel flottait la prunelle devaient parfois jeter des regards magnétiques au fort de la colère ou de l'enthousiasme. Le visage était d'ailleurs singulièrement flétri par les fatigues de l'âge, et plus encore par ces pensées qui creusent également l'âme et le corps. Les yeux n'avaient plus de cils, et à peine voyait-on quelques traces de sourcils au-dessus de leurs arcades saillantes. Mettez cette tête sur un corps fluet et débile[3], entourez-la d'une dentelle étincelante de blancheur, et travaillée comme une truelle à poisson, jetez sur le pourpoint[4] noir du vieillard une lourde chaîne d'or, et vous aurez une image imparfaite de ce personnage auquel le jour faible de l'escalier prêtait encore une couleur fantastique. Vous eussiez dit d'une toile de Rembrandt marchant silencieusement et sans cadre dans la noire atmosphère que s'est appropriée ce grand peintre. Le vieillard jeta sur le jeune homme un regard empreint de sagacité[5], frappa trois coups à la porte, et dit à un homme valétudinaire[6], âgé de quarante ans environ, qui vint ouvrir : – Bonjour, maître.

1. L'outrecuidance : confiance excessive en soi-même.
2. Affriander : attirer quelqu'un.
3. Débile : faible.
4. Un pourpoint : vêtement masculin qui couvrait le torse.
5. La sagacité : perspicacité.
6. Valétudinaire : de santé fragile.

Point infos

Honoré de Balzac est un romancier, critique littéraire, essayiste, journaliste et écrivain français. Il est considéré comme le maître du roman réaliste français.

La *Comédie Humaine* est composée de plus de quatre-vingt-dix ouvrages dont l'écriture s'échelonne de 1829 à 1850. Balzac entend y écrire « *une histoire naturelle de la société* », vaste fresque où il explore les rapports entre les différents groupes sociaux ainsi que les rouages de la société de son temps.

Dans l'avant-propos à cet ouvrage, Balzac écrit : « *Ce n'était pas une petite tâche que de peindre les deux ou trois mille figures saillantes d'une époque, car telle est, en définitif, la somme des types que présente chaque génération et que* La Comédie Humaine *comportera. Ce nombre de figures, de caractères, cette multitude d'existences exigeaient des cadres, et, qu'on me pardonne cette expression, des galeries. De là, les divisions si naturelles, déjà connues, de mon ouvrage en* Scènes de la vie privée, de province, parisienne, politique, militaire et de campagne. »

2. Faites une seconde lecture de l'extrait de Balzac p. 140 et analysez la description du personnage de maître Frenhofer.

a. Comment la description est-elle construite ? Par quels yeux voit-on dans un premier temps ce personnage, puis dans un second ?
b. Observez l'utilisation de l'impératif et du présent de vérité générale. Dans quel but l'auteur y recourt-il ? Trouvez d'autres éléments linguistiques utilisés dans le même but ?
c. Quels éléments donnent au texte une couleur fantastique ?
d. Pourquoi, en analysant la description du personnage, pourrait-on affirmer que son portrait est structuré comme un tableau ?
e. Maintenant que vous avez analysé tous les procédés stylistiques de l'auteur, avez-vous l'impression d'être face à un personnage réel ou plutôt fantastique ? Pouvez-vous dire que vous vous êtes fait une idée précise sur le maître Frenhofer ? Argumentez votre réponse.
f. Balzac estimait avoir besoin de 2 à 3 000 personnages pour la rédaction de *La Comédie Humaine*. Quelles grandes familles des personnages archétypaux pouvez-vous imaginer ?

3. Retrouvez dans ce texte très riche en adjectifs les synonymes des mots suivants.

a. prédominant
b. fané
c. irisé
d. mince
e. attentionné
f. marquant
g. éclatant

4. Lisez le commentaire à propos du personnage principal du roman *Au revoir là-haut* : Joseph Merlin.

a. Identifiez les éléments essentiels dans la structure du commentaire.
b. L'auteur du commentaire partage-t-il ses impressions avec le lecteur ? Nuancez votre propos.

Et Joseph Merlin apparut

Parmi tous les personnages qui ont marqué cette année littéraire, un se détache, Joseph Merlin d'*Au revoir là-haut*.

Qu'est-ce qui rend un personnage vivant au point de s'inscrire dans la mémoire du lecteur de façon indélébile ? Une des joies d'*Au revoir là-haut*, Prix Goncourt 2013, vient de l'allant avec lequel Pierre Lemaitre a donné chair à ses personnages. Cette fougue puise à l'âge d'or du roman, de Balzac à Dickens. Ce n'est pas un hasard si Pierre Lemaitre vient du roman policier, un genre qui a gardé vivace le savoir-faire du XIXe tout en le dynamisant aux techniques narratives cinématographiques. Et donc, quand Joseph Merlin surgit, pile à la moitié du roman, tout s'arrête ou presque. Un grand personnage dégage une aura particulière.

Un petit retour en arrière s'impose. Nous sommes en 1919, les estropiés de la Grande Guerre tentent de reprendre pied dans la vie civile. *Au-revoir là-haut* suit deux poilus : Albert, l'ancien employé de banque falot, et Édouard, l'ancien étudiant des Beaux-Arts au visage à demi arraché par une bombe. Du plus profond de sa débâcle, Édouard va imaginer une escroquerie monumentale à l'échelle du pays. On en est là quand apparaît Merlin le fonctionnaire.

Il est chargé par son ministère de contrôler les cimetières, ces immenses nécropoles propices aux trafics les plus macabres et les plus juteux.

Merlin est « assez vieux avec une tête très petite et un grand corps qui avait l'air vide comme une carcasse de volaille après le repas ». Merlin est sale, il ne sent pas bon, il fait tout le temps « tssit » avec son dentier. Pierre Lemaitre s'est librement inspiré du personnage de Cripure dans *Le Sang noir* de Louis Guilloux (1899-1980). Merlin ne suscite pas l'empathie mais la stupeur. Sous ses abords crasseux, il dégage une autorité de feu. Il pénètre dans le cimetière « comme un saint à la tête d'une procession ». Merlin a plus d'un tour dans son sac. À la fin, on se surprend à l'applaudir.

Le Temps, Lisbeth Koutchoumoff, 26 décembre 2013.

5. Rédigez la présentation d'un personnage.

La rédaction de la rubrique *Culture* d'un hebdomadaire de votre région vous a contacté pour rédiger un commentaire de 300 mots sur un personnage littéraire.
Choisissez un personnage d'un roman ou d'une nouvelle que vous avez lu et qui vous a fasciné. Faites des recherches sur l'auteur, l'époque décrite et le personnage en question. En adoptant la structure du commentaire sur Joseph Merlin, présentez votre personnage en relevant les procédés stylistiques employés par l'auteur.

Réfléchissez aux questions suivantes.

a. Quels genres théâtraux connaissez-vous ?
b. Quels auteurs dramatiques francophones pouvez-vous nommer ?
c. Qu'est-ce que le théâtre apporte de plus que le cinéma et la télévision ?
d. Est-ce que le théâtre est élitiste ? Est-il accessible à tout le monde ?
e. Est-il pertinent de monter au XIXe les auteurs classiques ?
f. À l'ère de la diffusion en flux de nombreuses séries télévisuelles, est-ce que le théâtre trouve toujours son compte ?

Découvrir un personnage de théâtre

6. Lisez l'article suivant.

Gilles Privat réinvente le personnage de Cyrano

Dirigé par Jean Liermier, le comédien genevois fait du personnage d'Edmond Rostand le plus attachant des héros malheureux.

Le théâtre dans le théâtre, on aime ça. Edmond Rostand aussi, qui fait commencer son Cyrano de Bergerac devant une scène avant le lever du rideau. C'est La Clorise de Balthazar Baro qui doit être jouée. Cette vieille pastorale s'ouvre sur un monologue du comédien Montfleury, harnaché et suspendu aux cintres comme un ange replet. Descendant les gradins du Théâtre de Carouge, Cyrano l'interrompt sans ménagement. La pièce d'Edmond Rostand peut commencer...

Dans cette mise en scène de Jean Liermier, l'action située en 1640 est transposée grosso modo dans les dernières années de la vie de Rostand, mort en 1918. À cela près, tout est conforme à l'original. Cyrano le premier, dont le nez, l'épée et le chapeau défient l'anachronisme.

Le comédien genevois Gilles Privat – dont le choix pour ce rôle est un trait de génie de Jean Liermier – habite le personnage dès sa première réplique. Il lui donne une envergure très personnelle, celle d'un héros malheureux plutôt que d'un hâbleur grande gueule. Il montre à la fois la forte personnalité du bonhomme et la tendresse et la résignation qui l'emplissent. La célèbre tirade du nez, que l'on n'a pas longtemps à attendre, est évidemment l'un des grands moments de la soirée, mais il y en a d'autres, fort heureusement. Notamment le moment où Cyrano doit faire diversion, pendant que Roxane et Christian se marient en cachette. Bergerac distrait le comte de Guiche, qui veut Roxane pour lui-même, au cours d'un numéro formidable de clownerie désespérée.

Gilles Privat déploie tout son talent pour faire décoller son personnage à des altitudes éloignées du réel. Cet exercice d'équilibrisme poétique, comme un moment de folie, traduit parfaitement le désarroi dans lequel se trouve le pauvre Cyrano. L'amoureux au grand nez s'est engagé à prêter son esprit et sa plume au jeune Neuvillette pour séduire l'exigeante Roxane. Il est écartelé entre son amour secret pour la jeune femme et l'aide qu'il a promise au joli Christian.

Ce dernier rôle est joué par un jeune acteur, Yann Philipona, qui donne à Christian de Neuvillette une sorte de naïveté charmante qui explique l'élan de générosité du disgrâcié Bergerac à son égard. Jean Liermier et ses comédiens le montrent bien : il faut que Cyrano apprécie un peu Christian pour que l'histoire continue.

Lola Riccaboni est une Roxane de caractère, dont on comprend bien qu'elle aurait pu aimer Cyrano. Parmi les nombreux acteurs de cette production, tous de la région, il faut saluer André Schmidt, excellent Ragueneau, Mathieu Delmonté (comte de Guiche), Christine Vouilloz (plusieurs rôles), Julien George (LeBret). Ils évoluent dans des décors sobres et ingénieux signés Rudy Sabounghi.

24Heures, 30 juin 2018.

7. Écoutez la séquence radio n° 10 et répondez aux questions.

a. Pourquoi, selon vous, Cyrano est-il devenu le symbole du panache français et de l'homme libre ?

b. Selon l'acteur Michel Vuillermoz, le rôle de Cyrano est un rôle absolument mythique. Relevez pourquoi.

c. Retrouvez dans l'article p. 142 les mots qui correspondent aux définitions suivantes :
1. Le détournement de l'attention.
2. Une personne qui parle beaucoup en se vantant.
3. La confusion au cours de laquelle un événement n'est pas placé à sa bonne date ou à sa bonne époque.
4. Un trouble moral intense.

d. À partir de ces deux documents, faites la liste de toutes les caractéristiques morales et physiques du personnage de Cyrano de Bergerac.

La séquence radio

N° 10

Cyrano de Bergerac

Michel Vuillermoz, comédien de la Comédie Française, évoque Rostand et son personnage, Cyrano.

franceculture.fr

Savoir-faire

Décrire un personnage de théâtre

1. Présentation de l'identité
Donner son nom et présenter le type de personnage (historique, fictif ou autre).

2. Description du physique
Présenter son physique, parler des costumes, des gestes, de son état d'esprit.

3. Nuances du caractère
Peignez le caractère du personnage en vous basant sur ses répliques, ses fonctions, ses relations avec d'autres personnages.

4. Réflexion sur le rôle du personnage
Parlez de sa mission, de son évolution, de son importance, de la fréquence de son apparition sur la scène, ainsi que de ses répliques.

8. Associez les définitions suivantes aux termes proposés du vocabulaire liés au personnage de théâtre et à l'écriture d'une pièce.

a. Indication scénique donnée par l'auteur pour guider le jeu de la comédienne ou du comédien. Souvent écrite en italique, elle peut préciser les déplacements, les mimiques, les gestes et le ton du personnage.
b. Texte prononcé sans être interrompu par un même personnage au cours d'un dialogue.
c. Longue suite de phrases prononcées par un même personnage sans interruption.
d. Paroles que le personnage dit à l'intention du public et que les autres personnages sur scène ne doivent pas entendre.
e. Longue réplique d'un personnage dans laquelle il s'adresse à lui-même ainsi qu'à d'autres.
f. Manière dont un personnage s'exprime.
g. Discours de quelqu'un qui parle tout le temps même en compagnie.

1. une élocution
2. une tirade
3. une didascalie
4. un soliloque
5. un aparté
6. une réplique
7. un monologue

9. Réécrivez un texte littéraire en français populaire contemporain.
Choisissez un extrait de la pièce « Cyrano de Bergerac » → DVD Dossier *documents* et réécrivez-le en français populaire contemporain puis présentez l'extrait réécrit à la classe.

10. Faites une fiche sur un personnage.
Vous allez suivre un atelier d'initiation théâtrale où vous devrez à terme jouer le rôle d'un personnage. Pour vous préparer à endosser ce rôle, vous décidez de faire un aide-mémoire sous la forme d'une fiche. Vous pouvez commencer par celle de Cyrano de Bergerac ou d'un autre personnage de la pièce de Rostand (Roxane, Christian) ou de tout autre personnage de théâtre que vous appréciez particulièrement.

Réfléchissez aux questions suivantes.

a. À quelle fréquence allez-vous au cinéma ? Selon quels critères choisissez-vous votre prochain film ?
b. Les synopsis et les bandes-annonces des films vous donnent-ils un bon avant-goût du film ?
c. En quoi les critiques cinématographiques influencent-elles le choix des films que vous allez voir ?
d. Accordez-vous plus de confiance à vos amis, aux réseaux sociaux, aux commentaires et critiques des spectateurs sur les sites spécialisés ou aux critiques de professionnels ?

Présenter et caractériser un film

11. Lisez les synopsis.

a. Déterminez le genre de chacun des films.
b. Quels mots de vocabulaire ou autres indices linguistiques vous aident dans cette démarche ?
c. Comment définiriez-vous les mots suivants : *se vanner, tétra, para, trauma, maquis* ?
À quel registre appartient chacun d'eux ?

Texte 1

Se laver, s'habiller, marcher, jouer au basket, voici ce que Ben ne peut plus faire à son arrivée dans un centre de rééducation suite à un grave accident. Ses nouveaux amis sont tétras, paras, traumas crâniens... Bref, toute la crème du handicap. Ensemble ils vont apprendre la patience. Ils vont résister, se vanner, s'engueuler, se séduire mais surtout trouver l'énergie pour réapprendre à vivre. *Patients* est l'histoire d'une renaissance, d'un voyage chaotique fait de victoires et de défaites, de larmes et d'éclats de rire, mais surtout de rencontres : on ne guérit pas seul. ■

Texte 2

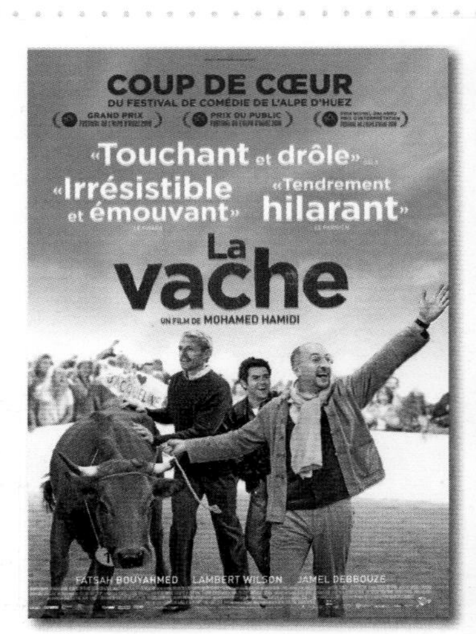

Fatah, petit paysan algérien n'a d'yeux que pour sa vache Jacqueline, qu'il rêve d'emmener à Paris, au salon de l'Agriculture. Lorsqu'il reçoit la précieuse invitation devant tout son village ébahi, lui qui n'a jamais quitté sa campagne, prend le bateau direction Marseille pour traverser toute la France à pied, direction Porte de Versailles.
L'occasion pour Fatah et Jacqueline d'aller de rencontres en surprises et de vivre une aventure humaine faite de grands moments d'entraide et de fous rires. Un voyage inattendu et plein de tendresse dans la France d'aujourd'hui. ■

Texte 3

Après la défaite française de l'été 1940, Addi Ba, un jeune tirailleur sénégalais s'évade et se cache dans les Vosges. Aidé par certains villageois, il obtient des faux papiers qui lui permettent de vivre au grand jour. Repéré par ceux qui cherchent à agir contre l'occupant et qui ne se nomment pas encore « résistants », il participe à la fondation du premier « maquis » de la région. ■

Texte 4

1891. Gauguin s'exile à Tahiti. Il veut trouver sa peinture, en homme libre, en sauvage, loin des codes moraux, politiques et esthétiques de l'Europe civilisée. Il s'enfonce dans la jungle, bravant la solitude, la pauvreté, la maladie. Il y rencontrera Tehura, qui deviendra sa femme, et le sujet de ses plus grandes toiles. ■

Texte 5

Courgette n'a rien d'un légume, c'est un vaillant petit garçon. Il croit qu'il est seul au monde quand il perd sa mère. Mais c'est sans compter sur les rencontres qu'il va faire dans sa nouvelle vie au foyer pour enfants. Simon, Ahmed, Jujube, Alice et Béatrice : ils ont tous leurs histoires et elles sont aussi dures qu'ils sont tendres. Et puis il y a cette fille, Camille. Quand on a 10 ans, avoir une bande de copains, tomber amoureux, il y en a des choses à découvrir et à apprendre. Et pourquoi pas même, être heureux. ■

12. Observez la structure des synopsis p. 144.

Ceux-ci sont habituellement constitués de deux à quatre étapes. Retrouvez-les et nommez-les.

a. ... **c.** ...

b. ... **d.** ...

13. Choisissez un film que vous aimez particulièrement.

À la manière des accroches de journaux ci-dessous, trouvez plusieurs formules pour présenter ce film.
Aidez-vous des adjectifs de l'encadré *Mieux s'exprimer*, si besoin est.

« C'est tout à la fois un petit bijou et un petit miracle ! »

« UN FILM BRÛLANT D'INTENSITÉ »

« Émouvant, déchirant, éblouissant jusqu'à la dernière minute ! Un film magistral ! »

« CETTE ADAPTATION RÉUSSIE ET POIGNANTE D'UN ROMAN CULTE TIENT TOUTES SES PROMESSES. »

« Un magnifique hymne à l'amitié ! »

« Coloré, émouvant, drôle ! Un bijou de comédie ! »

« UN RÉCIT HALETANT, UN THRILLER NOIR SERVI PAR UNE SACRÉE DISTRIBUTION... »

« Sur un sujet lourd, une bouleversante ode à la vie, à l'humour et à la fraternité. »

« ROMANESQUE ET DÉLICIEUSEMENT DRÔLE. »

« Un film d'aventure comme vous n'en avez jamais vu ! »

« COMÉDIE DE L'ANNÉE. »

Savoir-faire

Principaux genres cinématographiques

la comédie – le drame – la comédie romantique – la comédie dramatique – le film d'action – le film historique – le film biographique – le péplum – le film de cape et d'épée – le western – le film d'aventure – le film à suspense – le film policier – le film fantastique – le film de science-fiction – le film d'horreur – le film catastrophe – le film d'anticipation – le documentaire – le film d'animation

Mieux s'exprimer

- brillant, magistral, exceptionnel, éblouissant, sensationnel, sublime, admirable, merveilleux, formidable, remarquable, superbe...
- touchant, émouvant, bouleversant, poignant, tendre, troublant...
- triste, déchirant, tragique, mélancolique, pessimiste, déprimant...
- angoissant, terrifiant, violent, dur, oppressant...
- ennuyeux, soporifique, insipide, terne, quelconque, médiocre, banal...
- étrange, bizarre, loufoque...
- drôle, plaisant, amusant, comique, cocasse, burlesque, hilarant...
- intéressant, captivant, passionnant, prenant, fascinant...
- original, singulier, novateur, inédit, audacieux, avant-gardiste...
- choquant, provocateur, offensant, injurieux, obscène, grossier, immoral, scandaleux...
- poétique, optimiste, romantique, plein de poésie...

14. Rédigez le synopsis du film que vous avez choisi à l'activité 13 puis présentez-le à la classe.

15. Défendez vos films devant un jury.

À deux, sélectionnez deux films parmi les films présentés à l'écrit (p. 144-145) et ceux qui ont été présentés à l'oral.

a. Votre professeur(e) désigne un binôme jury pour effectuer la sélection finale.

b. Chaque groupe présente son choix et tente de convaincre le jury des qualités des deux films qu'il a sélectionnés.

c. Le binôme jury effectue sa sélection et l'annonce au reste du groupe.

d. Ceux dont les films ont été exclus de la sélection du jury les défendent alors que le jury justifie sa propre sélection ou la modifie en fonction de la qualité des argumentaires développés.

Critiquer un film

Au revoir là-haut. Le spectacle et l'intime.

Albert Dupontel adapte avec inspiration le Goncourt Au revoir là-haut. *Spectaculaire et émouvant.*

On avait quitté Albert Dupontel avec une comédie déjantée, où ses névroses avaient atteint des sommets d'exposition : son bidonnant *9 mois ferme* était une franche réussite. Une frénésie XXL traversait ce film mené tambour battant, fou, inventif, drôle à souhait. Preuve de l'appétit artistique du cinéaste avec ce changement de registre, de décor, d'époque : Albert Dupontel adapte le roman de Pierre Lemaitre, *Au revoir là-haut*, Prix Goncourt 2013. L'énergie qui lui est propre est instillée, ici aussi, dans chaque plan, chaque séquence et forme une fresque où le spectaculaire et l'intime se font la courte échelle. Au sortir de la Première Guerre mondiale, deux rescapés des tranchées, Édouard Péricourt, dessinateur doué dont le bas du visage a volé en éclats sur le champ de bataille, et Albert Maillard, modeste comptable, imaginent une ambitieuse arnaque pour se remplir les poches : remporter un appel d'offres en proposant le plus beau monument aux morts sur papier et se faire la malle sans le réaliser. Dans le même temps, du côté des nantis, Pradelle (Laurent Lafitte), gradé zélé et cynique sur le front, fait des cimetières le lieu d'une vaste supercherie. Dans ce bas monde des années folles, chacun compose avec son destin, tirant partie du marasme passé ou jouant les dissidents revanchards. *Au revoir là-haut* offre ainsi un terrain de jeu idéal à Dupontel, amoureux des personnages borderline.

L'écriture ciselée et haletante du roman se retrouve dans son scénario (auquel Pierre Lemaitre a participé), qui prend quelques libertés avec le texte d'origine. Ainsi, la fin, par exemple, est-elle modifiée pour le meilleur : c'est l'une des plus belles scènes qui soit. On n'en dévoilera rien, si ce n'est qu'il s'agit d'une bouleversante confrontation de regards. Rares sont, en France, les scénarios et les réalisations hautement inventifs. Dans *Au revoir là-haut*, tout respire la réflexion, la créativité, la recherche, en deux mots : le travail d'ampleur et la créativité sans bornes. La mise en scène frôle la virtuosité tout au long du film et le montage offre un rythme soutenu, sans jamais sombrer dans l'hystérie.

Dans le rôle d'Édouard Péricourt, l'acteur argentin Nahuel Perez Biscayart (actuellement dans *120 battements par minute*) réussit le pari peu évident d'être très expressif au travers de ses masques successifs (signés Cécile Kretschmar, à retrouver dans nos pages). Face à lui, Dupontel en Maillard évoque Buster Keaton et Chaplin par ses costumes, sa démarche et ses regards. Quant à Niels Arestrup – sans doute l'un des meilleurs acteurs français, toutes générations confondues –, il campe un Marcel Péricourt impérial et émouvant à la fois. Une œuvre collective remarquable.

BANDEAPART, Anne-Claire Cieutat, 20 octobre 2017.

Des ex-poilus un peu barbants

Malgré un excellent casting, Au revoir là-haut *d'Albert Dupontel s'enferre dans une imagerie pesante.*

Sans doute porté par le succès de sa comédie *9 mois ferme* avec Sandrine Kiberlain (plus de 2 millions d'entrées en France), Albert Dupontel s'est soudain trouvé en situation suffisamment favorable pour mettre en chantier son film le plus cher (20 millions d'euros annoncés) et sa première adaptation littéraire, le prix Goncourt 2013 signé Pierre Lemaitre. Il lui a fallu sérieusement élaguer dans ce gros roman de 600 pages d'ailleurs déjà transcrit visuellement en bande dessinée.

Le récit chevauche en un long flash-back les dernières années de la Première Guerre mondiale et le retour à la vie plus tout à fait normale dans le Paris post-Belle Époque. Le narrateur est Albert (Dupontel lui-même) qui vient d'être arrêté au Maroc. C'est l'histoire d'une amitié de tranchée entre Albert la bonne pâte et le jeune Édouard au tempérament d'artiste rebelle, joué par Nahuel Pérez Biscayart, l'un des acteurs principaux de *120 Battements par minute* (lire son portrait dans *Libération* de mardi) : des jours à partager les horreurs des combats, puis un compagnonnage de rescapés que le mauvais sort a soudés. Albert a perdu sa femme, Édouard a eu la moitié du visage arrachée par un obus. Ensemble, ils montent une arnaque aux monuments aux morts tandis que le lieutenant Pradelle (Laurent Lafitte), terreur sur le champ de bataille et responsable dans sa folie jusqu'au-boutiste de la mutilation d'Édouard, a reconverti son agressivité militaire en pur cynisme spéculatif dans une entreprise de surfacturation des inhumations des soldats tombés au champ d'honneur.

Dupontel semble rêver de se reconvertir en Terry Gilliam français et la matière du livre offre en effet un vaste catalogue de situations et d'images propres à lever de nombreux tableaux baroques pour dépeindre une société encore trempée du sang de ses soldats morts pour la France et déjà terriblement décidée à ce que rien de juste ni de droit ne sorte de cette boucherie historique. « Réussir quelque chose de moche n'est pas donné à tout le monde » est une des formules vachardes que les deux amis s'échangent dans leur soupente quand ils s'ingénient à fourguer leurs croquis de statue édifiante et laide à des communes avides de commémoration bidon. Paradoxalement, en dépit d'une direction artistique qui s'est sûrement donné beaucoup de mal, le film s'encroûte inexorablement en une lourde sarabande de masques percés de regards effarés, emblème d'une folie contagieuse que le film entend d'un même mouvement propager et dénoncer en une sorte de vrille qu'il voudrait vertigineuse. Mais la pesanteur illustrative cloue le film à son destin d'album surchargé et inutile.

Libération, Didier Péron, 24/10/2017.

16. Les deux critiques p. 146 portent sur le même film. Analysez-les.

La fonction principale d'une critique cinématographique est d'informer et de donner un avis. Elle est davantage subjective que le synopsis.

a. Faites une première lecture des critiques et relevez les principales divergences entre ces deux opinions.

b. Observez la structure des deux critiques et notez-en les traits de structure communs.

c. Analysez les titres des deux critiques. Que peut-on en déduire ?

d. Relisez les critiques en soulignant tout vocabulaire sémantiquement évaluatif (exemple, *la pesanteur, émouvant,* etc.) qui permet au lecteur de dégager l'opinion du critique.

e. Examinez et donnez votre opinion sur l'utilisation des temps verbaux dans une critique cinématographique.

f. Les deux critiques n'ont pas peur d'utiliser du vocabulaire appartenant à des registres opposés. Repérez les mots et les expressions qui appartiennent aux registres soutenu et familier.

g. Retrouvez dans les deux textes les mots qui correspondent aux définitions suivantes :

1. Une personne riche.
2. Qui ignore effrontément les conventions, les principes moraux établis.
3. Disparaître, se plonger dans quelque chose.
4. Retrancher les éléments inutiles.
5. Vendre ou donner (quelque chose) pour s'en débarrasser.
6. Suite rapide de personnes ou de choses qui se déplacent en désordre.
7. Mouvement d'un avion en perte de vitesse, qui effectue une descente le nez en bas en tournant sur lui-même.
8. Très drôle, amusant.
9. Toucher de façon légère, effleurer.

Projet

Rédiger une critique cinématographique

Vous venez de visionner un film qui vous a touché(e) profondément ou qui était un vrai navet. Vous rédigez une critique pour la publier sur un site spécialisé.
Écrivez votre texte en vous inspirant des critiques de la page 146 et en respectant le plan suivant :

1. **titre** qui évoque un aspect marquant du film (pensez au message que vous voulez transmettre) ;
2. **sous-titre** qui évoque de façon concise votre point de vue sur le film ;
3. **introduction** qui permet de situer le film par rapport aux autres films du réalisateur ou d'autres films du même genre, tout en précisant s'il s'agit d'une adaptation ou d'un scénario original ;
4. **résumé de l'intrigue** (ne dévoilez pas la totalité de l'histoire) ;
5. **analyse critique** portant sur le titre, le scénario ou l'adaptation, le jeu des acteurs, les personnages, le public visé, etc. ;
6. **phrase de clôture** qui synthétise votre critique.

Assurez-vous que certains des éléments linguistiques suivants apparaissent dans votre critique :

- la comparaison
- l'opposition et la concession
- les adverbes d'intensité
- le superlatif
- le vocabulaire sémantiquement évaluatif
- l'énumération d'adjectifs ou substantifs juxtaposés
- les phrases exclamatives (pour vos accroches ou phrases de clôture)

Vive la culture !

1. Associez le début et la fin de ces citations d'auteurs francophones célèbres.

- Leila Slimani : « Les hommes ne savent pas qui nous sommes. ... •
- Amin Maalouf : « La mémoire des mots se perd, ... •
- Nancy Huston : « L'intelligence est complexe et la bêtise est simple. ... •
- Milan Kundera : « Le véritable amour a toujours raison, ... •
- Amélie Nothomb : « Ne dites pas trop de mal de vous-même : ... •

- • ... pas celle des émotions. »
- • ... même s'il a tort. »
- • ... Ils ne veulent pas savoir. »
- • ... La plupart des gens préfèrent la simplicité. »
- • ... on vous croirait. »

2. Dites si ces affirmations sont vraies ou fausses.

a. L'écrivain Émile Zola n'a jamais eu son baccalauréat.

b. Les lauréats du prix Goncourt reçoivent un chèque de 10 €.

c. La fameuse madeleine de Proust était en fait une biscotte mais Marcel Proust trouvait le mot « madeleine » plus joli.

d. Le réalisateur Xavier Dolan a refusé le César du meilleur réalisateur en 2017.

e. L'actrice Cécile de France est belge.

3. Les grandes dates du cinéma. Retrouvez l'année de ces événements.

1895 – 1902 – 1929 – 1946 – 1958

a. Premier festival de Cannes.

b. Le premier film parlant français sort au cinéma.

c. Les frères Lumière conçoivent le cinématographe à Lyon.

d. Début de la *Nouvelle Vague* qui révolutionne le cinéma mondial.

e. Le réalisateur Georges Méliès présente le premier film de fiction *Voyage dans la lune*.

4. Quiz. Êtes-vous un vrai cinéphile ?

a. Ma vie de courgette est un film...
1. d'animation. 2. culinaire.

b. Le César du meilleur film 2018 a été attribué au film...
1. *120 battements par minute.* 2. *24 heures chrono.*

c. Comment s'appelle la première suite du film *L'Auberge espagnole*, de Cédric Klapisch ?
1. *Le Restaurant belge.* 2. *Les Poupées russes.*

d. Que récompense le festival du film d'Angoulême ?
1. Les films francophones. 2. Les films de vampires.

e. Dans quel film de Jacques Demy, Catherine Deneuve et sa sœur Françoise Dorléac jouent le rôle de deux sœurs ?
1. *Les Parapluies de Cherbourg.* 2. *Les Demoiselles de Rochefort.*

f. Comment s'appelle le petit garçon des films d'animation de Michel Ocelot ?
1. Oui-Oui. 2. Kirikou.

Leçon 2

Commenter une œuvre d'art

- Situer une œuvre
- Savoir décrire un tableau
- Découvrir la peinture dans une œuvre littéraire
- Jouer sur les registres de langue dans un commentaire

Projet : Présenter une œuvre d'art

Unité 6 - Leçon 2 - Commenter une œuvre

Discutez.

Quels sont votre peintre et votre œuvre préférés ? Pourquoi ?

Situer une œuvre

1. Voici quelques-uns des principaux mouvements picturaux du XIXe et du début du XXe siècle. Faites correspondre à chacun de ces mouvements un tableau ainsi qu'une description. Justifiez votre choix.

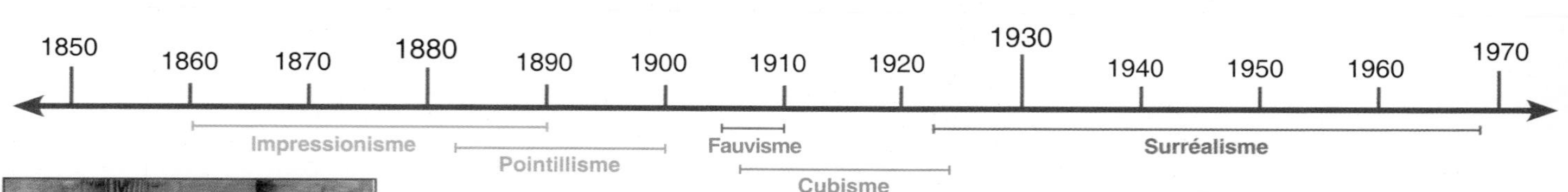

Georges Braque, *Violon et verre.*

Georges Seurat, *Un Dimanche après-midi à l'île de la Grande Jatte.*

André Derain, *Madame Matisse au Kimono.*

Odilon Redon, *Le Cyclope.*

Marc Chagall, *Composition aux cercles et à la chèvre.*

Claude Monet, *La Promenade.*

a. Technique picturale consistant à utiliser de petites touches de couleur vives comme autant de petits points.

b. Langage pictural, essentiellement fondé sur la juxtaposition de couleurs vives, voire violentes.

c. Mouvement artistique dont les œuvres partagent une récurrence des formes géométriques et représentent des objets analysés, décomposés et réassemblés en une composition abstraite.

d. Mouvement artistique pour lequel le monde ne doit pas se réduire à la réalité visible ni à la rationalité scientifique mais qui tente de stimuler l'imaginaire et la sensibilité des gens, en recourant parfois à des symboles religieux ou mythologiques.

e. Mouvement pictural caractérisé par des traits de pinceau visibles, une composition ouverte, l'utilisation d'angles de vue inhabituels et une tendance à noter les impressions fugitives, la mobilité des phénomènes climatiques et lumineux.

f. Mouvement dans lequel les peintres proposent des images de mondes poétiques empreintes d'une atmosphère énigmatique à travers une exploration de l'inconscient et l'interprétation des rêves.

2. Observez et lisez la première page de la bande dessinée que Laurent Colonnier a consacrée à Gustave Caillebotte.

a. Que savez-vous du contexte politique, culturel et social de cette époque ?

b. Selon vous, à quel mouvement Gustave Caillebotte peut-il appartenir ? Pourquoi ?

c. Les membres du jury de l'Académie des Beaux-Arts sont les tenants du « genre noble ». À quoi ce dernier correspond-il ?

d. Comment qualifieriez-vous les membres de ce jury ?

Laurent Colonnier, *Gustave Caillebotte*, Glénat, 2017.

3. Visionnez la vidéo n° 38.

a. En quoi le sujet de l'œuvre de Caillebotte se distingue-t-il ?

b. La BD de Laurent Colonnier est sous-titrée « Un rupin chez les rapins ». Un *rapin* est un apprenti peintre. Comment définiriez-vous un *rupin* ?

c. Que Caillebotte partage-t-il avec Zola, et en quoi diffèrent-ils ?

d. En vous basant sur la BD et le reportage vidéo, rédigez deux paragraphes qui relateront la conception de l'œuvre et sa réception.

Le reportage vidéo

N° 38

Les Raboteurs de parquet, un sujet « vulgaire » ?

France 2

Savoir décrire un tableau

4. Associez les éléments de chaque colonne.

a. le camaïeu
b. la composition
c. la couleur dominante
d. les couleurs chaudes
e. les couleurs complémentaires
f. les couleurs froides
g. les couleurs primaires
h. les couleurs secondaires
i. le dégradé
j. l'empâtement
k. la facture
l. la touche
m. la valeur

1. Bleus, verts et violets.
2. Couches épaisses de peinture posées les unes sur les autres.
3. Couleur qui semble la plus importante, elle confère un aspect froid ou chaud au tableau.
4. Couleurs disposées de part et d'autre du centre sur le cercle chromatique.
5. Degré de clarté (luminosité) ou d'obscurité (ombre) d'une couleur.
6. Emploi des différents tons d'une seule couleur.
7. Façon de déposer la peinture sur la toile, trace du geste du peintre.
8. Manière dont un tableau est exécuté sur le plan technique.
9. Orange, violet et vert.
10. Organisation et mise en place des éléments à l'intérieur du tableau.
11. Passage d'une couleur ou d'une valeur à une autre.
12. Rouge, jaune et bleu.
13. Rouges, orangés et jaunes.

5. Lisez le texte suivant et relevez les éléments qui :

a. présentent factuellement l'œuvre et le peintre ;
b. décrivent les techniques et les procédés employés ;
c. inscrivent l'œuvre dans le contexte historique et témoignent de l'évolution artistique du peintre.

Étude pour les bords de la Garonne

Esquisse pour l'un des personnages de la décoration murale du Capitole de Toulouse, exécutée en 1906 : « Les bords de la Garonne » ou « Les promeneurs » qui comprend quatre panneaux. Ce panneau représente les familiers du peintre et des célébrités locales, dont Jean-Paul Laurens et Jean Jaurès, se promenant sur les rives.

Henri Martin abandonne ici l'académisme de ses premières peintures pour adopter un style coulant et lumineux. C'est à partir de 1900, après qu'il eut acheté une maison à Marquayrol, dans le Lot, que son style et son inspiration se fixèrent. Sous l'influence de la lumière quercynoise, il éclaircit définitivement sa palette, utilise des teinte pures en une touche pointillée avec liberté.

Il est attentif aux techniques impressionnistes, et plus particulièrement au divisionnisme de Seurat, mais dans son travail rien n'est mécanique (le mélange optique étant rarement respecté), il traite la couche picturale par bâtonnets, virgules, arabesques et tâches.

Cette étude, quant à elle, représente le fils cadet du peintre, René, en jeune promeneur solitaire qui s'avance sur la berge. Elle a probablement fait partie du lot d'esquisses exposées en 1906 à Paris, au Salon d'Automne.

Travail préparatoire au tableau, elle est d'une facture encore plus libre : juxtaposition de touches horizontales et verticales qui suivent le mouvement du corps et qui sont travaillées en relief, par empâtement.

Elle est proche du fauvisme par l'emploi de couleurs pures et éclatantes, qui s'éloignent de la représentation illusionniste d'une réalité pour s'approcher davantage de la sensation subjective : bleu pour l'eau, orangé pour le quai.

Henri Martin, né à Toulouse (Haute-Garonne) et mort à Labastide-du-Vert (Lot). *Étude pour les bords de la Garonne*, vers 1906, huile sur toile, 60 x 40 cm, Musée des Augustins, Toulouse.

Savoir-faire

Présenter un tableau

Présenter l'œuvre et son auteur

1. L'auteur : nom, prénom, date et lieu de naissance et de mort.
2. Le titre, la date, les dimensions, le lieu où le tableau est exposé et, éventuellement, le lieu représenté.
3. La technique et les matériaux (exemple : huile sur toile).
4. Le genre auquel elle appartient : le genre « noble » (sujet religieux, mythologique, historique ou allégorique), la « petite manière » (le portrait, la nature morte, le paysage, la scène de genre traitant de la vie quotidienne ou familière).
5. La provenance et l'histoire de la peinture : date et circonstances de la commande et de l'exécution, histoire, origine.

Décrire l'œuvre

1. On présentera les éléments qui composent la scène en procédant par plan ou en présentant les différentes zones du tableau. Dans le cas d'une œuvre abstraite, on insistera davantage sur le dessin, la couleur ou la composition.
2. On évoquera la palette employée (couleurs dominantes, tons froids ou chauds, camaïeux, dégradés...) ainsi que la lumière (oblique, latérale, naturelle, artificielle, directe, indirecte, vive, tamisée, intense...), les contrastes et les ombres.
3. On évoquera les différents plans si la peinture les utilise en allant du premier plan (le plus proche du spectateur) à l'arrière-plan (le fond).
4. On évoquera les lignes directrices selon lesquelles le tableau est éventuellement organisé (droites, courbes, obliques...) et la composition de l'œuvre, c'est-à-dire la façon dont sont agencés les différents éléments (centrée, asymétrique, symétrique, équilibrée, déséquilibrée...).
5. On évoquera également le point d'observation, a-t-on une plongée (vue du haut vers le bas), une contre-plongée (vue du bas vers le haut) ?

Interpréter l'œuvre et l'inscrire dans son contexte

1. On ira au-delà de la simple description pour voir ce que l'artiste a souhaité exprimer, quelle réflexion il a voulu susciter, quels symboles il a utilisés et leur signification. On tentera de situer l'œuvre dans son contexte historique, social et culturel.
2. On mettra ce tableau en relation avec d'autres œuvres issues de la main du même artiste ou du même mouvement. On verra en quoi l'œuvre s'inscrit dans la continuité d'un mouvement pictural, d'un genre, d'une tradition ou en rupture.

6. En groupes de trois, entraînez-vous à décrire un tableau.
Vous souhaitez travailler comme guide pour le musée des Beaux-Arts cet été. Décrivez la composition, les différents plans, la palette de couleurs, la touche et la facture du tableau *Moissons en Provence*, de Van Gogh.

Vincent Van Gogh, *Moissons en Provence*, 1888.

Découvrir la peinture dans une œuvre littéraire

7. Lisez l'extrait de *Le temps des ivresses. Suzanne Valadon*, de Michel Peyramaure **p. 154.**
Cette description correspond au tableau de l'artiste peintre, Suzanne Valadon.
Modifiez et complétez-la afin qu'elle décrive le tableau d'Otto Dix.

Suzanne Valadon, *Portrait de famille*, 1912.

André avait dû insister pour qu'elle consentît à occuper le centre de ce groupe familial, dans l'attitude d'une reine sur son trône, entourée de ses proches. Elle y consentit mais œuvra en sorte que l'on ne se fît aucune illusion sur ses qualités physiques ; elle s'attacha à faire porter à son regard, le seul à fixer le spectateur droit dans les yeux, le témoignage de son autorité sur la tribu. Utter figurait sur la partie gauche, debout, dans une attitude dominatrice, cheveux plats et barbe courte. Plus bas, semblant s'appuyer contre lui, Suzanne, dans sa plénitude charnelle, portait une main à plat sur sa poitrine. C'est Maurice qui lui donna le plus de mal : elle le montrait assis, la tête posée sur sa main droite, un coude sur son genou, dans l'attitude du *Penseur* de Rodin et dans celle qu'il avait peut-être, à Sannois, au bord de son grabat. Le visage de Madeleine, assise à droite, rappelait une pomme oubliée dans une cave ; son regard traduisait une expression de fatalité acceptée, comparable aux toiles précédentes : un ange gardien sénile qui n'aurait pas renoncé à veiller sur la tribu maudite.

Michel Peyramaure, *Le temps des ivresses. Suzanne Valadon.*
Éditions Robert Laffont, S.A., Paris, 1998, pp. 238-239.

Otto Dix, *Portrait de famille*, 1925.

Jouer sur les registres de langue dans un commentaire

8. Visionnez la vidéo n° 39.

L'émission *À musée vous, à musée moi* revisite le tableau de Philippe de Champaigne, *Triple portrait du cardinal de Richelieu,* de manière décalée et loufoque.

a. Deux conceptions de la langue s'affrontent, lesquelles ?

b. Quels éléments vous semblent relever d'un parler populaire ?

9. Lisez le *Point infos*.

a. Les mots suivants sont très fréquemment utilisés en verlan. Trouvez leur équivalent en français standard.

1. relou
2. pécho
3. zyva
4. kéblo
5. chelou
6. ripou
7. la zicmu
8. ouam
9. une teuf
10. zarbi
11. vénère
12. une reum
13. béton
14. chanmé

b. Quelles autres apocopes connaissez-vous ?

c. Quelles autres caractéristiques du langage familier connaissez-vous ? Illustrez-les par des exemples.

Le reportage vidéo

N° 39

Triple portrait du cardinal de Richelieu

arte.tv

Point infos

Le **verlan** est une forme d'argot, un procédé de codage lexical dont le principe de base consiste à intervertir les syllabes, à les mettre « à l'envers » (*téma – mater ; taxi – xita ; métro – tromé*).
L'écriture d'un mot en verlan est habituellement une reconstruction plus ou moins phonétique à partir de sa prononciation (*lourd – relou*).
Pour transformer un mot monosyllabique qui se termine par une voyelle, il faut inverser l'ordre des phonèmes (*fou – ouf*).
Cependant, si ce mot se termine par une consonne, on ajoute généralement la voyelle ***eu*** et on perd la voyelle d'origine (*mec – keum ; femme – meuf*).
Attention, le verlan n'est pas utilisé dans toute la francophonie, mais principalement en France.

L'**apocope** est un procédé très employé dans le langage familier. Elle consiste à retrancher la ou les dernières syllabes d'un mot. *Réactionnaire* devient *réac*, *mégalomane* devient *mégalo*, etc.

10. Associez des mots à leur origine.

L'un des personnages de la vidéo p. 154 reproche à l'autre d'utiliser des anglicismes.
Or le français a de tout temps emprunté des mots aux autres langues. Les principales causes des emprunts linguistiques sont les guerres, le commerce, la colonisation et les voyages.
Cherchez l'origine des mots suivants.

a. une banane
b. un mocassin
c. un scénario
d. la vanille
e. le chocolat
f. une calèche
g. un bouquin
h. kiffer (argot : aimer)
i. un accordéon
j. un anorak
k. un sauna
l. le cosmos

1. algonquin (Amérique du nord)
2. allemand
3. arabe
4. bantou (Afrique centrale)
5. espagnol
6. finnois
7. inuit
8. italien
9. russe
10. nahuatl (Aztèques)
11. néerlandais
12. tchèque

11. À la manière de l'émission « À musée vous, à musée moi » p. 154, imaginez une conversation entre les personnages d'un des tableaux suivants.

Jouez la scène en classe.

Georges de La Tour, *Le Tricheur à l'as de carreau*, vers 1636.

Paul Gauguin, *Le Repas*, 1891.

Grant Wood, *American Gothic*, 1930.

Projet

Présenter une œuvre d'art

Sélectionnez un tableau dans cette leçon ou cherchez une œuvre que vous appréciez particulièrement. Présentez-le de la manière la plus exhaustive possible en essayant de suivre les pistes de présentation d'un des tableaux ci-dessus.

À vos pinceaux !

1. Les musées. Choisissez la bonne réponse.

a. Quel est l'autre nom du Centre Pompidou ?
1. Beaubourg. 2. Strasbourg. 3. Cabourg.

b. Deux musées Yves Saint Laurent ont ouvert, l'un à Paris, l'autre à…
1. Alger. 2. Marrakech. 3. Tunis.

c. Où peut-on voir le tableau *Le Déjeuner des Canotiers* de Renoir ?
1. À Londres. 2. À Washington. 3. À Rome.

d. Le Louvre a ouvert un nouveau musée à…
1. Abu Dhabi. 2. Vancouver. 3. Hanoï.

e. Avant, le bâtiment du musée d'Orsay était…
1. un château. 2. une église. 3. une gare.

2. Dites si les affirmations suivantes sont vraies ou fausses.

a. La Joconde n'a ni cils ni sourcils.

b. Le tableau *Le Bateau* d'Henri Matisse a été exposé, durant 47 jours, à l'envers, à New-York.

c. Dans un accès de folie Van Gogh s'est coupé un doigt.

d. Au musée de la chasse et de la nature à Paris, Abraham Poincheval est resté treize jours dans un ours.

e. Invader, l'artiste de *street art*, est en prison depuis 10 ans pour dégradation de la voie publique.

3. Chassez l'intrus.

a. l'impressionnisme – le surréalisme – le culturisme – le pointillisme

b. un tableau – une sculpture – un œuvre d'art – un modèle

c. un pinceau – un écran – un chevalet – une toile

d. un peintre – un artiste – un collectionneur – un dessinateur

e. un musée – une galerie – une exposition – un hall

4. Associez ces phrases en langage familier à leur signification en langage formel.

T'es trop cool de me laisser dormir chez toi. •	• Il n'a rien fait hier soir après la fête, il avait trop bu.
J'ai zappé ma carte de métro. Je suis dèg. •	• Il est intéressant cet homme, je l'apprécie bien.
Il a pas décollé hier soir après la soirée, il était trop bourré. •	• C'est très gentil de m'héberger.
J'hallucine ! T'assures grave en français. •	• C'est incroyable ! Tu parles très bien français.
Il est pas mal ce mec, je le kiffe. •	• J'ai oublié ma carte de transports. Cela m'énerve.

Leçon 3

Parler de la culture

- Échanger sur les réalités linguistiques et culturelles
- Comprendre un enjeu culturel
- Apprendre à rédiger un éditorial
- Apprendre à rédiger un essai argumenté

Projet : Écrire sur un enjeu culturel

Échanger sur les réalités linguistiques et culturelles

La Francophonie se décolonise

En ce début de XXIe siècle, la francophonie est de plus en plus africaine. Un monde francophone nouveau est en train de naître. Il est beau, jeune, intelligent et africain.
Le premier ministre du Québec, Philippe Couillard, a été reçu à l'Élysée le 6 mars par le président français, Emmanuel Macron. Les deux hommes y ont affirmé qu'ils voulaient donner un nouveau souffle à la francophonie. Ils n'ont pas précisé les moyens qu'ils comptent déployer, mais on attend un important discours du président le 20 mars prochain, Journée internationale de la Francophonie. Lui et Philippe Couillard considèrent que l'Organisation internationale de la Francophonie (OIF) n'est plus vraiment opérationnelle. En retard sur les événements, Emmanuel Macron tente actuellement de relancer la réflexion sur la francophonie.
Le gouvernement français a longtemps utilisé l'OIF pour prolonger son influence. Mais, privé de ses racines africaines avec Michaëlle Jean, l'Organisation n'est plus que l'ombre d'elle-même et impuissante à influencer les crises sur ce continent. Ce n'était pas le cas dans le passé, avec l'ex-président du Sénégal Abdou Diouf et avant lui l'ex-secrétaire général de l'ONU Boutros Boutros-Ghali, tous deux issus du monde politique africain. La francophonie n'est plus en 2018 la continuation de la politique étrangère française dans ses anciennes colonies. La France est le pays francophone qui a le plus laissé de côté la francophonie. La nouvelle francophonie s'est donc développée sans la France.
Selon le dernier rapport de l'OIF, publié en 2014, on sait qu'il y a environ 274 millions de personnes parlant français dans le monde, dont 212 millions en font un usage quotidien. Ils sont dans 84 États et gouvernements. Il y a aussi environ 125 millions de personnes qui apprennent actuellement le français. Le français vient déjà au cinquième rang des langues le plus parlées au monde et est l'une des langues officielles de 57 États dans 29 pays. Si l'anglais est la langue des affaires, le français est la langue de la diplomatie. De plus, c'est la quatrième langue d'Internet et la troisième langue des affaires. C'est aussi la deuxième langue parlée sur les cinq continents, utilisée par des organisations internationales, et c'est la plus apprise dans le monde.
[...]

Nouveau centre de gravité

Après la France, la République démocratique du Congo (RDC) est le pays qui compte le plus de francophones. Cette langue y est parlée par 56 % des 87 millions d'habitants. Si on additionne toutes les populations francophones de l'Afrique, en commençant par les 33 millions de la RDC, on obtient plus de 121 millions de locuteurs du français en 2014. C'est plus que les 63 millions de Français et même que les 119 millions de francophones européens (sans le Royaume-Uni). Cela fait de l'Afrique le nouveau centre de gravité naturel du français. La francophonie devient donc de moins en moins un instrument politique au service de la France, qui profitait de ces pays pour rayonner à l'extérieur. Exemple de cette situation : une auteure de la République démocratique du Congo, Tina Ngal, a récemment écrit une lettre ouverte au président Emmanuel Macron. Son questionnement la fait remonter aux origines de la francophonie politique et au roi François Ier. Elle y livre un plaidoyer pour une francophonie pragmatique en marche vers un renouveau et plus ouverte aux défis africains.
Ce recentrage de la francophonie sur l'Afrique ne serait qu'un commencement. Toujours selon l'OIF, le nombre de francophones dans le monde augmentera de 274 à 700 millions de 2014 à 2050 et pourrait atteindre les 767 millions en 2060.
Il y aurait plus de 85 % de ceux-ci qui vivraient en Afrique à cette date. « Le français bénéficie de la croissance démographique des pays d'Afrique subsaharienne », disait à ce sujet Abdou Diouf. Les colonies qui étaient dominées par la France aux XIXe et XXe siècles prennent leur revanche au XXIe et pèseront près de huit fois son poids démographique après 2050.
La décision d'Emmanuel Macron d'amorcer une « réflexion autour de la langue française et de la francophonie » arrive donc tard. La francophonie institutionnelle est de plus en plus une chose du passé. À sa place surgit une nouvelle francophonie composée des populations colonisées qui ont adopté la langue et la culture françaises. Les pays créés par l'expansion coloniale française dépassent déjà la France en nombre de locuteurs et, en raison de la différence des taux de natalité, cette situation va fortement s'amplifier au cours des prochaines décennies.
Alors qu'Emmanuel Macron soutenait début mars que parler anglais renforce la francophonie, qui dit cette francophonie dit de moins en moins la France. Comme le rapport des francophones à leur langue change selon que l'on soit Français, Togolais ou Québécois, les orientations de la francophonie doivent le faire aussi. Si, en France, la langue française n'est absolument pas menacée, ce n'est pas le cas au Québec. Le fossé est particulièrement profond entre Emmanuel Macron et les francophones minoritaires du Canada, qui eux ne considèrent pas du tout que de parler anglais renforce la francophonie. Dans ces régions, c'est plutôt de cette manière que le processus d'assimilation se poursuit. Par ailleurs, au Togo et dans plusieurs pays africains, la langue de Molière est la clé pour le développement économique.
Désormais, la langue française est africaine et le sera de plus en plus au cours des décennies qui viendront. Elle peut maintenant aider le décollage économique de l'Afrique.

Le Devoir, Michel Gourd, 17 mars 2018.

1. Lisez l'article p. 158 et travaillez en petits groupes les points suivants.

a. Dégagez les idées principales de l'article et faites-en le résumé en trois phrases.
b. Donnez votre avis sur l'affirmation suivante : « La France est le pays francophone qui a le plus laissé de côté la francophonie. ».
c. Y a-t-il des informations ou déclarations qui vous surprennent ? Pourquoi ?

2. Visionnez la vidéo n° 40 et répondez aux questions.

a. Pourquoi ne doit-on pas parler d'une langue française, mais plutôt de langues françaises ?
b. Comment pouvez-vous définir les nouveaux horizons qui s'ouvrent pour la langue française ?
c. Pourquoi et dans quel contexte Leïla Slimani parle-t-elle de la vision jacobine de la langue française ?

Le reportage vidéo

N° 40

Leïla Slimani : « La francophonie vit partout et notamment aux marges de la France »

europe1.fr

3. Choisissez entre tous un enjeu culturel.

La diversité linguistique n'est qu'un des enjeux culturels majeurs du XXIe siècle.

a. À tour de rôle, indiquez un autre enjeu culturel qui vous semble particulièrement important.
b. Parmi les propositions faites par les autres étudiants, votez pour celui qui vous paraît crucial.
c. Quelle est la principale problématique que vous pouvez identifier autour de cet enjeu ?

DECLARACION UNIVERSAL DE LA UNESCO SOBRE LA DIVERSIDAD CULTURAL
ВСЕОБЩАЯ ДЕКЛАРАЦИЯ ЮНЕСКО О КУЛЬТУРНОМ РАЗНООБРАЗИИ
教科文组织世界文化多样性宣言
إعلان اليونسكو العالمي بشأن التنوع الثقافي
UNESCO
DECLARATION UNIVERSELLE DE L UNESCO SUR LA DIVERSITE CULTURELLE
UNESCO UNIVERSAL DECLARATION ON CULTURAL DIVERSITY

Point infos

LA FRANCOPHONIE EN CINQ DATES

- **1886 :** le géographe français Onésime Reclus lance le néologisme « francophonie » dans son ouvrage *France, Algérie et colonies*.
- **20 mars 1970 :** création de l'Agence de coopération culturelle et technique (ACCT). Devenue un symbole, cette date est désormais célébrée comme la Journée Internationale de la Francophonie.
- **1986 :** instauration des Sommets de la Francophonie, qui se réunissent en principe tous les deux ans. Ils définissent les grandes lignes et orientations de la Francophonie.
- **1997 :** création du poste de Secrétaire général à l'occasion du sommet d'Hanoï. Le Secrétaire général, qui représente la Francophonie, est élu par les chefs d'État et de gouvernement pour un mandat de quatre ans renouvelable une fois. Le premier fut l'Égyptien Boutros Boutros-Ghali (1997-2002).
- **Novembre 2000 :** la déclaration de Bamako réaffirme les principes démocratiques de la Francophonie et instaure des instruments concrets d'actions politiques.

Rfi Afrique, 20/03/2017.

Réfléchissez aux questions suivantes.

a. Comment définiriez-vous l'uniformisation culturelle et la mondialisation de la culture ? Quels en sont les vecteurs ?
b. En quoi cette tendance peut-elle s'avérer néfaste ?
c. De quelles façons peut-elle être contrebalancée ?

Comprendre un enjeu culturel

4. Lisez les éditoriaux p. 160-161.

Texte 1

Cannes contre Netflix, combat d'arrière-garde ?

Éditorial – Entre l'inflexibilité de la plate-forme de vidéo et le conservatisme de certains secteurs du cinéma français, il faut préserver à la fois la diversité de la création et les nouvelles pratiques culturelles.

Les applaudissements qui ont conclu la projection de presse d'*Okja*, à Cannes, le 19 mai, ont rendu plausible le cauchemar des organisateurs du Festival. Et si le film du réalisateur coréen Bong Joon-ho remportait la Palme d'or ? Non qu'il ne la mérite pas, mais, sauf en Corée du Sud et dans quelques salles américaines et anglaises, *Okja* ne sera visible que sur Netflix, donc sur de petits écrans.

La plate-forme américaine de vidéo à la demande sur abonnement (SVoD, pour reprendre l'acronyme anglais) a produit le film, et sa doctrine est inflexible : « Le consommateur doit avoir le choix entre regarder un film chez lui ou en salle », répètent à l'infini les dirigeants de la multinationale, Reed Hastings et Ted Sarandos, forts de leurs 100 millions d'abonnés de par le monde.

Pour eux, il est possible de faire du cinéma sans en montrer le produit dans une salle. Pour Pedro Almodovar, le président du jury du 70e Festival de Cannes, c'est une hérésie. Pour les exploitants français, qui ont obtenu du Festival qu'il inscrive dans son règlement une obligation de sortie en salles pour les films de la compétition à partir de 2018, c'est une impossibilité.

La législation française impose, en effet, un délai de trente-six mois entre la distribution d'un film dans les cinémas et sa mise à disposition sur les plates-formes de SVoD. Quant aux propriétaires de salles de cinéma, ils estiment cette période d'exclusivité nécessaire à la préservation de leur secteur d'activité. On peut d'autant mieux entendre cet argument que la France dispose du réseau de salles le plus dense au monde, qui permet l'accès à une offre cinématographique d'une diversité sans commune mesure avec ce que l'on trouve dans le reste de l'Europe et, a fortiori, aux États-Unis.

Habitude de satisfaction immédiate

C'est grâce à cette chronologie des médias, à l'aide aux salles, au Festival de Cannes – autre institution appuyée par l'État –, bref à tout l'édifice du soutien public au cinéma, qu'en France Ken Loach, Pedro Almodovar ou François Ozon peuvent se mesurer avec Ridley Scott, Michael Bay ou J.J. Abrams. Mais ce système a fini par atteindre ses limites. L'assurance d'une sortie en salles, qui est presque la règle pour les films produits par le système français, n'est plus la garantie de l'accès au public.

Le nombre de titres à l'affiche chaque semaine (souvent une quinzaine), la nécessité pour les salles d'assurer la rotation des films pour garantir une offre renouvelée aux spectateurs assidus, souvent titulaires de cartes d'abonnement, aboutissent à ce que les films ne fassent que passer à l'affiche, avant même que les spectateurs aient le temps de se décider à les voir. S'ils ne sont pas assez vifs, il leur faudra attendre trente-six mois pour les retrouver sur leur plate-forme favorite, un délai incompatible avec l'habitude de satisfaction immédiate des envies qu'a instaurée l'usage d'Internet.

Entre l'inflexibilité de Netflix, qui refuse toute implication publique dans ce qui n'est – pour la multinationale – qu'une affaire de choix individuel, et le conservatisme de certains secteurs du cinéma français, qui refusent de voir que la politique de soutien fait de plus en plus de laissés-pour-compte, il y a de la place pour une négociation collective, tenant compte avant tout de la nécessité de préserver la diversité de la création, mais aussi des nouvelles pratiques culturelles. Faute de quoi le cinéma français risque fort de mener une bataille d'arrière-garde.

Le Monde.fr, 20/05/2017.

Scène du film de science-fiction *Okja*.

Texte 2

Une palme pour Netflix

On peut être un grand cinéaste, aux idées larges, et finalement se révéler un piètre défenseur du cinéma, aux idées somme toute étroites. En déclarant, lors de l'ouverture du 70e Festival de Cannes, que, en tant que président du jury, il s'opposerait à ce que les films produits par Netflix, pourtant retenus dans la sélection officielle, puissent recevoir le moindre prix, Pedro Almodovar a fait preuve d'un conservatisme contraire à sa nature. Que reproche-t-on au géant américain ? D'avoir financé des films qui ne sortiront jamais en salle en France. Ce reproche est doublement ridicule. D'abord, parce que rien ne dit qu'un film ne puisse se regarder que sur un grand écran dans une salle. Pourquoi n'aurait-on pas le droit de le savourer chez soi, sur des écrans dont la qualité ne cesse de progresser ? Ensuite, parce que si les films Netflix ne peuvent sortir en salle, il s'agit avant tout d'un problème franco-français. Notre chronologie des médias interdit à un film sorti en salle d'être proposé sur une plate-forme en ligne avant trois ans. Dans d'autres pays, un film peut très bien sortir en salle et être disponible en même temps via Internet. En crachant ainsi au visage de Netflix, dont les films seront bannis de Cannes dès l'an prochain, la France commet une erreur. D'abord parce que le Festival de Cannes doit rester le rendez-vous des meilleurs films et pas simplement des meilleurs films en salle. Ensuite parce que la puissance de feu et la soif de diversité de Netflix sont telles qu'il y a fort à parier que, après avoir prouvé qu'il était capable de lancer des séries de très grande qualité, le géant américain finira aussi par produire des chefs-d'œuvre du 7e art. Enfin, en France comme ailleurs, il y a aujourd'hui trop de films qui sortent à peine en salle et que personne ne voit. On ferait mieux de faire en sorte qu'ils puissent se retrouver rapidement sur Netflix, plutôt que de les laisser dans l'anonymat. Netflix peut être un allié du cinéma, plus que son ennemi. On aurait pu lui entrouvrir la porte, pas la lui claquer au nez.

Les Echos.fr, David Barroux, 26/05/2017.

5. Répondez aux questions.

a. Présentez tous les tenants et les aboutissants du débat sur la présence des films réalisés par *Netflix* au Festival de Cannes.

b. Êtes-vous d'accord avec l'affirmation que « le consommateur doit avoir le choix entre regarder un film chez lui ou en salle » ? Justifiez votre réponse par des arguments.

c. Partagez-vous l'avis de Pedro Almodovar sur le fait que les films produits par *Netflix* ne doivent pas recevoir le moindre prix ? Motivez votre réponse, qu'elle soit positive ou négative.

d. Selon vous, qu'est-ce que *Netflix* a apporté de nouveau aux consommateurs ?

e. À votre avis, pourquoi faut-il préserver la diversité de la création et les nouvelles pratiques culturelles ?

6. Analysez la structure de ces deux éditoriaux qui traitent du même sujet.

a. Quelles parties pouvez-vous dégager dans les deux textes ?

b. En quoi la présentation et le ton de ces deux éditoriaux sont-ils différents ?

c. Comparez leur structure à celle des articles de presse vus dans ce manuel. Que remarquez-vous ? Relevez quelques éléments linguistiques qui les différencient.

d. Retrouvez dans l'article « Une palme pour Netflix » les mots qui correspondent aux définitions suivantes :

1. rejeté, relégué.
2. très médiocre.
3. celui qui apporte son appui.

Apprendre à rédiger un éditorial

7. Lisez le texte de Maître Revel.
En petits groupes, retrouvez les ingrédients de sa recette d'un éditorial.

Qu'est-ce qu'un éditorial ? Les recettes de Maître Revel

[...] Sur ce balcon aux multiples fleurs étalées devant les regards de tous les passants de la rue qu'est un journal, l'éditorial constitue une plante d'un caractère très particulier. Il est l'expression d'une opinion ou d'un jugement que son auteur cherche à faire partager par le lecteur. Mais, contrairement à ce que l'on croit trop facilement, il ne peut se borner à être la simple formulation d'une opinion subjective ou encore ce que l'on appelle parfois un « papier d'humeur ». L'opinion ou l'humeur d'un individu déterminé, fût-il doué de verve, ne présentent par elles-mêmes aucun intérêt. Pour convaincre, le jugement de l'éditorialiste doit apparaître comme étant la conclusion d'un raisonnement, lui-même fondé sur des arguments plausibles et des informations crédibles. Le lecteur doit même sentir que, derrière les arguments et les informations qu'utilise l'éditorialiste, il y en a d'autres, en réserve, qui pourraient être éventuellement produits eux aussi à l'appui de la thèse soutenue. La difficulté de l'éditorial comme genre littéraire est précisément là : il doit contenir des preuves et des faits, sans être néanmoins trop pesant ni tourner à la dissertation. Il doit être d'un ton entraînant et fonctionner un peu comme un tapis roulant : dès que le lecteur a posé le pied sur la première phrase, il doit être transporté sans effort jusqu'à la dernière.
De ce fait, l'éditorialiste est souvent amené à recourir à un ton polémique. Mais, de la bonne polémique, je dirai ce que je viens de dire de l'éditorial lui-même, à savoir qu'elle doit reposer sur des arguments explicites ou implicites. La polémique de pure outrance verbale, même s'il lui arrive d'être drôle, n'est pas efficace. Elle ne persuade que les lecteurs qui sont d'ores et déjà du même avis que l'éditorialiste. Or, l'intérêt d'écrire un éditorial vient essentiellement de ce qu'on cherche à convaincre les lecteurs qui ne sont pas de votre avis. La meilleure façon d'y parvenir est d'ailleurs de leur donner l'impression que ce sont eux qui changent d'avis tout seuls et que ce n'est pas vous qui les contraignez à le faire. Dans ce but, l'art de persuader consiste à disposer habilement sous l'œil du lecteur les éléments préparatoires d'une conclusion, tout en lui laissant le soin de la tirer lui-même.
[...]

Le Temps, Jean-François Revel, 18 octobre 1999.

8. Travaillez le ton d'un éditorial.

a. Comme le souligne Maître Revel, l'éditorialiste emploie souvent un ton polémique. Si cela est très marqué dans l'édito des *Échos*, celui du *Monde* est plus nuancé.
b. Relevez dans l'édito des *Échos*, p. 161, les phrases qui sont le plus polémiques et faites-en disparaître ce ton.
Exemple : *En crachant ainsi au visage de Netflix, dont les films seront bannis de Cannes dès l'an prochain, la France commet une erreur.*
c. À l'inverse, sélectionnez deux ou trois phrases de l'édito du *Monde*, p. 160, et conférez-leur davantage de mordant.
Exemple : *Quant aux propriétaires de salles de cinéma, ils estiment cette période d'exclusivité nécessaire à la préservation de leur secteur d'activité.*

Savoir-faire

Rédiger un éditorial

L'éditorial est un article d'opinion qui se situe entre le commentaire et l'argumentation et qui reflète la position et la ligne idéologique de la rédaction d'un journal ou d'une revue sur un sujet d'actualité.
L'éditorial se compose d'un titre obligatoire (généralement court) et de trois parties.

L'introduction
Description sommaire de la problématique, souvent sous forme d'une question directe ou indirecte.

Le fond
Expression de l'opinion de l'éditorialiste, sa prise de position.

La conclusion
Rappel et renforcement de la position.

L'éditorial est généralement rédigé au présent de l'indicatif et se caractérise par des tournures impersonnelles et l'emploi des pronoms *nous* et *on* inclusifs.

Apprendre à rédiger un essai argumenté

L'UNESCO défend l'accès à la culture lors de la Journée mondiale de la diversité culturelle pour le dialogue et le développement

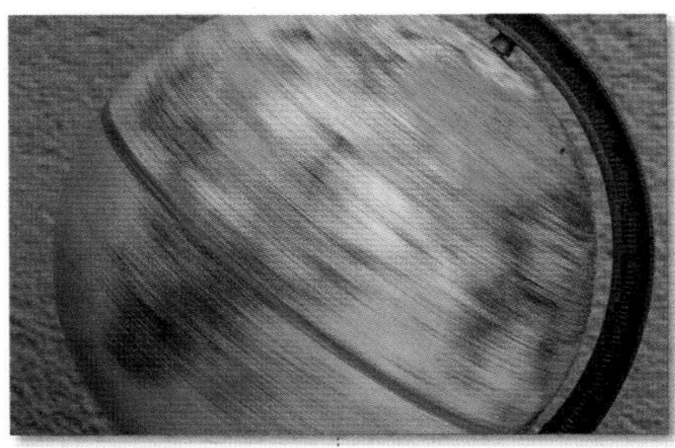

Au 22 mai, pour célébrer la Journée mondiale de la diversité culturelle pour le dialogue et le développement et le 70e anniversaire de la Déclaration universelle des droits de l'homme, l'UNESCO a organisé en son Siège l'événement intitulé « Rendre la culture accessible à tous ».

Dans son discours d'ouverture, la Directrice générale de l'UNESCO, Audrey Azoulay, a souligné l'importance de la défense et de la promotion de la diversité culturelle en tant qu'outil de dialogue et de paix. « La diversité culturelle est un combat, un combat politique par excellence. Un combat pour défendre la légitimité d'un droit de la diversité culturelle qui s'est imposé et qui est enraciné dans les consciences et réaffirmer la légitimité des politiques publiques à adopter et à conduire des politiques de soutien à la culture et à la création. »

Dans les deux tables rondes qui ont suivi, des acteurs de haut niveau du domaine de la muséologie, de l'industrie technologique et des organisations internationales ont proposé une série de stratégies pour garantir que tous les individus – indépendamment de l'âge, du sexe, de la nationalité ou du handicap – ont le droit humain fondamental d'accéder à la culture.

Karima Bennoune, Rapporteuse spéciale des Nations Unies dans le domaine des droits culturels, a déclaré que « la culture n'est pas un luxe », mais qu'elle fait partie intégrante des droits de l'homme et que les États, en particulier, ont la responsabilité de la protéger. En parlant du lien entre la culture, la paix et le développement, elle a souligné l'exemple de Medellin, en Colombie, ville qui a adopté avec succès une forte politique culturelle pour surmonter les conflits et les divisions.

Youma Fall, Directrice de « Langue française, culture et diversité » à l'Organisation internationale de la Francophonie, et Ghita Khaldi, Vice-Présidente du Réseau artériel panafricain, ont souligné l'importance des actions locales, tout particulièrement dans le contexte africain, pour promouvoir l'accès à la culture et à la diversité culturelle.

Comme les nouvelles technologies rendent la culture plus accessible que jamais, Octavio Kulesz, fondateur de la première maison d'édition électronique en Amérique latine et l'un des auteurs du rapport 2018 de l'UNESCO *Re | Penser les Politiques Culturelles*, a souligné l'importance d'assurer la diversité culturelle dans l'environnement numérique. Cet environnement devrait être inclusif et ouvert aux petits acteurs indépendants en plus des plates-formes dominantes, a-t-il soutenu.

Amit Sood, Directeur de Google Arts & Culture, a expliqué comment la technologie répondait à la demande des populations « d'accéder à la culture de différentes manières et dans différents contextes ». Il a déclaré que Google, via l'application Google Arts & Culture, rend accessible plus de six millions d'artefacts en ligne, en soutenant les conservateurs de musée qui racontent les histoires d'objets de leurs collections.

Vincenza Lomonaco, Ambassadrice et Déléguée permanente de l'Italie auprès de l'UNESCO, a décrit les initiatives prises en Italie pour élargir l'accès culturel aux jeunes et aux communautés de migrants.

Léontine Meijer-van Mensch, membre du Conseil exécutif du Conseil international des musées (ICOM), a souligné que rendre les musées plus accessibles signifie favoriser la diversité. Elle a convenu que « la technologie numérique change les musées » et a déclaré que l'ICOM travaille sur un nouveau code d'éthique pour les musées qui répond au nouveau paradigme professionnel.

Une performance de l'Ensemble Son Joropo, groupe de jeunes musiciens et chanteurs de Puerto Carreño, en Colombie, a marqué l'ouverture de l'événement.

Unesco, 23 mai 2018.

Célébrons la diversité culturelle

Un voyage pour découvrir une autre nature attrayante, nous sommes dans le delta du Saloum à 160 kilomètres au sud de la capitale du Sénégal, Dakar. Le cadre est majestueux, de l'eau et des mangroves à perte de vue, une image qui enchante les visiteurs. Ici, l'UNESCO, comme partout ailleurs, accorde une priorité à la diversité culturelle. Indissociable de la dignité humaine, la diversité culturelle constitue la condition première au dialogue des cultures. Aussi, dans ces terroirs, avec sa grande richesse culturelle et ethnique, une organisation intervient pour faire de la culture un levier pour le développement durable.

Chaque année, le 21 mai, la journée mondiale de la diversité culturelle pour le dialogue et pour le développement est fêtée à travers le monde pour ruer cette richesse et cette volonté de vie commune et pour donner voix à ces plaidoyers pour la diversité culturelle comme dimension cruciale pour le développement. L'UNESCO veut apporter des solutions créatives et transversales pour relever les défis complexes liés à l'environnement, la santé, sans oublier la promotion de l'égalité entre les sexes et l'éducation pour tous. Tous ces domaines sont indissociables de la culture. La richesse du patrimoine culturel de la zone permet aux communautés locales de bien accueillir les autres. Elle permet aussi de donner plus de vitalité à la diversité culturelle et comme les invités, la population, elle aussi, se déplace en masse pour assister à ces moments. Des grands moments aussi pour les troupes artistiques de la région qui rivalisent de talent et de créativité. Une autre manière de promouvoir la diversité culturelle.

Une tout autre mission de l'UNESCO, c'est de faire comprendre aux populations que la diversité culturelle peut contribuer à lutter contre la pauvreté et pour le développement économique et à promouvoir les droits de l'homme. Les débats sont aussi orientés vers la préservation des cultures les plus vulnérables en insistant sur le besoin des politiques culturelles et des mesures structurelles dans les pays en développement. L'UNESCO a apporté ce message au plus haut niveau pour intégrer la culture et la diversité culturelle dans le programme de développement durable post-2015.

unesco.org.

9. Lisez attentivement les textes p. 163-164 et répondez aux questions.

a. Relevez deux ou trois idées essentielles et secondaires et regroupez-les.
b. Pourquoi, selon vous, la diversité culturelle constitue-t-elle la condition première au dialogue des cultures ?
c. Partagez-vous l'avis de Karinma Bennoune qui pense que la culture n'est pas un luxe ? Justifiez votre réponse par des arguments.
d. À votre avis, de quelle façon la technologie numérique change-t-elle l'accès à la culture ?
e. Quelles autres initiatives connaissez-vous qui permettent de rendre la culture accessible à tous dans votre pays ou votre région ?

10. Rédiger un essai argumenté.

Vous allez rédiger un essai argumenté sur le sujet suivant : « Pourquoi est-il nécessaire de promouvoir la diversité culturelle ? ».
a. Avant de commencer à écrire, observez les règles de rédaction de l'encadré *Savoir-faire* p. 165 et la façon dont est élaboré le plan.
b. Utilisez les idées essentielles et secondaires que vous venez de relever dans les articles ainsi que votre réflexion personnelle pour définir les différentes sous-parties d'un essai.
c. Observez les marqueurs de relation dans l'encadré *Mieux s'exprimer* et consultez la Grille essai → DVD Dossier *documents*. Servez-vous-en de modèle pour rédiger votre essai.

Mieux s'exprimer

Enchaîner ses arguments

- **Premier argument :** D'abord ... ,Tout d'abord ..., Premièrement ..., En premier lieu ..., Pour commencer ..., Nous commencerons par remarquer que ...
- **Arguments suivants :** Ensuite ..., Par ailleurs ..., Deuxièmement ..., En second lieu ... , De même ..., Autre fait ..., On peut ajouter ...
- **Gradation d'arguments :** En outre ..., De plus ..., On ne se contente pas ..., On peut ajouter ...
- **Lorsqu'il y a deux arguments :** D'une part ... d'autre part, D'un côté ... de l'autre (ces formes peuvent aussi introduire des arguments opposés)
- **Arguments d'ordre différent :** À propos de ..., En ce qui concerne ..., D'ailleurs ..., Quant à ...
- **Argument final :** Enfin ..., En dernier lieu ..., Dernier point ..., Une dernière remarque ..., Pour finir ...

Savoir-faire

Rédiger un essai argumenté

Pour rédiger un essai argumenté, vous devez respecter un certain nombre de règles générales.

1. Lisez attentivement le sujet pour bien le comprendre et définir le thème abordé.

2. Recherchez des idées que présuppose le thème, des arguments et des exemples qui vous aideront à les défendre.

3. En nominalisant vos idées, **élaborez un plan concis** qui comprendra quelques idées essentielles et secondaires qui permettront d'appuyer votre argumentation et d'illustrer vos propres opinions et expériences.

4. Rédigez une introduction qui guidera le lecteur et qui généralement comportera trois parties :
a. le sujet amené (qui met en contexte le sujet du texte et sert à attirer l'attention du lecteur) ;
b. le sujet posé (qui présente le sujet de manière précise, en dégageant le thème central) ;
c. le sujet divisé (qui sert à évoquer sommairement le plan en listant les idées essentielles abordées).

5. Rédigez un développement : chaque paragraphe du développement correspondra à une idée essentielle, suivie de l'argumentation sous forme d'idées secondaires pour plus de détails, illustrée avec un exemple. Elle aura une longueur identique de deux ou trois lignes et ne contiendra pas d'idées ni éléments similaires ; assurez-vous d'avoir un équilibre dans les parties de votre développement.

6. Rédigez une conclusion : proposez une synthèse du développement, en consolidant l'opinion centrale du texte, et suggérez une nouvelle piste de réflexion en vous assurant du lien direct avec le sujet traité.

11. Visionnez la vidéo n° 41 et répondez aux questions.

a. Quelle est l'importance stratégique de la culture ?
b. Expliquez la notion d'« exception culturelle » telle qu'elle est défendue par la Belgique et la France.
c. Quelles sont les incidences de la crise économique et du libre-échange sur les politiques culturelles ?
d. Qu'est-ce qui distingue les produits culturels des autres marchandises ?
e. Quelles démarches peuvent être entreprises pour promouvoir l'accessibilité de la culture ?

Le reportage vidéo

N° 41

Europe : Quel avenir pour la culture ?

TV5Monde

12. En petits groupes, en vous basant sur le contenu de la vidéo n° 41, les documents des pages 162 à 164, vos connaissances et vos recherches, choisissez un des sujets et débattez.

a. Quel doit être le rôle de l'État dans le développement de la culture ?
b. Faut-il subventionner toutes les formes de culture ?
c. À l'heure de *Netflix* et de *YouTube*, avons-nous toujours besoin d'un service audiovisuel public ?
d. Faut-il taxer davantage Internet pour compenser les pertes que les artistes subissent du fait du téléchargement illégal ?

Projet

Écrire sur un enjeu culturel

Reprenez l'enjeu culturel choisi entre tous à l'activité 4, p. 159 et rédigez, au choix, un éditorial ou un essai argumenté sur le sujet.
Aidez-vous de tout ce qui a été présenté et étudié dans cette leçon tant sur l'éditorial que sur l'essai argumenté.

Compréhension écrite – C1

Le côté obscur de la démocratisation culturelle

Le mélomane, le télévore et le curieux ont désormais accès à une bibliothèque d'une largesse à peu près inégalée. [...] Que gagnons-nous et que perdons-nous dans cette affluence ? [...]. Le spécialiste en culture numérique à l'Institut national de la recherche scientifique (INRS), Jonathan Roberge, titulaire de la Chaire de recherche Canada sur les nouveaux environnements numériques et l'intermédiation culturelle, a bien voulu y réfléchir avec « Le Devoir ».

Est-ce que la numérisation a entraîné la démocratisation culturelle rêvée ?

L'arrivée massive du numérique a fait naître une série d'utopies et de dystopies sur l'avenir de la culture. La théorie qui a eu le plus de succès reste celle de la *long tail* de Chris Anderson, du magazine *Wired*. En 2004, il imaginait que de 80 % à 90 % des revenus seraient accaparés par les gros *blockbusters*, Taylor Swift et Adele, par exemple. Les autres se tailleraient des parts plus restreintes, jusqu'à l'étiolement infini – imaginons un auditeur du Zimbabwe qui va écouter une seule fois une pièce d'un chanteur du Lac-Saint-Jean, en contribuant ainsi aux revenus.

L'idée était que tous les produits culturels finiraient, après peut-être bien des détours, par trouver leur auditoire. C'était, à la limite, l'idée d'un produit de niche[1] de masse.

Dix ans plus tard, le bilan est peu reluisant. Le *winner takes all*[2] s'est avéré juste, relayé par les Spotify et compagnie. À l'opposé, de petits groupes *indies*[3], loin dans cette très, très longue traîne, réussissent bizarrement à s'en sortir pas trop mal. On voit des groupes obscurs réussir, par le truchement de Facebook et Bandcamp, à mobiliser des groupes remarquables de *fans*. [...]. Mais le problème demeure pour l'ensemble du milieu, pour tous les artistes de « moyenne stature ». [...].

Dans notre façon de fréquenter la culture, qu'est-ce qui a changé ?

Le numérique a renouvelé les intermédiaires. Les nouvelles plateformes, les GAFA (Google, Amazon, Facebook, Apple) de ce monde, ont très rapidement tiré la couverture à eux.

Alors qu'au Québec, les intermédiaires culturels – les producteurs, distributeurs, le parapublic, etc. – ont toujours été partie prenante d'un écosystème compact et local. L'identité québécoise, les industries culturelles, le ministère de la Culture formaient un tout cohérent.

Là, on a plusieurs joueurs très puissants qui sont très, très loin de nous. [...]. Ils sont de plus en plus loin des artistes et du cœur même de la création, à Silicon Valley, et le risque de la création est individualisé et appartient désormais presque entièrement aux artistes. Et les sources de revenus des artistes, conséquemment, sont de plus en plus lointaines et de plus en plus obscures. Aussi, la culture ici a toujours été « participative », enrobée dans une forme de nationalisme. Quand on écoutait des chanteurs québécois, qu'on allait voir des spectacles, on avait l'impression de « faire partie de la gang »[4].

On a eu longtemps une certaine forme d'écosystème structuré, industriel-étatique, dans lequel les créateurs ont toujours été soutenus, comme l'accès des publics, entre autres à travers les subventions et les quotas. Les quotas ont sauvé l'industrie québécoise depuis leur instauration. Ils ont permis d'exporter la musique québécoise en Belgique, en France, etc., mais ils n'existent plus dans le numérique.

Et plus vous allez dans le numérique et la dématérialisation, moins vous avez de parts de québécois ; plus vous allez vers des auditoires jeunes, natifs du numérique, moins ils consomment de parts de québécois.

[...]

1. Un produit de niche : un produit spécialisé.
2. *Winners take all* (anglais) : les gagnants remportent tout.
3. *Indies* (anglais) : indépendants.
4. Faire partie de la gang (expression québécoise) : faire partie d'un groupe.

Le Devoir, Catherine Lalonde, 2 avril 2016.

Lisez le texte puis répondez aux questions.

1. Que prévoyait la théorie de la « *long tail* » concernant l'avenir de la culture sur Internet ?
a. Seules les productions grand public seraient accessibles.
b. Pour leur diffusion, tous les artistes devraient passer par des grandes plates-formes.
c. Chaque production pourrait trouver son public malgré l'importance des grandes plates-formes.

2. Dix ans après cette théorie, dans quelle mesure les artistes indépendants parviennent-ils à se faire connaître ?

3. Cochez Vrai ou Faux et justifiez votre réponse en citant un passage du texte.

	Vrai	Faux
Les artistes possédant une envergure moyenne parviennent à mobiliser leur public via les réseaux sociaux. *Justification :*		

4. Quel changement s'est produit concernant les intermédiaires culturels ?
a. Des intermédiaires lointains ont pris la place des intermédiaires locaux.
b. Les intermédiaires culturels sont devenus plus institutionnels.
c. Les intermédiaires sont devenus trop nombreux pour être visibles.

5. Avant l'ère numérique, comment se vivait la culture au Québec ?

6. Comment la culture québécoise était-elle soutenue auparavant ?

7. Qu'est-ce qui a changé dans la consommation culturelle des jeunes générations au Québec ?
a. La culture locale est de moindre importance.
b. La participation à des événements est inexistante.
c. La culture musicale est valorisée.

Production écrite – C1

1. Synthèse

En 220 mots, écrivez une synthèse de ces deux textes :
– « Le côté obscur de la démocratisation culturelle » p. 166
– « L'UNESCO défend l'accès à la culture lors de la Journée mondiale de la diversité culturelle pour le dialogue et le développement », leçon 3, p. 163

2. Essai argumenté

Écrivez un texte argumenté de 250 mots minimum sur le sujet suivant.
Journaliste, vous écrivez un article dans la rubrique « Idées » à propos du lien entre diversité culturelle et numérique. Vous vous interrogez sur le rôle d'Internet dans la préservation et la diffusion de la diversité culturelle et sur la place qu'il laisse à la création originale.

Compréhension et production écrites – C2

En vous aidant de l'article du *Devoir* p. 166, du texte « L'UNESCO défend l'accès à la culture lors de la Journée mondiale de la diversité culturelle pour le dialogue et le développement » (leçon 3, p. 163) et des infographies ci-dessous, écrivez un texte, de 700 mots minimum, pour répondre au sujet de votre choix. Traitez un seul des deux sujets.

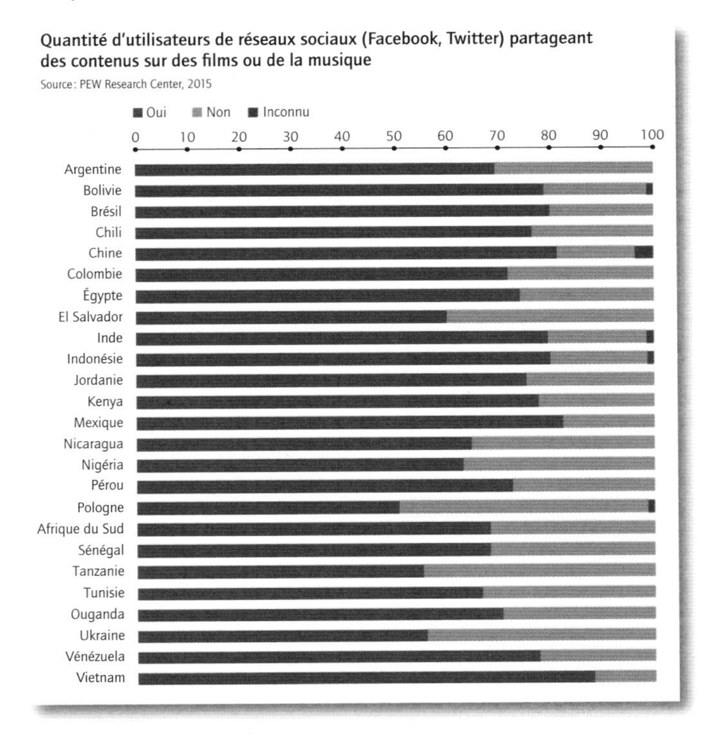

Pratiques en amateur

Sur 100 personnes de 15 ans ou plus	1997	2008
Ont pratiqué au cours des douze derniers mois les activités suivantes[1]		
Faire des photographies	**66**	**70**
Appareil non numérique	66	27
Appareil numérique (dont téléphone)	/	60
Faire des films ou des vidéos	**14**	**27**
Caméra ou caméscope non numérique	14	4
Caméscope numérique (dont téléphone)	/	26
Faire de la musique	**17**	**16**
Jouer d'un instrument de musique	13	12
Faire du chant ou de la musique avec une organisation ou des amis	10	8
Pratiquer une autre activité en amateur	**32**	**30**
Faire du théâtre	2	2
Faire de la danse	7	8
Tenir un journal intime, noter des réflexions	9	8
Écrire des poèmes, nouvelles, romans	6	6
Faire de la peinture, sculpture ou gravure	10	9
Faire du dessin	16	14
Faire de l'artisanat d'art	4	4
Avoir une activité en amateur sur ordinateur[2]	**/**	**23**
Créer de la musique sur ordinateur	/	4
Écrire un journal personnel sur ordinateur	/	12
Avoir une activité graphique sur ordinateur	/	8
Créer un blog ou un site personnel	/	8

1. Sauf dans le cas des activités en amateur sur ordinateur.
2. Hors photographie et vidéo.
Source : *Pratiques culturelles 2008*, DEPS, ministère de la Culture et de la Communication, 2009

Sujet 1
Responsable du pôle *Arts et Cultures* pour une grande plate-forme Internet, vous rédigez un article d'opinion pour un journal. Même si vous reconnaissez que la création indépendante peut avoir du mal à être visible, vous montrez qu'Internet représente une source d'accès privilégiée à la culture, qui contribue à la diversité culturelle soutenue par l'Unesco.

Sujet 2
Artiste indépendant et reconnu, vous publiez sur votre blog un billet alertant sur les dangers que représente Internet pour la création culturelle. Si elle permet l'accès à de nombreuses ressources, vous montrez que le monopole des grandes plates-formes sur Internet réduit l'accès à des créations originales et singulières. Vous soutenez aussi que la création doit être partagée hors du monde numérique pour être vivante et regrettez son aspect virtuel actuel.

ANNEXES

Unité 1

Leçon 1

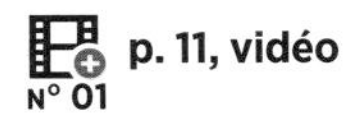
N° 01 p. 11, vidéo

Cinq conseils pour éviter les fake news

Animateur : On inaugure une nouvelle séquence pour cette dernière partie d'*On n'est pas des Pigeons !* avec Tom. Cette séquence c'est le Dico Geek, on va apprendre des mots issus de l'univers des réseaux sociaux et des nouvelles technologies. Le premier mot du jour c'est...
Tom : C'est ceci : fake news. Qu'est-ce que c'est ? Annie a dit qu'elle savait ce que c'était, j'aimerais bien avoir une définition précise de la fake news.
Annie : C'est une fausse nouvelle.
Tom : C'est une fausse nouvelle. C'est-à-dire ?
Annie : Quelqu'un qui donne une fausse nouvelle sur Internet ou je ne sais pas moi.
Tom : Mais surtout sur les réseaux sociaux. C'est ça la problématique aujourd'hui ce sont les fausses informations qui se propagent beaucoup, très vite et qu'on ne vérifie pas forcément. D'ailleurs le Conseil supérieur d'éducation aux médias organise chaque année *La Quinzaine d'éducation aux médias* pour se sensibiliser à ce genre de problématique. C'est le premier jour aujourd'hui, c'est l'occasion d'ouvrir le premier Dico Geek consacré aux fake news. C'est parti !
Narrateur : C'est le nouveau mot préféré de Donald Trump. Elle pullule de plus en plus sur le Web et les réseaux sociaux. On les partage parfois sans même s'en rendre compte. Les fake news sont partout. Et attention à ne pas les confondre avec les sites parodiques, comme *Le Gorafi* qui propose des infos détournées et se moque de l'actualité. On peut tomber dans le panneau, mais à la base ces blogs ne se présentent pas comme de vrais médias d'information.
Alain Geriache : Alors ça pour moi c'est de l'humour qui imite les informations, mais les fake news, ce sont des informations erronées, mais surtout erronées volontairement. Parce que *fake* en anglais ça veut dire faux dans le sens de trafiquer, de réarranger, de fabriquer.
Narrateur : Les fake news, ce sont donc des informations délibérément fausses, émanant d'un ou plusieurs médias et qui circulent sur Internet. Et ce n'est pas un phénomène neuf, ça existait déjà dès 1789 lors de la Révolution française sous les formes de libelles, des petits pamphlets qui cherchaient à déstabiliser le pouvoir en propageant de fausses informations. Marie-Antoinette en était la principale cible, on l'accusait de trahir la France, de dépenser l'argent du peuple et de multiplier les amants. C'était déjà, d'une certaine manière, une forme de fake news.
Alain Geriache : Une des fake news les plus connues c'est lorsque l'administration Trump a essayé de prétendre qu'il n'y avait jamais eu autant de monde lors d'une prestation de serment d'un président américain en disant ce sont des faits alternatifs. Mais bon voilà, c'était vraiment une information qui était fabriquée pour essayer de faire croire que sa présidence démarrait comme nulle autre précédemment.
Narrateur : Dans ce cas on parle carrément de désinformation, mais dans certains cas des fake news peuvent émerger par erreur sur le Web. Ce fut le cas en 2015 lorsque l'Agence France-Presse annonçait la fausse mort de Martin Bouygues, le célèbre patron du groupe TF1.
Animateur : Avant de refermer ce journal, nous venons de l'apprendre cette triste nouvelle : notre patron, Martin Bouygues, est décédé ce matin dans sa résidence...
Narrateur : Une fausse information relayée à la télé sans la moindre vérification.
Alain Geriache : Et puis alors il peut y avoir aussi, ça existe, des fake news qui sont simplement mises en avant pour essayer de faire du clic et de rapporter de l'argent pour des sites qui vivent de la publicité. Parce que les fake news on peut inventer des choses qui sont attractives, qui ont un petit côté sulfureux, et qui fait en sorte que tout le monde se rue dessus. Parce que le paradoxe c'est que parfois on a davantage envie de croire des fausses nouvelles que les vraies.
Narrateur : C'est pas faux. Bref, à l'heure des « fake news » vigilance maximale sur le Web.
Journaliste : On récapitule Tom.
Tom : Bien, on récapitule peut-être avec un exemple assez récent pas très drôle, mais qui est un excellent exemple de fake news. C'est la fameuse tuerie de Las Vegas il y a quelques semaines. À ce moment-là il y a eu énormément de fausses informations qui sont sorties et en particulier des faux avis de recherche. Dès les premières minutes après l'annonce de l'attentat, qu'est-ce qui s'est passé, bien les internautes de Twitter ont commencé à partager par exemple des faux profils, des photos. On va voir la photo d'un homme, un utilisateur qui prétendait que c'était son papa qui avait disparu dans la tuerie. Et le monsieur que vous voyez là est un acteur porno qui n'a absolument rien à voir avec l'histoire. En fait, à chaque attentat, c'était déjà le cas avec Manchester, il y a son profil qui ressort. C'est totalement faux en plus.
Annie : C'est vraiment de mauvais goût en plus.
Tom : C'est de très mauvais goût. Et le problème c'est que c'est ultra partagé. Le monsieur qui a posté ça a avoué au site *Mashable* qu'en fait il a fait ça uniquement pour les retweets, pour partager le plus possible son profil et ça a super bien fonctionné. Le site *4chan* aussi faut s'en méfier un petit peu, il y a des réseaux comme ça...
Participant : *Spoutnik*, les Russes. Bien non, c'est vrai. Il y a le site *Spoutnik*, site d'information lancé par des Russes, mais qui vit en France sur les réseaux français.
Journaliste : Tu es sûr de ton coup ou c'est des fake news ton truc ?
Participant : Non, non, non, je suis sûr.
Tom : Reddit aussi, ce sont tous des forums dont il faut se méfier parce qu'il y a beaucoup de fausses informations. Et parfois les vrais moteurs de recherche tombent dans le panneau. Par exemple, Google était tombé dans le panneau de ces faux profils de faux auteurs de tuerie qu'on voit là, par exemple, un certain Geary Danley qui n'a rien à voir là-dedans non plus. Voilà, les informations se sont retrouvées sur Google indexées par le réseau comme de vraies informations.
Journaliste : Tout ça, c'est des fake news alors ?
Tom : Effectivement, dans le sens de fausses nouvelles. Maintenant on l'a vu, les fake news la vraie problématique c'est quand c'est utilisé pour manipuler les gens, pour apporter de fausses informations dans le but de décrédibiliser quelqu'un par exemple. C'était le cas pendant l'élection de Donald Trump, on en a parlé avec Alain Gerlache, qui avait posté de fausses informations et communiqué de fausses informations par rapport aux meetings et par rapport au nombre de personnes présentes pour favoriser l'image du candidat. Il y a un autre monsieur qui s'appelle Paul Horner qui lui a créé un site Internet qui ressemble à un vrai site d'information. C'est le monsieur qu'on voit là. Et qui, lui, a essayé d'alimenter un petit peu la paranoïa des supporters de Trump en expliquant que les manifestants anti-Trump étaient payés par les adversaires pour se présenter aux manifestations.
Journaliste : Comment on fait pour se protéger de tout ça et de ne pas tomber dans le panneau alors ?
Tom : Figurez-vous que ce matin en ouvrant mon flux d'actualités Facebook, je suis tombé sur ceci : *Conseils pour repérer une fausse information*. Il faut savoir que les géants du Net essayent de nous aider aussi même s'ils tombent parfois dans le panneau et qu'ils favorisent la propagation de ces informations-là. Ils essayent de faire attention à ce qu'on puisse les identifier.
Annie : On dit bonjour à Benjamin Marechal au passage.
Tom : Qu'il parle de soupe aux choux, apparemment il a faim. Non, Facebook essaie de faire des efforts, en tous cas, avec une série de commentaires et de petites aides. Alors les astuces principales pour éviter les fake news : la première, c'est se méfier des titres d'informations qu'on trouve sur Internet. Si c'est accrocheur, si vous voyez des points d'exclamation partout, qu'il y a des titres en majuscules, on commence à faire attention.
Journaliste : À ce compte-là, on doit bannir *Voici*, *Gala*, *Public*, *Closer*, et tous ces trucs-là.
Tom : Bien alors on vérifie l'URL, on vérifie l'adresse du site, ça c'est le deuxième conseil, c'est de vérifier qu'un site soit bien un site crédible. Bon là on parle d'*Actu people*, mais parfois on a des sites d'informations qui utilisent la même adresse qu'un vrai site média qui existe, qui est crédible, en changeant un caractère. En mettant un L majuscule à la place du « i » par exemple, pour essayer d'imiter et de faire tomber les gens dans le panneau. Vérifier les dates et les photos, ce sont des éléments factuels qu'on peut vérifier facilement et qui généralement sont révélateurs de la crédibilité de l'article. Trouver d'autres sources, ça, c'est élémentaire. Qu'on soit journaliste ou consommateur quand on trouve une information sur Internet, avant de la croire on va vérifier sur d'autres médias par exemple si on la retrouve et si tout le monde raconte à peu près la même chose par rapport à ça.
Annie : Oui, il faut dire faire beaucoup de démarches pour être certain de l'information

et je suis certaine que les trois quarts des gens ils ne recoupent pas leurs sources.
Tom : C'est vrai. C'est pour ça que Facebook permet maintenant de contextualiser les informations. Quand une information est postée sur Facebook, maintenant Facebook va mettre une série de liens et une série d'articles qui sont liés de manière à ce qu'on puisse assez facilement tomber sur d'autres sources et vérifier. Et puis dernier conseil, vérifier que ce n'est pas un site parodique, genre *Le Gorafi*, où on partage parfois des informations sans les vérifier.
Journaliste : Quoi qu'il arrive, on se méfie, on ne prend pas pour argent comptant tout ce qu'on lit sur Internet. C'était le premier mot du Dico Geek : fake news.

p. 14, vidéo
N° 02

Que se passerait-il si tout le monde était végan ?
À quoi ressemblerait un monde végane ? Merguez de tofu, œufs à base d'algues, fromage de noix de cajou fermentées, nuggets de protéines de blé, tous les produits de cette supérette s'adressent en priorité à un type de clients, les véganes. C'est-à-dire des gens qui ne consomment rien qui soit issu des animaux ou de leur exploitation. Pas de viande, de poisson, de produits laitiers, d'œufs, ou même de miel. Pas question non plus d'acheter cuir, fourrure, laine, soie, cosmétiques ou médicaments testés sur les animaux.
Pour l'instant, cette tendance concerne une petite minorité de la population, mais qu'en serait-il si les sept milliards d'habitants de la planète étaient véganes. Premièrement, les émissions de gaz à effet de serre diminueraient drastiquement. Dans le monde, presque 15 % de ces émissions sont dues à l'élevage. C'est plus que tous les avions, voitures, trains et bateaux de la Terre réunis. Selon une simulation réalisée par l'université d'Oxford, si toute la population du monde était végane les émissions des gaz à effet de serre liées à notre alimentation diminueraient de 70 %.
Deuxièmement, il y aurait beaucoup plus de terres à cultiver pour l'homme. Pour arriver à maturité, les bêtes d'élevage sont nourries avec des végétaux, beaucoup de végétaux. On estime ainsi qu'en moyenne, pour produire une calorie de viande il faut dépenser sept calories végétales. Si tout le monde était végane, les terres cultivées pour nourrir les animaux pourraient être cultivées pour nourrir directement les humains. Elles permettraient donc de nourrir plus d'humains.
Troisièmement, cela serait bénéfique pour les pays riches, mais pas forcément pour les pays pauvres. Si on en croit la simulation réalisée par l'université d'Oxford, un régime végane généralisé permettrait de réduire drastiquement les maladies cardiovasculaires, le diabète, et certains cancers. Ainsi, huit millions de vies pourraient être sauvées chaque année, la plupart dans les pays du nord où ces maladies sont les plus répandues. Dans les pays pauvres du sud, en revanche, quelque deux milliards de personnes souffrent déjà de malnutrition, voire de famine. Supprimer les protéines animales les priverait d'une source de nutriments essentiels difficile à remplacer.
Quatrièmement, beaucoup d'animaux mourraient. Par exemple, dans un monde végane on ne consommerait plus de miel, donc il n'y aurait plus d'apiculteurs. Or, sans apiculteurs, les abeilles mellifères seraient directement exposées aux parasites et ne pourraient pas trouver suffisamment de nourriture. Résultat : il y aurait beaucoup, beaucoup moins d'abeilles. De même, dans un monde végane les vaches, les poules, les cochons seraient livrés à eux-mêmes et pour beaucoup, sans l'élevage de l'homme ils ne survivraient pas. Mais ce n'est peut-être pas si grave.
« C'est des animaux qui ont été calibrés : les poulets pour produire davantage de viande, les cochons c'est pareil, les poules pondeuses optimisées pour pondre des œufs, c'est des animaux qu'on a fabriqués. Bien sûr il y en aura beaucoup moins puisqu'aujourd'hui on les fait naître exprès, souvent par insémination artificielle, pour les tuer. »
Quoi qu'il en soit, ces espèces ne s'éteindront pas complètement et vivraient probablement en bien plus petit nombre. Peut-être dans des refuges comme celui-ci qui recueille des animaux échappés ou exfiltrés des élevages et des abattoirs. Reste une question : dans un monde où on ne consomme plus les animaux, quel statut leur donner ? C'est précisément la question à laquelle plusieurs philosophes réfléchissent aujourd'hui. Dans leur essai *Zoopolis*, Will Kymlicka et Sue Donaldson proposent ainsi de donner aux animaux un statut juridique comparable à celui des enfants ou des personnes en situation de handicap.
« Tous les animaux domestiques sont capables d'avoir des relations sociales avec nous, ils n'auraient pas pu être domestiqués s'ils n'avaient pas appris à nous faire confiance, à exister à nos côtés, à communiquer avec nous, à comprendre des règles partagées. Nous pensons que nous devons nous appuyer sur ces capacités pour construire nos relations avec tous les animaux domestiques. »
Les poules ou les canaris ne seraient donc plus considérés comme une propriété, mais comme des membres, à part entière, de la société disposant de droits comme l'accès aux soins médicaux ou la liberté de circuler, par exemple.

Leçon 2

p. 22, vidéo
N° 03

Quel avenir pour l'auto en ville ?
Animateur : Vous ne pourrez pas utiliser votre voiture, ni votre moto, ni votre scooter, demain à Paris : la ville sera piétonne. L'opération organisée par la municipalité prend davantage d'ampleur que l'an dernier.
Journaliste : Se promener librement au beau milieu de la plus belle avenue du monde. Pas d'attente au feu rouge, pas de klaxons non plus. Ce dimanche, les Parisiens pourront profiter de 650 km de chaussées uniquement piétonnes. De 11 h à 18 h près de la moitié de la capitale sera interdite aux engins à moteur, y compris aux deux roues, les véhicules GPL et électriques. Un peu partout, des animations seront proposées. Du vélo aux rollers en passant par la trottinette, une parade d'objets roulants sans moteur est également prévue. Mais quelques dérogations ont été accordées : pour les taxis et les bus, les véhicules de secours et de soin, ceux des résidents, pour handicapés, et ceux destinés à la livraison et au déménagement. La seule contrainte qui leur est imposée : rouler à moins de 20 km/h. Une limitation de vitesse est également en vigueur en dehors de la zone piétonne dans le reste de la capitale.
Animateur : Bonsoir, Mathieu Flonneau, soyez le bienvenu. Vous êtes historien, spécialiste des villes et de l'automobilisme, auteur de « Choc de mobilités ». Entre autres, en face de vous, Lorelei Limousin, bienvenue également, bonsoir. Vous êtes responsable des politiques de transports à Réseau Action Climat. C'est une bonne idée ou pas cette journée sans voiture ?
Lorelei Limousin : À notre sens tout à fait, oui, parce qu'elle donne à voir une ville différente. Elle révèle la ville de Paris en l'occurrence sous un regard nouveau, celui d'une ville où il y a peu, enfin beaucoup moins de voitures en tout cas, et qui se révèle bien plus apaisée, moins bruyante, moins polluée. La première édition de la journée sans voiture c'était l'an passé en 2015. Elle avait été organisée dans la perspective du sommet sur le climat, la COP 21. Parce que je le rappelle quand même les transports c'est la première source d'émissions de gaz à effet de serre en France. Donc c'est évidemment un secteur incontournable dans le secteur de la lutte contre les changements climatiques. C'est aussi une source majeure de polluants atmosphériques, donc l'une des causes du fléau de la pollution de l'air qui bien sûr concerne Paris, mais aussi le reste de la France. La pollution de l'air, on sait désormais que ça engendre le décès prématuré d'environ 48 000 personnes chaque année, donc c'est dix fois plus que l'insécurité routière par exemple. En fait c'est un défi considérable qu'on a de s'attaquer à la pollution de l'air et c'est notamment en agissant sur le trafic routier, donc en diminuant la place de la voiture de manière pérenne qu'on y arrivera.
Animateur : Si on respire mieux, tant mieux Mathieu Flonneau, non ?
Mathieu Flonneau : Mais ça, c'est indiscutable. Ce qui est indiscutable aussi, c'est que la tendance est quand même plus longue que l'année dernière. Il y a eu des journées sans voiture il y a déjà une quinzaine d'années. Le mouvement de refoulement de l'automobile des centres-villes il est beaucoup plus ancien, on peut le dater d'une quarantaine d'années. Là désormais le coup de force il est vraiment symbolique, il est d'ampleur plus grande comme cela a été dit. J'ai quand même du mal à en voir la réelle portée. C'est-à-dire que...
Animateur : L'intérêt ?
Mathieu Flonneau : L'intérêt non, mais la réelle portée. Je veux dire qu'on est à l'échelle de Paris, on n'est pas à l'échelle du grand Paris, on n'est pas à l'échelle de la France, on n'est pas à l'échelle globale des problèmes. Donc de ce point de vue là...

Animateur : Donc si seul Paris le fait ça ne sert à rien, c'est ce que vous dites ?
Mathieu Flonneau : Bien sûr, si seul Paris le fait un dimanche ça ne sert pas à grand-chose, simplement symboliquement la victoire est importante effectivement. Et là on aura montré, on aura témoigné une reconquête symbolique, mais par rapport à quoi. Par rapport à un système qui est séculaire, par rapport à un système qui a eu sa cohérence, par rapport à un système qui a apporté une forme de croissance, une forme de démocratisation également de l'espace social. Et donc tous ces éléments-là sont à mettre en balance quand on réfléchit à un nouvel équilibre des modes, y compris dans une perspective d'atténuation des nuisances, d'atténuation des nuisances atmosphériques par exemple.
Animateur : Allez-y, je vous en prie.
Lorelei Limousin : Non, mais je suis tout à fait d'accord sur le fait que la journée sans voiture, et même la mobilité durable plus largement, ne doit pas rester l'apanage de Paris ou des grandes agglomérations. Là en fait moi je ne suis pas d'accord sur le fait que ce n'est pas une portée significative parce que ça montre déjà dans quelle direction il faut aller et cette direction elle est désirable parce que, en effet, la ville est plus agréable quand il y a moins de voitures. Mais aussi parce qu'elle rime avec une politique quand même de la ville de Paris de restriction de circulation.
Animateur : C'est ce que j'allais dire cette opération elle traduit la volonté de la municipalité parisienne de donner l'avantage aux piétons de manière durable. On sait d'ailleurs qu'Annie Hidalgo ne veut pas reculer notamment sur la piétonnisation des voies sur berge.
Lorelei Limousin : C'est des sujets d'actualité, et pour nous, qui ne doivent pas être réservés à la capitale, c'est-à-dire qu'en France la moitié des déplacements automobiles font moins de 3 km, c'est des déplacements qui peuvent être tout à fait faits autrement en théorie. Sauf qu'aujourd'hui, il paraît pas…
Animateur : Pour vous on ne se heurte pas à la réalité des travailleurs notamment ?
Lorelei Limousin : Si, il y a bien sûr une réalité justement les villes aujourd'hui c'est difficile d'imaginer une ville sans voiture parce que 80 % de l'espace public est encore consacré à l'usage de la voiture. Donc c'est tout à fait naturel de se dire que c'est inimaginable pour un travailleur ou pour une famille de pouvoir se déplacer autrement. Heureusement, il y a quand même une montée en puissance des transports en commun, des mobilités actives comme le vélo, mais qu'il nous semble vraiment important de soutenir de la part des collectivités locales, aussi de la part de l'état français bien sûr, mais de la part des collectivités locales. À un moment il faut prendre des décisions politiques pour donner plus de place à ces mobilités alternatives qui nous permettront de lutter contre la pollution de l'air, de diminuer les gaz à effet de serre. Et quand on regarde une ville, l'espace est forcément limité et donc ça veut dire prendre de l'espace aux voitures pour le donner aux alternatives.
Animateur : Mathieu Flonneau, un cœur de ville par exemple intégralement piétonnisé, Paris, pourquoi pas, c'est envisageable ou pas ?
Mathieu Flonneau : Écoutez, il y a le souhaitable, il y a le *wishful thinking*, ce que l'on peut espérer effectivement, mais faut pas céder quand même au grand récit simplificateur. C'est-à-dire que sur le rôle et l'usage de la voiture et de tout l'ensemble de l'écosystème routier, il y aurait beaucoup à dire parce que les services rendus sont réels. Les services rendus en termes d'activités, en termes de lien social également, de convivialité. Ce mot a échappé au monde de l'automobile et c'est un tort, car l'automobile peut être conviviale à partir du moment où elle est gouvernée, à partir du moment où on l'exclut des zones d'impertinence d'usage. Et effectivement des hyper centres-villes, pourquoi pas ? Mais dans des politiques peut être mixtes vous allez évoquer la piétonnisation de la Rive droite, celle-ci je pense qu'en semaine elle est discutable, le week-end pourquoi pas ?
Animateur : Donc on peut éventuellement évoquer également les effets potentiellement contre-productifs ça bourdonne davantage à certains endroits parce qu'il y a ces fermetures de voies.
Mathieu Flonneau : Bien il y a des éléments de transition, si vous me permettez, qui doivent être effectivement atténués. La pédagogie doit être aussi soutenue et aussi les grands débats doivent pas être biaisés, c'est-à-dire que l'idée qui est derrière qui est quand même d'installer un tramway sur cette Rive droite à terme et à court terme il faut aussi l'avancer et la présenter aux Parisiens très clairement. Donc il y a deux ou trois questions…
Lorelei Limousin : C'est clair qu'il faut montrer du volontarisme aussi sur les alternatives et notamment les transports en commun comme le tram. Après sur les effets secondaires, en réalité quand on regarde toutes les expériences passées en France à Paris ou ailleurs, il y a un exemple…
Animateur : Ailleurs parce qu'effectivement ça existe.
Lorelei Limousin : Quand on supprime une voie de circulation routière, peut-être il faut une semaine d'adaptation aux automobilistes pour trouver un autre itinéraire, mais il y a aussi une partie du trafic qui s'évapore, qui disparaît, parce qu'il y a des déplacements qui ne sont pas nécessaires. Par exemple dans l'hyper-centre parisien, les enquêtes de terrain montrent que l'écrasante majorité, 80 %, ce sont des hommes seuls dans leurs voitures, donc déjà si on faisait du covoiturage on réduirait le nombre de voitures. Mais en plus, seuls 20 % ont vraiment besoin de la voiture pour se déplacer, donc c'est des déplacements qui peuvent tout à fait être reconsidérés.
Animateur : Mathieu Flonneau.
Mathieu Flonneau : Oui, écoutez, il y a une ligne idéale que je saisis assez bien et dans les équilibres de mobilité je la comprends, je la conçois et même on pourrait la souhaiter. Néanmoins, ce concept d'évaporation est valable en centre-ville, cette circulation elle est aussi reportée ailleurs et donc il ne faut pas aussi manquer la perspective des périurbains. Et la perspective justement d'une ville qui dessert en quelque sorte des zones qui jusqu'à présent étaient en quelque sorte épargnées par la congestion. Et donc on est quand même dans une logique de vastes communicants et c'est quand même un problème aussi de relations entre un centre qui est bien souvent aisé, qui bénéficie d'effet d'aubaine, de gadgets mobilitaires qui lui servent à une population bien donnée et qui finalement laissent dans une forme de précarité, de mobilité, d'autres populations.
Animateur : Merci à tous les deux d'avoir accepté ce débat dans *Week-end Direct* sur BFMTV.

Leçon 3

p. 27, vidéo
N° 04

Qu'est-ce que ça veut dire être bilingue ?
Christine Hélot : Être bilingue, la définition la plus simple, et bien c'est parler deux langues. Mais très vite, d'autres personnes vont vous dire : c'est aussi écrire deux langues. Ou bien la plupart des gens vont vous dire : c'est parler parfaitement deux langues. Alors la première chose qu'il faut dire c'est que… c'est un mythe l'idée de la perfection dans le bilinguisme. Personne ne parle deux langues parfaitement, tout comme personne ne parle une langue parfaitement. Donc être bilingue, c'est vivre en fait avec deux langues, pouvoir communiquer dans ces deux langues, comprendre ces deux langues et parfois, lorsqu'on a… lorsqu'on est assez grand, qu'on est allé à l'école, écrire et lire dans ces deux langues. Donc en fait c'est vivre dans deux langues, et… on pourrait dire également, grâce à ces deux langues, connaître deux cultures. Mais on peut aussi être bilingue, en grandissant dans un pays, mais ne pas nécessairement bien connaître la culture de l'autre pays. Donc on peut être bilingue sans être biculturel, on peut être bilingue et biculturel. Et le propre du bilingue, puisque la personne vit avec deux langues et bien, c'est de passer d'une langue à l'autre selon les besoins de communication.

p. 27, vidéo
N° 05

Quels sont les enjeux pour la société de la reconnaissance du bilinguisme ?
Marie Rose Moro : Les enjeux pour la société de la reconnaissance du bilinguisme et du pluriliguisme sont des enjeux à la fois pragmatiques et politiques. Pragmatiques parce que plus on accepte les différences entre les enfants, entre les langues, entre les manières d'être, entre les compétences, les couleurs de peau, etc. plus le lien social… le groupe est fort et plus le lien social est solide. Donc c'est déjà un enjeu très pragmatique. Le deuxième enjeu est plus politique. C'est que, si on reconnaît, si on accepte les langues maternelles alors on permet aussi à tous ces enfants qui vont devenir des adultes de… parce que on les reconnaît tels qu'ils sont et on les autorise et on leur permet plus facilement d'accéder aux autres langues,

aux autres mondes, aux autres rapports. Donc c'est une manière de lutter contre cette frayeur, cette peur qu'on peut avoir de... on se replie les uns sur les autres, on se replie les uns sur les autres lorsqu'on est en danger, lorsqu'on a peur les uns des autres, lorsqu'on a le sentiment de ne pas être reconnu et d'être moins que les autres. Mais si, au contraire, on est dans un système où chacun peut trouver sa place dans le groupe alors ça favorise l'apprentissage de la langue seconde, des valeurs du monde extérieur, de l'échange, de l'action commune. Donc c'est un antidote au communautarisme. C'est vraiment une manière de lutter contre toutes les discriminations et de faire un lien social qui soit suffisamment fort pour qu'on puisse échanger, se métisser, se transformer, se reconnaître mutuellement. C'est donc un enjeu politique extrêmement fort mais c'est aussi pour ça que c'est très pratique parce que la peur est mauvaise conseillère et notre peur du communautarisme parfois nous amène à avoir peur des langues maternelles lorsque que c'est exactement le contraire : la reconnaissance des langues maternelles, c'est une manière de mieux investir le monde extérieur et les valeurs du monde extérieur. D'ailleurs plus je parle bien et plus j'aime ma langue maternelle, plus je parle bien le français.

p. 27, vidéo
N° 06

C'est quoi être bilingue ?

Cécile Goï : C'est effectivement travailler avec deux langues, mais de manières qui sont pas forcément équilibrées, pas forcément. On a ce qu'on appelle des compétences partielles, dans l'une, ou dans l'autre langue. Alors certains bilingues sont, je dirais, parfaitement bilingues, c'est-à-dire qu'ils ont une maîtrise presque équivalente des deux langues, mais ça n'est pas forcément le cas et on peut très bien être bilingue sans avoir vraiment un bilinguisme dit parfait, qui finalement est assez idéal et n'est pas dans la réalité très fréquente.
[Et le plurilinguisme, c'est quoi ?]
On parle là de pratique bilingue, mais on peut parler aussi de pratique plurilingue. Parce que les enfants, leur famille, peuvent très bien parler plus de deux langues, parce qu'il y a dans la famille déjà un plurilinguisme ou un bilinguisme. À l'école, on va parler le français, mais on va aussi apprendre l'anglais, l'espagnol et d'autres langues, et puis dans le milieu familial et amical, on va parler d'autres langues.

p. 30, vidéo
N° 07

Le cerveau bilingue

Animateur : De plus en plus de chercheurs partout dans le monde s'intéressent au bilinguisme : psychologues, linguistes, spécialistes de l'imagerie cérébrale découvrent les avantages de parler deux langues. Et ils scrutent les transformations que cette pratique opère sur ce qu'on appelle le cerveau bilingue. Les découvertes qui en découlent sont surprenantes.
Narrateur : Des gens apprennent une nouvelle langue dans un café linguistique ; une tendance de plus en plus populaire. En fait, 60 % des individus sur la planète parlent deux langues ou plus. Au Canada, c'est 35 %.
Phaedra Royle : En fait, la normalité humaine, c'est d'être plurilingue. C'est de parler deux langues, trois langues, quatre langues.
Narrateur : Et la science nous démontre aujourd'hui qu'il y a des bienfaits au bilinguisme à tous les âges de la vie : à l'enfance, à l'âge adulte et au troisième âge.
Liam : Je m'appelle Liam, j'ai 5 ans et j'adore parler français.
Mia : Je m'appelle Mia, j'ai 6 ans. J'aime parler le français et l'anglais.
Narrateur : Mia et Liam ont tous les deux appris leurs langues à la maison. On a longtemps cru qu'être bilingue à cet âge pouvait nuire au bon apprentissage de la langue apprise à l'école.
Journaliste : Est-ce que c'est ça que vous trouvez en laboratoire ?
Phaedra Royle : Non. Donc on observe que les enfants bilingues sont aussi bons que les enfants unilingues et des fois, ils sont même un peu meilleurs. Mais jamais beaucoup.
Narrateur : La linguiste Pheadra Royle de l'Université de Montréal l'a démontré avec une expérience, sous forme de jeu, sur 157 enfants de la maternelle et de la première année. Un jeu qui mesure l'habileté à conjuguer les verbes.
Phaedra Royle : Carl va trouver ses lunettes. Carl trouve ses lunettes tous les jours. Qu'est-ce qu'il a fait hier, Carl ?
Liam : Il a trouvé ses lunettes.
Phaedra Royle : Bravo !
Narrateur : Et ce qu'elle constate c'est que les enfants bilingues maîtrisent un peu mieux que les unilingues la conjugaison des verbes irréguliers, comme « lire » et « perdre », par exemple.
Phaedra Royle : Xavier va encore perdre ses choses. Xavier perd toujours ses choses. Qu'est-ce qu'il a fait hier, Xavier ?
Mia : Il a perdu ses choses.
Phaedra Royle : Daphné va lire une histoire. Daphné lit une histoire tous les jours. Qu'est-ce qu'elle a fait hier, Daphné ?
Liam : Elle a lu une histoire.
Phaedra Royle : Parfait !
Narrateur : S'il y a un avantage pour la conjugaison, qu'en est-il du vocabulaire ? C'est là qu'il y a un bémol pour les enfants bilingues.
Phaedra Royle : Ce qu'on sait par contre, c'est que le vocabulaire des enfants bilingues peut être réduit dans une langue. Mais au total, son vocabulaire dans ses deux langues va être plus gros que celui d'un enfant unilingue.
Narrateur : Mais là où l'avantage du bilinguisme est le plus marqué, c'est au niveau de la cognition.
Diane Poulin-Dubois : Globalement, il ne s'agit pas d'un bénéfice général comme un Q.I. supérieur. Ça, on s'entend là-dessus. L'avantage dont on parle c'est au niveau des fonctions cognitives qu'on appelle les fonctions exécutives qui sont des fonctions cognitives de haut niveau qui permettent de se donner un but et d'arriver à ce but en évitant les écueils, c'est-à-dire les distractions.
Narrateur : Par exemple, dans cette expérience, la chercheuse a demandé à des enfants aussi jeunes que deux ans, comme la petite Lauralie, de réussir des tâches qui nécessitent une attention sélective. Les bilingues réussissent mieux que les unilingues.
Chercheuse : Lauralie, montre-moi la pomme.
Lauralie : Là !
Chercheuse : Montre-moi l'orange.
Lauralie : Là !
Chercheuse : Et montre-moi la banane.
Lauralie : Là !
Chercheuse : Oui, bravo !
Diane Poulin-Dubois : On montre à l'enfant une image d'une grosse banane avec une petite pomme insérée au milieu de la banane et on dit : Montre-moi la pomme. Donc, l'enfant a tendance à vouloir nommer la pomme parce qu'elle est beaucoup plus saillante, beaucoup plus facile à identifier, mais il doit inhiber cette réponse pour dire : *C'est la banane*.
Chercheuse : Lauralie, montre-moi la petite pomme.
Lauralie : Petite... là !
Chercheuse : Montre-moi la petite orange.
Lauralie : Petite orange là !
Chercheuse : Et montre-moi la petite banane.
Lauralie : Là !
Chercheuse : Bravo Lauralie ! Bravo !
Narrateur : C'est en pratiquant deux langues à la fois que des enfants comme Lauralie améliorent leur flexibilité mentale. Dans le jargon scientifique, on parle de code-switching, c'est-à-dire l'alternance des codes linguistiques.
Diane Poulin-Dubois : Donc, les deux langues sont en activation, en état d'activation. Et donc, il faut qu'on inhibe, qu'on s'empêche d'utiliser la langue A pour utiliser la langue B et vice-versa. Donc c'est constamment une transition entre les deux langues. Mais d'autant plus quand on doit faire face à des individus qui parlent différentes langues et qu'on doit constamment faire une alternance entre les langues, ça demande une gymnastique de contrôler, d'inhiber la distraction.
Narrateur : Selon les chercheurs, cette alternance améliore plusieurs tâches cognitives : l'attention sélective, la concentration, la planification et même la résolution de problèmes. Un bienfait dont les bilingues peuvent bénéficier tout au long de leur vie. Mais y a-t-il un âge limite pour devenir parfait bilingue ?
Lynn : Je suis Lynn Homsi et je parle le français et l'anglais. My name is Lynn and I speak English and French.
Narrateur : Dans son laboratoire de l'Université McGill, Karsten Steinhauer s'attaque à ce concept en linguistique qui affirme qu'il y a un âge limite à apprendre une deuxième langue avec autant de maîtrise que la première. C'est le concept de la période critique.
Karsten Steinhauer : La période critique représente la difficulté que rencontre une personne qui apprend une langue tardivement, soit après la puberté, entre 9 et 12 ans. On dit qu'après cet âge, vous ne pouvez acquérir une deuxième langue à un très haut niveau de compétence.

Narrateur : Lynn Homsi est une adulte qui a dépassé depuis longtemps sa période critique. Elle est en fait en apprentissage avancé de sa deuxième langue. Dans cette expérience, Lynn doit cliquer à chaque fois qu'elle lit une phrase dans sa langue seconde qui ne fait pas de sens, tant sur le plan de la grammaire que de la logique. Karsten Steinhauer a fait une découverte. Voici l'activité cérébrale de Lynn lors de ce test, vue du dessus de sa tête. En une demi-seconde, l'activité passe du côté gauche et se déplace vers l'arrière. C'est exactement la même séquence d'activité cérébrale que l'on retrouve chez quelqu'un qui utilise sa langue maternelle.
Karsten Steinhauer : Au fur et à mesure que le niveau de compétence de votre langue seconde augmente, les mécanismes sous-jacents dans votre cerveau convergent vers ceux de votre langue maternelle. Et si vous comparez l'activité cérébrale de ceux qui sont parfaits bilingues, elle est identique à celle qui parle leur langue maternelle.
Narrateur : C'est ce que l'on appelle le concept de la convergence. Et la bonne nouvelle, c'est que ce phénomène se produit à n'importe quel âge de l'apprentissage d'une langue seconde. Avec une bonne dose de motivation, il n'est jamais trop tard pour profiter des avantages cognitifs du bilinguisme. Rendu au troisième âge, le bilinguisme a même un effet neuroprotecteur sur la maladie d'Alzheimer.
Edouardo : Je m'appelle Edouardo Alberto Barella. J'ai passé ma vie à être bilingue.
Louise : Je suis Louise Trudel. J'ai parlé français toute ma vie.
Narrateur : Ana Inés Ansaldo est linguiste au Centre de recherche de l'Institut universitaire de gériatrie de Montréal. Multilingue, sa passion est d'étudier les liens entre le langage, le vieillissement et le cerveau. Elle est particulièrement encouragée par les études récentes qui démontrent que le bilinguisme aurait un effet protecteur pour les personnes atteintes de la maladie d'Alzheimer.
Ana Inés Ansaldo : Lorsqu'on compare une cohorte de bilingues et d'unilingues âgés, on peut remarquer qu'il y a un décalage dans l'apparition des symptômes de la maladie d'Alzheimer, à savoir que les bilingues vont montrer les signes entre quatre et cinq ans plus tard que les unilingues.
Narrateur : Ana Ines Ansaldo démontre dans une expérience l'effet protecteur du bilinguisme sur le cerveau âgé. Sous un appareil de résonance magnétique, elle a demandé aux personnes âgées unilingues et bilingues, comme Louise et Edouardo, d'exécuter une tâche. Cliquer à droite chaque fois qu'un carré jaune apparaît ou cliquer à gauche quand c'est un carré bleu, peu importe où ils apparaissent à l'écran. La personne doit donc se concentrer sur la couleur et mettre de côté l'endroit où l'objet apparaît. Un exercice qui, tout comme chez les bilingues, fait appel au contrôle inhibiteur.
Ana Inés Ansaldo : Les bilingues sont constamment dans une situation où il faut gérer des interférences entre des codes différents. Alors, quand ils sont face à une situation comme celle de la tâche que je leur ai présentée, ils n'ont pas besoin d'aller recruter des ressources de niveau, disons, exécutif. Ils peuvent faire ça tranquillement, juste en se concentrant sur les caractéristiques du stimulus qui était, cette fois-ci, un stimulus visuel.
Narrateur : L'expérience démontre effectivement que les personnes âgées unilingues doivent utiliser, dans le lobe frontal situé à l'avant du cerveau, deux zones responsables de l'analyse et de la prise de décision. Les personnes âgées bilingues, elles, n'ont pas à utiliser ces zones frontales. Ils prennent leur décision en utilisant uniquement les régions à l'arrière du cerveau dédiées à la reconnaissance visuelle. C'est un avantage quand la maladie d'Alzheimer fait son apparition, car les plaques amyloïdes qui envahissent le cerveau débutent souvent dans les aires décisionnelles.
Ana Inés Ansaldo : Notre cerveau vieillit. Il ne vieillit pas partout pareil. Il y a des régions qui sont plus vulnérables. Et puis justement, ces deux régions qui apparaissent activées chez les unilingues sont plus vulnérables au vieillissement. Il y a plus de perte de matière grise dans ces régions-là. Et puis, si on n'a pas besoin de les recruter, c'est quand même un avantage.
Narrateur : Le bilinguisme apporte donc des avantages cognitifs dès l'enfance et tout au long de la vie.
Ana Inés Ansaldo : Moi, je pense que tout le monde aurait intérêt à explorer cet univers du bilinguisme qui est un univers extrêmement riche de par l'expérience langagière comme telle, de par les bénéfices que cela peut entraîner à la cognition, mais aussi strictement du point de vue humain.

p. 32, Préparation au Dalf C1/C2
N° 01

L'Alphabet numérique

Présentateur : *L'alphabet numérique*, comme chaque semaine, notre séquence qui décrypte les internets, autour des mots du web, de ses expressions, ses tendances, ou ses évolutions. Ce soir nous évoquons le datajournalisme, avec vous Samuel Laurent, journaliste au *Monde*, responsable des Décodeurs. On va décoder, donc, le datajournalisme. Au fond ce serait le journalisme qui rencontre, qui se concentre, qui utilise la technologie, et peut-être même les algorithmes.
Samuel Laurent : Tout à fait. On peut partir d'assez loin puisque le datajournalisme ça remonte à... très anciennement. Je relisais ce matin un article expliquant qu'une des premières innovations c'était par un monsieur qui s'appelait John Snow, et qui avait fait des choses en 1854 je crois, de mémoire, sur les cas de choléras à Londres et qui s'était amusé à les recenser quartier par quartier et qui avait fait un travail croisé pour dire que c'est dans les quartiers les plus pauvres que le choléra se répand, etc. Donc c'est assez vieux. Aujourd'hui ça revient parce qu'on a des outils numériques pour s'en servir au quotidien, pour...
Présentateur : collecter des informations, les traiter, les présenter ensuite...
Samuel Laurent : Et l'autre aspect c'est les opens datas, donc c'est le fait que de plus en plus les administrations ouvrent leurs données, et que donc on a accès à énormément énormément de choses aujourd'hui, qui n'étaient pas accessibles il y a 10 ans ou il y a 5 ans.
Présentateur : Alors ça se traduit dans un journal ou sur un site par des infographies, ce qu'on appelle des map mind, donc des sortes d'arbres de décisions on dit en français, des flow-charts, des logigrammes on dit en français, etc. Tout un tas d'outils qui, sous des formes graphiques, avec des données, des chiffres, vont expliquer l'information. C'est ça l'idée ?
Samuel Laurent : Alors ça c'est un première application de la chose, c'est effectivement de faire de la datavisualisation, un mot savant pour dire une infographie, avec une petite différence entre les deux, mais on ne va peut-être pas rentrer dans la subtilité. Après, le datajournalisme n'a pas forcément pour résultante une infographie. On peut tout à fait imaginer, quand *Le Monde* a travaillé avec d'autres journaux sur les spiece ticks, c'était donc à partir d'une liste de fichiers, il y avait un travail de datajournalisme pour recouper les informations, trouver qui étaient les gens dans les fichiers. Et ce travail là il a été fait pour ensuite donner lieu à des papiers, pas forcément une grande infographie avec les noms, etc. Mais ce travail de rechercher dans des grosses masses de données, d'en tirer un article, de raconter quelque chose à partir de données, c'est plus ça l'idée.
Présentateur : Du coup ça donne de nouvelles formes de journalisme ?
Samuel Laurent : Ça donne de nouvelle formes car le journalisme, spécialement en France, est une discipline très littéraire, faite par des littéraires. On aime, voilà, le « papier bien troussé », comme disaient mes vieux maîtres à l'école de journalisme. Aujourd'hui, nous, on apprend à travailler différemment.
Présentateur : Donc avec des ingénieurs, avec des mathématiciens...
Samuel Laurent : Ouais, avec des mathématiciens, avec des scientifiques mais même nous, à travailler en ouvrant une feuille de tableur plutôt qu'ouvrir un document word pour commencer à taper son texte ou une feuille de tableur pour commencer à rentrer des données dedans, ça donne une autre manière de travailler, et ça amène d'autres articles.
Présentateur : Donc on va lire des articles sous tableau Xcel... Agnès Chevaux.
Agnès Chevaux : Alors si on doit expliquer ce que le datajournalisme apporte au journalisme, dans le bilan que vous faites vous-mêmes des Décodeurs, des un an des Décodeurs, vous dites que que ça permet de revenir aux faits, ça permet de lutter contre les clichés, contre les intox, contre les idées reçues. Est-ce que vous pensez néanmoins que cette volonté d'explication, cette volonté de décrypter les rumeurs, domine dans l'univers du journalisme web aujourd'hui ?
Samuel Laurent : Dans l'univers du journalisme web, peut-être pas... On est, nous, on s'est

positionné un petit peu en réaction face à ce qu'on appelle le clip-date...
Agnès Chevaux : Face au buzz par exemple.
Samuel Laurent : Voilà, face au buzz. C'est vrai qu'aujourd'hui, entre les réseaux sociaux, le système médiatique tel qu'il est organisé, vous avez un schéma classique qui est : la petite phrase ou le dérapage d'une personnalité donne lieu à une excitation sur les réseaux sociaux, les médias, voyant ça, font plein d'articles, font monter, font une mousse autour du sujet. Nous, l'idée, c'est effectivement de... Quelqu'un m'avait dit ça une fois, et c'est vrai que je trouve ça drôle, c'est la formule de « il y a des chauffeurs de buzz », je ne sais pas si vous vous rappelez de ce site qui montait des trucs, nous on est plutôt des refroidisseurs de buzz. C'est-à-dire, de dire : « attendez, là, de quoi on parle, c'est quoi les faits ? »
Présentateur : D'où du coup une des activités des Décodeurs qui est le fact-checking, de double-checker, de vérifier les informations.
Samuel Laurent : Voilà, donc déjà de vérifier. À la base le fact-cheking c'est surtout, comme on l'entend, vérifier les paroles de politiques. Nous on a étendu ça aussi à vérifier des rumeurs, des idées reçues. [...]
Une autre chose qu'il est importante de préciser, c'est : aujourd'hui on n'a plus le monopole de la production de l'information, on n'a plus le monopole de sa diffusion. On n'est plus maître ni de l'un ni de l'autre, donc qu'est-ce qui nous reste ? Il nous reste la capacité, je pense, en tant que journaliste, à dire ça c'est vrai, ça c'est pas vrai, à vérifier l'information, à la qualifier, à la présenter, à la hiérarchiser.
Présentateur : Et pourquoi pas en l'ayant traitée à partir de nombreuses données qui permettent d'avoir des conclusions prouvées.

Unité 2

Leçon 1

p. 37, vidéo
N° 08

Art et culture – Jeux de société
Depuis toujours, la nature humaine adore s'amuser. Les jeux de société sont apparus en même temps que la sédentarisation de l'humain, alors que les familles, confortablement installées dans leurs maisons, se rassemblaient pour jouer. Ce divertissement est devenu un phénomène de société et n'est pas prêt de s'essouffler. Tout a commencé en Égypte, 3000 ans avant notre ère, alors que les gens se rassemblaient autour d'un jeu appelé le royal d'Ur, composé d'une tablette et des dés en forme de pyramide. On s'amuse alors à déplacer des pions selon des règles non écrites. Le but du jeu était d'atteindre la dernière case, qui représentait les cieux, et c'était davantage un jeu rituel empreint de spiritualisme, destiné à préparer les individus à la mort. Ce jeu a été adopté par de nombreuses autres cultures, au fil des siècles, chacune modifiant les éléments du jeu.
En ce qui concerne les jeux stratégiques, le plus ancien de l'histoire est le jeu « Go », créé en Chine il y a plus de trois millénaires. Il aurait été conçu par un empereur chinois qui voulait éduquer son fils à la gestion de l'empire. Le but du jeu est de conquérir des territoires en utilisant des pions sur un plateau sur lequel on trouve un quadrillage. C'est l'un des rares jeux à avoir survécu, puisqu'il est toujours populaire, surtout dans les pays asiatiques.
Le jeu d'échecs est sans aucun doute l'un des plus populaires, encore aujourd'hui, mais son origine est controversée, puisque les seules traces concrètes datent des années 600. Il s'agit de textes transcrits qui mentionnent l'existence de joueurs d'échecs. Les théories les plus probables situent l'invention des échecs en Perse, en Inde ou en Chine. On a cru longtemps que les échecs étaient issus du Chaturanga, un jeu similaire créé au VIe siècle. Et c'est vers l'an 1000 que les jeux d'échecs sont introduits en Europe, avant de se répandre dans le reste du monde.
Les cartes à jouer, elles, apparaissent un peu plus tard, en Chine, au VIIe siècle, mais celles que nous connaissons aujourd'hui datent de 1370 et seraient, quant à elles, d'origine italienne.
Et c'est par la suite que les jeux de cartes inondent l'Europe, grâce à l'essor de l'imprimerie. Toutefois, la production de masse démarre essentiellement en Allemagne, en 1840, et c'est à ce moment qu'on utilise les jeux de société à des fins éducatives.
Aujourd'hui, plus de 1 000 nouveaux jeux sont mis sur le marché chaque année et le bon vieux Monopoly, lancé en 1935, est toujours le jeu de société le plus vendu de l'histoire. Mondialement connu, le Monopoly existe en multiples versions. Plus de 200 millions d'exemplaires de ce jeu ont été vendus partout à travers le monde et on estime le nombre de joueurs à 500 millions de personnes. Outre les rassemblements familiaux, les jeux de société ont donné naissance à de nouveaux rendez-vous pour les amateurs, dans plusieurs villes canadiennes. Le premier café-jeu à voir le jour en Amérique du Nord connaît beaucoup de succès à Toronto. Le *Snakes & Lattes* propose plus de 2500 jeux à ses fidèles joueurs. Et dans la région de la capitale nationale, on trouve un resto-pub qui propose aux adeptes 500 jeux et un grand choix de bières.
Ailleurs dans le monde, il y a une panoplie de tournois internationaux qui invitent les amateurs à participer à des compétitions qui mettent en jeu des grands classiques, comme les échecs, les jeux de dames, les mots croisés, le tarot, le Scrabble et plusieurs autres. Depuis dix ans, le secteur des jeux de société est en constante progression. Les jeux d'apprentissage sont utilisés pour aider les jeunes à apprendre tout en s'amusant, même si l'avènement des consoles électroniques bouscule le marché du divertissement. Le jeu de société est toujours en évolution croissante et n'est pas près de plier le genou.

p. 41, séquence radio
N° 02

Les réseaux sociaux et l'amitié
Journaliste : Au début de ce mois, le réseau social Facebook fêtait ses dix ans d'existence. L'occasion de se demander et de s'interroger sur les réseaux sociaux. Est-ce qu'ils ont tué la notion d'amitié ? Non, répond la philosophe Anne Dalsuet, qui publie « T'es sur Facebook ? Qu'est-ce que les réseaux sociaux changent à l'amitié ? » aux éditions *Flammarion*. Si le numérique n'a pas tué cette notion d'amitié, comment l'a-t-elle changée ? C'est la question que nous avons posée à Anne Dalsuet. Écoutez.
Anne Dalsuet : Oui, elle l'a changée dans la démultiplication des amitiés. Avant on parlait de l'amitié et, sans doute, il serait plus juste de dire aujourd'hui de parler des amitiés. Donc, ça c'est déjà un premier changement. C'est-à-dire que, désormais, on est amis sur Facebook aussi bien pour retrouver des amis qui ressemblent aux amitiés, aux amis classiques, c'est-à-dire ceux avec qui on échange de manière privilégiée, ceux avec qui on est en situation de confiance. Mais ce qu'on peut rencontrer aussi c'est d'autres liens, des liens plus diversifiés. Alors on peut prendre contact sur Facebook soit pour un point particulier, soit pour un événement culturel ou pour une action politique ponctuelle. On a à faire à des sociabilités plus diversifiées.
Journaliste : Il y a une inflation, dites-vous aussi, de cette valeur d'amitié, est-ce que c'est en ça que ça peut être dangereux si on regarde du côté un petit peu négatif de la chose ?
Anne Dalsuet : Et ce qui a une portée pour le réseau et notamment pour le réseau Facebook, c'était le fait que le réseau croît. Il s'agissait pour Facebook aussi d'en faire une valeur, une valeur marchande, une valeur sociale. Et donc, à ce titre-là, si on veut que le réseau soit en pleine croissance il faut que nous aussi, enfin, ceux qui sont inscrits sur Facebook aient de plus en plus d'amis, de plus en plus de liens. Alors quel danger ça peut représenter ? Bien, tout simplement, peut-être cette course au quantitatif, peut-être parfois quelques floues chez certaines personnes, mais j'ai tendance à penser quand même que chacun distingue assez bien ses amitiés fortes et ses liens plus faibles. En fait, ce qui serait dénonçable c'est qu'à travers cette visée du quantitatif est, sans doute, une forme de normativité. C'est-à-dire, l'amitié devient une norme, quelque chose qu'on peut commercialiser, qu'on peut instrumentaliser.
Journaliste : Vous le savez certainement, Anne Dalsuet, les réseaux sociaux, leurs dangers sont souvent pointés du doigt. Est-ce qu'on peut dire que votre regard est en fait un petit peu plus optimiste dans un contexte qui tient plus à la méfiance ?
Anne Dalsuet : En fait, ce que je voulais observer, c'est de faire valoir, c'est qu'on avait à faire à des pratiques diverses qui pouvaient s'emparer, en fait, de différentes définitions de l'amitié ou de différentes définitions du lien social. M'appuyant en même temps sur des travaux d'anthropologues, il m'est apparu qu'on ne pouvait pas non plus être que dans un scénario catastrophiste ou un scénario technophobe, un scénario de méfiance. Facebook bénéficiait ou, en tous cas, était porteur aussi de certaines vertus sociales et que dont certains pays. Notamment,

c'est ce qu'a pu montrer un anthropologue qui mettait en avant le fait, par exemple, qu'à Trinidad il y avait une réparation du lien social intergénérationnel grâce à Facebook contre justement un affaissement de ce lien qui avait été notamment engendré par les psychopouvoirs, comme il dit, de la télévision.
Journaliste : Avec l'exemple que vous prenez, on peut dire que Facebook, parfois, peut contribuer à reconstituer un milieu affectif pour des personnes en mal d'amitié aussi.
Anne Dalsuet : Oui, en mal d'amitié parce que dans l'isolement, tout simplement parce que dans l'isolement géographique nous, on a une représentation de Facebook, sans doute, à partir de catégories très urbaines. Mais évidemment il y a encore des lieux où la question du contact et la question des mises en relation peut être dans ce monde plus problématique. Et donc Facebook, bon ça a été assez dit je crois et aussi c'est un accélérateur de sociabilité, mais c'est aussi, comme d'autres réseaux, qui permet d'atténuer les distances, en tous cas, de faire en sorte que nous puissions être en contact malgré la distance.
Journaliste : Vous êtes philosophe et vous citez Aristote qui dit que l'amitié réclame du temps pour advenir et s'épanouir. En fait, l'amitié se scelle dans la durée, au fond, qu'elle soit numérique ou pas.
Anne Dalsuet : Ce qu'on peut constater qu'on est dans un sentiment d'immédiateté du contact avec les réseaux sociaux. Mais ce qui apparaît ce que sur Facebook finalement, si on regarde les statistiques qui étaient produites, nous sommes le plus souvent amis avec des gens que nous connaissons et statistiquement, si en moyenne nous avons entre 130 et 170 amis sur Facebook, il apparaît qu'à peine le cinquième concerne des gens que nous n'aurions pas connus pas rencontrer. Et donc, ce sont aussi des amitiés qui peuvent prendre du temps, d'abord qui sont parfois très souvent irritées du temps passé ensemble, mais ce sont aussi des amitiés qui peuvent prendre du temps tout simplement parce qu'on y échange des documents, des textes, des images et que quelque chose se construit dans ce type d'échange et que ça requiert du temps.
Journaliste : Quelles sont, selon vous, Anne Dalsuet, les questions qu'il faudrait maintenant se poser concernant les réseaux sociaux ? Les questions principales qui se posent aujourd'hui ?
Anne Dalsuet : À mon avis, les questions principales concernent : qu'est-ce qu'il advient de toutes ces données personnelles qui appartiennent aux réseaux ? Donc, c'est essentiellement cette question, la question de l'oubli. On sait qu'avec le numérique on est dans une sans cesse accumulation des documents, des données, donc : Quelle est la place qu'on peut laisser désormais à l'oubli ? Or, cet oubli il est indispensable, il suffirait de reprendre les textes de Nietzsche pour voir comment la conscience humaine a également besoin de se délester, ne serait-ce que pour pouvoir entrer en relation justement. Et puis, il y aurait aussi sans doute l'instrumentalisation économique et sociale, elle est à dénoncer, mais je pense qu'elle est connue. Mais c'est surtout comment pourrait-on faire en sorte que ces réseaux sociaux soient plus inventifs, que leur forme soit moins normée, moins schématisante. En fait, on le voit bien sur Facebook, on ne peut pas écrire finalement autant qu'on le veut dans une continuité. Il faut reprendre son texte à maintes reprises, on ne peut pas mettre, formater les photos comme on le souhaite. Ce que j'ai voulu aussi montrer dans ce texte, c'est d'ailleurs que ce qui l'importerait, et c'est peut-être un vœu pieux en ce moment, ça serait qu'on puisse s'approprier davantage ces réseaux sociaux, or leur charte ne le permet pas.
Journaliste : La philosophe Anne Dalsuet, auteure de « T'es sur Facebook ? Qu'est-ce que les réseaux sociaux changent à l'amitié ? », c'est paru aux éditions *Flammarion*.

Leçon 2

p. 45, vidéo
N° 09

Des langues en voie d'extinction
Linguiste : Parmi les 6 000 langues parlées sur Terre, il y a celles qui se portent bien, comme l'anglais, l'espagnol, le portugais, le français ou encore le russe, parlées par des dizaines, voire des centaines de millions de personnes. On compte plus d'un milliard de locuteurs pour le chinois. Mais il existe des langues bien plus confidentielles, parlées par seulement quelques dizaines de personnes. Des langues en grand danger qui risquent de disparaître avec les dernières personnes qui les parlent. Ce qui inquiète les scientifiques, c'est l'accélération avec laquelle ces disparitions sont en train de s'opérer aujourd'hui. Selon l'UNESCO, la moitié des 6 000 langues connues dans le monde pourraient avoir totalement disparu d'ici la fin du siècle.
Journaliste : Et qu'est-ce qui explique cette accélération ?
Linguiste : Alors, la linguiste Colette Grinwald indique qu'autrefois une langue s'éteignait quand un peuple disparaissait physiquement à la suite d'épidémie, de guerre ou quand la fécondité était insuffisante pour assurer son renouvellement. Mais aujourd'hui les locuteurs adoptent, plus ou moins volontairement, une autre langue, la langue dominante.
Journaliste : Et une langue qui s'éteint, c'est une perte immense.
Linguiste : Oui, une langue est liée à une culture, à des savoirs, bien sûr. Quand une langue disparaît, c'est un pan du patrimoine de l'humanité qui s'effondre. Et puis une langue reflète aussi une certaine manière de penser et de regarder le monde. Très concrètement notre façon de considérer les couleurs, le temps ou l'espace est influencée par la langue que nous parlons. Par exemple, certaines langues ne distinguent pas le bleu du vert. D'autres langues n'ont pas de mots pour dire *devant*, *derrière* ou *en face*. Bref, l'immense diversité des langues donne aux scientifiques des outils pour explorer la pensée humaine. Voilà quelques-unes des raisons qui ont conduit les linguistes depuis une vingtaine d'années à faire de sauvegarde des langues une priorité.
Journaliste : Et ces linguistes, comment travaillent-ils concrètement ?
Linguiste : Alors, ils vont à la rencontre des derniers locuteurs de langues en phase de disparaître, sans laisser aucune trace. Il s'agit le plus souvent de langues de tradition uniquement orale. Concrètement, le travail consiste à écrire une grammaire, établir un dictionnaire et rassembler tout un ensemble de textes traduits d'enregistrements audio et vidéo pour décrire cette langue. Souvent parallèlement à ces actions des programmes de revitalisation des langues sont menés incitant les jeunes générations à apprendre la langue de leurs ancêtres. Mais Colette Grinwald le reconnaît elle-même : dans la majorité des cas il sera difficile, voire impossible, d'enrayer la disparition des langues. Alors pour essayer de limiter cette hécatombe linguistique annoncée, la chercheuse préconise de mettre en place des mesures qui favoriseraient l'apprentissage de plusieurs langues par tous les citoyens du monde.
Elle résume sa pensée en une jolie formule : « Parlons plusieurs langues pour ne jamais parler d'une seule voix. »

p. 48, vidéo
N° 10

L'écriture inclusive ? Et si oui, comment ?
Animateur : Et on ouvre donc cette émission avec ce débat sur l'écriture inclusive. Alors si vous vous demandez ce que c'est, c'est la féminisation de l'écrit chaque fois que c'est possible et ces derniers temps, c'est l'utilisation du point médian qui fait parler de lui, qui fait même polémique. Et là encore ça mérite une petite explication et comme un exemple vaut mieux qu'un long discours, voilà ce que cela donne. On a pris un article d'*Axelle*, le magazine de vie féminine, et là on le voit, donc, chaque fois que c'est possible on rajoute *un·e enfant*, *puisqu'un·e*, voilà, *quelqu'un·e*. Donc, chaque fois que c'est possible, effectivement, on ajoute ce féminin du nom. Bonsoir, Sabine Panet. On a pris un article d'*Axelle* parce que vous êtes la rédactrice en chef du magazine *Axelle*. Et que vous le faites systématiquement, vous, cette écriture inclusive et d'utilisation de ce point médian. Pourquoi ?
Sabine Panet : Tout à fait, alors je tiens simplement d'abord à dire que, pour moi, l'écriture inclusive c'est bien au-delà du point médian. Le point médian déclenche beaucoup de passion en ce moment, on peut être pour, on peut être contre. Pour moi la vraie question, c'est comment est-ce qu'on fait exister les femmes dans la langue française qui est une langue qui les a un peu expulsées et qui a fort été masculinisée par les interventions, notamment de l'Académie française à partir du XVIIe siècle. Et donc, nous, on s'inscrit dans cette histoire de subversions, de certaines traditions assez misogynes en rapport avec la langue. Pour moi une langue n'est pas sexiste en soi, je ne pense pas que la langue française soit du tout sexiste en elle-même, c'est vraiment l'usage qui en est fait. Et donc nous on est un magazine féministe, on parle de la vie des femmes.

Animateur : Et ça vous semble important donc vous avez l'impression qu'il y a une portée symbolique importante.
Sabine Panet : Tout à fait. Et de nombreuses règles d'ailleurs et pas uniquement la règle du point médian.
Animateur : Bien sûr. Alors Marc Wilmet, bonsoir. Vous êtes professeur émérite de linguistique de l'ULB. Ce point médian, vous qu'est-ce que vous en pensez ? Et cette idée que finalement il faut battre en brèche cette règle que le masculin doit l'emporter sur le féminin.
Marc Wilmet : Écoutez, je voudrais dire d'abord que je partage les objectifs de Madame, c'est-à-dire la visibilité des femmes. Et la visibilité des femmes par le vocabulaire notamment et par la féminisation des noms de titres, cadres et professions. Vous parliez de l'Académie française, vous lui accordez une importance qu'elle n'a pas nécessairement. En fait, elle n'a pas contribué à masculiniser la langue, c'est la langue qui a certains procédés masculins. Donc, ne lui faisons pas un faux procès, il y en a d'autres qu'on pourrait lui faire, par exemple la secrétaire perpétuelle de l'Académie, Madame Carrère d'Encausse, tient à son titre masculin.
Animateur : Mais pour revenir sur l'écriture inclusive et sur ce point médian, vous trouvez que c'est un peu trop.
Marc Wilmet : Donc, ce que je tenais à dire c'est que je partage l'objectif et que je crois que la manière de l'atteindre que vous choisissez est une manière plus dangereuse qu'autre chose. Il faut que les femmes soient présentes dans la langue, mais ça ne doit pas se faire au prix d'une dénaturation de l'écriture à tel point qu'elle serait imprononçable. On a donné là un exemple, allez lire ça, allez lire ça, ce n'est pas...
Sabine Panet : Nous le lisons quotidiennement.
Marc Wilmet : Vous le lisez, mais vous ne le parlez pas.
Sabine Panet : Nous le lisons à l'oral quotidiennement, tout à fait, bien sûr.
Animateur : Et donc ça vous semble, effectivement, parfois on dit ça rend compliqué, ça rend illisible à certains moments.
Sabine Panet : Je pense qu'il y a plein de choses différentes. Cette question de point médian, on peut en discuter. Pour moi, il y a aussi une question de comment est-ce qu'on s'adapte à la nouveauté. Peut-être qu'à la première lecture c'est curieux, à la deuxième, à la troisième ça va déjà plus vite. Mais pour moi, quand vous dites que, par rapport à la langue française, qu'elle n'est pas véhicule forcément de tout ce que moi je lui prête. Prenons, par exemple, d'autres règles que nous pratiquons à *Axelle*. Nous pratiquons, par exemple, la règle de la proximité qui est une règle que Rabelais, lui-même, utilisait.
Animateur : Vous la résumez en quelques mots pour que tous les spectateurs comprennent la règle de la proximité ?
Sabine Panet : Donc on accorde...
Marc Wilmet : C'est faux.
Sabine Panet : C'est faux. On accorde, par exemple, on peut dire : « Tous les hommes et les femmes sont belles » puisque « femmes » est le substantif le plus proche de l'adjectif. On va dire « Toutes les femmes et les hommes sont beaux ».
Animateur : Là vos oreilles sifflent, Monsieur Wilmet, quand vous entendez ça.
Sabine Panet : Je crois qu'il ne faut pas polémiquer inutilement.
Marc Wilmet : On peut défendre certaines idées sans faire d'erreur historique. Si vous me trouvez un exemple semblable dans Rabelais.
Sabine Panet : Oui, j'en ai un paquet, je pense que la caméra peut faire le zoom et ne va peut-être pas polémiquer.
Animateur : Vous êtes venus effectivement avec de la documentation.
Sabine Panet : Je suis venue avec mes munitions.
Marc Wilmet : Ce que je veux dire c'est est-ce que le jeu en vaut la chandelle ?
Sabine Panet : Faire exister les femmes dans la langue ça en vaut la chandelle, Monsieur.
Marc Wilmet : Lorsqu'on dit, par exemple, je viens de voir une proclamation du recteur : « Les étudiants sont invités à aller signer leur diplôme ». Est-ce que vous croyez vraiment que les jeunes filles, ou les jeunes femmes, vont s'abstenir d'aller signer le diplôme parce qu'on a dit « les étudiants » ? Alors vous pouvez dire : « les étudiants et les étudiantes », ça ne me gêne pas, seulement le « invité », vous allez devoir l'accorder au masculin ou au féminin. Alors vous allez multiplier en pure perte, je crois, et au fond vous allez perdre quelque chose. Vous allez, oui, vous allez perdre quelque chose. Vous allez cantonner le masculin au mal, alors que vous avez accès normalement au masculin : « les droits de l'homme », « aux grands hommes la patrie reconnaissante », « les enfants », est-ce que vous croyez vraiment...
Animateur : On va laisser Sabine Panet répondre.
Sabine Panet : Merci. Pour répondre à Monsieur, je vais vous donner un autre exemple très simple : les petites filles qui apprennent, exactement au même âge que ma fille actuellement, que le masculin l'emporte sur le féminin, elles savent très bien de quoi il se retourne et les garçons dans la classe, ils savent très bien de quoi il se retourne. Et que derrière la langue, c'est évidemment une construction sociale. C'est évidemment une vision de la société qui est véhiculée.
Animateur : Oui, mais vous, vous inscrivez un faux sur ce fait que le masculin l'emporte sur ce caractère machiste de cette formule, le masculin l'emporte sur le féminin.
Marc Wilmet : La formule est malheureuse, mais il faut bien comprendre et d'ailleurs on ne l'utilise plus. Mais qu'est-ce que ça veut dire le masculin ? Madame, c'est le masculin grammatical, personne ne dit en cette formule que le mâle l'emporte sur la femelle.
Sabine Panet : Bien sûr que si.
Marc Wilmet : Le masculin grammatical c'est une règle qui n'a pas été inventée par l'Académie française, mais que le peuple a, dans son bon sens et avec sa compétence linguistique, a utilisé par souci d'économie. Parce qu'une langue doit...
Sabine Panet : Dans son *Bon sens*, Nicolas Beauzée qui était grammairien disait qu'étant donné...
Marc Wilmet : Qui ça ?
Sabine Panet : Nicolas Beauzée qui était grammairien, dans son *Bon sens*, disait que la supériorité du masculin sur le féminin était le résultat de la supériorité naturelle du mâle sur la femelle. Donc, il y a aussi des sources historiques qui montrent exactement autre chose.
Marc Wilmet : Permettez-moi de dire, je connais Beauzée, je crois que c'est le plus grand grammairien français, mais que la phrase que vous citez et qu'on colporte à tout vent est une phrase absolument extraite de son contexte.
Sabine Panet : Mais il y a des citations de Bescherelle, enfin je veux dire il y des sources historiques qu'on n'a peut-être pas à polémiquer là-dessus.
Marc Wilmet : Même si Beauzée avait pensé ça, Beauzée il a écrit sa grammaire en 1767, donc ne nous faites pas un faux procès. Aujourd'hui je suis aussi féministe que vous.
Sabine Panet : À la fin du XVIIIe siècle, les femmes protestaient déjà contre la masculinisation de la langue et des tas de sources historiques le montrent très bien. On ne va pas faire une bataille de citations vous avez raison. Mais je veux dire les femmes protestaient déjà contre la masculinisation de la langue et elles avaient l'impression...
Marc Wilmet : Oui, oui, Madame de Sévigné.
Sabine Panet : Pas uniquement Madame de Sévigné, il y en a des dizaines d'autres pas uniquement Madame de Sévigné.
Animateur : Et pour ramener le débat sur 2017, vous souhaiteriez, vous, qu'aujourd'hui, au fur et à mesure cette écriture inclusive s'impose à tous et qu'elle soit employée partout.
Sabine Panet : Je souhaite qu'on utilise les ressources que nous avons déjà dans notre langue qui est une langue magnifique. Je souhaite qu'on utilise les ressources, moi je suis amoureuse de la langue française, je trouve qu'on a des ressources à disposition qui sont historiques. Il y a la règle de la proximité, mais il y a aussi tout simplement l'usage des mots féminins qui ont été ridiculisés parce que nous vivons encore, à mon sens, dans une société sexiste et misogyne et que ce n'est pas une invention de 2017 que de débattre de cela.
Marc Wilmet : Et parmi ces ressources, Madame, il y a le masculin non marqué, c'est une des grandes ressources.
Sabine Panet : Nous ne serons pas en accord là-dessus.
Marc Wilmet : C'est une des grandes ressources économiques de la langue.
Animateur : Vous entendez quoi par le masculin non marqué ?
Marc Wilmet : Si vous dites par exemple, les enfants, bien, ça comporte les femmes et les hommes, ça comporte les jeunes filles et les jeunes gens. Et je répète qu'en réduisant « les enfants », c'est-à-dire le genre grammatical au sexe masculin, vous allez priver les femmes d'une véritable conquête.
Sabine Panet : Moi, je pense que la notion de l'universel masculin est une imposture. Ça se voit historiquement, ça se voit absolument dans tous

les domaines. En revanche, je suis d'accord avec vous sur la stratégie qu'on peut avoir d'utiliser des mots épicènes, qui valent et pour les femmes et pour les hommes.
Animateur : Là vous devez expliquer également. Donc un mot épicène c'est un mot...
Marc Wilmet : Les deux genres.
Sabine Panet : Le mot « adulte », le mot « élève », voilà, le mot « personne ».
Marc Wilmet : Et « les enfants » ?
Sabine Panet : Oui, on peut dire « un et une enfant », on peut dire « les garçons et les filles ».
Marc Wilmet : Et il y a des tas de moyens de marquer la présence des femmes. Je vous répète que j'y suis tout à fait favorable, mais le moyen que vous utilisez, notamment le point médian, est une, pardonnez-moi, une aberration.
Animateur : Alors, Marc Wilmet, on voit en tous cas que le débat fait polémique. En France, il fait rage. Ici, il est un peu moins tendu ce débat. Mais vous pensez, vous, qu'on n'arrivera pas à imposer ce système comme Madame le souhaite ? Il y aura des résistances ?
Sabine Panet : Je ne souhaite pas l'imposer. Attention, ne me faites dire ce que je ne dis pas. Nous l'appliquons dans notre journal, c'est le fruit de nos réflexions.
Animateur : Une règle c'est une règle. À partir du moment où elle est d'application, elle est d'application pour tout le monde.
Marc Wilmet : Mais le bon sens des usagés va y résister. Ce n'est pas possible qu'on ruine un grand acquis de la langue, c'est-à-dire cette économie qui consiste à mettre une femme et un homme et de pouvoir lui mettre le même adjectif pluriel.
Animateur : Mais vous avez l'impression qu'on abîme un peu la langue, quoi. C'est ça l'impression si je vous ai bien compris.
Animateur : C'est-à-dire la graphie, la langue ne change pas parce que personne ne va dire ça. Vous créez une langue artificielle.
Sabine Panet : Notre situation nous coince un peu comme si finalement on n'était vraiment pas d'accord sur l'essentiel alors que je pense qu'il y a beaucoup de choses sur lesquelles on est d'accord.
Marc Wilmet : On est d'accord sur tout sauf sur les moyens.
Sabine Panet : Non, sauf sur le point médian parce que finalement ce point médian nous l'utilisons et il ne vous plaît pas.
Marc Wilmet : Les parenthèses ne me plaisent pas beaucoup non plus. Les tirets, les traits d'union, les barres obliques.
Sabine Panet : Moi non plus les parenthèses ne me plaisent pas. Mais qu'on puisse simplement dire : « les agriculteurs et les agricultrices, les filles et les garçons ».
Marc Wilmet : Mais je suis tout à fait d'accord avec vous. Donc répétons le nom et ne le faisons pas subir cette espèce de torture ou de charcuterie.
Animateur : Par exemple, par rapport à ça c'est peut-être difficile pour l'écrit, mais si on disait : « Des étudiants et des étudiantes sont invités à venir signer leur diplôme. »
Sabine Panet : Tout à fait, et pour moi c'est une des stratégies de l'écriture inclusive. Je connais beaucoup de personnes qui ne souhaitent pas utiliser le point médian. Elles ne souhaitent pas l'utiliser. Moi je ne souhaite pas l'imposer, je souhaite qu'on réfléchisse collectivement à la façon dont un peut faire exister les femmes dans la langue française. Et je pense qu'on a beaucoup de choses à apprendre. La France a, par exemple, beaucoup de choses à apprendre sur la manière dont le Québec, la Suisse, la Belgique ont commencé à prendre ces questions à bras le corps.
Marc Wilmet : Pour reprendre votre exemple, si vous dites « Les étudiants et les étudiantes sont invités », vous allez devoir dire « sont invités et invitées ». Est-ce que vous ne trouvez pas que c'est une perte de temps ?
Sabine Panet : Mais je constate que plutôt que de critiquer et de moquer disons une stratégie féministe qui est d'utiliser ce point médian, ce sujet est actuellement beaucoup utilisé pour faire un peu diversion comme si on allait encore une fois appuyer sur un faux combat, un combat qui n'est pas important. Et je crois que la vraie question, faire exister les femmes dans la langue avec autant de force qu'elles existent dans la société, ça c'est une vraie question.
Animateur : Voilà, bien merci en tous cas d'avoir ouvert le débat sur le sujet et j'imagine que chacun d'entre vous devant votre téléviseur, vous vous êtes fait votre idée sur ce point médian et cette écriture inclusive. Merci en tous cas d'être venus sur le plateau.

Leçon 3

p. 54, vidéo
N° 11

La révolution du cannabis en Uruguay, deux ans plus tard

Narrateur : Par un doux samedi soir d'hiver dans un parc de Montevideo, ces deux amis d'enfance s'apprêtent à poser un geste qui, dans de nombreux pays, leur vaudrait des ennuis. Pourtant, ils ne pensent qu'à se détendre un peu. Ici, en Uruguay, fumer c'est légal depuis 40 ans. Mais acheter ou vendre du cannabis pouvait vous envoyer en prison. Mais maintenant, les Uruguayens peuvent faire pousser jusqu'à six plants de cannabis par foyer ou en acheter jusqu'à 40 grammes par mois et par personne, dans un club ou une pharmacie, sous la supervision du gouvernement. C'est le seul pays au monde qui contrôle la production, la distribution et la consommation de la marijuana. Le père de cette révolution c'est « Pepe » Mujica qui vient de quitter la présidence de l'Uruguay. On l'a surnommé le président le plus pauvre du monde, car il vivait dans sa modeste demeure, conduisait lui-même sa vieille coccinelle et donnait plus de 80 % de son salaire à une œuvre de logements pour les pauvres. Cet ancien guérillero, qui a fait 14 ans de prison sous la dictature, a légalisé l'avortement, le mariage gay et le cannabis à partir de cette simple constatation.
« Pepe » Mujica : Un détenu sur trois, un sur trois, est en prison à cause de la drogue, pour trafic ou pour vol, pour de l'argent. D'abord, nous reconnaissons qu'il y a un marché de la drogue, qu'on le veuille ou non. Et aujourd'hui, ce marché est entre les mains des narcotrafiquants, ce qui est bien pire pour nous que la marijuana elle-même. Mais je ne veux pas dire que la drogue soit bonne.
Narrateur : L'Uruguay, petit pays ouvert et démocratique, a souffert comme d'autres régions d'Amérique latine des ravages du narcotrafic : violence, corruption, blanchiment d'argent. Il fallait détourner l'argent du marché noir – évalué à 30 millions de dollars par an – et le réinvestir en prévention.
« Pepe » Mujica : Comme la répression n'a pas donné de résultats, nous devons avoir une politique beaucoup plus intelligente. Il ne s'agit pas d'encourager la consommation, mais d'encadrer une consommation légale et de savoir que lorsqu'elle est exagérée, il s'agit de quelqu'un qui a besoin d'aide.
Narrateur : Il y aurait 200 000 consommateurs réguliers de cannabis et 20 000 consommateurs problématiques dans ce pays de 3,3 millions d'habitants. Des proportions comparables à celles du Canada. La « Junta de drogas », la Commission des drogues, relève de la présidence et elle doit veiller à l'application de la loi, qui est, avant tout, une expérience.
Milton Romani : Il est nécessaire d'essayer d'autres choses, d'autres modèles, les soumettre à des débats, les évaluer pour voir s'ils sont plus efficaces tout en respectant les critères du droit et de la santé qui doivent être nos objectifs ultimes.
Narrateur : Que ce soit pour usage individuel ou dans les clubs de cannabis, comme celui-ci, l'état veut contrôler non seulement la quantité, mais la qualité du produit. Il doit remplacer le pot illégal importé du Paraguay qui est mélangé à des ingrédients toxiques.
Cultivateur : Ici c'est ce qu'on donne au monde. Dans des petits packs, chaque pack a 10 grammes et on donne 4 packs par personne. »
Narrateur : Ce pot local sera vendu 2,50 $ le gramme, un cinquième du prix du marché noir. C'est comme ça que le gouvernement veut couper l'herbe sous le pied des narcotrafiquants. Ici, dans le premier club de cannabis de Montevideo, on trouve aussi une boutique d'accessoires. Il y a maintenant au pays une vingtaine de boutiques comme celle-ci. Le marché est en pleine expansion. C'est la Commission de transparence et d'éthique publique - indépendante - qui doit assurer le suivi scientifique de l'expérience uruguayenne et évaluer les dangers du cannabis.
Luis Yarzabal : Il n'y a pas de rapport scientifique qui nous assure de l'existence d'une dépendance. Il n'y a pas non plus de cas connus d'intoxication mortelle.
Narrateur : Depuis l'entrée en vigueur de la loi en décembre 2013, on a un premier bilan rassurant quant à l'incidence sur la consommation.
Luis Yarzabal : Elle était en train d'augmenter depuis l'an 2000 et la tendance se maintient, n'est pas différente. Donc, il n'y a pas eu

un impact, dans la première année, sur la consommation.
Narrateur : Ce comité composé de médecins, chimistes, sociologues et juristes est en contact avec une centaine de chercheurs internationaux, incluant des Canadiens.
Luis Yarzabal : Maintenant, il y a la possibilité de donner une réponse scientifique à toutes les questions posées en ce qui concerne l'usage de la marijuana.
Narrateur : Par exemple, la vente est interdite aux mineurs et déconseillée aux femmes enceintes. Il y a aussi tolérance zéro pour tout le monde au volant et sur les lieux de travail. Comme pour l'alcool. Et comme pour le tabac, le cannabis est interdit à l'intérieur des lieux publics. Une campagne contre les drogues et l'alcool est déjà en route.
Milton Romani : Nous allons intensifier les mesures éducatives et préventives avec cet avantage. Nous avons maintenant un contact plus direct avec les consommateurs.
Narrateur : Encore aujourd'hui, la majorité des Uruguayens sont contre la loi, à commencer par ceux à qui le gouvernement va demander, entre autres, d'assurer la distribution, les pharmaciens.
Pharmacien : Nous sommes contre parce que nous sommes des centres de santé et nous vendons des produits pour la santé, des produits qui font du bien aux gens.
Narrateur : Les pharmacies ont été choisies pour des raisons de sécurité et elles devront probablement se plier aux exigences de l'état. Chaque consommateur devra s'enregistrer pour acheter ses 40 grammes mensuels, mais il pourra le faire en tout anonymat. Seules ses empreintes digitales prouveront son identité.
Narrateur : Je suis étranger, est-ce que je peux acheter de la marijuana ?
Pharmacien : Non, vous ne pouvez pas parce que vous n'avez pas le droit de vous enregistrer comme doit le faire un patient d'ici. Sinon, on aurait un tourisme de la marijuana.
Narrateur : Il n'y aura pas de tourisme du pot en Uruguay, pas massif en tous cas. Mais les yeux du monde entier seront tournés vers l'expérience tentée par ce petit pays, alors qu'en 2016 les Nations Unies doivent revoir entièrement leur approche face aux drogues et au narcotrafic.
« Pepe » Mujica : Nous essayons un nouveau chemin. Nous sommes un petit pays qui communique bien. Notre expérience pourrait servir au reste de l'humanité.
Narrateur : Un petit pays où l'audace d'un président s'est imposée à une société très conservatrice où la consommation du cannabis n'est pas encore vue d'un très bon œil par tout le monde.
Narrateur : Ce que vous avez fumé là, c'était du bon ?
Fumeur : Ça ne se compare même pas.

p. 54, vidéo
N° 12

Légalisation du cannabis au Colorado : un bilan en demi-teinte
Narratrice : Dans cette petite salle, l'odeur de cannabis est saisissante, c'est jour de récolte. Ici, depuis la légalisation de la marijuana à des fins récréatives, la production a quintuplé. Comme beaucoup d'autres, Nick a quitté son Arizona natal pour participer à la ruée vers l'or vert du Colorado.
Nick : Celle-ci est très bonne. Elle a un parfum très tropical, d'où son nom d'ailleurs, c'est de la *Island Sweet Skunk*.
Narratrice : Ici, on cultive méticuleusement plus de 2 000 plantes et 45 variétés de marijuana différentes.
Nick : Chacune de nos plantes est testée, tous nos produits sont testés avant même d'être envoyés aux magasins. On n'a pas le choix d'ailleurs, c'est la règle. Et il y en a beaucoup de règles comme ça, mais c'est une bonne chose pour la qualité de notre industrie.
Narratrice : Cultiver et vendre de la marijuana, une activité désormais légale et surtout lucrative pour le Colorado.
Nick : Voici une partie de notre stock.
Narratrice : L'industrie a généré 600 millions d'euros en 2014.
Nick : Les gens disent que l'argent ne pousse pas aux arbres et pourtant.
Narratrice : Pourtant, la majorité des banques traditionnelles refusent encore l'argent des professionnels du cannabis, car si la marijuana est légale dans le Colorado, elle reste interdite au niveau fédéral.
Mark Mason : Tant que le gouvernement fédéral ne légalisera pas le cannabis, beaucoup de banques refuseront cet argent de peur d'être accusées de participer à du blanchiment d'argent.
Narratrice : Résultat : la majorité des entreprises fonctionnent exclusivement en argent liquide. Et depuis la légalisation de la marijuana à des fins récréatives il y a un an, ce magasin ne désemplit pas. Andy a vu sa clientèle tripler et son chiffre d'affaires avec.
Andy : On est passé d'environ 40-50 clients par jour à maintenant près de 100-150 personnes qui franchissent chaque jour les portes de notre magasin.
Narratrice : On compte désormais plus de 1 000 boutiques de cannabis dans le Colorado. Taxée à 17 %, la marijuana a rapporté 60 millions d'euros à l'état l'an dernier.
Max : Toutes ces taxes, ça va stimuler des secteurs comme l'éducation, la construction des routes. Avant l'argent filait directement dans les caisses du marché noir, on avait aucun contrôle sur les transactions. Maintenant, on voit un résultat direct, comme la baisse de la criminalité.
Narratrice : Le taux de criminalité a baissé de 6 % en un an. Mais un autre problème a vu le jour avec les *edibles*, ces produits comestibles à base de cannabis. Cookies, bonbons, chocolats, ils représentent désormais 45 % des ventes.
Mary : Mes préférés sont les cookies et les chocolats. Lorsqu'on mange un produit au cannabis, ça prend entre 45 minutes et 1 heure avant d'être actif, mais je trouve que l'effet dure beaucoup plus longtemps.
Narratrice : Des sucreries, qui attisent la gourmandise des adultes, mais aussi celle des enfants. Un risque devenu un problème de santé publique. À l'hôpital pour enfants de Denver, le nombre d'admissions aux urgences pour consommation accidentelle de cannabis a doublé en un an.
Dr. Bajaj : Ce sont surtout des enfants de moins de 3 ans qui arrivent ici dans un état d'intoxication parce qu'ils ont accidentellement mangé un produit qui contient du cannabis. Dans la majorité des cas, ils sont très fatigués, pas très alertes, en d'autres termes ils ont tous l'air d'être défoncés.
Narratrice : L'hôpital a réussi à faire passer une loi qui oblige désormais les fabricants à utiliser un emballage résistant aux enfants. Cette usine a dépensé plus de 200 000 euros pour refaire tout son packaging.
Joe : Ce paquet est l'un des plus sûrs qui soient. Il est conçu pour que les enfants ne puissent pas l'ouvrir. D'ailleurs les autorités présentent souvent cet emballage comme un exemple à suivre. Bien sûr, ça coûte plus cher à fabriquer, il faut une machine spéciale, ce n'est pas simple.
Narratrice : Ici, on produit du chocolat, des boissons, mais aussi des produits de beauté à base de cannabis. L'objectif, devenir une référence dans un marché potentiel de plusieurs milliards d'euros.

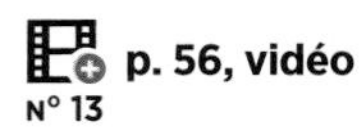

Ubisoft et le raccrochage scolaire
Narrateur : Yann Benoist est un élève brillant, mais ses notes n'ont pas toujours été au rendez-vous.
Yann : En secondaire 2, j'avais beaucoup de misère en mathématiques. Je les ai même coulées.
Narrateur : Pour encourager les jeunes, comme Yann, à s'intéresser à l'école, Ubisoft a créé le Codex, un programme qui favorise la persévérance scolaire.
Yannis Mallat : C'est un investissement important de la part d'Ubisoft, de plus de huit millions de dollars au cours des cinq prochaines années.
Narrateur : L'objectif : faire du jeu un outil pédagogique. Nous sommes jeudi après-midi, presque tous les jeunes de l'Académie Dunton sont déjà rentrés à la maison. Mais Yann et un groupe d'élèves demeurent en classe pour apprendre à créer leur propre jeu vidéo.
Samuel Coallier : Ce qu'on va faire, on va apprendre à notre personnage à lancer le projectile.
Narrateur : Samuel Coallier leur enseigne quelques trucs de base. C'est le coordonnateur de Fusion Jeunesse, un des organismes financés par le programme d'Ubisoft.
Francis Girard : On ne fait pas le travail à la place des jeunes, on veut que ce soit les jeunes qui créent le jeu vidéo.
Narrateur : Le jeu, créé par Yann, est une course de pandas.
Yann : Dans le fond, c'est courir le plus longtemps possible sans mourir. La difficulté, bien sûr, elle augmente de plus en plus le plus qu'on avance.
Narrateur : Ça représente combien d'heures de travail tout ça ?

Yann : Moi je dirais environ cent heures.
Francis Girard : Avec ce qu'ils développaient à l'intérieur de ce projet-là, avec ce qu'ils ont aimé apprendre, ils ne comptaient plus leur temps. Alors ça travaillait de jour, de soir, la fin de semaine.
Yann : Chaque chose qu'on peut voir ici, tout a été programmé. Pour ça, il fallait avoir beaucoup avoir des matières, des choses de mathématiques.
Samuel Coallier : C'est ça qui est vraiment le fun, on réutilise beaucoup de la matière qu'ils utilisent à l'école : les mathématiques pour la logique, le calcul.
Yann : Au même moment qu'on faisait mon jeu, justement, il y avait des choses en mathématiques que j'apprenais exactement la même chose.
Francis Girard : Il y a toute une gamme de compétences qui sont développées en lien avec les programmes. Y compris, si on parle d'univers social, les mondes dans lesquels les jeux évoluent. Ils vont être obligés d'aller chercher de la géographie, de l'histoire, ainsi de suite. Il y a des jeunes qui étaient toujours seuls dans les corridors et qui maintenant ont des amis. Il y a des jeunes qui ne s'exprimaient que peu ou pas et qui maintenant sont capables de tenir un discours devant un groupe de jeunes.
Mère de Yann : Je l'ai vu des heures à travailler devant son écran à faire son jeu, il me le montrait.
Narrateur : Depuis qu'il s'est lancé dans ce projet, Yann a non seulement créé un logiciel, il a grandement amélioré ses notes, au grand plaisir de sa mère. Lui, qui avait échoué les mathématiques, se retrouve aujourd'hui avec une excellente moyenne.

p. 57, Marché aux projets
N° 14.1

Projet Mobiladresse

Mon projet c'est *Mobiladresse*, l'application qui vous permet d'alerter les services de secours, de sécurité, d'urgence et de santé en un seul clic. Il y a plusieurs avantages liés à cette application. En ce sens, elle permet de gagner du temps précieux. Pourquoi ? Parce que, en un seul clic, vous envoyez le maximum d'information aux services de secours connectés. Mais en plus, avec la photo du sinistre, de la menace et aussi de la géolocalisation précise du lieu d'intervention. Ce temps précieux pourrait également servir à secourir rapidement une victime qui est dans une situation dont vous êtes témoin. Également, l'application peut permettre d'échanger avec les services de santé pour avoir des réponses claires, précises et personnalisées à toutes les interrogations qu'on se fait tous les jours quotidiennement.
Alors notre objectif aujourd'hui, c'est de présenter ce projet et de vous demander de voter massivement pour le projet 126 afin que nous puissions bénéficier d'une bourse de mobilité pour intégrer un incubateur, soit en France, soit au Canada ou en Belgique, pour développer tous les aspects du projet. Il faut dire que cette application est déjà en fonction, elle a déjà permis à sauver certaines personnes. Donc, elle a été aussi testée en France, au Madagascar, ici en Côte d'Ivoire et aussi au Bénin. Pour finir, l'application est téléchargeable sur Google Play Store. Et nous invitons aussi toutes les entreprises de services de santé, de sécurité, qui voudraient bien avoir notre application, de nous contacter. Nous nous ferons fort de l'installer le logiciel pour qu'ils bénéficient aussi cette innovation. Je vous remercie. Je suis Kouajoutié Ados Constant, fondateur d'une startup et diplômé en Pétrole, Systèmes d'Information géographique et cartographie numérique.

Projet l'École de la meilleure vie
N° 14.2

Bonjour chers amis de la francophonie. Mon projet se nomme *l'École de la meilleure vie*. Alors, c'est quoi *l'École de la meilleure vie* ? L'École de la meilleure vie est un centre de formation à caractère social. Qu'est-ce qu'on y fait ? On y apprend à dompter ses peurs, à booster son imagination créatrice, à être la meilleure version de soi-même. On y apprend également la communication non violente, le secret de la richesse, les secrets de l'entrepreneuriat.
Alors, qui sont les moniteurs et monitrices ? Les moniteurs et monitrices sont, bien évidemment, des modèles de réussite, des footballeurs, des peintres, des artistes, des entrepreneurs dans chaque domaine d'activité.
L'école est destinée à qui ? L'école est pour vous : enfants, jeunes, adultes, que vous avez fait des études ou non. Mon nom c'est Poko Poéma Charlotte, initiatrice du projet *l'École de la meilleure vie*. Si vous voulez avoir des outils nécessaires afin d'affronter les épreuves de la vie, si vous voulez voir naître un centre de formation capable de vous faire passer de la survie à la vie, alors votez ce projet-ci. Et permettons que ce projet ait une vie. Ne doutons pas que seuls nous faisons des choses ordinaires, mais ensemble nous faisons des choses extraordinaires. Votez, votez, votez massivement ce projet. Dieu vous bénisse, Dieu bénisse la francophonie. Je vous remercie.

p. 58, Préparation au Dalf C1/C2
N° 03

La dépendance au numérique affecte jeunes et moins jeunes

Présentateur : Est-ce que vous êtes en train de regarder votre téléphone en ce moment ? Est-ce que, chers auditeurs, vous écoutez « Les Années Lumières » tout en échangeant avec vos amis facebook ou tout en jouant à un jeu vidéo ? J'espère que non parce que « Les Années lumières », ça mérite mieux que ça, mais si c'est le cas, c'est pas très étonnant parce que vous êtes dans l'ère du temps. Au Québec par exemple, en 2014, plus d'1 adulte sur 2 possédait un téléphone intelligent, selon l'organisme de recherche et d'innovation le Cefrio. Ça c'est une forte progression depuis 2010 parce qu'à l'époque c'était à peine 17 %. La tablette numérique, on le sait, devient de plus en plus populaire, et puis ces outils forts utiles bien sur mais aussi ludiques gagnent tous les âges, y compris les adolescents et même les enfants qui naviguent maintenant couramment sur 4-5 applications en même temps. C'est envahissant parfois, est-ce qu'on les utilise trop, est-ce qu'on peut même développer une dépendance à cette drogue-là, Myriam Fimbry ? Grande question, hein ?
Myriam Fimbry : En effet, on peut y voir simplement de mauvaises habitudes, mais à partir de quand c'est une dépendance ?
[...]
Présentateur : Lucia Romo, qui est professeure de psychologie clinique à l'université de Paris Nanterre, donc ce qu'elle nous dit, au fond, en plus de faire la comparaison avec l'alcool, ce qu'elle nous dit c'est que, en plus de toucher les gens qui s'ennuient mais aussi des professionnels hyperconnectés et surmenés, ça peut toucher un peu toute sorte de monde.
Myriam Fimbry : Ça peut toucher tout le monde. Et ce qu'on observe, chez les personnes en traitement, c'est que c'est lié souvent à une anxiété également, une faible estime de soi, une tristesse voire une dépression, comme si internet devenait un refuge. Chez les adolescents, une étude à été menée au Québec par Magali Dufour auprès de jeunes de 15-16 ans qui justement se trouvaient en traitement dans des centres de réadaptation au Québec. Elle est psychologue, également professeure à l'université de Sherbrooke, directrice des programmes de maîtrise en intervention en toxicomanie.
[...]
Présentateur : Des jeunes, vous avez dit, de 15-16 ans, c'est ça ?
Myriam Fimbry : C'est bien ça.
Présentateur : Alors des jeunes quand même, qui, il faut le dire qui consultent. Une minorité j'imagine, qui arrive à ce point-là, au point de devoir consulter. Proportion des jeunes, des adolescents, qui seraient à risque Myriam, est-ce qu'on le sait ?
Myriam Fimbry : Oui, Magali Dufour a fait une autre étude, cette fois auprès de 4 000 élèves du secondaire, 3, 4 et 5, donc ce sont des jeunes âgés de 14 à 17 ans, et cette étude a permis de constater que 1,3 % souffraient de dépendance à internet, 40 % se trouvaient à risque.
Présentateur : C'est beaucoup.
Myriam Fimbry : C'est beaucoup, et d'ailleurs la chercheuse a des doutes sur l'outil qu'elle a utilisé pour détecter la dépendance à internet, un outil qui s'appelle IAT, ce n'est peut-être pas tout à fait au point, et elle travaille d'ailleurs à élaborer un autre questionnaire avec des chercheurs suisses et français, dont Lucia Romo qu'on a entendu tout à l'heure. Mais ce qu'elle a découvert d'intéressant, c'est une différence aussi entre filles et garçons : ils ne sont pas accros aux mêmes types d'applications. On l'écoute.
Magali Dufour : Donc chez les garçons on va parler beaucoup de jeux, 95 % des garçons ou 92 % des garçons. Par contre nos filles qui ont été détectées comme étant dépendantes, elles, leurs applications préférées, on était dans tout ce qui est réseaux sociaux, et ensuite on était

dans Youtube, dans le streaming, donc tout ce qui est beaucoup plus un aspect social. On a plusieurs histoires de cas de jeunes filles nous parlant de leur obsession des réseaux sociaux, de leur perte de contrôle de cet outil-là, au détriment de choses qu'elles faisaient avant. Donc au détriment de sorties avec leurs amis, au détriment même parfois de leurs études, d'autres loisirs, de leur vie hors-ligne.
Présentateur : Alors c'est curieux Myriam, parce qu'on nous dit que ces instruments-là nous permettent de communiquer, qu'on a plein d'amis Facebook, etc. qu'on échange des trucs, et là on est en train de nous dire que ça nuit à la socialisation en fait.
Myriam Fimbry : Exactement, les jeunes socialisent en ligne mais beaucoup moins en contact avec l'autre, face à face. Alors ils se sentent très compétents en ligne, mais moins compétents, et même incompétents parfois, hors-ligne. Les cliniciens constatent un retard en matière de socialisation, ils appellent ça « une dette de temps », qui peut être même difficile à récupérer, ce qui peut être un handicap pour entrer sur le marché du travail.
[...]
Présentateur : Sans aller dans des cas extrêmes, comment est-ce que l'usage du téléphone intelligent, de la tablette, etc. comment est-ce que c'est en train de transformer nos rapports sociaux, on ne parle pas de pathologie, mais nos rapports sociaux ?
Myriam Fimbry : Ça les transforme effectivement, c'est un sujet fascinant pour les sociologues, il y a de bons côtés et de moins bons, que va essayer de nous résumer Sylvia Kairouz, professeure à l'université Concordia. Elle dirige un laboratoire de recherches sur le style de vie et les dépendances.
Sylvia Kairouz : Il ne faut pas nécessairement dramatiser, parce que c'est sûr que ces technologies-là, moi je pense qu'il y a un énorme avantage. Pensons aux gens qui ne peuvent pas se déplacer, qui trouvent le temps très long, qui sont socialement isolés. Je pense que les technologies donnent un outil incroyablement puissant pour se connecter au monde et se réseauter. Ça sert d'autres fins aussi et toutes les démocraties qui ont été initiées, il y a eu des mouvement sociaux qui ont été alimentés par les nouvelles technologies et la connexion. Une des préoccupations c'est de se dire : est-ce qu'il y a un risque que ces gens-là s'investissent moins dans leur environnement réel ? On est en transformation, mais pour l'instant je vous dirai que les communications orales en présence ou avec la voix, on la perd, cette communication, et elle est très importante. On dirait que les communications passent toujours par un objet interposé qui est soit l'ordinateur, soit la tablette, soit le téléphone. Est-ce que ça brise, est-ce que ça élimine certains aspects fondamentaux qu'on cherchait dans nos communications humaines ? Est-ce que ça rajoute quelque chose de plus, qui répond plus aux besoins des jeunes de notre époque ? Ces nouvelles technologies, la présence d'internet, a un effet certain sur une redéfinition de la relation des personnes à autrui, comment la vie de tous les jours se structure. Prenons un exemple, on est dans le métro, on est dans l'autobus, on peut être à la même place, on partage le même trajet pendant 30 minutes et on n'a aucune connaissance de qui est autour de nous, on n'a aucune conscience de ce qui se passe, on peut être complètement hypnotisé par ce petit outil technologique qu'est le téléphone ou la tablette, etc. On peut être beaucoup plus connecté avec quelqu'un qui est à 10 000 km de nous en présence physique, que quelqu'un qui est assis à côté de nous, sur le siège juste à côté. Donc forcément il faut repenser les rapports sociaux.
Présentateur : Remarquable analyse, hein, Myriam. C'était la sociologue Sylvia Kairouz, université Concordia. Domaine quand même de recherches récent, forcément.
Myriam Fimbry : Oui, tous les experts qu'on vient d'entendre ont cette humilité de le dire : on a encore très peu de recul, on a à peine 6 ans de regard critique sur le téléphone dit intelligent.
Présentateur : Ouais, alors donc, il y a encore du travail à faire. Myriam, merci beaucoup.
Myriam Fimbry : Merci Yannick.

Unité 3

Leçon 1

p. 62, vidéo
N° 15

La révolution de l'intelligence artificielle : excitation et craintes

Narrateur : Le célèbre astrophysicien Stephen Hawking a déjà affirmé que l'intelligence artificielle pourrait être la pire erreur de l'humanité. Il craint que des machines intelligentes se développent d'elles-mêmes à un tel rythme qu'elles pourraient éventuellement supplanter les humains. Cette affirmation tranche avec le climat d'excitation qui règne en ce moment chez les chercheurs. Comment la cohabitation machines-humains évoluera-t-elle ?
Narrateur : Le mariage entre la robotique et l'intelligence artificielle pose une menace sur l'emploi. Qui d'entre nous sera le plus touché ?
Yoshua Bengio : Je pense que l'intelligence artificielle va être utilisée dans beaucoup de domaines qui couvrent des emplois des gens très manuels jusqu'à des emplois comme radiologiste qui sont des gens très éduqués. C'est clair que dans les décennies passées, si on regarde les faits d'automatisation, c'est plus les emplois les moins bien payés qui en souffrent le plus et ça risque de continuer.
Yann LeCun : Ce qui fait que c'était peut-être un peu différent par le passé, est dû à l'accélération du progrès technologique, vue qu'on est sur une espèce de courbe exponentielle de progrès. Et donc, ça devient de plus en plus difficile en fait au niveau des transformations de la société de gérer ça, parce que les gens ne changent pas aussi vite que la technologie autour d'eux.
Yoshua Bengio : Il y a une question dont on parle moins, c'est la question de l'utilisation de l'intelligence artificielle pour manipuler les gens. C'est déjà le cas, par exemple, avec la publicité qui nous manipule, mais ça risque de l'être encore plus au fur et à mesure que l'ordinateur a plus d'information sur nous et puis plus fort dans son l'intelligence.
Geoffrey Hinton : On n'arrête pas le développement technologique. Il va se poursuivre coûte que coûte. Mais il faut qu'il soit encadré par les gouvernements qui eux, doivent veiller au bien-être de tous.
Narrateur : Plus performant, plus intelligent, l'ordinateur éclipsera les capacités intellectuelles de l'humain. Alors, que nous restera-t-il ? Quelle sera notre expertise face à l'intelligence artificielle ?
Yoshua Bengio : Je pense que, pendant longtemps, on ne voudra pas donner à l'ordinateur une tâche qui requiert de l'humanité : tout ce qui concerne les relations entre les personnes, s'occuper des gens malades, des enfants, des personnes âgées...
Yann LeCun : C'est l'authenticité de la communication humaine, en fait, qui est irremplaçable dans l'automatisation. Il n'y a pas d'intérêt à aller à un concert de jazz si le musicien est une machine, parce que le jazz, c'est la communication de l'émotion en direct, à travers l'improvisation.
Narrateur : Les robots sont voués à interagir avec nous. Pour maintenir l'harmonie, devrait-on leur inculquer des valeurs universelles, des valeurs humaines ?
Yann LeCun : En fait, les intelligences des ordinateurs seront très, très différentes des intelligences humaines dans leur motivation. On peut concevoir leurs motivations en particulier pour que leurs motivations soient alignées avec les valeurs humaines et non pas en opposition avec les valeurs humaines. Et on peut construire ces machines pour qu'elles n'aient pas d'ambition, pour qu'elles n'aient pas l'instinct de survie, pour qu'elles n'aient pas l'envie de devenir violentes si elles se sentent menacées et pour qu'elles ne se sentent pas déçues si on a envie de les éteindre.
Yoshua Bengio : Mais, quand on met au point des ordinateurs intelligents, ils ne sont pas programmés par l'évolution, ils n'auront pas un instinct de survie qui va faire qu'ils vont essayer de se défendre contre nous. Ils vont faire ce que nous, on aura décidé dans leur programmation, dans les objectifs qu'on aura décidés pour eux. Ce n'est pas du tout la même situation.
Narrateur : L'idée d'une intelligence artificielle devenue mal intentionnée a maintes fois été exploitée par la science-fiction. L'humain ne risque-t-il pas d'être un jour soumis à l'intelligence artificielle ?
Yann LeCun : Et il y a quelque chose qu'il faut essayer de comprendre, c'est qu'il y a une espèce de peur qui vient de la science-fiction, de Hollywood, etc. qui tend à suggérer que les machines intelligentes voudront contrôler le monde. Mais, en fait, c'est une projection des qualités et défauts de l'intelligence humaine vers les ordinateurs qui en fait ne devrait pas

être faite. En ce sens qu'on a du mal à imaginer une intelligence qui ne soit pas humaine, c'est-à-dire qui n'a pas les mêmes qualités et défauts que l'intelligence humaine. Mais en fait, les intelligences des ordinateurs seront très très différentes des intelligences humaines dans leurs motivations.
Yoshua Bengio : Donc, on s'imagine qu'une intelligence supérieure qui viendrait de l'intelligence artificielle peut-être ne serait pas fine avec nous. Mais tout ça, ce sont des projections psychologiques et viennent du fait qu'on a été programmés par l'évolution pour veiller à notre survie puis à se défendre en attaquant les autres, en agissant pour notre survie personnelle. Je pense que beaucoup de craintes qu'on a ne sont pas justifiées. Cela ne veut pas dire qu'on ne doit pas rester aux aguets, et puis réfléchir aux dangers possibles, ça en est un, une intelligence qui perd le contrôle, qui devient nuisible, mais je ne vois pas comme pressant en tout cas comme question.
Narrateur : L'armement autonome, ces robots capables de choisir une cible et de l'éliminer soulève des questions éthiques. Faudrait-il encadrer l'usage de l'intelligence artificielle pour éviter des dérapages ?
Yann LeCun : Il y a, je pense, un parallèle qu'on peut faire avec les biotechnologies. Dans les années 70, les biologistes ont réalisé qu'ils pouvaient commencer à modifier le génome d'êtres vivants. Donc, on s'est interdit de faire certaines choses, par exemple modifier le code génétique humain pour produire des humains modifiés. On n'est pas à ce niveau-là avec l'intelligence artificielle, dans le sens que ce n'est probablement pas potentiellement aussi dangereux, en tout cas certainement pas pour l'instant, et certainement pas pour les décennies qui viennent. Mais s'il y a quelque chose à quoi il faut réfléchir, il ne faut pas, bien sûr, ne pas jouer avec le feu, et réfléchir avant que le problème ne se pose de manière urgente.

p. 64, vidéo
N° 16

Robots à l'hôpital : « une compagnie, pas un compagnon »
Pepper : Bonjour, je m'appelle Pepper et je suis un robot humanoïde créé par la société SoftBank Robotics. Je ne sais pas si vous êtes au courant, mais je vais passer une semaine à l'hôpital avec vous. Je vais essayer de vous rendre la vie plus facile et de vous tenir compagnie. Cela va être une super expérience pour tous les deux.
Alain Chapuis : Ok, je ne suis pas trop handicapé, je dirais que c'est un peu ludique. Mais je pense qu'à terme, même aujourd'hui, d'ailleurs, pour les personnes atteintes de la maladie de l'Alzheimer, il pourrait être une aide pour rappeler un certain nombre d'événements dans le jour, puis qu'il faut manger, qu'il faut prendre des médicaments, éventuellement, rappeler un rendez-vous médical.
Pepper : Que puis-je faire pour vous ?
Alain Chapuis : Quelle heure est-il, s'il te plaît ?
Pepper : Il est actuellement 11 h 36.
Journaliste : Et concrètement, aujourd'hui, il vous apporte quoi, pour vous ?
Alain Chapuis : À titre personnel, bon, c'était une expérimentation que je souhaitais faire et à laquelle j'ai pris beaucoup de plaisir. Dans l'immédiat...
Pepper : Tu peux demander la météo en disant « Donne-moi la météo ». Tu peux aussi me demander de me retourner en disant « Ne me regarde pas ». Je peux aussi te regarder à nouveau si tu dis « C'est bon ». Sinon, tu peux me demander de te jouer de la musique en disant « Je veux écouter de la musique ».
Médecin : Un robot humanoïde peut créer une relation d'empathie, une relation de sympathie, une relation qui introduit l'humour, qui introduit la joie, qui introduit le sourire, etc., et ça c'est important parce que dans l'adhésion, je pense que... que ce soit pour les usagers ou que ce soit pour le personnel soignant, on a vu que la plupart, que la grande majorité des personnes l'ont abordé dans une relation d'empathie.

p. 64, vidéo
N° 17

Toi, mon amour, mon amie, mon robot de compagnie
Au japon, l'assistant virtuel Gatebox permet de lutter contre la solitude. Son avatar animé, Azuma Hikaki, est projeté à l'intérieur de l'appareil. Cette femme de 20 ans peut réveiller son propriétaire. Pendant son absence, elle peut aussi discuter par message. L'appli partenaire fonctionne sur Android et IOS. 300 modèles de Gatebox sont disponibles pour 2 600 $ l'unité. À l'avenir, Gatebox inclura d'autres personnages. Les célibataires pourraient finir pas s'y habituer.

Leçon 2

p. 71, séquence radio
N° 04

Priorité Santé – Caroline Paré
Caroline Paré : Bonjour à toutes et à tous. Quel monde voulons-nous pour demain ? C'est cette question existentielle qui donne son titre aux États Généraux de la Bioéthique, lancés jeudi dernier en France. Une interrogation au centre de six mois de débat pour en fin d'année aboutir à la révision de l'actuelle loi de bioéthique en vigueur depuis 2011. Un cadre d'échange et de proposition que pilote le Comité consultatif national d'éthique, qui implique citoyens, associations, groupes religieux et un comité représentatif, comité citoyen spécialement constitué pour ces États Généraux. Voilà pour le cadre. Et maintenant, les thèmes, il est question de procréation, PMA (procréation médicalement assistée), gestation pour autrui, fin de vie, sujets de société, d'autres liés aux évolutions scientifiques : la recherche reproductive, la génétique, le don d'organes, les données de santé, l'intelligence artificielle, les neurosciences, le rapport santé environnement. Vaste débat, interrogation de fond sur les limites éthiques de la compétence et de l'innovation technique, car au-delà de cette question initiale « Quel monde voulons-nous pour demain ? », la société s'interroge sur les compétences qu'elle s'interdit de mettre en application au nom du respect de valeurs partagées. Vaste débat, on le dit, six mois pour préparer cette adaptation de la loi aux récentes évolutions dans le domaine de la santé. Pour en parler avec... Emmanuel Hirsch, bonjour.
Emmanuel Hirsch : Bonjour Caroline Paré.
Caroline Paré : Vous êtes professeur d'éthique médicale à l'Université Paris Sud-Paris Saclay. Ces États généraux, exercice de démocratie sanitaire, c'est l'ambition que s'est fixé le président du Comité consultatif national d'éthique, le professeur Jean-François Delfraissy. Il se trouve actuellement au Cambodge. Nous serons en ligne avec lui en deuxième partie de *Priorité Santé*. Et avant cela, nous irons en Belgique, où nous retrouverons le docteur Corinne Van Oost, médecin à l'Unité de soins palliatifs à la Clinique du Bois de la pierre à Wavre, le docteur Van Oost qui est membre de la commission fédérale de contrôle et d'évaluation de l'euthanasie.

Le débat du jour – Guillaume Naudin
Guillaume Naudin : Bonjour ou bonsoir à toutes et à tous, et bienvenue dans Le Débat du Jour. Le projet de loi est prévu pour la fin de l'année et sa discussion pour le début de l'année prochaine, mais le débat a déjà commencé il y a plusieurs mois déjà. L'avis du Conseil consultatif national d'éthique sur plusieurs sujets de bioéthique rendus la semaine dernière a déjà été suivi de plusieurs manifestations, notamment sur la procréation médicalement assistée qu'il est question d'élargir à toutes les femmes, qu'elles soient seules ou en couple avec d'autres femmes. D'autres sujets sont également sur la table et divisent forcément. On repense un peu à ce qui s'est passé lors du débat sur le mariage pour tous. La discussion sur la loi bioéthique peut-elle fracturer la société française ? C'est la question du jour. Et pour en parler, deux invités nous ont rejoints dans ce studio. Caroline Janvier, bonjour.
Caroline Janvier : Bonjour.
Guillaume Naudin : Vous êtes députée de la République en Marche de la 2e circonscription du Loiret, vice-présidente de la Mission d'information sur la révision de la loi relative à la bioéthique et Sophie Joissains, bonjour.
Sophie Joissains : Bonjour.
Guillaume Naudin : Vous êtes sénatrice UDI, groupe Union du centre des Bouches-du-Rhône. D'abord, le constat : c'est un débat comme un autre ou c'est un débat plus sensible qu'un autre, Caroline Janvier ?
Caroline Janvier : C'est un débat plus sensible et qui fait appel, à mon sens, à une grille de lecture qui n'est pas politique puisque, d'ailleurs, l'idée c'est vraiment de dépasser les clivages politiques et de faire appel à des questions éthiques, philosophiques, juridiques, scientifiques. Donc, effectivement, c'est un débat d'une nature très particulière.
Guillaume Naudin : Sophie Joissains, est-ce que vous l'abordez comme un débat classique ou non ?
Sophie Joissains : Non, ce n'est évidemment pas un débat classique, c'est un débat éthique. C'est

un débat complexe parce qu'il met… il fait appel, je dirais, à beaucoup d'humanité au sein de chacun d'entre nous. Et ça évidemment, c'est transparti, évidemment.
Guillaume Naudin : Parce qu'on se retrouve, en fait, chacun dans sa vie personnelle, confronté aux sujets qui sont abordés, c'est ça.
Sophie Joissains : Dans sa vie personnelle, dans sa réflexion et puis, on peut aussi avoir, je dirais, des mouvements contradictoires, un petit peu entre le cœur et la raison, et à des moments différents, lorsqu'effectivement on pense aux mères, puisque là il s'agit des mères, mais demain, il s'agirait peut-être des pères au sein de… enfin, sur la GPA et c'est encore une pente qu'il faut évoquer aussi parce qu'elle est malheureusement bien présente. Et si vous voulez, effectivement, il y a toujours une compassion, une compréhension de la détresse vécue, évoquée, mais en même temps il y a aussi l'enfant et l'enfant a des droits. Depuis [19]72, l'enfant naturel, l'enfant légitime ont les mêmes droits. Une catégorie à part d'enfant qui n'aurait pas droit à l'accès de ses origines et qui serait programmé de cette manière-là, ça pose un vrai problème sur le plan juridique, sur le plan psychique, sur d'autres choses. Et il est vrai que quelle que soit la compassion, pour moi, le désir de l'enfant ne peut pas se substituer à l'intérêt de l'enfant et à ses droits.
Guillaume Naudin : Alors, Caroline Janvier, vous l'avez un peu évoqué, c'est un débat particulier parce qu'il y a, plus que d'autres, des fondements philosophiques et, disons-le, il y a l'influence de la religion derrière, quand même, sur tous ces débats.
Caroline Janvier : Je crois que c'est un débat particulier d'abord parce qu'il engage chacun d'entre nous : les hommes, les femmes, les enfants, les personnes âgées. Il en va du devenir de notre société. Les décisions que nous allons prendre lors du vote de la loi engagent notre société actuelle, mais aussi les générations à venir, puisque bien souvent, sur ces questions-là, on ne mesure qu'après coup, que 5, 10, parfois même 20 ans après, les impacts que cela peut avoir. Donc, oui, c'est un débat très sensible, mais pas que d'un point de vue religieux, je crois. Les religions ont leur mot à dire et ont une opinion sur ce sujet, de la même façon que les courants philosophiques. Nous avons, par exemple, auditionné aussi, dans le cadre de la Mission d'information préalable à cette révision, les obédiences maçonniques qui, là aussi, avaient réfléchi et avaient apporté une contribution à cette réflexion. Donc, effectivement, tout un chacun, qu'il soit représenté par un courant d'opinion, par une institution, par une association, ou qu'il ne représente que sa voix, a son mot à dire sur ces questions-là.
Guillaume Naudin : Sophie Joissains, vous avez parlé évidemment de la PMA, la procréation médicalement assistée, que le Conseil national consultatif d'éthique envisage d'étendre à toutes les femmes, qu'elles soient donc seules ou en couple avec d'autres femmes. Il y a aussi d'autres sujets qui sont sur la table. Vous craignez que ça mène à la GPA derrière ?
Sophie Joissains : Bien sûr.
Guillaume Naudin : On a bien compris votre point de vue. Il y a alors… Par contre…
Sophie Joissains : C'est un point de vue très logique, en fait. Parce que l'extension de la PMA est envisagée, je dirais, sous le principe de l'égalité, sauf qu'il n'y a pas de raison finalement que demain, les couples d'hommes n'aient pas eux aussi les mêmes droits que les couples de femmes. Vous comprenez ? Donc, l'angle, en plus, sous lequel ce sujet-là est abordé, ne peut que faire envisager la GPA d'ici au prochain mandat présidentiel.
Guillaume Naudin : Et c'est un problème que les femmes et les hommes aient les mêmes droits ?
Sophie Joissains : Non, ce qui est un problème, c'est que l'enfant n'est pas un objet. Voilà.
Guillaume Naudin : On pourrait peut-être en reparler. […] Je vais peut-être recentrer un peu le débat. On repense forcément à la tension, à la violence verbale ou même parfois physique qui accompagnaient les discussions et les manifestations sur le mariage pour tous. Il faut quand même bien dire qu'on a eu un début de quasi-émeute à quelques mètres de l'Assemblée nationale, à l'occasion d'une manifestation. Est-ce qu'on peut craindre la même chose avec ce débat, Sophie Joissains ?
Sophie Joissains : Alors, le sujet de l'émission, c'est « est-ce que l'extension de la PMA risque de fracturer la société française ? »
Guillaume Naudin : Les débats bioéthiques en général.
Sophie Joissains : Alors, moi, je ne dirais pas ça. Enfin, je pense que c'est toujours triste de voir une hystérisation des débats et en même temps des conflits tels parce qu'en fait, il y a beaucoup de souffrance de part et d'autre. Mais au-delà de ça, je pense, en revanche, que ça va fracturer, si c'est adopté, la société française au niveau du statut des enfants qui seront différents. C'est-à-dire qu'il y a ceux qui ont le droit d'entamer une recherche en paternité et ceux auxquels ce droit sera toujours nié et dénié. On sait quand même aujourd'hui que, et d'ailleurs il y a la loi que Ségolène Royal avait portée en 2002 et [elle] avait institué que le comité CNAOP, qui est un comité donc sur les origines, qui recueille, je dirais, les désirs des mères, qui essaie de les inciter, lorsqu'elles accouchent sous X, à donner des informations à leurs enfants. Aujourd'hui, alors qu'il y a à peu près en moyenne 600 enfants qui naissent chaque année sous X, il y a déjà eu 7 900 demandes d'enfants qui sont à la recherche de leurs origines. Quand on voit ça, on peut quand même s'interroger.
Guillaume Naudin : C'est quelque chose qui interpelle, Caroline Janvier, ce besoin de connaître ses origines, la façon dont on a été conçu ?
Caroline Janvier : Ça se respecte.
Guillaume Naudin : Qu'est-ce que vous en pensez ?
Caroline Janvier : Tout à fait. Moi, je trouve que c'est une attente tout à fait légitime et dont on n'avait d'ailleurs pas conscience au moment de l'autorisation de la PMA avec donneur. Donc, effectivement, je trouve que c'est une attente tout à fait légitime. Pour en revenir à la question que vous posiez, qui était que… du risque de clivage de la société et en faisant une comparaison avec ce qui s'est passé pour la loi sur le mariage pour tous, je crois que ce risque existe, mais je crois que pour ne pas arriver à cette situation, il faudra faire preuve de beaucoup d'écoute et de beaucoup de rationalité dans les débats. Parce que plus on politise les questions et plus on laisse les termes du débat aux mains d'entités ou d'acteurs qui ont une vision moins représentative et peut-être plus extrême sur certains sujets, plus les citoyens auront le sentiment de ne pas avoir été écoutés, de ne pas avoir participé. Donc, je crois vraiment qu'un des enjeux majeurs, au-delà du contenu du débat, ce sont les termes du débat et la façon dont, d'ailleurs, on a commencé à travailler, que ça soit dans le cas des États Généraux qui ont été pilotés par le CCNE, la Mission d'information qui est en cours dans le cas des travaux parlementaires. Voilà. On a tous intérêt à ce que chacun sorte grandi de ce débat et ait le sentiment d'avoir pu contribuer et être écouté.
Sophie Joissains : Puis, ça pose aussi dans une société, je dirais, la place du père. Si on peut s'en passer aussi facilement finalement, à quoi sert-il ? Je veux dire, la question se pose et ce n'est pas évident… et demain la place de la mère d'ailleurs.
Caroline Janvier : Tout à fait. Et la réponse à ces questions est de fait très compliquée. Pour rebondir sur ce que vous…
Sophie Joissains : Vous savez, l'évolution de la législation, depuis quelques années, sur la garde partagée, sur les congés de paternité, c'est bel et bien… Puis, à un moment donné, il y aussi un rôle…
Caroline Janvier : Je voulais juste répondre à votre question…
Guillaume Naudin : Laissez Caroline Janvier vous répondre.
Sophie Joissains : Allez-y.
Caroline Janvier : Je voulais vous répondre sur la première chose que vous aviez dite sur l'aspect… la revendication que vous pensez qui va suivre par les pères, pour la GPA, sur le plan de l'égalité. D'un point de vue technique, ça n'est pas pertinent, puisque, et les conseils d'État l'ont rappelé, il y a discrimination, il y a traitement inéquitable quand on a une situation équivalente au départ. Et de fait, les hommes, qui ne peuvent pas porter un enfant, qui n'ont pas d'utérus, ne sont pas dans la même situation que les femmes. Donc, il n'y a pas, d'un point de vue strictement technique, juridique, de discrimination en traitant différemment les femmes en autorisation l'accès à PMA et non les hommes, l'accès à GPA. Et d'un point de vue politique, comme vous le savez, c'est aussi un sujet très différent, puisque dans le cas de la GPA, il y a l'intervention d'un tiers, en l'occurrence la mère porteuse. Donc, c'est là où je crois qu'il faut examiner avec soin les termes et les aspects précis de mesures politiques.

p. 72, vidéo
N° 18

Pour ou contre la vaccination ?
Fanny Rochez : Bonjour, nous sommes au cœur de la semaine de la vaccination, qui se terminera ce vendredi. Et de plus en plus et bien, on note une méfiance des parents à l'égard des vaccins.

L'occasion pour nous, et bien de faire le point à l'aide de nos deux invités Senta Depuydt et le professeur Pierre Smeesters. Bonjour, à tous les deux, et merci en tout cas d'être avec nous sur ce plateau...
Pierre Smeesters : Bonjour.
Senta Depuydt : Bonjour.
Fanny Rochez : ... et d'avoir accepté notre invitation. Et si vous avez vous-même un témoignage, quel qu'il soit, et bien surtout n'hésitez pas à le partager via Facebook ou par téléphone. Réagissez, nous sommes en direct. Soyez *pour* ou *contre*.
Senta, vous faites partie de cette poignée, on va dire, de résistants aux vaccins. Aujourd'hui encore vous dites : « C'est clairement dangereux pour la santé de nos enfants. »
Senta Depuydt : Bien, je pense qu'avant de dire qu'on est résistant aux vaccins, ça vient surtout généralement d'une expérience, donc voilà, et à partir du moment où les gens ont eu un dommage vaccinal, bien c'est à ce moment-là qu'ils se posent des questions et qu'entre guillemets ils « résistent » par après. Donc moi ça vient d'une expérience propre avec mon fils, voilà, qui a connu une régression, effectivement, suite à un vaccin. Ce n'est pas uniquement ça, donc je pense que c'est vraiment un ensemble de choses...
Fanny Rochez : C'est ça.
Senta Depuydt : ... mais qui a régressé vers l'autisme. Et qui a eu la grande chance de s'en sortir après beaucoup d'années de traitements, etc., mais vraiment au niveau de la prise en charge de ses problèmes de santé.
Fanny Rochez : D'accord, donc pour vous il y a eu clairement un lien en tout cas, entre ce vaccin et l'autisme de votre fils. J'arrive chez vous Pierre, vous dites : « De toute façon il faut se vacciner quand même. » C'est pas obligatoire, mais ça vaut la peine. Ça peut sauver des vies.
Pierre Smeesters : Et moi, comme pédiatre, je suis convaincu de l'intérêt de la vaccination et je pense que oui, les chiffres de l'OMS, c'est 2 à 3 millions de décès évités par la vaccination. La rougeole, c'est 20 millions de décès évités depuis le début du programme de vaccination. C'est pas une intervention comme toutes les interventions médicales, elle n'est pas parfaite, hein, donc, on peut débattre de certaines choses...
Fanny Rochez : Oui.
Pierre Smeesters : ... mais la balance entre les risques et les bénéfices est clairement, très nettement en faveur de la vaccination.
Fanny Rochez : Oui, Senta.
Senta Depuydt : Je suis pas d'accord là-dessus. Je pense que d'abord, c'est difficile de parler de la vaccination, je crois que vous serez d'accord, parce que le vaccin de la rougeole ou un vaccin contre la grippe ou d'autres vaccins n'ont pas nécessairement la même portée ni les mêmes conséquences. La rougeole, c'est une maladie bénigne, y'a pas eu de décès de rougeole récemment, voilà, en Belgique ou ni en France. Et quand on voit dans le monde, on dit : « Les vaccins ont sauvé, par exemple, la rougeole, ont sauvé des millions de vies », mais c'est parce que la moindre fièvre ou la moindre déshydratation va aussi entraîner des décès. Donc, c'est pas spécifiquement le virus de la rougeole, c'est toujours dans des pays en voie de développement que ça se passe la plupart du temps.
Fanny Rochez : Donc pour vous, on pourrait se passer complètement du vaccin ?
Senta Depuydt : Pour la rougeole, oui, certainement.
Fanny Rochez : Pour la rougeole. Vous allez nous dire pour les autres aussi également.
Pierre Smeesters : Donc aujourd'hui on est en situation épidémique de rougeole en Belgique, donc y'a des conséquences de ce virus. Ce sont des choses que moi je vois dans ma pratique quotidienne pédiatrique.
Fanny Rochez : 70 cas, c'est ça, cette année en 2017 ?
Pierre Smeesters : Oui, et effectivement les conséquences graves ne sont pas légion, mais elles sont fréquentes. Y'a des infections pulmonaires, y'a des séquelles au niveau du cerveau. On les voit, on les voit aux soins intensifs, on les voit, de manière, je dirais, régulière, et quand on sait qu'il y a un moyen de prévenir ces infections, et bien ça nous laisse un petit peu pantois de se dire qu'on a évité de pouvoir, justement, prévenir cette infection-là pour ces enfants-là. Et ça, c'est une réalité de notre quotidien comme médecins.
Senta Depuydt : Mais moi je vais vous dire la réalité de mon quotidien. Depuis des années, je reçois des appels de parents qui cherchent des pistes, parce qu'on leur dit que l'autisme c'est génétique et y'a rien à faire, alors qu'en fait y'a des tas de problèmes médicaux associés, et un parent sur deux me dit : « Je pense que... (en général les gens sont très honnêtes) Je pense que... J'ai l'impression que la vaccination a, disons, précipité ou aggravé ce qui se passait, la santé de mon fils ». Et puis de temps en temps, j'ai vraiment quelqu'un qui me dit, voilà : « Y'a eu un accident vaccinal, mon fils a eu le vaccin et c'est spécifiquement le vaccin de la rougeole en général, c'est le plus incriminé on va dire, même si ça peut arriver à tous les vaccins.
Fanny Rochez : Le ROR ?
Senta Depuydt : Le ROR, voilà, rougeole, oreillons, rubéole. C'est le vaccin triple en fait, parce qu'on a plus les vaccins isolés, et c'est en général avec des vaccins effectivement multiples, surtout celui de la rougeole, et là parfois on me dit : « Bien voilà, tel jour il s'est passé ça, dans les heures qui ont suivi, des convulsions, il a perdu la marche, le langage, etc. » Moi ça fait des années que j'ai des témoignages comme ça, régulièrement, et je n'en peux plus. Et mon souhait à Noël, c'est pas d'avoir une belle bagnole, de partir en vacances, c'est qu'on fasse enfin la lumière sur cette histoire, qu'on lève le tabou des accidents vaccinaux, du dommage vaccinal et de l'autisme qui est soi-disant génétique. Et les chiffres d'autisme explosent, et il faut absolument qu'on en parle.
Pierre Smeesters : Je voudrais réagir par rapport à ça.
Fanny Rochez : Bien sûr, vous êtes là pour ça. C'est l'échange de point de vue en effet.
Pierre Smeesters : Donc, y'a une concordance dans le temps et ça c'est bien connu, par rapport à l'autisme, qui est une maladie tout à fait préoccupante. Je suis aussi préoccupé par l'autisme, et c'est quelque chose sur lequel on développe des choses à l'hôpital des enfants et c'est tout à fait important. Donc, tout à fait d'accord avec ça. Et je pense qui ce qui a été fait et l'attention des parents par rapport aux enfants qui ont de l'autisme est un des facteurs fondamentaux pour en sortir. Donc, c'est magnifique et très très bien. Sur le lien sur la vaccination, je ne suis pas du tout d'accord. Donc, y'a une concordance dans le temps, c'est décrit avant-même la vaccination. Donc, l'âge d'apparition des signes de l'autisme, vers la deuxième année de vie, c'est quelque chose qui est décrit depuis la nuit des temps, je dirais, dans les *textbook* de médecine, qui est bien connu, qui apparaît maintenant depuis qu'il y a une vaccination, effectivement dans une concordance de sang avec cette vaccination. Mais y'a de nombreuses études. Y'a une étude qui a montré un lien qui est sur neuf patients qui a été publié en 1998. Et puis suite à ça, y'a des études, par exemple, quatre ans après la première grosse étude sur 500 000 enfants au Danemark, qui n'a montré aucun lien.
Senta Depuydt : Alors je peux répondre sur tous les points.
Fanny Rochez : Allez-y, vous êtes là pour ça aussi. C'est pour ça que vous êtes là.
Senta Depuydt : Depuis les tout premiers cas d'autisme, y'a déjà eu dans les onze premiers cas d'autisme, y'avait déjà quelqu'un, la mère d'un enfant qui disait... Parce qu'on a mis en cause le mercure, le thiomersal qui est un adjuvant. Donc, y'avait déjà des adjuvants et des vaccins à l'époque des tout premiers cas d'autisme.
Fanny Rochez : On parle beaucoup, en effet du mercure.
Pierre Smeesters : Oui, on en parle beaucoup.
Fanny Rochez : Mais c'est pas forcément...
Senta Depuydt : Voilà, un des tout premiers cas de Léo Kanner était un cas où la mère était une fan de la vaccination, c'était une infirmière. Elle disait : « On ne serait pas vaccinés assez ni assez tôt. » La moitié des cas étaient des cas chez qui il y avait tous les troubles qu'on peut retrouver d'une intoxication au mercure. Bien sûr, on n'a pas les dossiers, comme on pourrait les avoir aujourd'hui. Par rapport aux études, c'était... ce qui est important, c'est qu'il y a une grande étude qui a été faite, peut-être vous allez montrer le début du film, y'a une grande étude qui a été faite par le CDC, soi-disant pour, entre guillemets « nier » le lien entre autisme et vaccination, et mettre fin à tout jamais à cette question. En fait, cette étude a été manipulée. Donc, le problème des études, c'est qu'elles sont faites par des personnes qui sont à la fois juge et partie. Donc, le CDC, c'est, je suis désolée, mais c'est bourré d'experts qui sont corrompus. Le CDC est... vend... est à la fois... doit... vérifier soi-disant... donc doit promouvoir... établir le calendrier vaccinal, doit également vérifier la sécurité des vaccins et mettre en œuvre les campagnes de vaccination. Et donc, à ce titre ils vendent...
Fanny Rochez : Est-ce qu'il y a de la manipulation ?
Senta Depuydt : ... pour quatre milliards... Ils

font pour quatre milliards, ils ont pour quatre milliards de dollars de chiffre d'affaires en vaccins. Ils ont des brevets sur une trentaine de vaccins et 90 % des personnes qui sont dans les comités de recommandation des vaccins ont des conflits avec l'industrie.
Fanny Rochez : Pierre ? C'est intéressant.
Pierre Smeesters : Donc, la notion de confidentialité est fondamentale, je la partage totalement avec vous. Je suis... Je pense que c'est important. Je pense que la vision que vous défendez je n'y adhère pas du tout, parce que, oui, y'a une petite proportion de gens qui ont effectivement des liens avec l'industrie qui dépassent, je dirais, une collaboration où chacun reste à sa place. Je suis d'accord avec ça. À titre personnel, moi je suis très stricte par rapport à tout ça, mais dire que on peut masquer une théorie, on peut masquer un complot comme ça, je n'y adhère absolument pas. C'est international. Y'a des pays très très stricts par rapport à ça. L'Australie en est un exemple,
Fanny Rochez : C'est très contrôlé.
Senta Depuydt : C'est faux, c'est faux.
Pierre Smeesters : C'est extrêmement contrôlé au niveau international, et croire qu'on peut... Nous avons des avis différents sur cette question. Je pense qu'il est absolument impossible de pouvoir cacher, et moi, si on arrive à me montrer des données qui me convainquent, je changerai d'avis. Est-ce que vous êtes prête à changer d'avis.
Senta Depuydt : Écoutez, moi d'abord...
Fanny Rochez : « Vous pourriez changer d'avis ? », c'est une bonne question ça. Si on arrive à vous démontrer par...
Senta Depuydt : Mais on n'a rien à me démontrer ! J'ai le témoignage, l'expérience. Comment voulez-vous qu'on vienne me convaincre ? On n'a pas besoin de me convaincre intellectuellement. J'veux dire, les témoignages je les ai depuis des années.
Fanny Rochez : Scientifiquement...
Senta Depuydt : Mais par contre, ce que moi... vous pouvez peut-être changer d'avis, si on vous montre les... voilà, le documentaire qui reprend les aveux de l'expert...
Fanny Rochez : Alors, si vous le voulez, j'ai juste le début et vous allez nous l'expliquer, comme ça on sait de quoi on parle. Et vous allez nous dire... vous allez nous en parler tout de suite, tu sais.
Pierre Smeesters : Et je voudrais réagir ensuite.
Senta Depuydt : Oui, vous réagirez, bien sûr, c'est d'accord, c'est « L'extrait qui décoiffe ».
Fanny Rochez : Voilà, c'est ce fameux documentaire « Vaccins », c'est ça que vous avez voulu présenter en Belgique ?
Senta Depuydt : C'est ça.
Fanny Rochez : Qui a été censuré, semble-t-il. On a pris juste le début, juste le début pour lancer... et pour donner un petit goût de ce documentaire, et puis on réagira tous.
[**Documentaire**] En Californie, la pire épidémie de rougeole depuis 15 ans se propage. La rougeole fait son retour en force dans les titres de l'actualité. Une épidémie qui remonte en quelque sorte à... Quelqu'un qui avait probablement attrapé la rougeole à l'étranger a visité Disneyland et a peut-être éternué. La rougeole se propage en Amérique. Cette épidémie ne montre aucun signe de relâchement. Il y a déjà plus de cas cette année qu'il n'y en avait avant. Les chiffres ont triplé pour passer de 644 cas de rougeole rapportés dans 27 États. Est-ce que tout cela est dû au mouvement anti-vaccination ? Parce que les parents ne font pas vacciner leurs enfants ? Oui, je le pense.
Fanny Rochez : Voilà, le problème de vaccination, les parents vaccinent de moins en moins. Combien en Belgique ? Encore de 5 à 10 % qui ne vaccinent pas les enfants ?
Pierre Smeesters : Ça dépend de la dose de vaccination. C'est globalement bien suivi pour les premières doses, un peu moins pour les doses suivantes. Mais c'est une donnée importante, vu que la transmission c'est une décision individuelle essentiellement. Dans notre pays y'a qu'un seul vaccin qui est obligatoire...
Fanny Rochez : C'est la poliomyélite.
Pierre Smeesters : ... mais c'est une responsabilité collective, parce que la décision de ne pas vacciner son enfant a un impact sur...
Fanny Rochez : Sur les autres enfants.
Pierre Smeesters : Exactement.
Fanny Rochez : D'où l'obligation de vacciner son enfant quand il va en crèche, je pense, au-delà de la polio.
Pierre Smeesters : Oui, je pense, certaines crèches ont des règlements intérieurs qui le demandent. Mais je voudrais peut-être rebondir, si vous le voulez bien sûr, la... que vous avez dit. Moi je suis chercheur aussi, donc je fais de la recherche dans un laboratoire, et on a parfois des découvertes, ce qui nous enthousiasme beaucoup et qu'on publie, donc on confronte à des regards extérieurs, neutres, dont on ne connaît pas le nom. Si on obtient quelque chose, si ce n'est pas corroboré par d'autres personnes ailleurs dans le monde dans les cinq ou dix ans qui viennent, ça ne vaut pas grand-chose. Si on touche quelque chose de réel, c'est corroboré par les gens. Or, dans cette polémique dont on parle aujourd'hui, y'a eu une voix qui s'est élevée contre, et y'a eu de nombreuses...
Senta Depuydt : Non, non là c'est faux, je...
Pierre Smeesters : ... études qui ont démontré de manière, à mon sens, totalement convaincante, qu'il n'y a en tout cas pas de liens étayés pour...
Senta Depuydt : Vous avez vu le film ? Vous avez vu le film ?
Pierre Smeesters : Je n'ai... J'ai vu une partie de ce film, je pense, parce que cette interview-là je la connaissais, mais je n'ai pas vu le film.
Senta Depuydt : Bon, bien je cause vraiment, parce que c'est important, parce que, je veux dire...
Fanny Rochez : Ce film dénonce, c'est ça ?
Senta Depuydt : Oui, c'est-à-dire que c'est le principal expert d'une étude sur 400 000 personnes, donc une étude épidémiologique qui devait voir si effectivement statistiquement on trouve un lien entre l'autisme et la vaccination, et qui a avoué, avoué, donc 10 ans après que l'étude soit parue, parce l'étude a dit : « non non, y'a aucun lien », et puis qui a avoué, voilà, de lui-même, on l'entend sa propre voix. On a manipulé les données, et au contraire, l'étude montrait un risque...
Fanny Rochez : Au nom du lobby ? Au nom du lobby pharmaceutique ?
Senta Depuydt : Oui, oui, donc lui il a été... au sein du CDC et ses supérieurs... Les résultats, ça les arrangeait pas. Et puis finalement il a décliné et il a pas voulu présenter les chiffres, ce sont d'autres qui les ont présentés. Ils ont mis 3 ans, il savait pas quoi faire avec.
Pierre Smeesters : Donc, des études comme ça y'en a des dizaines. Donc, je...
Senta Depuydt : Oui, mais c'est rare qu'il y a des experts. Non non, y'en a pas des dizaines. Je veux dire, là on a un expert du CDC qui dit, écoutez le film...
Fanny Rochez : Le CDC, rappelez...
Senta Depuydt : ... donc le *Centre for Disease Control*. Ce qu'il faut comprendre que les gens qui vont mettre leur enfant à la crèche à l'ONE, les décisions de l'ONE, bien ça vient... ça fait référence au ministère de la Santé ici en Belgique, qui va faire référence à l'OMS, qui va se référer au CDC.
Fanny Rochez : Qui est l'institution mondiale, quand même.
Pierre Smeesters : On a l'CDC en Europe, donc y'a pas qu'une seule référence, y'en a des nombreuses. Et y'a plein de gens indépendants qui travaillent là-dessus. Donc ça je me porte totalement faux par rapport à ça. C'est un de nos avantages, un des avantages de notre monde globalisé, c'est que ce genre de chose... Il y a des excès, il y a de la corruption, mais pas à cette échelle-là, ça c'est totalement impossible et y'a des mécanismes de contrôle qui sont là et s'il y avait un lien, on le saurait. Et je le dis, haut et fort, il n'y a pas de liens.
Fanny Rochez : Il y a une vraie utilité à se faire vacciner. Il faut peut-être le dire, parce que je pense que les parents qui nous regardent là en ce moment, ça sème le trouble, et c'est ça le but de l'émission, un pour un contre, mais c'est vrai qu'on sait plus trop. Est-ce qu'il faut ou pas faire vacciner nos enfants ?
Pierre Smeesters : Donc, moi je vois au quotidien dans mon travail de pédiatre les conséquences de la non-vaccination. C'est le concept de prévention, c'est compliqué. C'est-à-dire qu'on va faire une action pour espérer ne pas en voir les conséquences.
Fanny Rochez : Exemple, donnez-nous un exemple.
Pierre Smeesters : Bien vous allez vacciner votre enfant pour la rougeole, il va pas être malade de la rougeole. Et donc il peut avoir des effets secondaires de type fièvre, il peut avoir une douleur au ... parce que, y'a de petits effets secondaires.
Senta Depuydt : Il y a des cas de rougeole qui ont été vaccinés. C'est pas très efficace non plus.
Pierre Smeesters : Sortons de la rougeole, prenons la méningococcémie, la méningite à pneumocoque. Moi quand j'ai commencé ma pédiatrie, j'ai été cherché de nombreuses méningites à pneumocoque, avec des enfants qui décédaient sous la nuit. On a un vaccin.
Fanny Rochez : Méningite c'est fulgurant.
Pierre Smeesters : Oui. Cette méningite c'est extrêmement rapide, on a des enfants qui sont

amputés et on a maintenant plusieurs vaccins contre le pneumocoque, le méningocoque qui couvrent beaucoup mieux les méningites. On a beaucoup moins de méningites. On en voit encore, malheureusement, et ce sont des choses qu'on souhaiterait ne pas voir.
Fanny Rochez : Et ça, c'est quelque chose qui vous parle, Senta ?
Senta Depuydt : Pour moi, ce qui me parle c'est que pour moi, c'est les vagues d'autisme.
Fanny Rochez : Sortons de l'autisme et plus général...
Senta Depuydt : Pour moi la sûreté des vaccins n'est pas prouvée. Donc, je reviens à ce film et 7 000 personnes qui sont venues aux projections dire : « Voilà, moi j'ai été témoin d'un dommage vaccinal grave ». On parle de décès, on parle de paralysie, des jeunes filles avec le Gardasil, avec le vaccin HPV, donc, l'autisme, etc. Y'a beaucoup beaucoup de choses... 7 000 personnes qui viennent, on a enregistré les témoignages, ils sont en ligne, même, on peut les regarder, et qui disent : « Voilà, moi ce qui s'est passé, ça n'a pas été pris en compte, ça n'a pas été enregistré, ça n'a pas été pris en charge. » Voilà, c'est simplement « Débrouillez-vous ». Donc là pour moi, à la fois les études pour moi elles sont pas fiables, de plus la manière de tester les vaccins ne l'est pas non plus. Ils contiennent des substances dangereuses. Donc tant que je peux pas avoir confiance, dans la sécurité des vaccins, je peux pas me prononcer sur le bien-fondé ou pas d'une vaccination.
Pierre Smeesters : Donc, moi mon avis est que tous ces effets sont monitorés, donc y'a des études de post marketing et on doit déclarer les effets secondaires des vaccins, et on le fait, et ces données s'agrègent au niveau mondial, et si on découvre qu'il y a un effet secondaire important et qu'on peut le prouver avec nos mesures d'analyses, et bien un vaccin sera retiré. Y'a pas l'ombre d'un doute par rapport à ça.
Senta Depuydt : Y'a moins de 10 % des effets secondaires qui sont déclarés.
Fanny Rochez : Mais les vaccins ont quand même permis d'éradiquer des épidémies, quand même dans l'histoire, si on revient dans l'histoire.
Pierre Smeesters : Bien sûr.
Fanny Rochez : Sans ça, aujourd'hui on n'en serait pas là, ça, vous en êtes consciente ?
Senta Depuydt : Absolument pas, je suis pas du tout d'accord non plus.
Fanny Rochez : Non plus ? D'accord, par exemple ?
Senta Depuydt: Par exemple, on va prendre le grand triomphe de la vaccination, soi-disant, qu'on répète toujours qui est l'éradication de la variole. Y'a eu dans beaucoup de pays la variole, les campagnes de vaccination variolique ont tout simplement été des échecs. C'est dans le rapport final de l'éradication de la variole de l'OMS et ce qui a surtout compté c'était l'isolement, la quarantaine, si on peut dire, du sujet. Mais ça c'est quelque chose qu'on peut pas nécessairement faire avec toutes les maladies, parce que ça tient, bien sûr aussi au facteur d'incubation, etc., à chaque fois.
Fanny Rochez : Parlons des réussites : échecs, parlez réussites.
Pierre Smeesters : La variole a été impliquée, la polio est le prochain grand espoir, il n'y a plus que quelques cas de polio dans le monde. La polio c'est des épidémies entières dans... En 1945-1946...
Fanny Rochez : Oui, on parle nécessairement d'une zone mondiale.
Pierre Smeesters : ... on parle de mortalité, on parle de...
Senta Depuydt : La polio, 48 000 cas en Inde aujourd'hui de paralysie flaccide suite au vaccin polio oral, qui est trivalent, et maintenant on va même passer au vaccin bivalent...
Fanny Rochez : Donc c'est un peu technique pour nous, même, bon c'est un peu technique. Disons, oui.
Senta Depuydt : ... pour éliminer les souches, qui contenaient trois souches, donc si vous voulez. Et là y'a une souche qui effectivement était responsable de beaucoup de dommages vaccinaux et notamment, bien, des cas de paralysie et de décès... Donc c'est pas si merveilleux que ça.
Fanny Rochez : Professeur ?
Pierre Smeesters : Donc je n'ai pas la même interprétation.
Fanny Rochez : À chacun ses chiffres, voilà, on va pas s'en sortir !
Pierre Smeesters : On a la polio qui est en passe d'être potentiellement éradiquée de la surface du globe et ça, ce serait de nouveau une victoire énorme de la médecine.
Fanny Rochez : Y'a un vrai plan, jusqu'en 2020, c'est ça ?
Senta Depuydt : Moi mon fils... moi mon fils il a régressé sur un vaccin de la polio, qui est soi-disant tellement bien tellement sûr. Je dis pas que la polio est pas une maladie... je veux dire, il y a des différences.
Fanny Rochez : Sur celui-là précisément ?
Senta Depuydt : Oui sur celui-là, sur le vaccin polio, voilà. Tetravac, donc deux premières injections de Tetravac c'est quadrivalent, bon maintenant on ne le donne plus seul, enfin à l'époque c'était comme ça. Donc deux fois 40 de fièvre pendant plusieurs jours, vraiment comme un légume, et c'est au moment du rappel que... où là j'ai fait juste un polio isolé et un tétanos isolé en me disant : « On va être très prudente. » Et c'est à ce moment-là que...
Pierre Smeesters : Donc là je voudrais réagir aussi. Si cet après-midi, je ne pense pas que vous allez être prête, mais si cet après-midi, vous partez en voyage loin et vous allez faire un vaccin contre la fièvre jaune, par exemple...
Senta Depuydt : Je ne le ferais pas. Je ne le ferais pas.
Pierre Smeesters : Je m'en doute, mais imaginons, prenons le scénario, et que demain vous gagnez au loto. Est-ce que vous allez dire que c'est grâce à votre vaccin fièvre jaune que vous avez gagné au loto ? Tous les enfants de ce pays, 95 % des enfants de ce pays sont vaccinés, donc absolument toutes les pathologies pédiatriques sont associées dans le temps à une vaccination. De facto.
Fanny Rochez : Allez, on rentre dans la dernière minute.
Fanny Rochez : Et là vous allez pouvoir conclure, chacun 30 secondes. Je propose qu'on démarre avec Senta, et vous conclurez. Allez-y, 30 secondes c'est parti.
Senta Depuydt : Donc les vaccins contiennent des substances dangereuses, mercure, aluminium, formaldéhydes, etc., dont l'efficacité n'est pas prouvée. Je pense qu'il faut exiger des études indépendantes. Ils ne sont pas assez testés ni sur la durée, ni sur le vaccin multiple, ni le calendrier vaccinal. Il faut informer les patients. Il faut qu'on reconnaisse, et qu'on étudie surtout les dommages vaccinaux, il faut exiger la liberté en matière de vaccination, voilà. Et des sites pour vous informer, site 1 : initiativecitoyen.be et...
Fanny Rochez : Donc à vous, à vous docteur, parce qu'il faut continuer.
Pierre Smeesters : Je suis d'accord qu'il faut mieux informer, mais pour le reste, je ne suis pas d'accord. Donc, les vaccins sont sûrs, ils sont contrôlés, et moi l'image que j'ai comme pédiatre c'est : « Est-ce que vous conduiriez vos enfants dans une voiture sans mettre une ceinture ? » On a une ceinture, on peut les attacher, on peut les protéger contre toute une série d'accidents de la vie, et c'est ça que fait la vaccination et ça permet d'éviter des maladies graves, et potentiellement des séquelles importantes pour votre enfant.
Fanny Rochez : Merci, en tout cas, merci à tous les deux d'être venus sur notre plateau et d'avoir dit oui à notre invitation sur cette vaccination. Merci à vous d'avoir suivi notre émission. Rendez-vous demain, tout de suite, c'est le RV info à 13 h de la charmante Caroline Fontenois, à demain.

Leçon 3

p. 78, vidéo N° 19

Les micro-influenceurs, nouveaux chouchous des publicitaires
Martin Bilterijs : Aujourd'hui, *Views* rencontre Lindell, une jeune instagrameuse influente, 57 000 abonnés, c'est raisonnable, et pourtant, véritable ambassadrice de marques. Bienvenue dans la publicité 2.0.
Elle est connue pour ses étirements et ses positions de yoga élaborés. Et cela ne se voit pas forcément, mais cette scène, très zen, apparemment, est en fait bourrée de placement de produits.
Lindell Nuyttens : Mon tapis, mon legging, le top, le mala. Tout ça, j'ai reçu des sponsors sur Instagram.
Martin Bilterijs : Et c'est le cas pour beaucoup de ses publications. En fait, Lindell représente le nouveau support favori des publicitaires. Avec 57 201 abonnés, elle est ce qu'on appelle une micro-influenceuse, ces leaders d'opinions digitaux capables de modifier des comportements d'achats.
Lindell Nuyttens : C'est souvent juste un message où on propose du matériel pour un nombre de *posts*, ou même pas un nombre de *posts*. Juste on vous envoie ça et vous *postez* une photo. Parfois

c'est plus détaillé avec un nombre de photos. La plupart du temps, c'est juste taguer le matériel, donc le sponsor ou la personne avec la marque. Et parfois un hashtag qu'ils ont eux-mêmes choisi, qui est propre à leur marque.
Martin Bilterijs : Et depuis quelques mois, la demande explose. Lindell est contactée au moins une fois par semaine. La tendance semble loin de s'essouffler, car selon une dernière étude, 78 % des professionnels de la publicité reconnaissent travailler avec ces influenceurs. Exit, les gros ambassadeurs, les stars d'Instagram à plusieurs millions d'abonnés. Aujourd'hui, la moitié des publicitaires considèrent les micros-influenceurs de 10 000 à 100 000 abonnés, comme les atouts les plus précieux pour toucher un public spécialisé. Agences de voyage, offices de tourisme, marques de prêt-à-porter, et même ONG, tout le monde s'y met. L'automobile aussi : un petit week-end en berline allemande, deux jours en montagne avec un SUV français, une journée sur un circuit en voiture de sport...
La recette est toujours la même : une photo, un hashtag et hop ! Le tour est joué, la pub est placée.
Martin Bilterijs : Comment est-ce que tu expliques que les marques, finalement elles se tournent vers des influenceurs comme toi, plutôt que des énormes qui ont plus de deux millions de followers, par exemple, ou des stars ?
Lindell Nuyttens : Peut-être parce que j'ai l'air simple et je suis assez facile pour travailler et je demande rien, on vient vers moi et j'accepte.
Martin Bilterijs : Et alors on te dit aussi, les marques te disent aussi d'avoir des échanges avec ta communauté. C'est peut-être ça aussi qui fait qu'elles ont de la visibilité et qu'elles apprécient travailler avec toi ?
Lindell Nuyttens : Oui, c'est-à-dire que peut-être je suis encore une vraie personne, et j'essaie de toujours *poster* quelque chose qui est proche de la réalité et être honnête avec ce que je *poste*. Oui, je viens vraiment ici dans le parc, faire mon yoga, je pratique tous les jours, il n'y a rien de faux.
Martin Bilterijs : Alors l'authenticité, oui, mais reste la question de la rémunération. Lindell, elle, ne se fait jamais payer, mais pour 34 % des blogueurs instagrameurs, c'est leur unique source de revenus à temps plein. Fin du salariat traditionnel et nouvelles règles du marketing, bienvenue en 2018.

p. 82, vidéo N° 20

Prospectives : le populisme
Girard Fillion : Prospective sur le populisme, de retour en force depuis quelques années, incarné, notamment par le président Trump. Les enjeux du populisme et du protectionnisme sont au cœur, d'ailleurs, des discussions au congrès de l'Association des économistes québécois qui se tient à Montréal. En présence notamment de notre invité ce soir, le député français, Roland Lescure, président de la Commission des affaires économiques à l'Assemblée nationale française, bonsoir.
Roland Lescure : Bonsoir.
Girard Fillion : Et vous êtes ancien vice-président à la Caisse de dépôt et placements du Québec, bien sûr. Le populisme, d'abord, si je vous demandais de définir ce que c'est exactement.
Roland Lescure : C'est la capacité qu'un certain nombre de leaders ont à parler directement au peuple en gommant un peu d'un revers de main les élites, et puis surtout leur capacité à être populaire, et donc à se faire élire pour certains même à des fonctions de responsabilités importantes, vous en avez mentionné un il y a quelques secondes.
Girard Fillion : Le président Trump, par exemple ?
Roland Lescure : Entre autres, entre autres ! Mais en fait, aujourd'hui quand on compte, dans le monde entier, y'a à peu près un tiers de la population qui est soit gouvernée, par un populiste, soit voté pour un populiste. C'est souvent, d'ailleurs, rarement une, mais donc c'est plus de deux milliards de gens qui aujourd'hui ont voté ou sont gouvernés par des populistes. Donc, c'est un phénomène de fond, c'est pas juste un soubresaut ou un phénomène local aux États-Unis.
Girard Fillion : C'est une tendance lourde.
Roland Lescure : Moi je pense que c'est une tendance lourde qui finalement trouve sa source, paradoxalement, à la chute du mur de Berlin, l'ouverture du marché, la victoire du capitalisme sur le communisme, la création de l'organisation mondiale du commerce en 1995, l'entrée de la Chine dans l'organisation mondiale du commerce en 2001, une création de richesses historiques, plus d'un milliard de gens qui sortent de la pauvreté. Donc ça, c'est le verre à moitié plein. Le verre à moitié vide, c'est des gens qui se sentent... des inégalités, par exemple, de revenus, beaucoup plus élevées qu'elles ne l'ont jamais été parce dans les gagnants et les perdants de la mondialisation, y'a des gens qui se sentent totalement perdus, totalement sur le retrait, totalement sur le côté, qui du coup se retrouvent dans les discours populistes, qui souvent, ont un peu un thème du genre : « c'était bien mieux avant », « c'était en mouvement », « l'avenir n'est pas ce qu'il était », « il faut revenir en arrière ».
Girard Fillion : Mais il y a quelque chose de vrai dans ce que disent ces gens-là, qui représentent une grande partie, finalement, de la population, qu'on a peut-être pas accompagnée dans le déclin manufacturier, par exemple, qui ont vu leurs conditions de travail peut-être se dégrader, les revenus ne pas augmenter au même rythme que d'autres revenus, ce qui a créé des inégalités supplémentaires. Une sorte de faillite du libéralisme économique en quelque sorte, vous pensez-pas ?
Roland Lescure : En tout cas, les constats sont justes. Les constats sont justes. C'est-à-dire que, tout ce que vous venez de dire est juste, et les constats sur lesquels se reposent du coup les populistes sont souvent les bons. Les solutions sont pas les bonnes. Les solutions c'est l'enfermement, c'est la construction de murs, c'est la fin de la globalisation maîtrisée. Les solutions, elles sont ailleurs, mais vous avez raison, c'est pas un vélo qui peut continuer à pédaler les yeux fermés en se disant tout va bien, et puis on va dans le mur. Historiquement, quand de telles inégalités se sont générées dans le monde, ça c'est mal terminé : des révolutions, des guerres, des catastrophes. Donc il faut changer le sentier, il faut changer le chemin, il faut une croissance plus inclusive, il faut une croissance plus égalitaire, il faut une croissance qui tienne compte davantage de l'environnement. De ce point de vue là, évidemment les gouvernements ont leur rôle à jouer, c'est pour ça que j'ai fait ce saut-là moi, il y a un an, en me disant « si tu le fais pas, tu le regretteras toute ta vie », je ne suis pas le seul heureusement à avoir fait ça.
Girard Fillion : Parce que vous êtes dans l'équipe d'Emmanuel Macron, le président de...
Roland Lescure : Bien c'est ça ! On est un certain nombre, finalement, à venir, je dirais, du monde de réel, qui se sont dit : on ne peut pas continuer comme ça, on a une espèce de responsabilité historique. Mais c'est pas juste les gouvernements qui doivent agir. Tous les agents économiques, les entreprises, les salariés, les syndicats, les experts, je leur ai dit cet après-midi au congrès de l'ASDEQ, vous avez aussi un rôle à jouer pour nous aider à inventer le modèle d'avenir, parce que le modèle actuel, il fonctionne en termes de création de richesse, il ne fonctionne pas en termes d'égalité, donc il est pas viable.
Girard Fillion : Et y'a une forme de déconnexion qui existe aussi dans un sens, puis la France est un bon exemple pour ça, parce que Marine Le Pen, qu'on peut qualifier de populiste, je pense...
Roland Lescure : Elle l'est, elle l'est.
Girard Fillion : [...] a quand même été au deuxième tour, 34 %, qui sait la prochaine fois ça pourrait être davantage, donc tout n'est pas gagné chez Emmanuel Macron, et chez les gens qui pensent que ça prend de la croissance inclusive. Donc, est-ce qu'il y a un problème de communication également ? Et de connexion, je vous dirais, entre les élites, les décideurs économiques, les décideurs politiques comme vous, maintenant, et une bonne partie de la population.
Roland Lescure : Bien y'a un problème d'écoute, c'est-à-dire que pour être entendu, il faut d'abord commencer par écouter les gens. Et ça, ça fait partie des choses que Emmanuel Macron a faites différemment pendant sa campagne, et qu'on continue à faire au maximum d'aller à la rencontre des gens pour les écouter. Il y a des élections européennes dans un an, on vient d'aller à la rencontre des Français pour leur dire « Pour vous c'est quoi l'Europe ? Qu'est-ce qui fonctionne, qu'est-ce qui ne fonctionne pas ? » L'Europe, pour moi, fait partie des solutions. Quand vous demandez aux Français « Est-ce que l'Europe fait partie des solutions ou des maux ? », ils vous disent « Non, c'est un mal. Ça fait partie des problèmes. » Donc il y a un vrai sujet, comme vous le dites, de communication, de perception. Il faut expliquer, il faut aussi écouter. Un des trucs qui est sorti le plus dans la grande marche, donc la

consultation qu'Emmanuel Macron et son équipe avaient lancée avant l'élection présidentielle, c'était que l'égalité homme-femme était un vrai sujet en France, qui n'était pas sur les radars. Et qu'on a mis comme une des grandes causes du quinquennat, parce qu'on est à la fois convaincu que la droiture économique, évidemment, ça a du sens, de donner plus de pouvoir et de puissance à la moitié de la population qui en est exclue, mais aussi, parce que c'était un vrai sujet d'inégalité en France, qui nous remontait sur le terrain. Donc il faut vraiment écouter les gens.
Girard Fillion : Mais prenons l'exemple de l'accord de libre-échange, Canada – Union européenne, puis vous étiez de ce côté-ci quand ça se négociait, puis vous êtes maintenant en France. Est-ce qu'on a bien expliqué, parce que, ça aussi c'est un accord important, qui soulève et suscite beaucoup d'inquiétude chez les Français comme chez les Canadiens également.
Roland Lescure : Alors, il suscite énormément d'inquiétude, et en partie vous l'avez dit, parce qu'il a été, je pense, correctement négocié, c'est un accord plutôt moderne qui tient compte notamment de l'environnement, là où aucun accord ne l'a fait.
Girard Fillion : Et ça on l'entend. Les leaders politiques disent ce que vous venez de dire là. Est-ce que ça se rend jusqu'à l'ensemble de la population ?
Roland Lescure : Bien, on est en train de faire un débat en France qui n'a jamais eu lieu avant. On en a débattu au parlement, parce qu'un des mouvements voulait un référendum sur le sujet. On va avoir une ratification au parlement qui va venir d'ici la fin de l'année qui va nous permettre de débattre de tout ça, et le vrai sujet derrière la OCG, c'est pas : « Est-ce que le Canada est un bon partenaire ? », évidemment il l'est, c'est : « Est-ce qu'on est pour ou contre une globalisation différente, ou est-ce qu'il faut se refermer ? ». Et d'une certaine manière, la OCG est une espèce d'otage à ce vrai débat de fond, qui est aujourd'hui « On se ferme ou on s'ouvre, et si on s'ouvre, comment on s'ouvre ? ».
Girard Fillion : Et c'est vraiment que deux options ? On se ferme ou on s'ouvre ?
Roland Lescure : Bien je pense qu'il faut s'ouvrir différemment, parce que sinon, on va se fermer. C'est plus « On se ferme ou on s'ouvre ? » Si on continue à s'ouvrir comme on s'est ouvert depuis 20 ans, je pense qu'on va dans le mur. Donc on a besoin de repenser la manière dont on s'ouvre, à la fois d'un point de vue environnemental, d'un point de vue social, d'un point de vue d'inclusion, car au G7 bientôt, ça sera un des sujets, j'espère qui sera bien porté par tout le monde, y compris par le leader.
Girard Fillion : Monsieur Lescure, merci beaucoup.
Roland Lescure : Merci à vous.
Girard Fillion : Merci.

p. 84, Préparation au Dalf C1/C2
N° 05

Dire « JE » n'est pas une faute

Présentatrice : Et on va réhabiliter l'amour de soi... Bonjour Fabrice Midal.
Fabrice Midal : Bonjour.
Présentatrice : Merci d'être avec nous sur France Inter. Philosophe, vous publiez *Sauvez votre peau*, devenez narcissique, aux éditions Flammarion. Être narcissique, Fabrice Midal, c'est un défaut, c'est même une insulte, dans notre société, depuis quasiment la nuit des temps, j'ai envie de dire. On s'est trompé ?
Fabrice Midal : On s'est trompé, et en plus ce n'est pas depuis la nuit des temps, parce que quand on relit le mythe de Narcisse, on se rend compte que ce n'est pas du tout un être qui est amoureux de lui-même et fermé sur lui-même, c'est au contraire un être qui ne se reconnaît pas. Il tombe amoureux de lui en se regardant, mais il ne sait pas que c'est lui. Et donc le mythe de Narcisse nous parle du défaut incroyable de se méconnaître, de manquer de rapports à soi. Et quand il se reconnaît, il se transforme en la fleur blanche au cœur d'or, c'est le symbole de la renaissance. Et je me suis rendu compte que nous vivions dans un monde où nous ne autorisions pas à être nous-même, à nous écouter, à nous respecter. Et c'est surtout cette manière dont nous sommes pris par une forme d'auto-exploitation qui emmène tant de gens jusqu'à l'épuisement, jusqu'au burn-out, qui m'a donné envie de dire juste : sauvez votre peau, devenez narcissique. Et je crois qu'en fait, être narcissique c'est pouvoir s'écouter, se rencontrer, se respecter. Et je crois que ça c'est vraiment, aujourd'hui, crucial. Beaucoup d'experts nous racontent qu'on est une société complètement... de gens égoïstes, et moi ce que je vois c'est des gens qui font des efforts, qui se donnent, qui vont jusqu'au bout, jusqu'à se priver de sommeil, à se sacrifier pour les autres, et jusqu'à l'épuisement, et je me dis mais il y a un décalage complet entre la France réelle et ce que disent la plupart des experts. Et là vraiment ça m'a... mon livre est venu vraiment ... il est venu du plus profond de moi, je me suis dit on ne peut pas continuer à culpabiliser tout le monde de s'écouter et d'apprendre à dire non. Combien d'entre nous n'osent même plus dire non, jusqu'à l'épuisement ?
Présentatrice : Vous dites qu'en fait on a traité le narcissisme comme une faute morale, d'où la culpabilisation, c'est ça ?
Fabrice Midal : Oui et alors, et ce qui est très étrange, en fait ce qui s'est passé, c'est peut-être il y a 1 700 ans qu'on a eu cette idée que si jamais on s'aime, c'est autant de privé pour les autres. Si je m'aime, je n'aimerais pas les autres, et surtout, puisque c'est théologique, je n'aimerais pas Dieu. Et donc on a eu un peu cette idée que l'amour c'est comme un gâteau : si j'en prends un peu pour moi il n'y en aura pas pour les autres. Oui mais l'amour n'est pas un gâteau. C'est comme si on disait à une mère qui a un deuxième enfant...
Présentatrice : ... ou à un père...
Fabrice Midal : ou à un père, tu ne pourras pas l'aimer, parce que... tu ne pourras plus aimer ton premier enfant autant parce que tu en aimes un deuxième. Mais l'amour c'est pas comme gâteau, plus vous aimez, plus vous aimez. Et donc s'aimer c'est pouvoir aimer les autres. Et c'est intéressant parce que le christianisme, la grande parole du Christ « Aime les autres comme toi-même », il faut bien s'aimer soi-même. La grande phrase de Socrate, c'est « Connais-toi toi-même » parce que il n'y a de possibilité de penser que si je pense à partir de moi-même. C'était le grand projet des Lumières. Donc il y a toute une tradition occidentale absolument centrale d'interrogation de soi, de pensée, parce que si je pense par moi-même je suis plus libre et je permets une relation commune et même...
Présentatrice : Et pourquoi elle s'est perdue, cette pensée occidentale, alors ?
Fabrice Midal : Alors, il y a cette idée du gâteau, et cette idée que, au fond, si je regarde en moi-même, ce qui est un grand texte qu'on trouve dans de nombreux textes de la tradition, je vais découvrir que je suis une pourriture. C'est un des grands textes du 17e siècle, et donc il y a cette méfiance envers soi-même. Et ça peut avoir un certain sens à certaines époques, mais je crois qu'aujourd'hui on arrive au bout de cette situation, que vraiment... Le livre essaie de témoigner de toute l'idéologie qui nous coupe de nous-même. Mais des choses toutes simples, par exemple parler de soi, dire « Je », est considéré comme une faute. Or, en réalité, plein de recherche ont montré que quand vous dites « Je », vous êtes beaucoup plus sincère et authentique. Et que les hommes politiques par exemple qui mentent, disent rarement « Je », ils disent « Nous », « On », et qu'ils se dissimulent. Mais nous, dire « Je », on a l'impression que c'est égocentrique, et que c'est une faute, mais pas du tout. Être sincère, c'est la possibilité d'une rencontre avec les autres. Donc, ce qui est très important, c'est devenez narcissique, vous serez davantage en relation avec les autres, beaucoup moins isolés.
Présentatrice : Fabrice Midal, vous dites qu'on n'est pas assez narcissique, d'accord. Mais les selfies, les photos, les vidéos de soi qui pleuvent sur les réseaux, le culte de l'individualisme, ça c'est pas du narcissisme, Fabrice Midal ?
Fabrice Midal : Alors d'abord je voudrais questionner est-ce qu'on est dans un culte de l'individualisme, je trouve que vraiment c'est pas du tout si clair parce que comme je le dis, je trouve que la plupart des gens se sacrifient, essayent d'être une mère parfaite, travailler jusque... toute la journée, donc je vois beaucoup plus de gens qui ne se respectent pas que de gens pris par l'individualisme. Et puis où est le problème de faire quelques selfies ? On a l'impression que c 'est une faute. Alors, autrefois, les puissants faisaient leur portrait et on trouvait ça très bien parce que c'était les puissants, et aujourd'hui on a plutôt l'impression que la démocratisation de la manière dont les gens peuvent se regarder est une faute. Mais j'ai l'impression que là il y a un problème aussi d'un certain type d'intellectuels haut perchés qui regardent de bas les gens qui font des selfies, mais moi je suis ravi de faire de temps en temps des selfies, et je serai content qu'on en fasse un à la fin de l'émission...
Présentatrice : Avec plaisir !
Fabrice Midal : ... parce que je suis content de vous rencontrer, je trouve que là il y a un côté... on manque un peu de bon sens.

Présentatrice : Alors, être narcissique, selon vous, si j'ai bien compris, c'est savoir s'écouter, savoir s'aimer. Est-ce que cela veut dire qu'il faut se trouver beau, passer du temps devant le miroir, se pomponner... ?
Fabrice Midal : C'est pas ça le narcissique, c'est pas passer son temps à regarder le miroir, parce que si on passe son temps à se regarder dans le miroir, c'est qu'on n'est pas en confiance. Mais ma grand-mère, qui a vécu jusqu'à 97 ans, quand j'allais la voir dans sa maison de retraite, à plus de 90 ans, elle faisait attention à comment elle s'habillait, elle voulait surtout pas que je vienne sans avoir été chez le coiffeur, et se maquiller les ongles. Et quand je la voyais, je disais tout le temps « Comme tu es belle ! » Et c'était vrai, elle était belle. Et je pense que le fait qu'elle prenait soin d'elle participait de la joie qui émanait d'elle. Et on considère que c'est une faute de vouloir essayer de se faire beau ou belle. Je pense que là il y a des choses qui ne sont pas justes, moi j'étais très content que ma grand-mère prenne soin d'elle, et il y avait quelque chose qui était très beau.
Présentatrice : On va faire un petit test pour terminer, si vous le voulez bien. Je vous donne le nom d'une personnalité, et vous me dites s'il est narcissique ou pas. Donald Trump ?
Fabrice Midal : Ah bah il n'est pas du tout narcissique !
Présentatrice : Ah bon ?!
Fabrice Midal : Tout le monde croit qu'il est narcissique, mais s'il était narcissique, si il s'aimait, il arrêterait d'avoir... de faire chier le monde, excusez-moi. Il arrêterait de vouloir que tout le monde lui dise qu'il est génial et il est tellement peu narcissique qu'il est complètement inquiet si la réalité ne correspond pas à ce qu'il voudrait lui-même. Donc il a besoin que les gens lui confirment tout le temps qu'il est bien. En fait on confond narcissisme et vanité. Mais la vanité n'a rien à voir avec le narcissisme. On pourrait dire que Trump c'est comme la grenouille qui veut se faire aussi grosse que le bœuf. Et donc la grenouille qui veut se faire aussi grosse que le bœuf, c'est la grenouille qui ne s'aime pas, donc elle n'est pas narcissique. Donc le problème de Trump c'est qu'il n'est pas narcissique.
Présentatrice : Nelson Mandela et les stars de la télé-réalité, narcissiques ou pas ?
Fabrice Midal : Mandela, il est évidemment narcissique puisqu'il a suffisament de confiance en lui pour dire non contre tout ce que les gens disent. Et les stars de la réalité, ou comme Kardashian, elle est tellement obligée de correspondre à une image d'elle-même, elle est tellement peu elle-même, que c'est le contraire du narcissisme. Donc soyez comme Mandela, devenez narcissique, ce sera formidable pour nous et pour le monde.
Présentatrice : De quoi tordre le cou aux idées reçues et nous déculpabiliser un bon coup, surtout. Fabrice Midal, je rappelle le titre de votre livre : *Sauvez votre peau, devenez narcissique*, c'est aux éditions Flammarion, merci d'avoir été avec nous ce matin, bonne et belle journée à vous !

Unité 4

Leçon 1

p. 89, vidéo
N° 21

iPhone : Apple en accusation
Journaliste : Bonjour, Apple mis en accusation pour obsolescence programmée des iPhone. L'entreprise californienne reconnaît avoir bridé volontairement certains de ses smartphones, mais c'est pour de bonnes raisons, dit-elle. Les clients, eux, reprochent à la marque de les avoir incités à changer de téléphone alors que ce n'était pas forcément nécessaire. Elsa Bembaron, bonjour ! Vous êtes journaliste au *Figaro*, spécialiste de nouvelles technologies. Quelle est la défense d'Apple et qui dit vrai dans cette histoire ?
Elsa Bembaron : Tout le monde dit vrai puisqu'Apple a reconnu avoir bridé ses smartphones. Donc en cause c'est la batterie puisqu'on sait que les batteries s'usent et qu'on n'a pas encore inventé la batterie perpétuelle. Au bout de quelques années d'utilisation, trop peu d'années d'utilisation pour les consommateurs, elles perdent de la puissance et elles conduisaient ces batteries d'iPhone 6, 6S et SE à des extinctions intempestives d'iPhone. Pour lutter contre ces iPhone qui s'arrêtaient sans qu'on leur ait rien demandé, Apple a fait des mises à jour. Ces mises à jour consistaient à ralentir un certain nombre de programmes donc le iPhone tournait un petit peu moins vite. Pour préserver l'autonomie de la batterie et surtout éviter cette espèce de coupure d'écran noir qui arrivait tout à coup en pleine utilisation du téléphone sans crier gare. Alors ça descend gentiment, on a le temps d'avoir la barre rouge qui s'affiche, d'anticiper l'arrêt de la chose alors qu'avant on ne l'avait pas. En contrepartie, il tourne moins vite donc les gens ne sont pas contents.
Journaliste : Donc le téléphone est de moins en moins performant donc au bout d'un moment, on est tenté de se dire qu'évidemment, il a vieilli plus vite que prévu, il faut que je le change.
Elsa Bembaron : Ce que reprochent des consommateurs, notamment des consommateurs israéliens qui attaquent Apple précisément sur ces causes et réclament 125 millions de dollars de dommages-intérêts à la firme. Si on avait su qu'en changeant la batterie on aurait regagné en rapidité, bien on aurait changé la batterie et on n'aurait pas changé de téléphone. C'est vrai que ça se défend sur un point de vue financier puisqu'une batterie c'est 89 $ pour en changer. »
Journaliste : Ça, c'est le prix officiel chez Apple, ça coûte beaucoup moins cher dans un magasin au coin de la rue.
Elsa Bembaron : Bien là on n'a plus la garantie Apple donc on va rester en garantie Apple et pareil si on n'achète pas un iPhone tombé du camion l'iPhone 10 va couter 1 159 €, donc ça fait un gros écart.
Journaliste : Est-ce qu'on peut dire que c'est un mauvais procès fait par Apple parce que ça part d'une bonne intention ou est-ce que l'intention est de profiter de ce défaut pour pousser au renouvellement ?
Elsa Bembaron : Le problème de base c'est que les batteries ne sont pas assez performantes. On fait des iPhone qui sont comme des appareils qui sont très chers et qui sont puissants. On dit que c'est puissant comme le premier PC qui a envoyé la première mission Apollo sur la lune, donc c'est comme des grosses machines. Et à l'arrivée au bout de deux ans, mais la batterie tient plus et il faut changer de téléphone. Donc il y a un vrai souci d'obsolescence qui est lié à la non-performance de ces batteries. Mais on a déjà vu que le sujet de la batterie était compliqué pour les fabricants de smartphones, il y en a d'autres qui ont eu d'autres soucis.
Journaliste : Mais est-ce que ça peut être une stratégie qui remonte vraiment à la conception du téléphone ? Vouloir faire un téléphone aussi fin, aussi compact, bien forcément ça réduit la puissance de la batterie.
Elsa Bembaron : Forcément, ça réduit la puissance de la batterie, mais de là à imaginer qu'Apple fasse des batteries qui ne sont pas performantes exprès pour obliger les consommateurs à changer de téléphone, je crois qu'il ne faut pas pousser le machiavélisme jusque-là. Il faut aussi prendre conscience qu'il y a des développements de nouvelles technologies parce qu'un téléphone aussi fin comme vous le disiez, nous qui sommes vieux on se souvient des premiers téléphones portables, ça tenait plus longtemps, mais c'était des briques. Donc on paye un petit peu la contrepartie de tout ça avec des écrans très puissants, des capacités de stockage énormes, tout ça, c'est très très gourmand en énergie et ça pompe énormément sur les batteries. La technologie de la batterie n'a pas aussi suivi et il faut voir que c'est aussi une des pièces les moins chères du téléphone.
Journaliste : Le reproche de départ c'est quand même un défaut, un manque de communication qu'Apple a très vite reconnu.
Elsa Bembaron : Oui, on le sait tous, tous les journalistes le savent, ce n'est quand même pas les champions du monde de la communication. Ils ont toujours un peu du mal à dire les choses, ils aiment bien garder les choses secrètes, avoir leurs petits secrets de fabrication. Donc, dire qu'une mise à jour intervenait parce que la batterie n'était pas assez bien conçue, ce n'est pas évident d'avouer qu'on s'est loupé à ce point-là.
Journaliste : La justice s'est déjà saisie dans certains pays, est-ce qu'il peut y avoir des *class actions* aux États-Unis et peut-être en France aussi ?
Elsa Bembaron : Alors les *class actions* aux États-Unis, ça a quand même commencé par cinq consommateurs, on est à 8 sur 5 états, donc ça reste quand même modéré. L'Israël a aussi un système d'action de classe, en France on a un système comparable. Pour le moment il n'y a pas de mobilisation, il faut voir que ça part souvent soit d'associations de consommateurs, là on est dans une période de fêtes donc les associations de consommateurs sont peut-être un petit peu moins mobilisées en France. Beaucoup de gens sont en vacances, donc peut-être qu'après les

fêtes elles vont revenir sur le terrain. Aux États-Unis l'ampleur de la mobilisation dépend de la capacité des avocats qui ont le droit de faire de la publicité. Donc, on va sans doute voir des pubs télé d'avocats qui vont dire si vous n'êtes pas contents *'come and see us'* pour déposer des plaintes et requêtes. Les conséquences vont dépendre du volume de consommateurs concernés. Ça peut concerner beaucoup de monde, il peut y avoir beaucoup de plaignants, donc ça peut aller en dizaines de millions de dollars. Après il peut y avoir des accords à l'amiable, enfin tout est ouvert en tant que conséquences financières en fonction de ce que Apple décidera de faire. Et puis en termes d'image, c'est toujours très mauvais d'avoir des consommateurs pas contents.
Journaliste : Justement, l'image d'Apple elle va souffrir de ce début d'affaires ?
Elsa Bembaron : Pour le moment, je ne le pense pas. On voit les conséquences sur Samsung, ils avaient des batteries qui prenaient feu, cela a fait un buzz énorme, des contre-publicités, il y avait toutes les compagnies aériennes du monde entier qui disaient : « si avez un Samsung, éteignez-le ! », en gros ce n'était pas très bon. C'étaient les gens qui prenaient des avions et le nom de Samsung était prononcé. Un an après tout le monde a oublié et Samsung n'en a jamais autant vendu. Donc est-ce que ça va faire pareil pour Apple ? Il y a des chances que ça soit aussi terni comme conséquences.
Journaliste : On va finir par un conseil, si on a un iPhone et on sent qu'il est moins véloce qu'avant qu'est-ce qu'on fait ?
Elsa Bembaron : On peut faire changer la batterie.
Journaliste : De préférence, la batterie officielle. Merci beaucoup, Elsa Bembaron, journaliste au *Figaro*.

p. 91, vidéo
N° 22

Les injustices salariales

À l'approche de l'élection fédérale allemande, le candidat social-démocrate Martin Schulz tente de rattraper son retard sur Angela Merkel et promet que s'il est élu chancelier, il y aura plus d'égalité en Allemagne. Parmi ses engagements, le candidat SPD jure qu'en cas de victoire, il s'attaquera à l'écart de salaire entre hommes et femmes qui s'élève d'après son programme à 21 %, un écart inadmissible pour la première puissance économique d'Europe. Face à ces déclarations, le parti adverse, la CDU, accuse le SPD de propager des chiffres fantaisistes. Pour le parti d'Angela Merkel, l'écart de salaire entre hommes et femmes en Allemagne n'est que de 6 %. Mais alors qui a raison ? Eh bien, les deux, puisqu'en se plongeant dans les données de l'Office allemand de la statistique, on retrouve les deux chiffres. Celui de 21 % correspond à l'écart de salaire non ajusté, c'est-à-dire que l'on compare l'ensemble des salaires bruts des femmes et des hommes. Or les Allemandes travaillent plus souvent à temps partiel que les hommes, elles ne suivent pas les mêmes études qu'eux, travaillent à des postes différents dans des branches autres et accèdent moins souvent aux postes à responsabilité. La différence de revenus s'explique donc selon l'Office allemand de la statistique par ces raisons structurelles. En revanche, les 6 % brandis par la droite allemande correspondent quant à eux à l'écart de salaire ajusté en comparant les salaires des hommes et des femmes ayant exactement les mêmes parcours. À compétence égale, une Allemande gagne donc 6 % de moins qu'un Allemand, et ce sans qu'on n'y trouve d'explication.

p. 91, vidéo
N° 23

Les injustices salariales

Au Québec, si le salaire des femmes continue d'augmenter au même rythme que maintenant, elles vont gagner la même chose que les hommes en... 2060.
Maigre consolation, le Québec s'en tire mieux que la moyenne mondiale. Ça va prendre 217 ans pour atteindre l'équité sur la planète selon le forum économique mondial. Contrairement à ce qu'on pourrait croire, on enregistre peu de progrès dans le temps. Ça s'est même détérioré dans la dernière année.
C'est pas tout à fait ce qu'on observe au Québec où les femmes continuent de faire des gains, mais très lentement.
Qu'est-ce qui se cache derrière ces chiffres ?
Un, on se rend compte que pour un même emploi, les hommes gagnent presque toujours plus que les femmes. Prenons les métiers les plus communs au Québec. Un vendeur empoche deux dollars quatre-vingt-dix de l'heure de plus qu'une vendeuse ; un infirmier, un peu plus d'un dollar de plus de l'heure ; un agent d'administration, presque cinq dollars de plus. Les caissières et les serveuses perçoivent plus que les gars. Mais on parle d'un écart de 30 cents et moins de l'heure.
Deux, les emplois les moins bien rémunérés sont occupés majoritairement par des femmes. Au Québec, on dénombre plus de femmes dans les industries qui paient vingt dollars et moins de l'heure, comme le commerce, l'hébergement et la restauration. Elles sont moins nombreuses dans les strates de rémunération de trente dollars et plus de l'heure.
Trois, les Québécoises sont aussi sous-représentées dans les échelons supérieurs des organisations. Soixante-dix pour cent des postes de direction dans les entreprises au Québec sont détenus par des hommes.
Et ce qu'il y a de plus étrange là-dedans, c'est que les hommes ne sont pas plus éduqués que les femmes. C'est même le contraire. Au Canada, comme dans le reste des pays de l'OCDE, les femmes étudient désormais plus longtemps que les hommes.
C'est pas non plus parce que les femmes sont moins ambitieuses. Une récente enquête qui a été menée auprès de soixante-neuf entreprises canadiennes, et elle montre que les femmes aspirent autant que les hommes à obtenir une promotion. Sauf qu'elles les obtiennent dans une bien moins grande proportion. Les hommes ont cinquante pour cent plus de chance que les femmes d'être promus du premier échelon à chef de service, et trois fois plus de chance de passer de directeur à vice-président.
Une des raisons qui explique un tel écart demeure la conciliation travail-famille. Même si les femmes travaillent à temps plein, elles assurent très souvent la surcharge des responsabilités liées aux enfants ou aux proches vieillissants. Résultat : pour y arriver, elles doivent souvent réduire leur temps de travail, et donc leur revenu. Les données officielles au Canada le montrent clairement : les femmes sans enfants gagnent en moyenne plus que celles qui ont une famille. Et plus elles ont d'enfants, plus elles sont pénalisées.
Mais la conciliation travail-famille n'explique pas l'entièreté de l'écart. Les femmes qui ne sont pas mères gagnent elles aussi moins que les hommes. On est obligé d'admettre qu'encore aujourd'hui, il y a de la discrimination, pure et simple.

p. 93, vidéo
N° 24

La pollution marine aux hydrocarbures

La pollution des océans par le pétrole est un fléau qui affecte profondément la faune et la flore maritimes. Le grand public ne s'y intéresse que quand des accidents spectaculaires surviennent, un pétrolier qui se brise ou une plateforme qui explose.
Des nappes de pétrole dérivent alors vers les côtes et tuent les oiseaux de mer et les mammifères marins. Mais ces naufrages ne représentent qu'environ 10 % de la pollution maritime mondiale par les hydrocarbures. La plus grande part provient de rejets volontaires des navires ou des activités industrielles sur la côte. L'impact écologique diffère selon l'environnement. En haute mer, la pollution est limitée et le nettoyage est plus facile : la nappe de pétrole s'alourdit, coule vers le fond, se dissémine et devient inoffensive. Spectaculaire sur une côte rocheuse ou une vaste plage, l'impact d'une marée noire est souvent important pour la faune, mais la plupart du temps, les vagues nettoient l'écosystème en une année. Plus sensibles sont les barrières de corail : le pétrole peut y rester collé dix ans, causant des dégâts la plupart du temps irréversibles. Et quand les hydrocarbures s'écoulent dans des forêts de mangroves ou sur des prés salés, la pollution menace pendant plus de vingt ans.

Leçon 2

p. 96, vidéo
N° 25

Le boycott : une arme pour changer notre société

Certains des produits de notre quotidien cachent parfois des scandales humains, environnementaux ou économiques. La vision à court terme des entreprises influence trop souvent, par le biais des lobbies, les décisions politiques au détriment du bien commun. Qu'il s'agisse de l'exploitation d'enfants, d'optimisation fiscale ou de la maltraitance

animale, savez-vous quels sont les produits concernés et par quels scandales ? Avez-vous le sentiment de ne rien pouvoir faire contre ces injustices ? Pourtant, nous sommes les acteurs principaux de cette société de consommation, nous, consommateurs. Chaque fois que vous dépensez de l'argent, vous votez pour le type de monde que vous voulez.
Devenons consommacteurs, et utilisons ensemble notre pouvoir. Celui d'acheter un produit, ou pas. Oui, le boycott. Le boycott bienveillant. I-boycott est la première plateforme de lancement de campagnes de boycott bienveillant. C'est un contre-pouvoir citoyen qui instaure un dialogue entre les consommacteurs et les entreprises afin d'orienter leurs décisions vers plus de responsabilités environnementale et sociale. Lorsqu'un nombre suffisant de consommacteurs boycottent un produit, nous informons l'entreprise concernée par la campagne en cours. Elle dispose alors d'un droit de réponse. Pour convaincre, l'entreprise devra fournir des garanties suffisantes en réponse aux revendications formulées par les boycottants. Ceux-ci décideront alors, de manière individuelle, et au moyen d'un vote, s'ils maintiennent leur action. Les boycottants peuvent aussi proposer une alternative au produit concerné par la campagne. C'est ce que l'on appelle : le « buycott ». C'est la démocratie dans l'économie ! Plusieurs multinationales ont déjà répondu. Certaines d'entre elles ont su convaincre les consommacteurs de lever leur campagne de boycott grâce à des engagements concrets. I-boycott compte de nombreux soutiens et rassemble déjà des dizaines de milliers de consommacteurs. Vous pouvez, dès à présent, créer une campagne de boycott bienveillant ou participer à l'une d'elles sur la plateforme i-boycott.org. Boycotter seul, c'est bien. Ensemble, c'est le contre-pouvoir. Avec bienveillance, c'est le changement !

p. 99, vidéo N° 26

Le combat contre le glyphosate

Journaliste : Quinze milliards d'euros, donc, le chiffre d'affaires de Monsanto, ce qui veut dire que c'est un marché extrêmement juteux, ce qui peut expliquer qu'il reste effectivement en vente malgré la toxicité que vous démontrez dans tous vos livres.
Marie-Monique Robin : Dans les 15 milliards, il y a aussi les semences transgéniques. C'est tout le chiffre d'affaires de Monsanto. Une petite partie, c'est le glyphosate ou le Roundup. Il y a un enjeu énorme parce qu'effectivement c'est l'herbicide le plus vendu au monde, 800 000 tonnes déversées chaque année sur la planète d'herbicides à base de glyphosate, dont le Roundup. Mais c'est aussi lié à tous les OGM, c'est ça qu'il faut comprendre. Comme on verra dans le reportage, les agriculteurs français l'utilisent pour désherber avant de semer des céréales, des fruits, des légumes, beaucoup de choses. La communauté européenne a établi une liste de 378 aliments qui sont susceptibles de contenir des résidus de glyphosate. Donc c'est vraiment très très large.
Journaliste : Donc, on a tous du glyphosate dans le corps.
Marie-Monique Robin : Mais aussi c'est lié aux OGM qui sont produits, semés, cultivés en Amérique du Sud ou du Nord, mais on est concerné parce que nous importons en Europe 38 millions de tonnes de soja transgénique imbibé de glyphosate qui a été manipulé génétiquement pour pouvoir être arrosé de glyphosate justement. Et nous nourrissons nos poules, nos vaches, nos cochons des élevages industriels, c'est pourquoi nous en avons tous dans notre organisme. Parce que la voie principale de contamination des Européens ou des Américains d'ailleurs, tout le monde est imprégné, toutes les études le montrent, c'est l'alimentation, soit par les légumes, les fruits ou la viande issue d'animaux nourris avec du soja transgénique arrosé de glyphosate. Et l'imprégnation est très importante.
Journaliste : Quel pourcentage ?
Marie-Monique Robin : 100 % de la population. Toutes les études le montrent. En Allemagne où ils ont réalisé la plus grande étude, 2 000 citoyens testés, tout le monde en avait, à des taux qui sont très élevés qui vont jusqu'à 40 fois le taux autorisé dans l'eau, vous voyez. C'est quand même très important. Et en France, l'étude qui a été réalisée récemment, j'en ai fait partie, la moyenne était de 12 fois le taux autorisé dans l'eau. Donc, c'est ce qu'on avait constaté dans les urines, parce que c'est comme ça qu'on mesure. Voilà, ça c'est très, très préoccupant vu les propriétés toxiques.
Journaliste : Finalement, pour avoir un taux acceptable, il faudrait manger la moitié du temps bio. A minima.
Marie-Monique Robin : Quand j'ai fait cette analyse, j'étais dans la fourchette basse parce que je mange bio à la maison. L'étude allemande dont j'ai parlé montre aussi que quand vous mangez bio chez vous au minimum, vous avez quatre fois moins de résidus de glyphosate que ceux qui ne mangent pas bio. Ceux qui sont très imbibés, si j'ose dire, ce sont les gros mangeurs de viande. En général, un gros mangeur de viande ne mange pas de viande bio. Et là, je l'ai dit, les animaux sont nourris avec du soja imbibé de glyphosate.
Journaliste : C'est ce que vous dénoncez dans « Le Roundup face à ses juges » paru aux Éditions *La Découverte* et donc dans le film du même titre. Vous étiez marraine du procès citoyen qui s'est tenu à La Haye en octobre l'année dernière. Qu'est-ce que vous retirez de cette expérience ? Est-ce qu'il y a eu une jurisprudence qui a pu se mettre en place à l'issue de ce procès qui était un procès mis en place par des citoyens ?
Marie-Monique Robin : Donc, nous avons organisé ce tribunal, mais qui était aussi un vrai tribunal dans le sens où ce sont de vrais juges qui ont siégé. La présidente était l'ancienne vice-présidente de la Cour européenne des droits de l'homme.
Journaliste : Il y avait de vraies victimes, surtout.
Marie-Monique Robin : Des vrais juges, des vraies victimes, des vrais témoins, des vrais experts. Au final, les juges ont émis ce qu'on appelle une opinion juridique d'autorité. Ça veut dire que, effectivement, c'est une opinion qui est justifiée d'un point de vue juridique et qui peut servir ensuite, c'est ce qui se passe actuellement en Argentine, n'importe où dans le monde à des avocats et à des victimes présumées pour pouvoir faire de vraies actions en justice contre Monsanto.
Journaliste : Il y avait des exemples extrêmement poignants comme celui du petit Théo en France ou Martina en Argentine ou encore Christine Sheppard, donc cette femme atteinte d'une maladie dont vous allez nous parler également qui touche des agriculteurs américains.
Marie-Monique Robin : Oui, tout à fait, Christine Sheppard, c'est une productrice de café d'Hawaï et qui a passé du Roundup sur ses plantations de café et qui a eu un lymphome non hodgkinien, qui est une forme de leucémie. C'est reconnu maladie professionnelle en France. Cela fait partie du tableau de la sécurité sociale : régime agricole. Aux États-Unis aujourd'hui, au côté de Christine qu'on voit dans le film, il y a 3 500 agriculteurs, maraîchers qui ont porté plainte contre Monsanto parce qu'ils ont utilisé du Roundup ou des herbicides à base de glyphosate et ont donc un lymphome non hodgkinien. Il se trouve que le CIRC, le Centre international de recherche sur le cancer qui dépend de l'OMS et qui a classé comme vous l'avez dit le glyphosate cancérogène probable pour les humains a établi un lien très clair, au vu des études scientifiques publiées, entre l'exposition au glyphosate et cette forme de cancer, le lymphome non hodgkinien.
Journaliste : C'est aussi un produit qui serait à l'origine de la malformation chez les bébés, de maladies neurodégénératives. Vous parlez même de Parkinson, d'Alzheimer, de l'autisme. Finalement, c'est un produit d'une toxicité sans nom.
Marie-Monique Robin : Oui, c'est un produit qui a la caractéristique d'intervenir de différentes manières. Non seulement c'est un herbicide qui agit de différentes manières, mais c'est aussi un produit tératogène qui provoque des malformations congénitales quand on est exposé dans le ventre de sa mère. J'ai eu accès au dossier d'homologation du glyphosate que Monsanto a remis à l'Agence de protection de l'environnement, l'EPR aux États-Unis et j'ai vu une étude de 1980 qui montre qu'ils savaient et qu'ils savent depuis cette époque que c'est tératogène. Sauf qu'ils ont caché cette étude, n'est-ce pas ? C'est comme ça, qu'au Sri Lanka, des riziculteurs qui l'utilisaient pour désherber leurs rizières avant de semer le riz sont tombés malades avec une maladie rénale.
Journaliste : 20 000 morts.
Marie-Monique Robin : Oui, on est plutôt près de 30 000 morts maintenant. Cette fonction de chélation de métaux a fait que justement les résidus du glyphosate dans les nappes phréatiques où il y avait ces rizières, le glyphosate séquestrait les métaux lourds et ensuite les agriculteurs buvaient cette eau dans des puits et s'intoxiquaient.

Journaliste : C'est le seul pays aujourd'hui qui interdit le glyphosate. Est-ce qu'on se dirige vers ce type d'interdiction à l'échelle européenne, voire mondiale ?
Marie-Monique Robin : Alors, pour l'instant, le Sri Lanka l'a interdit. Le Salvador aussi l'a interdit. Pour ce qui est de l'Europe, c'est une arlésienne. Ça fait deux ans qu'on attend que la Commission européenne prenne une décision. Si elle n'y arrive pas, c'est qu'on est vraiment en face, on est plusieurs à penser que ce glyphosate finalement cristallise toute une série de dysfonctionnements dans les agences européennes et qu'on pourrait être à l'aube d'une vraie crise institutionnelle. Je dis ça pourquoi ? Parce que c'est l'Agence de sécurité des aliments, L'EFSA, l'autorité européenne de sécurité des aliments, qui est chargée de fournir des rapports à la Commission européenne pour qu'ensuite on décide si on maintient ou pas sur le marché une molécule, dans ce cas-là le glyphosate. Et là, il est très clair que cette agence n'a pas fait son travail. D'ailleurs, dans mon film, dans mon livre, des scientifiques de renom parlent de fraude scientifique, c'est pas rien. Voilà comment aujourd'hui on n'arrête pas de repousser la décision est-ce que oui ou non on va réautoriser cette molécule ?
Journaliste : Donc, on en reparlera dans quelques mois. Je vous remercie pour votre éclairage et je vous invite vraiment à voir ce film qui est en replay sur Arte.fr pendant encore deux mois. Merci encore, Marie-Monique Robin pour cet éclairage.

p. 99, vidéo
N° 27

La pomme de la discorde
Le geste est précis, et la cadence soutenue. Dans ce verger corrézien, ils sont des dizaines de cueilleurs en pleine action, et, comme chaque année à cette période, le temps est compté.
Laurent Rougier : En milieu de semaine prochaine, il faut que ce soit fini, et on sera loin d'avoir fini.
– La cueillette ?
Laurent Rougier : Oui, en termes de maturité, oui, ça va super vite
– Une fois cueillies, les pommes sont délicatement entreposées dans ces caisses en bois. Pas question d'abîmer ce fruit unique, à bien des égards.
Laurent Rougier : Voilà donc la pomme du Limousin, qui est la seule pomme en France à bénéficier d'une appellation d'origine protégée, grâce à son terroir particulier, à ses sols, à son climat, qui lui permettent d'avoir des qualités gustatives au-dessus des autres Golden.
– Croquante et juteuse, la pomme AOP du Limousin n'en est pas moins fragile, et surtout vulnérable. Tout au long de sa croissance, elle doit faire face à une double menace :
Laurent Rougier : Une maladie qui s'appelle la tavelure, qui est un champignon. Là, on en voit l'exemple, avec des taches, qui sont en train de se développer. Et un ravageur qui est le puceron cendré qui, lui, en piquant les fruits, les atrophie et ils ne peuvent plus grossir. Voilà, ils sont restés complètement atrophiés. Si toutes les pommes étaient comme ça, la récolte, elle est perdue. Elle est incommercialisable.
– Alors, pour assurer la production de 100 000 pommes du Limousin chaque année, ce fruit défendu va faire l'objet d'un traitement phytosanitaire. Des pesticides, autorisés par l'AOP, à condition de stopper leur épandage un mois avant la récolte, et de rester en deçà des limites maximales de résidus fixés par l'Europe.
Laurent Rougier : Voilà à quoi ça ressemble.
– Dans ce box fermé, des substances chimiques conçues pour éliminer champignons et autres pucerons.
Laurent Rougier : Les produits, qui sont utilisés, sont très sélectifs de la maladie ou du ravageur, et permettent de protéger tout le reste de l'écosystème du verger.
– L'écosystème, peut-être, mais pas les habitants qui vivent à proximité. À la tête d'une association de riverains, Fabrice Micouraud est parti en guerre contre la pomme du Limousin, devenue pomme de la discorde.
Fabrice Micouraud : Lorsque les produits sont utilisés ici, à chaque fois qu'il y a un demi-tour du tracteur, le vent, ou même sans vent, les produits vont automatiquement aller vers la parcelle habitée, qui n'est qu'a dix mètres, dix-douze mètres. On a la largeur d'une route qui sépare la zone de traitement de la zone d'habitation.
– Vivre au plus près des pommiers, ou des pesticides, une situation intenable pour des familles souvent condamnées à rester sur place.
Fabrice Micouraud : Au même titre que vous avez des gens qui n'iront pas acheter à proximité, dans le périmètre d'une centrale nucléaire, vous avez des gens qui n'iront pas acheter dans un périmètre d'une zone agricole dite intensive, intensive de par l'utilisation des produits.
– Installée en Corrèze depuis plus de vingt ans, Christina et son mari aspiraient à une vie au calme, loin des nuisances de la ville. Aujourd'hui, leur quotidien est rythmé par les pulvérisations, depuis le verger d'en face.
Christina : Quand ils commencent à passer les pesticides, à épandre, on le sent d'ici. Il y a une petite brise, qui colle sur la peau, et ça, c'est un jour sur deux le printemps. Le printemps, c'est un enfer.
– Alors, pour jouir quand même de son jardin, Christina a dû s'équiper.
Christina : Je sors avec ça. Sinon, c'est pas possible.
– Sans ce masque antipollution, tout contact direct avec les pesticides a des effets immédiats sur sa santé.
Christina : J'ai la gorge qui brûle, j'ai les yeux qui brûlent. André aussi, pareil. Des crises, des fois, des maux de tête ...
– Des symptômes qui font craindre à ce médecin, engagé contre les pesticides, des répercussions autrement plus graves.
Médecin : Vous avez des signes d'intoxication aiguë, ben, si vous les avez tous les ans, c'est plus une intoxication aiguë, ça devient quelque chose comme une intoxication chronique, quoi. Et à ce moment-là, vous partagez des risques avec l'agriculteur du coin, vous partagez le même risque d'exposition, c'est-à-dire : cancer du sang, cancer de la prostate, maladie de Parkinson.
– Signe d'une prise de conscience, en mars dernier, les deux camps ont fini par enterrer la hache de guerre. Une charte de bonne pratique a été signée. Désormais, plus de traitement les dimanches et jours fériés, et, sur demande des riverains, des boucliers de protection comme celui-ci vont progressivement voir le jour.
Laurent Rougier : Les embruns liés aux traitements phytosanitaires sont arrêtés, en très grande partie, grâce à ce filet. Même s'il en passe un peu, ils sont au moins freinés, et ils s'arrêtent. Ça évite qu'ils soient emportés sur des plus grandes distances.
– À terme, près de vingt kilomètres de haies végétales doivent être plantés autour des vergers.
Fabrice Micouraud : Il faudra en faire le bilan, et, en fonction du bilan, on se positionnera. C'est pas une fin en soi, mais ça permet d'ouvrir le dialogue, et d'espérer en l'avenir.
– Un avenir qui, pour beaucoup, passe par une réduction drastique de l'usage des produits phytosanitaires à l'heure où la pomme reste, aujourd'hui encore, le fruit le plus chargé en pesticides.

p. 100, séquence radio
N° 06

Une étude accablante
Journaliste : Nathalie Fontrel, donc, comme promis, vous nous présentez une nouvelle étude sur l'impact des pesticides sur les abeilles.
Nathalie Fontrel : Fermez les yeux et imaginez cette scène : des centaines de pollinisateurs, sans ailes, un pinceau à la main. Ce sont des hommes qui assurent la reproduction des arbres fruitiers. Nous sommes en Chine dans la province du Sichuan. Les insectes ont été décimés par les pesticides. Les hommes sont obligés de faire leur travail. Ça fait des décennies que l'on connaît l'impact des produits chimiques sur les pollinisateurs
Journaliste : Et les abeilles ont déjà payé un lourd tribut aux pesticides.
Nathalie Fontrel : Et notamment ceux de la nouvelle génération : les néonicotinoïdes. L'INRA, l'Institut national de recherches agronomiques vient de publier une nouvelle étude, réalisée en plein champ. Elle a confirmé que ces substances déboussolent les abeilles : elles perdent le chemin de la ruche et de la communauté. Or une abeille seule est une abeille morte. Pour en avoir le cœur net, les chercheurs ont équipé 7 000 abeilles d'une puce RFID, cela permet de les identifier par radiofréquence, à chaque entrée et sortie de la ruche. Entre 5 et 20 % des insectes ne rentrent pas. Plus les ruches sont installées à proximité des champs traités aux pesticides, plus elles fuguent vers une mort certaine.
Journaliste : Mais la ruche arrive à compenser cette perte de population.
Nathalie Fontrel : C'est la découverte : les

abeilles décident d'élever moins de mâles et se concentrent sur la naissance de femelles ouvrières. Celles qui vont ravitailler la ruche. Bonne nouvelle : les abeilles seraient donc capables de s'adapter aux pesticides et la production de miel dans la ruche n'est pas affectée. Sauf que : la colonie est fragilisée et, comme tout être vivant, mieux vaut être en bonne santé pour résister aux agressions. Le manque de fleurs mellifères les affame puisque nos champs et la monoculture ont pris toute la place. Elles sont plus sensibles aux virus et aux parasites comme le varroa, un modèle réduit de vampire : il suce l'équivalent du sang des abeilles. Et puis, la « gracieuse bestiole », le frelon asiatique, qui aime bien grignoter les insectes. J'entends ceux qui n'aiment pas le miel... Je leur rappelle que les abeilles travaillent gratuitement : leur service de pollinisation permet la production de fruits et de légumes. Il est évalué à 153 milliards d'euros par an. Je pense que si les abeilles avaient conscience de cet esclavage, elles réclameraient un contrat à durée indéterminée, un treizième mois et, probablement, aussi, le droit de grève.

p. 101, vidéo
N° 28

Les abeilles menacées par les pesticides

Journaliste : De retour chez nous pour parler du déclin des abeilles qui est devenu préoccupant. Des scientifiques et des groupes écologistes pressent les gouvernements de légiférer pour interdire l'usage des pesticides qui détruisent les populations d'abeilles. L'Ontario, qui est la province la plus touchée au pays, s'apprête d'ailleurs à devenir la première juridiction nord-américaine à passer à l'action. Philippe Leblanc.
Philippe Leblanc : Encore cette année, le quart des colonies québécoises d'abeilles ont été décimées. Les pertes des apiculteurs ont doublé ces dix dernières années, un problème mondial.
Apiculteur : C'est quand même une crise. Les gens ont modifié leurs pratiques. Ça devient moins rentable, moins intéressant, pour certains, de faire de l'apiculture.
Philippe Leblanc : À Toronto, les environnementalistes dénoncent les ravages causés aux abeilles et aux autres insectes pollinisateurs par les néonicotinoïdes, des pesticides utilisés pour la culture du soja et du maïs, potentiellement cancérigènes, et qui paralysent le système nerveux des insectes. La disparition des abeilles menacerait même toute notre chaîne alimentaire.
Scientifique : Sans abeilles, nous n'aurions plus que du blé pour le pain, du maïs qu'on pourrait manger, et puis, quelques autres céréales, comme le riz. Mais il n'y aurait plus ni de fruits ni de légumes.
Philippe Leblanc : Ce scientifique souligne que l'Italie a imposé un moratoire complet de cinq ans sur l'utilisation de ces pesticides, et que le taux de mortalité des abeilles est revenu à la normale. Il salue l'initiative ontarienne d'imposer des restrictions pour réduire de 80 % l'utilisation des néonicotinoïdes, d'ici deux ans.
Scientifique : À un moment donné, si on veut vraiment faire évoluer les choses, il faut le faire par la contrainte.
Philippe Leblanc : L'Ontario est la première juridiction à agir en Amérique du Nord. Apiculteurs et environnementalistes ont récemment écrit au gouvernement Couillard.
Chercheuse : Nous faisons appel au gouvernement du Québec de suivre l'exemple de l'Ontario, en fait, pour mettre en place des limites – sinon une interdiction totale – à l'usage de ces produits chimiques. Nous attendons toujours la réponse.
Philippe Leblanc : Pour sa part, le gouvernement Harper n'a pas l'intention de légiférer. Le ministre fédéral de l'agriculture soutient même que les colonies d'abeilles ont augmenté ces dernières années, tout comme la production de miel canadien. Ici Philippe Leblanc, Radio-Canada, Toronto.

p. 101, vidéo
N° 29

« Il faut inventer un autre modèle »

Nos agriculteurs aujourd'hui gagnent 350 euros par mois en moyenne. Les gens qui nous nourrissent, qui nous font boire des choses magnifiques, qui nous font manger des produits formidables gagnent 350 euros par mois, c'est quoi ce scandale, quoi ? C'est quoi cette histoire ? Est-ce qu'on est complètement déconnecté au point de ne pas reconnaître... Vous avez n'importe quel métier de bureau qui va vous faire gagner le SMIC. Nourrir l'humanité, ça ne vous fait pas gagner le SMIC. C'est quoi cette histoire ? Depuis quand il faut que notre alimentation soit sponsorisée ou en tout cas financée par de l'argent public. Ça veut dire quoi de payer plusieurs fois les produits, c'est quand même injuste.
Aujourd'hui, un cochon industriel que vous payez, soi-disant, pas cher à la caisse, vous allez le payer une fois à la caisse pas cher, effectivement. D'accord ? Après vous allez le payer une deuxième fois pour nettoyer sa merde parce que, voilà, désolé, mais l'argent public pour les nitrates, les algues vertes et les nappes phréatiques. Et après vous allez payer une troisième fois parce qu'il faut soigner les gens qu'il a rendus malades parce que manque de pot ce cochon-là il n'a pas les bons gras, en plus il est stressé, en plus il est bourré d'antibiotiques donc il ne nous fait pas du bien. Et après, il faut payer le mec qui le produit parce qu'au prix où il y a vendu faut pas croire qu'il gagne sa croûte. Donc vous allez le payer quatre fois le cochon pas cher, quatre fois. Et la grosse injustice c'est que même les gens qui ne le mangent pas, ils vont le payer trois fois quand même. Ça, c'est l'ancien modèle, vous avez raison Christiane, c'est l'ancien modèle c'est la vie d'avant, sauf qu'il faudrait que ça s'arrête vraiment maintenant.

Leçon 3

p. 105, vidéo
N° 30

Vivre mieux avec moins : la simplicité volontaire

Beaucoup de définitions en fait, de la simplicité volontaire, moi j'en ai une qui est très simple en fait qui tient en en quatre mots, c'est : vivre mieux avec moins. Alors il faut savoir d'abord que la simplicité volontaire c'est vraiment vivre mieux, c'est pas une mortification, c'est vraiment pour aller mieux, et vivre avec moins, parce que, c'est... moins ça veut dire, moins de pression sur soi-même, ça veut dire moins de pression sur les autres, ça veut dire aussi moins de pression sur l'environnement. Donc en fait c'est tout le bénéfice de la simplicité volontaire.

Donc depuis quatre ou cinq ans les *Amis de la terre* mettent sur pied des groupes de simplicité volontaire, parce que nous pensons que la démarche de simplicité volontaire, l'entrée dans la simplicité volontaire n'est pas une démarche simple et facile à faire. La plupart du temps, les personnes se demandent « par où commencer ? », « que faire ? », « comment commencer ? », donc c'est pas du tout évident. Et donc à l'intérieur de ces groupes on va aller trouver là-bas, avec le partage de l'expérience des autres, des idées, pour commencer, mais on va aussi trouver du soutien, on va aussi trouver des encouragements. Et donc moi personnellement je fais partie d'un groupe de simplicité volontaire depuis quatre ans, et j'imagine que sans le soutien, justement, des membres de ce groupe, je n'en serais pas arrivé au stade où j'en suis aujourd'hui. Donc c'est vraiment un conseil que l'on donne aux personnes qui ne savent pas trop comment commencer, c'est justement d'essayer de s'intégrer dans un groupe pour justement être en mesure d'entreprendre cette démarche de simplicité volontaire. La gestion du temps est probablement un des thèmes les plus difficiles au niveau de la simplicité volontaire. Si on ne ralentit pas, on a beaucoup de mal à entrer dans la simplicité volontaire. Le but c'est d'essayer de retrouver du temps pour soi, de retrouver du temps pour les autres, retrouver du temps pour faire autre chose, ou pour faire les choses autrement. Sans ce ralentissement, on n'a pas de temps libéré pour prendre conscience, et la rentrée dans la simplicité volontaire est excessivement difficile. Par contre, si on a la capacité de gérer, de libérer, de ralentir, parce que ça, c'est vraiment le terme majeur, c'est de ralentir, alors on peut réellement faire quelque chose dans la simplicité volontaire. Et par là, on peut vraiment vivre mieux. Les gens sont d'accord, en tout cas, leur train de vie est beaucoup trop rapide pour que cette vie soit intéressante, et donc ralentir, ralentir, ralentir c'est vraiment le leitmotiv de la simplicité volontaire.

En quatre ans de démarches, il y a quand même quelques résultats qui me semblent en tout cas très très encourageants. Et le premier à mon avis c'est le désencombrement et le désintérêt pour les objets. J'étais comme beaucoup d'autres, accumulateur, acheteur d'objets.

Là, j'ai un détachement, j'ai acquis en tout cas un détachement tout à fait total et complet, donc ça, c'est une grosse avancée. J'ai, par exemple, changé complètement mes modes de déplacement. Alors que j'étais complètement allergique aux transports en commun, bien maintenant je ne me déplace pratiquement plus qu'en autobus et au train. Et lorsque je prends la voiture, c'est parce que je ne peux pas faire autrement. Je suis devenu végétarien. C'est peut-être pas à la portée de tout le monde, mais bon c'est quelque chose que j'ai pu faire aussi. Je me suis beaucoup intéressé, en tout cas, aux pressions que mes consommations avaient sur l'environnement, donc en quatre ans on a diminué nos consommations de mazout de moitié, d'électricité de moitié. On est devenus complètement indépendants au niveau de l'eau. On ne travaille plus par exemple avec que de l'eau de pluie. Et ce qui est intéressant dans cette démarche c'est qu'on pourrait penser que c'est à nouveau une mortification, c'est une privation, mais non, on le fait parce que maintenant c'est devenu pour nous autres en tout cas dans l'ordre des choses, ça nous paraît tout à fait naturel. On n'envisage plus de faire autrement que ce qu'on fait pour l'eau.

p. 107, vidéo
N° 31

Une monnaie locale en plein essor

Max : C'est notre rendez-vous du mardi. Par'is green avec sur le plateau de « Bonjour Paris » Fanny Agostini. Bonjour Fanny !
Fanny : Bonjour !
Max : Une chronique qui donne la pêche aujourd'hui.
Fanny : Oui, absolument puisque quelque chose de phénoménal est en train de se passer sur le territoire francilien alors que peu de personnes le savent, car derrière un concept la MLC se cache vraiment une formidable opportunité de revoir notre façon de penser l'économie.
Max : La monnaie locale.
Fanny : Oui, de redonner la valeur de l'argent. Elle est complémentaire cette monnaie, la MLC : monnaie locale et complémentaire. Alors le principe de base c'est que vous et moi, toi Aurélie et toi Max, on est capable de créer une nouvelle monnaie. Ce n'est pas simplement un privilège réservé à la Banque centrale, ni même passible de peine. À partir du moment où cette monnaie ne vient pas supplanter la monnaie nationale, qui est l'euro, donc cette une monnaie qui est bien complémentaire. Mais vous allez me dire : à quoi ça sert alors qu'on a déjà de la monnaie, ça sert à quoi d'en mettre une nouvelle en circulation? Et bien...
Max : À quoi ça sert donc ?
Fanny : Je vais répondre à cette question. Il y a vraiment un but fondamental, c'est celui de faire en sorte que les activités économiques bénéficient au territoire avant tout et en véhiculant aussi certaines valeurs. La citoyenneté, évidemment, le lien social, la démocratie et l'écologie, car derrière ça il y a bien évidemment l'idée de produire beaucoup plus localement. Alors qu'à l'inverse, c'est bien quand on va consommer dans une grande chaîne et bien l'argent dépensé ne va pas directement aux acteurs économiques d'un territoire, mais va plutôt être injecté très loin dans la finance. Et en partant de ce principe, les Montreuillois, habitants de Montreuil, et en s'inspirant de Rob Hopkins qui est l'un des pères fondateurs du mouvement de ville en transition pour une économie plus saine, donc c'est vraiment un grand monsieur ce Rob Hopkins, et bien les Montreuillois ils se sont inspirés de cela et il y a un an et demi ils ont décidé de créer une monnaie locale. J'ai quelques exemplaires dans les mains. Cette monnaie s'appelle La Pêche, La Pêche de Montreuil.
Aurélie : Alors comment fait-on ? Comment ça marche ? Dites-nous tout Fanny.
Fanny : Mais le fonctionnement il est ultra simple. Il suffit d'abord de le vouloir, c'est la base, et puis d'aller trouver un imprimeur en graphisme pour faire de jolis billets avec tout à fait cette idée de faire les choses bien de manière sécurisée. Donc comme la monnaie traditionnelle, c'est du papier filigrané, impossible de faire de la reproduction, car c'est imprimé en 3D. Vous avez aussi une petite couche argentée, un numéro de série.
Max : On ne peut pas les confondre avec des euros.
Fanny : Mais pas du tout. Et à partir de là, vous faites aussi des petites incrustations pour les non-voyants. Vous développez des comptoirs de change avec un taux de change ultra simple, une Pêche égale un euro. Et c'est parti !
Max : Du papier recyclé évidemment.
Fanny : Si possible. Il suffit d'avoir des commerçants partenaires, et hop, la pompe est amorcée vous pouvez aller dépenser vos Pêches. Et comme j'avais besoin de lunettes de vue correctrice, et bien je suis allée tester pour vous. Je suis partie du côté de Bagnolet, car il y a un nouvel opticien qui a rejoint la liste des commerçants qui acceptent la Pêche et je suis allée voir Adrien l'opticien. Et sachez que ces lunettes de vue, et bien, je les ai achetées en Pêche de Montreuil. Alors en langue référence c'est Bagnolet, mais je les ai achetés avec ces billets-là mes nouvelles lunettes.
Aurélie : Très bien, elles vous vont très bien Fanny.
Max : Adrien, l'opticien, mais aussi d'autres commerçants acceptent de se faire payer en Pêches.
Fanny : Ce qu'il faut se dire c'est que ce n'est pas un phénomène marginal et c'est même devenu complètement viral. C'est pas du tout loufoque de créer une nouvelle monnaie. Il y a de plus en plus de commerces qui adhèrent, des commerces de bouche, vous avez des magasins de vêtements, on a vu l'opticien, il y a des plombiers. Car tous ces acteurs ont compris qu'il y avait un intérêt à ce que l'argent reste sur le territoire. Ça a fait vraiment un nouveau rapport à la clientèle, ça crée du lien social, évidemment c'est très important. Et l'argent reste vraiment sur un périmètre beaucoup plus restreint. Donc il y a Montreuil, mais il y a aussi Bagnolet, il y a aussi Vitry, bientôt Alfortville, Saint-Denis, dans Paris intra-muros aussi certains commerçants acceptent désormais la Pêche qui est en train de se répandre. Et puis, il y a plein, plein d'exemples maintenant à l'international, ça a commencé en Angleterre dans un quartier de Londres à Brixton. Sachez qu'il y a même des billets à l'effigie de David Bowie, on peut vraiment faire preuve de créativité. Il y a même pour l'humour et pour le défi un billet de 21 qui a été édité. Alors en France vous ne savez peut-être pas, mais il y a quand même quarante monnaies locales différentes qui circulent.
Max : Dans le 11e arrondissement, ça vient de se lancer.
Fanny : Oui, donc vous voyez comment c'est quand même quelque chose qui est en train d'émerger et de se répandre. Vous avez le Stück en Alsace, vous avez la Gonette à Lyon, vous avez aussi la Doume en Auvergne, et puis l'Eusko au Pays basque. Tous les brasseurs acceptent la monnaie locale pour être payés, donc c'est vraiment quelque chose de novateur. Ce qu'il faut savoir c'est que la monnaie fiduciaire, c'est-à-dire le sonnant et le trébuchant, ce que vous tenez dans vos mains, c'est seulement 10 % de la monnaie qui circule. Le reste c'est des écritures sur des comptes, c'est de la monnaie scripturale qui sert uniquement à la finance et à l'enrichissement. Rappelons juste que la monnaie est là pour utilité première, pour but premier, d'échanger entre les acteurs sur un territoire. Il faut vraiment se rappeler de ça. Si on doit se rappeler aussi de quelque chose, c'est que tout le monde est capable de participer à la mise en circulation d'une monnaie au service de l'humain et pas de la finance.
Max : Fanny Agostini, Par'is green.

p. 108, séquence radio
N° 07

Pourquoi avons-nous tant de mal à changer nos styles de vie ?

Pierre : Et voici Laurence Luret avec nous ce matin, pour *Pensez donc*, comme chaque dimanche. Bonjour Laurence.
Laurence : Bonjour, Pierre, bonjour à tous.
Pierre : Pourquoi avons-nous tant de mal à changer nos styles de vie ? C'est la question que vous posez, Laurence, à votre invitée, la philosophe Corine Pelluchon.
Laurence : Eh oui, Pierre, en cette journée de lancement de *l'Alliance solaire internationale*, dont vous parlerez d'ailleurs, tout à l'heure, Pierre, à 8 h 20, pourquoi, malgré le changement climatique, avons-nous tant de mal à changer nos habitudes, à délaisser la voiture, par exemple ? Bonjour, Corinne Pelluchon.
Corine Pelluchon : Bonjour.
Laurence : Alors, face à l'urgence écologique, nous avons beaucoup de mal à changer nos modes de vie. Qu'est-ce qui nous en empêche ?
Corine Pelluchon : Ah, beaucoup de choses ! La routine, les habitudes, mais peut-être aussi le fait que l'écologie est pensée seulement dans sa dimension environnementale, dégradation des ressources, et qu'on oublie que chaque personne, par des gestes quotidiens, peut être l'acteur de la transition écologique, laquelle n'est pas seulement, ne concerne pas seulement les ressources, mais l'organisation de la production,

du travail. Il y a une écologie environnementale, une écologie sociale, concernant le travail, une écologie mentale, liée au sens de l'existence et au plaisir qu'on peut avoir à modifier ses styles de vie.
Laurence : Mais, alors, justement, nous savons que nous devons changer, mais on le fait plutôt mollement. Alors, comment arriver à changer ses comportements ? Est-ce que c'est parce qu'il y a un petit côté de morale : nous devons changer.
Corine Pelluchon : Ben, justement, l'approche que je propose insiste moins sur les interdictions, les obligations, les normes, les principes qui saturent notre vie sociale. Elle insiste plutôt sur l'ensemble des représentations, de notre rapport à la nature, l'ensemble de nos représentations et de nos émotions, qui sont les moteurs des changements qui peuvent être très profonds, et s'associer à un plaisir, à profiter autrement des choses, à consommer autrement.
Laurence : Vous dites qu'on doit considérer ce qui nous entoure, le monde qui nous entoure, autrement. D'ailleurs, le titre de votre livre, c'est *Éthique de la considération*. C'est quoi, au juste, la considération ? C'est de l'empathie ?
Corine Pelluchon : Ça suppose une part d'empathie, mais c'est surtout une question de regard, une manière de considérer, de regarder avec attention les êtres, en reconnaissant leur valeur propre, et en les individualisant. Et, surtout, la considération suppose une attitude générale où, si vous voulez, la clé du rapport à la nature, aux animaux, à autrui, au pouvoir, et bien, c'est un rapport à soi par le rapport, peut-être à la nature autour. En tout cas, à un monde commun qui m'accueille à ma naissance, survit à ma mort, et qui est fait des générations passées, présentes, futures, des institutions ... Donc, ce monde commun donne un horizon, une épaisseur à mon existence individuelle. Et, « considérer », c'est vraiment *cum sidus sidéris*, et bien, regarder une chose comme si c'était une constellation d'étoiles, et ce qu'il faut entendre, c'est le « avec », c'est regarder avec attention quelque chose, mais parce qu'on sait qu'on n'est pas un empire dans un empire, on n'est pas seul au monde.
Laurence : Mais, Corinne Pelluchon, la considération, pour l'autre, pour ce qui est autour de nous, ça commence concrètement par quoi ?
Corine Pelluchon : Ben, ce qui fait le lien entre le souci de soi et le souci du monde, et bien, c'est justement pas seulement une introspection, mais cette idée que nous ne sommes pas seulement clos sur nous-mêmes, nous ne sommes pas seulement des forces de production et de consommation. Finalement, le sens de l'existence il est aussi à chercher dans un horizon qu'on pourrait appeler vaguement spirituel, mais qui est une spiritualité laïque. C'est vraiment une sorte de transcendance, quelque chose qui me dépasse, mais qui est, dans ma vie, ce monde commun où les générations futures, d'une certaine manière, elles habitent déjà auprès de moi, au sens où elles subiront les conséquences de mes modes de production. Le fait de savoir que vivre, c'est toujours vivre de, et vivre avec les autres, partager l'espace avec même les autres vivants, et que c'est vivre pour, c'est-à-dire par rapport au type de société que nous transmettons aux autres. Eh bien, je crois que ça donne une dimension même d'espérance aux individus alors que, dans notre monde aujourd'hui, ils ont l'impression que, finalement, à part la consommation, la production, ils ne sont rien. En plus, il y a plein de laissés-pour-compte.
Laurence : Alors, on va vous dire, Corinne Pelluchon, que vous décrivez un monde de Bisounours, parce que c'est bien éloigné de la nature humaine, qui peut être cupide ...
Corinne Pelluchon : Ah, mais, de toute façon, une éthique des vertus qui propose un ensemble d'étapes à suivre, pour, justement, à la fois, savoir à quoi l'on tient, donc, quelle est son autonomie morale, et, aussi, élargir un petit peu, la sphère de sa considération, c'est difficile. Et, en plus, il y a beaucoup d'obstacles, et, je crois que, pour ne pas être une éthique de Bisounours, inapplicable, et bien, il faut justement, non seulement réconcilier la rationalité et les affects, mais aussi il faut prendre en compte les pulsions destructrices de l'humain, et le besoin que chacun a de trouver des gratifications, voire des sublimations, dans le travail, et pas que ! Et malheureusement, l'organisation du travail, un certain nombre de choses aujourd'hui, font que les êtres sont amenés à avoir peur des autres, à s'enfermer dans des comportements routiniers, etc., etc., qui sont des obstacles, non seulement à la transition environnementale, mais, aussi, au vivre ensemble.
Laurence : Corinne Pelluchon, pour conclure, vous dites qu'exister, ce n'est pas que pour soi. Alors, c'est complètement à rebours de notre époque individualiste où le souci de soi passe avant le souci du monde.
Corinne Pelluchon : Oui, mais quel est ce « soi » des individus ? C'est un petit peu le dilemme de l'autonomie aujourd'hui. Chacun veut être soi, mais ce soi, souvent, reflète les valeurs du marché. Donc, c'est le comble de l'aliénation. C'est les désirs de l'*homo economicus*, hein, de cet homme économique qui cherche finalement à posséder des biens que d'autres ne possèdent pas, pour avoir un certain prestige. Mais, comme je disais tout à l'heure, il y a tellement de laissés-pour-compte dans un monde si inégalitaire que, justement, et bien, ces personnes-là sentent leurs vies appauvries et se sentent dans ce que Hannah Arendt appelait la désolation, sentiment vraiment de tourner en rond et d'avoir un rapport au monde commun qui est brisé. Au contraire, à partir du moment où il y a un horizon, une épaisseur, ou un horizon en son sens transcendant de mon existence individuelle, et bien, on a, non pas forcément une vie plus facile, mais quand même, il y a l'idée que vivre, c'est aussi vivre pour.
Laurence : Vaste programme ! Merci, Corinne Pelluchon, pour ces quelques minutes en votre compagnie, et puis, bien sûr, pour ceux et celles qui se réveillent à peine, et bien *Pensez donc*, c'est aussi sur notre site, Pierre.
Pierre : Absolument, Laurence Luret, et je rappelle ce livre, *Éthique de la considération*, de Corinne Pelluchon, et c'est paru aux éditions du Seuil.

Unité 5

Leçon 1

p. 115, vidéo
N° 32

Réussir sa lettre de motivation
Bonjour à toutes et à tous et bienvenue.
Je vais maintenant vous donner quelques conseils pour rédiger une bonne lettre de motivation. Tout d'abord, vous qui êtes à la recherche d'un poste en alternance ou d'un stage ne faites pas une lettre de motivation trop longue. Elle doit absolument tenir sur une page. La lettre de motivation doit comporter trois catégories : le « je », où le candidat va présenter son parcours et ses qualités ; le « vous » qui va parler de l'entreprise et du poste qu'elle propose ; et le « nous » où le candidat va poser un rendez-vous. Je vais donc vous donner un exemple : Michaël, 21 ans, titulaire d'un BTS Management des unités commerciales, je suis actuellement à la recherche d'un poste dans l'immobilier. Possédant de grandes qualités relationnelles, étant très motivé, je me permets de vous proposer ma candidature. Votre société et le poste que vous proposez correspondent tout à fait à mes attentes, car je suis à la recherche d'un poste de négociateur immobilier dans le cadre d'un contrat de professionnalisation. Mon rythme d'alternance sera de trois jours tous les 15 jours. Dans l'attente de vous lire et d'avoir un rendez-vous avec vous, veuillez recevoir mes salutations distinguées. Cordialement.

Leçon 2

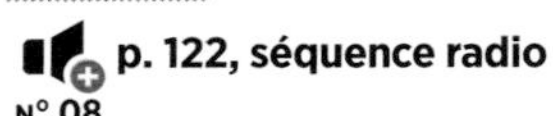
p. 122, séquence radio
N° 08

Comment réussir son entretien d'embauche ?
Emmanuelle Bastide : Être à l'heure, ça semble une évidence que l'on ose à peine rappeler, et pourtant...
Sylvia Di Pasquale : Ah oui, beaucoup de recruteurs se plaignent de candidats en retard, voire de candidats qui ne préviennent pas qu'ils ne viennent pas. Et ça, côté recruteurs, moi, j'en rencontre vraiment beaucoup qui sont un peu désespérés par cette génération qui n'est pas suffisamment dans la politesse.
Emmanuelle Bastide : Donc, l'idéal, c'est quoi ?
Sylvia Di Pasquale : C'est d'arriver cinq, dix minutes avant ? Cinq, dix minutes avant, se présenter à l'accueil...
Emmanuelle Bastide : On fait quoi, pendant l'attente ?
Sylvia Di Pasquale : On peut regarder son portable. Bon, il n'y a pas de règles.
Emmanuelle Bastide : On va couper son portable après pour l'entretien.
Sylvia Di Pasquale : Bien sûr.

Emmanuelle Bastide : On vérifie si on a son CV, on évite de sortir fumer une cigarette ?
Sylvia Di Pasquale : Oui, parce qu'alors ça, ça fait augmenter le rythme cardiaque et ce n'est pas très bon pour le zen.
Emmanuelle Bastide : Alors justement, puisqu'on parle du zen et du rythme cardiaque, un auditeur Telus qui est à Port-au-Prince, en Haïti, nous dit : « Comment gérer le stress au moment de l'entretien ? On peut croire que je ne suis pas compétent mais, en fait, je perds mes moyens. »
Sylvia Di Pasquale : Oui, alors, petit conseil que donne toujours les coachs, c'est évidemment de travailler sa respiration, c'est-à-dire de bien respirer par le ventre avant de rentrer dans l'entretien. Bon, ça, ok, faut s'entraîner.
Emmanuelle Bastide : Au lieu de fumer la cigarette, donc.
Sylvia Di Pasquale : Au lieu de fumer la cigarette...
Emmanuelle Bastide : Utiliser des exercices de respiration.
Sylvia Di Pasquale : Absolument, et puis, ensuite, pendant l'entretien, alors il y a vraiment des techniques d'impro qui sont importantes, qui sont par exemple de se mettre dans l'instant présent. Bon, on va croire que je suis un peu une gourde, mais vraiment ça marche, ce truc. On est dans l'instant présent, on se dit qu'on va vivre quelque chose qui ne va plus jamais se répéter, alors voilà, on va le vivre bien, on pense positif, etc. Et voilà comment on peut réussir à gérer son stress pendant un entretien. Et puis, alors si, petit conseil, et c'est ce que les recruteurs me disent aussi : dites-le si vous êtes stressé. Dites-le-lui, et parfois, ça calme tout parce que la personne en face va vous dire : « Mais non, attendez, là, on est vraiment là pour faire connaissance, ne vous inquiétez pas, tout va bien se passer. » Et ces petits mots, qui sont des mots un peu doudous, ça va nous rassurer, donc ça peut marcher.
Emmanuelle Bastide : On a énormément de questions aussi sur l'apparence vestimentaire. Abdoula, à Dakar : « J'ai des questions sur le code vestimentaire en entretien. J'ai un ami qui m'a expliqué que son camarade n'avait pas eu un emploi, car il est venu en jeans t-shirt au lieu de porter un costume. Est-ce possible ? » Maoula, à Abidjan : « Comment s'habiller pour impressionner le recruteur ? » Shere, à Dakar : « Pour moi, il est difficile de réussir un entretien d'embauche à cause des codes vestimentaires : je n'ai pas assez d'argent pour m'acheter un costume, donc je ne sais pas comment m'habiller pour être présentable en entretien. » Que répondre à toutes ces questions ?
Sylvia Di Pasquale : Alors moi, j'ai un conseil, qui est vraiment très simple et frappé au coin du bon sens, c'est aller sur Internet et regarder des vidéos sur l'entreprise, si elles existent. Parce qu'il y a plein de codes...
Emmanuelle Bastide : Si elles n'existent pas, on va dans le quartier, on va essayer de se renseigner : à la sortie, à la fin de la journée, comment sont vêtus les salariés de l'entreprise ?
Sylvia Di Pasquale : Oui mais après, ça ne vous garantira pas que les salariés du service où vous postulez sont vraiment habillés comme ceux que vous avez vus à la sortie, mais ça peut vous donner des indices. Ne stressez pas sur la tenue vestimentaire. Encore une fois : évidemment qu'on ne va pas en entretien en jeans et t-shirt ! À part dans une *start-up*... Mais voyez, c'est juste des conseils de bon sens. On s'habille correctement pour être dans une situation professionnelle. Pardon d'insister, d'être un peu péremptoire, mais voilà, il faut s'habiller...
Emmanuelle Bastide : Bon, dans la banque, on va être en costume, mais il y a aussi des situations professionnelles où une simple chemise bien repassée, bien propre fera tout à fait l'affaire.
Sylvia Di Pasquale : Absolument, ça peut tout à fait faire l'affaire. Et, du coup, on oublie votre habit. Le recruteur va oublier votre...
Emmanuelle Bastide : Courchère, qui dit que, effectivement, s'acheter un costume, ça coûte cher même si on le fait faire chez le tailleur, etc.
Sylvia Di Pasquale : Oui, alors, à ce moment-là, on emprunte. On peut emprunter, essayer d'emprunter à des amis, essayer de... si on est là. Après, est-ce que le costume est vraiment indispensable pour le poste auquel il prétend ? Ce n'est pas évident.
Emmanuelle Bastide : Oui. La simplicité peut payer.
Sylvia Di Pasquale : Absolument.
[...]
Emmanuelle Bastide : Sylvia Di Pasquale, il y a de plus en plus aujourd'hui – c'est vraiment une tendance lourde – d'entretiens d'embauche, d'abord avec la mobilité, sur tous les continents, d'entretiens à distance via Skype ou d'autres moyens.
Sylvia Di Pasquale : Oui. En vidéo différée, par exemple. Alors...
Emmanuelle Bastide : Qu'est-ce que l'entretien en vidéo différée ?
Sylvia Di Pasquale : Vous recevez un lien par mail, vous recevez un lien, vous vous connectez à un serveur qui vous demande de vous placer devant votre PC, devant une caméra. Et là, donc vous ouvrez ce lien, et là des questions vous sont posées. D'abord, il y a une question pour s'entraîner ; bon alors, on s'entraîne...
Emmanuelle Bastide : Qui arrive sur l'écran ?
Sylvia Di Pasquale : Ouais, voilà, qui arrive sur l'écran.
Emmanuelle Bastide : Personne ne parle ?
Sylvia Di Pasquale : Il n'y a pas de recruteur de l'autre côté. En fait, le recruteur, il a déjà préparé ses questions. Et donc, vous pouvez être amené à répondre à des questions : quel est votre parcours professionnel ? Quels sont vos défauts, vos principaux défauts ? Quelles sont vos qualités ? Vous êtes tout seul devant la caméra...
Emmanuelle Bastide : Pas facile !
Sylvia Di Pasquale : ...avec des questions qui défilent. Eh non ! C'est bien le problème, ce n'est pas facile. Alors...
Emmanuelle Bastide : Mais ça, en fait, c'est un premier tri, en général, c'est ça ? Alors le recruteur va visionner ensuite toutes les vidéos des candidats.
Sylvia Di Pasquale : Oui. Les recruteurs promettent, la main sur le cœur, que ça ne fait que remplacer l'entretien téléphonique. Bon, on peut quand même en douter.
Emmanuelle Bastide : Alors quelques conseils, ne serait-ce que quand on est tout seul devant son ordinateur ou avec quelqu'un en *live* sur Skype.
Sylvia Di Pasquale : Alors quelques conseils, donc, d'abord, faites attention à l'éclairage : il faut qu'on puisse bien voir votre visage, donc pas la lampe derrière vous, mais devant vous.
Emmanuelle Bastide : Idem pour la fenêtre, attention.
Sylvia Di Pasquale : La fenêtre aussi, parce que sinon vous aurez des ombres reportées.
Emmanuelle Bastide : Donc on n'est pas dos à la fenêtre, mais face à la fenêtre.
Sylvia Di Pasquale : Absolument, sinon on est dans l'ombre. Autre conseil : faites attention au décor qui est derrière vous : des bouteilles de vin, ce n'est pas très... voilà, il ne faut pas. Faites attention à être dans une salle bien isolée : ça paraît évident comme ça, mais si votre enfant déboule en demandant : « Maman, j'ai faim ! », bon... Ce n'est pas très pro non plus. Ce genre de préparation, c'est des petits détails auxquels il faut quand même faire attention. Et puis, être habillé, aussi. Être habillé pareil, dans un costume professionnel, très sérieux, très propre. Coiffé...
Emmanuelle Bastide : Des pieds à la tête, y compris si on ne voit pas le bas.
Sylvia Di Pasquale : Oui, parce que ça vous met dans un état psychologique de, voilà, on est au bureau.
Emmanuelle Bastide : Question technique : il faut fixer quoi, quand on est dans un entretien vidéo face à son ordinateur ? On fixe la petite caméra qui est au-dessus de l'écran ? On fixe l'écran lui-même ?
Sylvia Di Pasquale : Alors, vous fixez la caméra, sauf que vous vous dites bien que la caméra – alors, il faut faire un exercice mental, c'est vraiment une recommandation – la caméra, c'est comme une personne. Donc en fait, quand vous parlez, vous ne regardez pas la personne tout le temps, quoi, c'est un peu gênant, sinon.
Emmanuelle Bastide : On peut regarder un peu au-delà de l'écran.
Sylvia Di Pasquale : Oui ! Vous avez le droit de regarder au-delà, et même à droite, à gauche.

p. 124, vidéo
N° 33

Pièges en entretien d'embauche

N° 1 : Citez-moi vos principales qualités et vos plus gros défauts
Ça, c'est la question piège par excellence. En fait, le jeu consiste à donner les qualités de ses défauts, et ne pas rentrer justement dans le détail de ses qualités et de ses défauts. Une réponse assez simple pour illustrer mon propos, ça serait de dire par exemple : « J'ai du mal à travailler seul ». Donc, en d'autres termes, ça veut dire que vous travaillez mieux en équipe, ce qui est plus généralement une qualité. Il faut éviter les défauts qui sont trop centrés sur soi-même, trop personnels, du type : « Je suis

gourmand », « Je suis égoïste ». Mais donner des défauts qui, justement, ont une qualité d'un point de vue du travail, de la relation humaine. Et bon, je dirais que c'est libre à chacun de trouver en fait des exemples. Mais celui du travail en équipe ou « J'ai mal à travailler seul » est généralement un défaut qui est assez facilement acceptable par tout le monde.

Nº 4 : Combien souhaitez-vous gagner ?
À la question « Combien gagnez-vous ? » il faut plutôt répondre combien vous souhaitez gagner. Parce que comme ça, ça évite d'être trop précis sur son salaire actuel. Mais la question classique, c'est : « Combien souhaitez-vous gagner ? ». Alors là, attention, il ne faut jamais donner un chiffre précis parce qu'il y a de fortes chances que vous soyez en dehors, d'un point de vue d'ailleurs positif ou négatif. Si vous répondez trop bas, vous vous dévalorisez. Si vous répondez trop haut, ça va créer la crainte vis-à-vis de l'employeur, du recruteur qui va pas aller oser au-delà, ou qui va commencer à avoir un soupçon sur l'intérêt de la continuité de l'entretien puisqu'il risque de vous décevoir. Dans ce cas-là, ce qu'il faut faire, il faut préparer son entretien. La plupart des cabinets de recrutement proposent des guides de salaire. Il faut lire attentivement ces guides de salaire. Il faut se renseigner auprès de ses amis également sur la fourchette des salaires et toujours donner une fourchette de salaire entre 5 et 10KE. Le salaire vient toujours à la fin, jamais en début d'entretien. Donc, si on vous en parle en début d'entretien, prenez-le un petit peu comme un signal d'alarme.

Nº 8 : Pourquoi êtes-vous parti de votre ancienne entreprise ?
Très bonne question ! Il y a eu des études de faites sur quelles sont les raisons pour lesquelles un collaborateur quitte l'entreprise. La raison numéro un est toujours la même : c'est parce que je ne m'entends pas avec mon employeur. Raison numéro deux, parce que je n'ai pas assez d'évolution. Raison numéro trois éventuellement salariale. Mais la première, c'est toujours parce que je m'entendais pas avec mon employeur. Donc, c'est une raison tout à fait valable. Il faut la dire. Il faut pas hésiter. De la même façon que si vous n'avez pas de possibilité d'évolution : « J'ai quitté, je souhaite quitter mon précédent employeur, mon employeur actuel, parce qu'il ne m'offre pas de possibilité d'évolution ». Donc, oui, le répondre, ça ne choquera personne. Attention. Ne jamais dire du mal de son ancien employeur. Vous pouvez mal vous entendre avec votre manager direct, mais en aucun cas ne critiquez, il ne faut critiquer son ancien employeur. Ni d'ailleurs, lui tresser des couronnes de lauriers, parce que, si vous le critiquez, ça veut dire quoi, ça veut dire que vous êtes prêt à recommencer, ou serez prêt à recommencer, avec votre nouvel employeur. Et si vous lui tressez des couronnes de lauriers, c'est qu'à priori, vous avez un peu de mal à couper le cordon. Donc, il faut rester neutre, il faut rester dans une neutralité, et donner des raisons objectives à son départ.

Nº 14 : Savez-vous dire non ?
Savez-vous dire « Non » ? Oui, c'est une bonne question. À cette question « Savez-vous dire non ? » il faut répondre « Oui », car quelqu'un qui ne dirait jamais « Non » vis-à-vis de son manager ou de ses subordonnés est ce qu'on appelle en fait dans le jargon américain des « *Yes man* » les gens qui disent toujours « Oui », donc ils sont prêts à accepter n'importe quoi vis-à-vis de leur manager ou vis-à-vis de leurs subordonnés. Donc, oui, il faut savoir dire « Non » à bon escient pour de multiples raisons quand il y a une justification à savoir dire « Non ». Il ne faut pas dire non plus « Non » à toutes les questions qu'on vous pose, mais s'il y a une réelle justification, il faut savoir dire « Non ».

Nº 15 : Où vous voyez-vous dans 10 ans ?
Quand on vous pose la question : « Où vous voyez-vous dans dix ans ? », c'est une question qui est destinée à savoir votre capacité à vous projeter dans l'avenir et à la cohérence de votre parcours professionnel. Donc, il faut, le jeu consiste, en fait, à ne pas être trop ambitieux, non plus ne pas être trop modeste, mais d'avoir une sorte d'ambition réaliste. Donc, la meilleure façon de répondre à cette question, elle est assez simple, c'est de un, connecter votre parcours passé, expérience passée avec le poste pour lequel vous postulez aujourd'hui et la réalité, je dirais, du marché économique, du secteur économique pour lequel vous avez envie de travailler.

Nº 19 : C'est quoi cette photo de vous sur Facebook ?
Normalement alors, il y a une charte qui est très claire, c'est la charte de ce qu'on appelle les réseaux sociaux : les recruteurs ne doivent pas utiliser les réseaux sociaux personnels pour des fins de recrutement. Donc, si vous avez un recruteur qui dit qu'il vous a vu en train de faire la fête avec une bouteille de champagne à la main, ou en bermuda au bord d'une piscine, c'est que déjà vous n'avez pas forcément affaire à un recruteur extrêmement éthique. Donc, moi, je retournerais la question au recruteur : « Vous êtes là pour mes compétences techniques ou pour ce que vous avez vu sur un réseau social personnel ? Moi, je suis prêt à discuter de mes compétences professionnelles qui ont un lien direct avec le poste pour lequel je postule aujourd'hui... » mais faire un lien avec votre vie personnelle, pour moi, n'a pas de sens.

Leçon 3

p. 131, vidéo
Nº 34

Les stages, tremplin ou exploitation ?
Premiers pas dans la vie active, diplômée d'une école de commerce, Lisa Andriolo est stagiaire en entreprise depuis cinq mois. « C'est très détendu même si on travaille beaucoup aussi, et donc oui ça me fait plaisir de venir. »
Cet étudiant, lui, vient de vivre une expérience difficile. Il garde l'anonymat, car il cherche un nouveau stage, mais dénonce les dérives qu'il vient de subir. « J'ai vraiment eu l'impression d'être exploité, ça a vraiment été dur pour moi et je n'ai pas eu beaucoup de récompenses. »
Deux expériences opposées, les stages sont-ils un tremplin vers l'emploi ou bien une source d'abus avec des jeunes sous-payés qui effectuent un vrai travail de salarié ?
Elle a déjà tout d'une professionnelle. Lisa Andriolo doit trouver de nouveaux clients pour l'entreprise. Un poste à part entière, mais sous surveillance. « Je ne valide rien toute seule dans le sens où, dès que j'ai un rendez-vous, j'y vais avec mon supérieur. Et quand je construis une proposition commerciale à la suite d'un rendez-vous, il faut toujours que j'aie l'accord d'une personne qui est au-dessus de moi pour envoyer cette proposition. »
Ce jeune de 23 ans, au contraire, a été livré à lui-même. Diplômé en psychologie du travail, il s'est retrouvé chargé du recrutement dans une société d'intérim. « J'ai pris la place de la personne que j'étais censé assister. Je devais m'occuper du recrutement, je devais m'occuper de l'envoi des salariés là où ils devaient aller travailler, mais aussi des tarifs. On m'a lâché dans la fosse aux lions, on peut le dire, face à des clients qui sont exigeants avec une obligation finalement d'objectifs qu'il fallait faire tant de contrats. J'étais énormément stressé, surtout que la réussite de la saison dépendait en grande partie de ma performance. »
Pour son stage, elle est payée environ 1 200 euros net par mois. C'est la moitié du salaire qu'elle toucherait si elle était salariée. « Au fur et à mesure, j'ai évolué et mes compétences se sont approfondies, améliorées, et donc pour moi ça ne me pose aucun problème de ne pas avoir eu le même salaire qu'un salarié parce que je suis en stage. »
Lui touchait 423 euros par mois et des tickets restaurant, le minimum légal pour un stagiaire, pourtant il travaillait plus de 40 heures par semaine. « Je me suis dit qu'on m'avait pris moi, stagiaire, pour combler un trou, pour combler la place d'un permanent que l'entreprise ne voulait pas embaucher. »
Alors quel bilan pour chacun à l'issue de leur stage ? Succès sur toute la ligne pour Lisa Andriolo : à 23 ans elle vient d'être embauchée. Frustration en revanche pour le jeune étudiant. « J'ai accepté toutes ces contraintes parce que finalement je n'avais pas le choix. Trouver un stage ce n'est pas quelque chose de facile et c'est quelque chose qui est pourtant nécessaire à l'obtention du diplôme. » Il se retrouve aujourd'hui sans contrat et comble de l'amertume, il a dû former le stagiaire qui allait le remplacer.

p. 131, vidéo
Nº 35

Stagiaires : les nouveaux esclaves
Animateur : Les universitaires, on les considère parfois comme des filles et des fils à papa, une minorité gâtée qui a déjà beaucoup de chance de pouvoir faire des études et qui peut rêver ainsi d'un avenir brillant. Et bien, la réalité est désormais beaucoup plus dure. À l'image de ce qui se passe dans toute l'Europe, les jeunes diplômés des

universités suisses doivent souvent se contenter de multiplier les stages non payés à la sortie des études pendant des années avant de décrocher un premier vrai emploi rémunéré. Alors on pourrait penser qu'il est normal de faire ses preuves quand on est fraichement sorti des hautes écoles, sauf que, souvent, comme l'a constaté Myriam Gazut, c'est un système d'exploitation généralisé qui s'est installé. De jeunes diplômés surqualifiés sont corvéables à merci pour pas un rond par des employeurs que cela arrange bien. Regardez.
Camille : Je m'appelle Camille et j'ai 24 ans, j'ai un master en relations internationales, je parle quatre langues. On est devant l'UIT, l'Union internationale des télécommunications, où j'ai fait un stage non rémunéré pendant cinq mois.

p. 132, vidéo
N° 36

Lisa – Étudiante DUT GEA en stage
Bonjour, je m'appelle Lisa Bardet, je suis étudiante en deuxième année à l'IUT de l'Indre sur le site de Châteauroux en GEA option finance comptabilité. Dans le cadre de mes études, j'ai dû faire un stage en entreprise et j'ai choisi donc le cabinet d'expertise comptable KPMG.
Pourquoi j'ai choisi ce stage ? Parce que déjà j'avais le choix entre une entreprise et un cabinet d'expertise comptable. Et pour moi un cabinet d'expertise comptable montrait plus les facettes du métier de la comptabilité. Les missions qui m'ont été confiées, ça a été d'abord plusieurs missions d'un comptable : le tri d'un dossier client, faire la saisie, établir les déclarations professionnelles comme la déclaration de TVA, certaines déclarations de revenus. J'ai aussi fait la révision d'un dossier client et après, une fois que cette révision est faite, j'ai participé à l'établissement de la liasse fiscale. Donc la liasse fiscale c'est le bilan, le compte de résultat, en fait c'est tout ce qu'on va envoyer aux clients et aux impôts.
En parallèle de ça, j'ai une mission principale à effectuer. J'ai dû faire un rapport sur l'impact des lois de finances récentes, la loi de finances 2013 et la loi de finances 2014, sur les déclarations professionnelles. À la suite de mon IUT, j'envisage d'aller soit dans un IAE pour faire une troisième année de licence de gestion et par la suite un Master en comptabilité, contrôle et audit. Mais j'ai aussi postulé au Lycée Suzanne Valadon à Limoges où en fait c'est une prépa qui prépare en fait au diplôme comptable, le DCG, et le DSCG c'est le diplôme supérieur de comptabilité et de gestion.

p. 132, vidéo
N° 37

L'aide-comptable stagiaire
Monsieur le Directeur, Monsieur le Directeur, je peux vous voir deux secondes ? Jean-Marc Cousteau, aide-comptable stagiaire. Cousteau comme l'astronaute. Mais voilà en fait, j'ai jeté un petit coup d'œil sur vos documents comptables et enfin j'ai peur que la vétusté de vos méthodes frise massivement l'illégalité. Ben oui, par exemple vous classez des effets à recevoir au passif du bilan. C'est quoi ce bordel ?
Oui bien sûr, je suis Jean-Marc Cousteau. Je suis aide-comptable stagiaire et je suis arrivé hier. Je peux... ? Merci. Certaines procédures, en fait, dépassent mon imaginaire. Ouais, par exemple vous classez des effets à recevoir au passif du bilan. C'est quoi ce bordel ? Oui bien sûr, je suis Jean-Marc Cousteau. Je suis l'aide-comptable stagiaire qui est arrivé hier matin vers 8 h - 8 h 30, 9 h 15. Non, j'ai jeté un petit coup d'œil sur... Eh, j'ai fini. Eh, d'accord.
Certaines procédures enfin, à mon avis, relèvent plus du fantasme que de la comptabilité. Mais elle est libre. Mais non, rapide, rapide. Ouais, donc, j'ai par exemple classé des effets à recevoir au passif du bilan. C'est quoi ce bordel ? La porte là ? Oui, moi aussi. Oui, moi aussi, moi aussi, moi aussi. Oui, moi aussi, moi aussi, moi aussi j'espère que je rêve parce qu'ensuite...
Ouais, mais non, attendez, je vous donne un autre exemple, vous allez mieux comprendre parce qu'ensuite, asseyez-vous, asseyez-vous, parce qu'ensuite, d'ailleurs on va s'asseoir ensemble, asseyez-vous ! Ensuite, vous classez des dettes fournisseurs en emprunt à long terme. Ben, vous buvez ou quoi ? D'accord attendez, est-ce que vous connaissez la différence entre la comptabilité et la magie ? Ça ne m'étonne pas. La porte là ? Ouais, mais attendez je vous laisserai parler quand j'aurai fini. Attendez, asseyez-vous, pas de chichi, on ne va pas...
Ben voilà, ensuite vous classez des véhicules de transport en immobilisations incorporelles. Non, c'est vous qui vous foutez de ma gueule. Ouais, d'accord, ouais. Vous avez quoi comme formation ? Ouais, ça y est, on a trouvé, on a trouvé, on a trouvé. Ben ce que je veux dire c'est qu'on ne peut pas vous demander de faire des miracles, quoi. Ouais, attendez parce que j'en ai un après de miracles. Après, vous pratiquez la méthode de l'amortissement linéaire pour les bagnoles neuves. C'est un miracle, ça fait un siècle qu'on ne fait plus ça. Vous avez quel âge ? Ouais, c'est déjà plus pardonnable, vous devez avoir des petits-enfants et ils doivent avoir des petits-enfants, non ? Ouais et les petits-enfants ils sont fiers du grand-père, ils n'ont pas vu sa compta. Non, je rigole. Viré ? Ben oui, vous virez tout dans les emprunts à long terme. D'accord, ouais, attendez maintenant là on s'énerve. D'accord, attendez, on ne va pas faire du bon travail. D'accord, voilà ce que j'ai décidé, on va faire une petite pause de dix minutes. Vous vous calmez et dans dix minutes passez à mon bureau.

p. 136, Préparation au Dalf C1/C2
N° 09

Être bien au travail
Présentateur 1 : Et à 7 h et 12 minutes, c'est désormais, le vendredi, la célèbre séquence *Pixel*, avec ce thème aujourd'hui :
« le bien-être au travail ». Le bien-être au travail existe-il encore, Renaud ?
Présentateur 2 : Eh oui syndicats et patrons ont de nouveau rendez-vous aujourd'hui pour des négociations sur la qualité de vie au travail et l'égalité professionnelle. Des négociations qui s'éternisent... En attendant un accord, *Pixel* s'est penché sur le bien-être au travail, en effet, et comme chaque vendredi, vous allez découvrir ce reportage sur franceculture.fr, dont voici un aperçu. Eric Chavrou.
Éric Chavrou : Ambiance comme à la maison au cœur de Paris dans les locaux d'un site de location chez l'habitant. Ici c'est investissement minimal pour rentabilité maximale, avec du mobilier chiné par les employés, visite guidée sur notre page. Une idée récompensée qui a aussi séduit d'autres sociétés, explique Nicolas Ferrari, directeur des opérations France de Airbnb :
« Quand on a gagné l'an dernier le prix du meilleur espace de travail décerné par Entreprise et convivialité, il y a plusieurs responsables RH de grandes entreprises qui étaient présents, et honnêtement dans les discussions qu'on avait avec eux, ils nous disaient que oui, c'était des réflexions qu'ils avaient et que c'était une direction qu'ils voulaient prendre. Alors ce n'est pas forcément évident de décorer un grand siège d'un grand building à la Défense comme on l'a fait ici sur un petit bureau dans le centre de Paris, mais en tous cas c'est quelque chose qu'ils ont en tête et qu'ils ont envie de développer. »
Des Directions des Ressources Humaines qui se font désormais de plus en plus « bienveillantes » entre guillemets, avec des services de conciergerie, de coach ou de petits soins, à disposition de leur salariés. Le groupe SGS est même allé, en Ile-de-france, jusqu'à charger une de ses DRH de la convivialité, avec des résultats surprenants à retrouver sur notre site. Mais la sociologue du travail Danièle Linhart voit aussi dans ce phénomène une intrusion grandissante du management dans la vie personnelle et, membre de l'observatoire du stress de France Télécom, elle doute des changements réalisés. [...].
Danièle Linhart : Ce qu'on voit à l'heure actuelle poindre, de façon très intéressante, c'est ce qu'on appelle maintenant les « RH bienveillantes », celles qui prennent en main les problèmes des salariés. Il y a cette idée de on demande beaucoup au salarié, on leur fixe des objectifs très ambitieux, on les met dans des conditions précaires, difficiles, déstabilisantes, donc, à nous de les réconforter, à nous de les prendre en charge psychologiquement et matériellement. Et on s'aperçoit qu'il y a une nouvelle orientation qui se met en place, qui consiste à dire : « puisque nous voulons que les salariés puissent se donner dans leur travail, et dans des conditions extrêmement difficiles, il faut qu'ils arrivent l'esprit libre, qu'ils ne soient pas aussi décontenancés ou mis en difficulté par leurs problèmes domestiques, leurs problèmes familiaux, donc à nous de prendre en charge toute cette partie-là pour leur faciliter la vie ». Donc il y a des conciergeries, où on peut se faire repasser ses vêtements, envoyer des bouquets à Monsieur ou Madame si on arrive trop tard du boulot, où on peut réserver des places de théâtres. Enfin, des conciergeries. Il y des crèches aussi, on peut se faire masser sur le lieu de travail, il y a des numéros verts, SOS psys si on a des problèmes, il y a des coachs qui sont là pour vous aider à vous y retrouver, à vous donner des repères, à vous donner des conseils. Il y a même des conseils

nutritionnistes pour vous aider à maigrir, garder la forme, on essaye de vous aider à vous arrêter de fumer. Il y a une prise en charge de la personne, mais pour qu'elle soit plus vaillante et plus résistante aux coups de boutoir du management, qui effectivement essaye d'asseoir son emprise sur les salariés et de gagner une sorte de bataille identitaire, métamorphose identitaire des salariés, qui passe par une période difficile, et nous sommes au cœur de cette période difficile, où ils sont totalement déstabilisés, endommagés on pourrait dire dans leur manière de gérer leur travail et leur relation au travail, et qui sont aussi endommagés dans l'image d'eux-mêmes. Parce que si on est en situation de quasi-incompétence, vous imaginez la peur qu'on peut avoir de faire une faute professionnelle, mais aussi la façon dont l'image de soi est dévalorisée, et il y a une souffrance personnelle qui provient du fait qu'on ne peut plus se considérer comme un bon professionnel, quelqu'un qui fait du bon boulot, qui fait un travail de qualité, etc. Mais il y a donc une sorte de dévalorisation de soi, qui est à l'origine de beaucoup de décompensations, et probablement aussi de suicides.
Éric Chavrou : On prend en charge donc de plus en plus beaucoup le personnel, à des visées professionnelles.
Danièle Linhart : Exactement, exactement. C'est en gros une intrusion dans la vie privée des individus de manière à ce qu'ils puissent être totalement efficaces dans leur travail. Mais alors je tiens à faire le parallèle avec ce que faisait Henry Ford dans les années 30 lorsqu'il a introduit ses chaînes de montage, les chaînes de fabrication automatique dans les usines de fabrication de voitures à Detroit. Il avait, pour pouvoir attirer les ouvriers sur ces chaînes de montagne, élevé le salaire, et c'était le fameux '5 dollars a day'. Mais il avait dit : « je ne le donnerai qu'en fonction des visites que mes inspecteurs du travail feront au domicile privé des ouvriers et pour voir s'ils vivent bien correctement, dans des conditions qui me donnent l'assurance qu'ils préservent leurs capacités physiques de manière à être efficaces sur les chaînes de montage qui sont très exigeantes ». Et donc ces inspecteurs allaient voir au domicile privé des ouvriers d'abord s'ils étaient mariés, s'il y avait quelqu'un qui s'occupait d'eux, qui leur faisait bien à manger, qui s'occupait bien de l'intérieur, qui aérait bien... Il proposait même des programmes nutritionnistes, déjà à l'époque ! Et puis il s'assurait aussi de la moralité : il ne fallait pas qu'il aille trop souvent boire, tout ça. Donc il y avait une volonté aussi de réguler la vie privée, la vie domestique et familiale des ouvriers, dans la tête de Ford, de manière à s'assurer à ce que quand ils arrivent sur les chaînes de montage, ils soient en pleine possession de leurs moyens physiques pour être efficaces et rentables.
Donc on retrouve véritablement une conception qui a toujours existé : c'est-à-dire qu'une mise au travail très exigeante et nouvelle demande une prise en charge de la vie privée des salariés. [...] Je crois qu'il faudrait que le management réalise que le point de départ de la gestion d'un salarié, ça ne devrait pas être la défiance, mais la confiance. Parce que si nous avons cette spécificité française qui est que les gens mettent plus leur honneur dans leur travail, qu'ils y sont engagés, pourquoi ne pas partir de là, de cet engagement subjectif dans le travail, de cette capacité d'implication, de cette volonté de se retrouver et de se reconnaître dans le travail pour mettre en place des formes d'organisation qui permettent à cette intelligence et cette volonté de bien faire de se déployer. Je crois qu'il faudrait une inversion du rapport managérial au salarié pour qu'on sorte de ces situations mortifères comme l'a été celle de France Télécom. Il faudrait miser sur les salariés. Or tout le discours qu'on entend, managérial, c'est : « nous devons faire en sorte que les salariés nous fassent confiance ». C'est cet aspect-là qui est toujours mis en avant, y compris par le management tout à fait récent de France Télécom, cette idée de « les salariés doivent nous faire confiance, et devons développer tous les moyens pour aboutir à cette situation ». Mais ce n'est pas faisons confiance aux salariés et définissons ensemble les modalités d'organisation du travail et de gestion des salariés.

Unité 6

Leçon 1

p. 143, séquence radio
N° 10

Cyrano de Bergerac
Michel Vuillermoz : C'est Cyrano-acteur, acteur de sa vie, acteur à plein de moments, donc c'est la partition la plus belle pour un comédien parce qu'il y a toutes les palettes des sentiments humains à jouer et à exprimer. Donc c'est sans doute le plus beau rôle, un des plus beaux rôles du répertoire français. C'est vrai qu'il y a des grandes partitions, *Le Misanthrope*, des grandes partitions, mais c'est un rôle absolument mythique, donc extrêmement excitant pour un acteur de ce défi, de ce marathon, où là vraiment l'idée de la notion d'athlète affectif prend toute sa mesure. D'athlète tout court déjà parce que physiquement c'est épuisant et athlète affectif aussi parce qu'on passe dans toutes les émotions envisageables pour un acteur, pour un être humain en trois heures.
Journaliste : Qu'est-ce qui rend la chose épuisante Michel Vuillermoz ? Est-ce que c'est l'abondance des mots ? Est-ce que c'est justement ces passages constants par des tas d'états ? Qu'est-ce qui fait que c'est fatigant physiquement ?
Michel Vuillermoz : Mais c'est, il faut lire la pièce et puis se rendre compte que voilà c'est une succession de scènes différentes passant d'une émotion à une autre dès l'Acte 1. Je ne veux pas employer le mot numéro, mais ces moments de bravoure, de virtuosité, au niveau des mots, physiquement aussi tout simplement avec le duel. Ça n'arrête pas pour finir juste avant l'entracte à la fin de l'Acte 3 avec un personnage masqué pour arrêter de Guiche quand Roxanne et Christian vont aller se marier. C'est une gestion de l'énergie ce rôle, de l'énergie émotionnelle et de l'énergie physique.
Journaliste : Est-ce que les mots justement ont un effet dopant, un effet galvanisateur ? Et je pense notamment très vite à cette première tirade sur le nez qui arrive assez rapidement dans la pièce qui n'est pas placée là par hasard et qui est déjà en soi une prouesse qu'il faut accomplir d'entrée de jeu, Michel Vuillermoz. Est-ce que les mots vous dopent ?
Michel Vuillermoz : Oui, les mots me dopent, comme dopent Cyrano surtout. Donc, ça devient vertigineux jusqu'à la limite d'une certaine folie. La fameuse tirade des nez ne peut être envisagée que comme ça, je crois, par une adrénaline au fur et à mesure et un public, un auditoire qui est là et d'une chose vertigineuse où lui-même se prend à partir dans une tirade insensée, folle où après, aujourd'hui je pense qu'il aurait un coup de téléphone et puis des infirmiers qui arriveraient et qui lui mettraient une camisole et il partirait à Sainte-Anne. Voilà surtout qu'après il continue son duel, non plus avec les mots, mais avec une épée et qu'il blesse presque à mort Valvert. On est dans la folie et on ne peut l'envisager que comme une folie sinon ce n'est pas intéressant. Sinon ça devient fou, il faut qu'on comprenne d'où vient cette folie, de cette blessure originelle qui fait qu'il est capable de ça pour se défendre et pour exister.
Journaliste : La blessure originelle donc c'est cette laideur qu'il porte sur son visage, ce qu'il dit de manière très belle d'ailleurs, son nez arrive devant lui un quart d'heure avant que lui n'arrive. Vous dites « les mots dopent », Michel Vuillermoz, ce qui tendrait à sous-entendre qu'il y a un rapport addictif de Cyrano aux mots ?
Michel Vuillermoz : Oui c'est son arme favorite, c'est sa virtuosité d'invention avec les mots en direct. C'est son arme principale, c'est sa défense, c'est son existence, son crédo. Il est à l'aise avec les mots et il les utilise pour toutes les situations de la vie et surtout les situations où il serait en difficulté ou menacé. Donc, c'est un fou furieux qui est seul.

Leçon 2

p. 151, vidéo
N° 38

Les Raboteurs de parquet, *un sujet « vulgaire » ?*
Peint par Gustave Caillebotte en 1875, *Les Raboteurs de parquet* est une des premières peintures du prolétariat. Je parle, évidemment, du prolétariat urbain. Les paysans avaient été peints très souvent. Par Millet, en particulier. Mais les ouvriers des villes, ces petites gens que la Révolution industrielle avait sorties des campagnes, amenées à la ville, et qui se tuaient à la tâche dans des ateliers, des usines, la littérature s'était intéressée à eux. Zola parlait déjà de l'asservissement des masses, mais pas la peinture. C'est alors que Caillebotte fit *Les Raboteurs de parquet*. Pourquoi Caillebotte ? Avait-il la fibre sociale ? Était-il un ancien communard ou un prolétaire lui-même ? Pas du tout. C'était un bourgeois. Et ce parquet – dont il a si bien accentué la perspective – c'était celui de son propre hôtel particulier. Il a profité que les ouvriers travaillaient chez lui pour étudier

de près leurs gestes, leurs outils. Ce que Caillebotte voulait illustrer, ce n'était pas l'asservissement des masses, mais la réalité de son époque. Zola lui reprocha d'ailleurs son exactitude bourgeoise. Quant au jury du Salon, il refusa son tableau, choqué par un réalisme aussi cru. Les critiques parlèrent même de « sujet vulgaire ».

p. 154, vidéo
N° 39

Triple portrait du cardinal de Richelieu

– Non, mais où va le monde ? Je vous le demande !
– Allons, bon, quoi encore ?
– Non, mais ne me dites pas que vous n'avez pas entendu les deux jeunes tout à l'heure ?
– Tu as vu des jeunes, toi ?
– Non, ils disaient quoi ?
– Il y en a un qui s'exclamait « Téma l'effet panoramique d'iPhone du pauvre. » et l'autre lui a dit « Non, c'est pas un pano, c'est de la 3D médiévale. », ouèche !
– Rien vu, rien entendu.
– Ça me dit quelque chose, vaguement.
– Ça vous choque pas ?
– Non...
– Mais, l'Académie française, on l'a fondée pourquoi ?
– Ben, pour défendre la pureté de la langue française, non ?
– Voilà !
– Non, mais, sérieux, les gars ! On n'est plus en 1642 !
– Enfin ! Tu confonds tout ! 1642, c'est l'année où Philippe de Champaigne nous a peints !
– Oui, si mes souvenirs sont exacts, l'Académie française, on l'a fondée en 1635, sept ans avant.
– Exact !
– Ok, ok, bon ! Je suis nul en date ! Mais c'est quoi le rapport avec les jeunes ?
– Mais t'es pas nul en dates, t'es nul en tout, mon pauvre vieux !
– Tu sais ce qu'il te dit, le pauvre vieux ? T'es qu'un sale réac' !
– Ça y est, c'est reparti !
– Ah... un réac' ! Tout de suite les grands mots, hein ! Je suis un grand protecteur des belles lettres, moi, et Molière s'est installé dans le théâtre que j'ai fait construire au Palais Royal !
– Moi je, moi je, moi je ... Eh, oh ! Allô, là ! On est trois, hein ! Alors, tu dois dire qu'ON a fait construire, là. Parce qu'on est la même personne, M. le Mégalo !
– Du calme !
– Du calme ? Mais enfin, c'est une catastrophe ! « Téma », « Ouèche », c'est plus du français. Ça veut absolument rien dire !
– Ben, pour toi, ça veut rien dire ...
– Bon, écoutez, là. Vous m'épuisez, là ! Moi, je vais piquer un petit roupillon, hein, je vous laisse !
– Monsieur comprend donc le langage des jeunes, peut-être ?
– Oui, je comprends qu'à la différence du latin qui ne se parle plus – et pour cause, c'est une langue morte – la langue française est une langue vivante, parce que justement, elle se renouvelle en permanence. Voilà !
– Monsieur peut donc nous expliquer ce que veut dire « Ouèche » ?
– Monsieur apprendra que l'interjection « Ouèche » située en fin de phrase veut dire « Quoi » et située en début de phrase veut dire « Salut, ça va ? ».
– Et « téma » ?
– « Téma », c'est du verlan, tout simplement. Ça veut dire « Regarder », « Mater », quoi !
– Hum ! Mater qui ?
– Du verlan ? C'est une forme d'argot, quoi ! Non, moi, décidément, je ne peux pas. Je suis un amoureux des belles lettres, moi, du théâtre, de la littérature, des grands auteurs ...
– La tronche de cake, ouèche !
– Vous êtes pathétiques, là ! Si Molière vous entendait, il se retournerait dans sa tombe !
– Mais tu parles, Molière ! À notre époque, il ferait des one-man show !
– Des quoi ?
– Mais des spectacles où il est tout seul sur scène.
– Alors, en bon français, on va dire des « seul en scène » !
– Et ça y est ! C'est reparti sur les Anglais !
– Non, mais c'est vrai, ça ! pourquoi toujours utiliser des mots en anglais alors qu'on a tout en France ? Qu'est-ce qu'ils ont de plus que nous, les Anglais ?
– Tema la gonze ! le boule de ouf !
– Où ça ? Où ça ?
– Pathétique... !

Leçon 3

p. 159, vidéo
N° 40

Leïla Slimani : « La francophonie vit partout et notamment aux marges de la France »

Animatrice : Patrick Cohen, vous recevez ce matin l'écrivaine Leïla Slimani, représentante personnelle du président Macron pour la francophonie.
Patrick Cohen : Bonjour Leïla Slimani.
Leïla Slimani : Bonjour.
Patrick Cohen : On se voit ce matin. À la fois femme de lettres, romancière, prix Goncourt 2016 pour « Chanson douce ». La féministe, qui a publié à la rentrée « Sexe et mensonges : la vie sexuelle au Maroc ». La journaliste, vous l'avez été pour Jeune Afrique, j'imagine que vous avez gardé la curiosité qui va avec ce métier. Et désormais, donc le personnage officiel, on vient de le dire, vous venez d'être nommée représentante personnelle du président pour la promotion de la francophonie. C'est à ce titre bénévole que vous avez accompagné Emmanuel Macron en Afrique, au Burkina, c'était intéressant, utile ?
Leïla Slimani : J'espère, en tout cas, pour moi c'était intéressant et utile. J'ai pu rencontrer, après le discours, après la visite de l'université et de l'école, moi j'ai pu rencontrer des cinéastes, des hommes de théâtre, des comédiens, des écrivains, des professeurs de français. Et les écouter d'abord, sur leur rapport à la langue française, à la francophonie, à ce concept-là. Écouter aussi ce qu'ils avaient pensé du discours d'Emmanuel Macron là-dessus, comment ils l'avaient pris.
Patrick Cohen : Et alors ?
Leïla Slimani : Et alors ils étaient contents, parce que je crois qu'ils étaient contents qu'on soit sortis un peu d'une vision jacobine, très centralisée de la langue française, avec cette idée que c'est la France qui possède la langue française, qu'elle est au centre du monde...
Patrick Cohen : Et c'est pas le cas ?
Leïla Slimani : Et c'est pas le cas, non je crois que c'est pas le cas. Je crois que y'a des français aujourd'hui d'Afrique, des français extraordinaires, des langues qui se sont vernacularisées, qui sont devenues assez baroques, qui sont très belles et qu'il faut valoriser. Y'a notamment un comédien qui m'a dit : « Moi souvent je me sens complexé de parler mon français devant les Français, comme si finalement je parlais une langue qui était un peu en dessous, voilà, une langue qui était moins belle ». Et il était très fier, de se dire finalement : « Cette langue elle est à moi, j'en suis le poète, j'en suis demain l'écrivain », et je pense que c'était important de dire que voilà on sortait de cette vision de la francophonie un petit peu... un petit peu vieillotte, un peu poussiéreuse, et de dire que la francophonie, elle vit partout, et elle vit, notamment aux marges de la France.
Patrick Cohen : Elle vit au Burkina, au Maroc, ou ailleurs en Afrique, en Amérique du Nord. Elle est vécue comme une chance par la jeunesse de ces pays-là, par les étudiants que vous avez rencontrés, Leïla Slimani ?
Leïla Slimani : Bien je pense que l'ouverture au monde est vécue comme une chance dans le monde qui est le nôtre, où les frontières ne sont plus du tout les mêmes dans un monde globalisé. Évidemment apprendre une langue étrangère c'est toujours vécu comme une chance. Alors y'a bien sûr les discours de ceux qui nous disent qu'il faut rester dans nos cultures, qu'il ne faut parler qu'une langue, qu'il ne faut regarder le monde que par un seul prisme, mais au contraire, moi je pense que la jeunesse effectivement elle a un très très grand appétit, notamment pour la langue française. Moi, je voyage beaucoup avec mon livre et je vois qu'il y a un appétit pour la langue française, pour la culture française, pour son cinéma, pour ses livres, qui est extraordinaire.
Patrick Cohen : Mais ça ce sont les discours, c'est l'imaginaire, une forme de romantisme aussi. Dans le concret, la francophonie, en dehors de nos frontières hexagonales, ce sont des crédits, des enseignants, des enseignements, des alliances françaises, ce réseau-là qu'il faut financer et entretenir. C'est ça, ce sont des mesures concrètes peut-être, que vous essayez de les créer, de les imaginer ?
Leïla Slimani : Oui, bien sûr, y'a ces mesures concrètes qui sont absolument... qui sont fondamentales. Y'a ces instituts français qui font sur le terrain, beaucoup. Moi par exemple, en tant qu'écrivaine, je voyage dans le monde entier grâce à mon livre qui a été beaucoup traduit. Il faut voir la façon dont les instituts français nous accueillent, nous écrivains, la façon dont ils connaissent, aussi,

leur terrain. Ils connaissent toutes les maisons d'édition, tous les traducteurs, et ils sont vraiment extrêmement proactifs sur la francophonie et sur la langue française. Ils la défendent avec beaucoup de vigueur. Et d'ailleurs y'a de nouveaux horizons qui s'ouvrent pour la langue française : la Chine, la Corée, le Costa Rica, le Ghana, le Nigeria qui sont pas du tout des pays francophones au départ, où y'a des progressions de 30-40 % en termes d'apprentissage de la langue française.

p. 165, vidéo
N° 41

Europe : Quel avenir pour la culture ?

Animateur : « Plus nous vendons de films, plus nous vendrons de voitures, de chapeaux, de phonographes... », voilà ce que disait il y a près d'un siècle le président américain Wilson. Il incitait alors Hollywood à envahir l'Europe et découvrait ce qu'on appelle le *soft power*. Un siècle plus tard, l'Europe s'interroge dans les mêmes termes au Forum de Chaillot, qui ouvre ses portes demain, à Paris. Alors, comment unir les efforts européens en la matière, quel avenir pour la culture en Europe ? Deux grands témoins ce soir dans votre *64 minutes*, un homme incontournable du monde de la culture en France. Bienvenue à vous, Jérôme Clément.
Jérôme Clément : Bonjour.
Animateur : Merci d'être avec nous. Vous êtes administrateur du musée du Quai d'Orsay, président du théâtre du Châtelet à Paris et vous avez dirigé, on le rappelle, le Centre national de la cinématographie puis la chaîne de télévision franco-allemande, notre partenaire, ARTE. Merci d'être avec nous ! Avec nous également en direct de Bruxelles, Fadila Laanan. Bonsoir à vous, Madame la Ministre, merci d'être avec nous. Vous êtes la Ministre belge de la Culture, de l'Audiovisuel, de la Santé et de l'Égalité des chances de la Fédération Wallonie-Bruxelles. Alors, Fadila Laanan, je viens de citer cette phrase d'un ancien président américain. La culture, c'est donc stratégiquement important pour un pays. Prenons par exemple la Belgique. C'est un pays qui a acquis une forte notoriété dans le monde, en partie grâce à sa culture, à la bande dessinée, au cinéma ou encore à la musique.
Fadila Laanan : Oui, effectivement, c'est le fruit aussi de politiques, c'est le fruit aussi de décisions qui permettent aux États de pouvoir continuer à soutenir leurs créations, leurs créateurs contemporains, et c'est important que l'on continue à le faire. C'est vrai que l'exception culturelle a été un combat qui a été mené, qui a commencé d'ailleurs en Belgique en 93, grâce à une présidence belge des ministres de l'Audiovisuel qui avaient réussi à faire accepter l'idée qu'il fallait défendre la culture européenne, et c'est ce qui a donné plus tard lieu à la Convention de l'UNESCO sur la diversité des expressions culturelles. Et donc, je pense que c'est vraiment essentiel de continuer à permettre aux États de défendre leur culture et leurs créateurs.
Animateur : Alors pour autant, on a le sentiment que cette culture européenne que vous mettez en avant est sacrifiée en Europe depuis des années maintenant en raison de la crise économique. Comment l'expliquez-vous ?
Fadila Laanan : Je pense qu'aujourd'hui, cette crise économique entraîne des efforts de tous les secteurs, et je pense que la culture, évidemment, n'est pas exclue de l'effort à réaliser par l'ensemble des gouvernements. Maintenant, c'est vrai que chaque État a ses règles et ses priorités. En Belgique, je peux vous dire que, malgré le contexte économique, nous n'avons pas diminué les budgets culturels. Au contraire : ils ont augmenté, mais ils n'ont pas pu effectivement peut-être absorber l'ensemble des demandes qui sont faites, l'ensemble de l'offre qui se trouve sur notre territoire. C'est un peu la frustration que j'ai comme Ministre de la Culture. Mais dire aujourd'hui qu'on a sacrifié la culture, par exemple en Belgique francophone, c'est totalement faux, au contraire.
Animateur : Alors, Jérôme Clément, je me tourne vers vous. Vous, vous semblez plutôt inquiet. Vous avez publié récemment dans la presse française une tribune intitulée, je cite : « Les politiques ne sont plus nourris de culture ». Expliquez-nous.
Jérôme Clément : D'abord, je voudrais saluer la Ministre de la Culture belge, Fadila Laanan, que je connais bien.
Fadila Laanan : Bonsoir, Jérôme.
Jérôme Clément : Bonsoir, Fadila. On a beaucoup travaillé ensemble, et donc c'est un plaisir de se retrouver. Non, ce que je veux dire par là dans cette tribune, c'est qu'on a l'impression qu'à la fois sous la pression d'événements de la crise économique et budgétaire, et aussi de l'invasion de la pensée libérale, la culture passe à l'as et que, finalement, elle n'est plus au cœur de projets politiques. Et ça, c'est un problème important, me semble-t-il, parce qu'une société ne peut pas être faite seulement de questions de régulations budgétaires, de régulations des banques et de problèmes financiers. Et la culture me paraît extrêmement importante aujourd'hui dans la société. D'ailleurs, l'appétit de nos citoyens pour les expositions, les films, etc., le montre, et elle doit être aussi au cœur d'un raisonnement politique et d'un projet politique surtout de gauche.
Animateur : Quel projet, justement ? On a le sentiment que cette culture, elle est souvent élitiste et qu'elle est loin des quartiers populaires, des gens les plus fragilisés justement par cette crise. Que faire pour que cette culture soit aussi accessible à ces personnes ?
Jérôme Clément : Ah bien moi, je crois qu'il faut essayer de mettre la barre haut, c'est ce que j'ai essayé de faire avec ARTE. Il faut donner des moyens d'accès, évidemment, mais il faut que la qualité soit toujours là. Je crois qu'il faut avoir du respect pour tous ceux qui vont voir des ballets, du cinéma, qui vont aux concerts. Ils sont parfaitement capables, et ils ont envie souvent d'apprendre ou de connaître. Simplement, ils n'ont pas les clés pour y arriver. Ça, c'est le rôle de l'éducation artistique, qui est un sujet essentiel au niveau des classes, des enfants et des étudiants.
Animateur : Alors, Jérôme Clément, Fadila Laanan, vous le savez, des négociations assez intenses se déroulent en ce moment entre les États-Unis et l'Union européenne sur le fameux accord de libre-échange transatlantique, et il y a parfois beaucoup d'inquiétudes à ce sujet dans le monde de la culture. Fadila Laanan, le commun des mortels ne comprend pas toujours ces enjeux. Pourquoi la culture ne devrait pas être une marchandise comme les autres ? Après tout, les films et les livres se vendent également.
Fadila Laanan : Eh bien, dans le cadre, justement, des négociations de l'accord de partenariat et de libre-échange entre l'Europe et les États-Unis, c'était une revendication des États-Unis. Et je peux vous dire qu'on a dû vraiment se battre, notamment sous l'égide de notre collègue Aurélie Filippetti, qui a mené une espèce de fronde avec le soutien de ministres européens de la Culture et nous avons obtenu gain de cause, c'est-à-dire qu'aujourd'hui, dans cet accord de libre-échange, nous avons réussi à exclure la culture en tant que telle. Mais bien sûr, nous devons rester vigilants, car nous savons que les États-Unis lorgnent sur l'ouverture du marché européen à leur culture, et que c'est vrai que ce serait un danger pour nos créateurs, pour les cultures européennes de manière générale. Donc là vraiment, je peux vous dire qu'on s'est battus et qu'on pensait qu'on n'allait pas avoir gain de cause, on l'a eu. On a gagné ce combat, mais peut-être pas tout à fait la guerre. Donc, restons attentifs et restons soudés entre nous pour préserver cette culture et cette exception culturelle.
Animateur : Alors Jérôme Clément, lutter pour cette exception a-t-il aujourd'hui un sens ? Exception belge, exception française, voire exception européenne, est-ce que ça a un sens à l'ère du tout numérique ?
Jérôme Clément : Oui, d'ailleurs Fadila Laanan rappelait tout à l'heure la Convention de l'UNESCO. C'est quand même l'ensemble des pays du monde qui ont reconnu la nécessité d'avoir un traitement particulier pour la culture et de protéger la diversité culturelle. Chacun a sa façon de vivre, sa façon de penser, sa façon d'écrire et sa façon de s'exprimer artistiquement. Et il faut préserver cette diversité, sinon, on aura une homogénéité qui sera absolument dramatique et qui nous appauvrira intellectuellement. Et si on s'appauvrit intellectuellement, on s'appauvrit tout court, on est amputé d'une partie de son être. Donc je crois que c'est ça qui compte, c'est que ces négociations commerciales, ces négociations internationales, ne passent pas un coup de rabot sur les cultures de chacun. Au contraire, c'est cette richesse-là qui est un patrimoine formidable, qu'on a la chance d'avoir en Europe justement avec nos amis belges, avec tous les autres pays qui sont derrière nous.
Animateur : Concrètement, l'exception belge, l'exception française, cette exception culturelle, comment vous la définiriez ?
Jérôme Clément : C'est une façon à soi de s'exprimer, d'écrire, de chanter, de produire des films, enfin tous les moyens artistiques existent

pour cela. Il faut qu'on n'échange pas les voitures contre la culture et que, d'une certaine façon, il y ait la suppression des avantages commerciaux, des moyens qu'on a de soutenir ce secteur très fragile, parce que c'est très difficile de faire un livre ou de faire un film, ça demande beaucoup d'attention donc, ça demande aussi une fiscalité, des moyens de diffusion, qui parfois nécessitent des aides nationales, régionales, locales, et qu'il faut préserver. Et c'est ça qui est en jeu. Ça, il ne faut pas y toucher.
Animateur : Fadila Laanan, lorsque l'on parle de l'Europe et de ses enjeux, il est souvent question d'Europe de la défense, d'une Europe politique avec des crises qui se succèdent. On voit en ce moment celle en Ukraine. Il y a aussi la Centrafrique sur le devant de la scène. On entend rarement parler d'une Europe de la culture. Quel est votre projet en la matière, vous, Ministre belge ?
Fadila Laanan : Mais je pense – et je partage ce que vient de dire Jérôme Clément sur l'exception culturelle et sur le fait que ça fait, bien sûr, partie de l'identité de chaque État membre et qu'il n'y a pas *une* culture européenne unie, qu'il y a *des* cultures européennes qui s'additionnent et qui s'enrichissent et qui se nourrissent. Et je pense que ce qui est important dans le cadre de l'exception culturelle, c'est de continuer à laisser les États aider leur culture. Mais ça ne veut pas dire qu'il faut se replier sur soi-même : c'est que chaque État européen peut travailler avec son voisin, avec ceux qui partagent les mêmes valeurs, la même langue parfois. Avec la France, on fait des choses merveilleuses. Donc, je crois vraiment que c'est plutôt dans un sens d'ouverture : il faut que cette culture européenne, ces cultures européennes puissent se nourrir, s'enrichir les unes des autres pour faire de belles choses. Et c'est ça qui est vraiment magnifique et c'est ça l'expression, aussi, du sensible.
Animateur : La culture est pour beaucoup – on le disait tout à l'heure – un luxe. Même question que je posais tout à l'heure à Jérôme Clément. Cette culture, elle a un coût élevé. Comment est-ce que vous, en Belgique, vous faites concrètement pour la rendre la plus accessible possible dans les quartiers populaires bruxellois ou dans d'autres villes du royaume ?
Fadila Laanan : Bien en fait, pour moi, l'accessibilité de la culture, elle doit être très importante. Et donc, la culture, elle doit aller chez tous les citoyens, même les plus fragilisés. Et donc, comment est-ce qu'on peut faire pour le faire ? Eh bien, c'est en soutenant un certain nombre de créateurs, qui vont vraiment ouvrir leurs lieux à tous ces publics qui n'ont pas l'habitude, qui n'ont pas été éduqués à la culture. Et ça ne veut pas dire qu'on diminue la qualité : au contraire, il faut que cette culture, elle soit de qualité, qu'elle soit élitiste, finalement, qu'on tire vers le haut les citoyens, mais qu'on puisse vraiment leur permettre de venir. Alors il faut travailler sur la politique de prix, il faut travailler sur l'accessibilité aussi physique : les personnes à mobilité réduite, les personnes âgées, etc., les familles. Et donc, tout ça, ça fait partie d'enjeux essentiels pour faire en sorte qu'il n'y ait pas qu'une culture pour les riches, mais une culture qui se partage, qui va partout dans les quartiers. Et moi, ce que j'estime aussi important, c'est aussi de soutenir tous ces créateurs qui vont dans les quartiers, dans *tous* les quartiers, qui n'ont pas peur d'aller affronter des publics qui n'ont pas toujours l'habitude de la culture et qu'ils leur donnent, qu'ils leur transmettent cette expression du sensible. Parce qu'il ne faut pas faire d'études pour comprendre la culture : ça fait partie de nos émotions. Et c'est ça qui est essentiel aujourd'hui.
Animateur : Alors j'aimerais maintenant voir, à tous les deux. Jérôme Clément d'abord : vos attentes quant à ce Forum de Chaillot qui s'ouvre demain à Paris. Est-ce que vous y serez ?
Jérôme Clément : Oui, bien sûr, j'irai bien sûr demain matin à l'ouverture parce que je crois qu'il y a dix-sept ministres de la Culture européens qui seront présents, beaucoup de personnalités diverses. Il s'agit de donner une feuille de route à la commission, à la prochaine commission, pour que, justement, l'Europe de la culture ne soit pas simplement une référence théorique. Il y a des sujets très importants sur les droits d'auteur, sur les régulations fiscales, sur le numérique ; et tous ces sujets, tout le monde y est confronté. Il faut unir nos forces pour les aborder ensemble. Et donc je pense que ce rassemblement, ce colloque a pour objectif de mettre le plus de forces ensemble pour que la prochaine commission prenne cet enjeu comme un enjeu majeur de son mandat.
Animateur : À l'approche des élections européennes, Fadila Laanan, vous avez le même point de vue que Jérôme Clément sur ce forum qui ouvre demain ?
Fadila Laanan : Oui, bien sûr, et je vous dis, c'est aussi, comme Jérôme Clément vient de le dire, unir nos efforts, être ensemble, essayer d'avoir des positions communes pour se battre ensemble, pour aussi revenir vers nos États et redonner, retransmettre cette priorité qu'est la culture et vraiment mettre en place des dispositifs qui nous protègent de tout ce qui nous vient d'ailleurs et qui veut considérer la culture comme un produit. La culture, ce n'est pas un produit, même si la culture, elle participe au développement économique et social. Donc, avec mes collègues européens, avec les artistes, avec les personnalités qui aiment la culture et qui la défendent, nous allons vraiment continuer à nous battre pour cette culture. Et nous sommes à quelques jours des élections européennes notamment ; c'est un beau signal, je pense.
Animateur : Fadila Laanan, Ministre belge de la Culture, merci à vous d'avoir témoigné ce soir sur TV5 Monde.
Fadila Laanan : Merci.
Animateur : Merci également à vous, Jérôme Clément, je rappelle que vous êtes le président notamment du théâtre du Châtelet à Paris. Vous serez donc demain tous les deux à Paris pour ce forum. Merci à vous.

La France physique et touristique

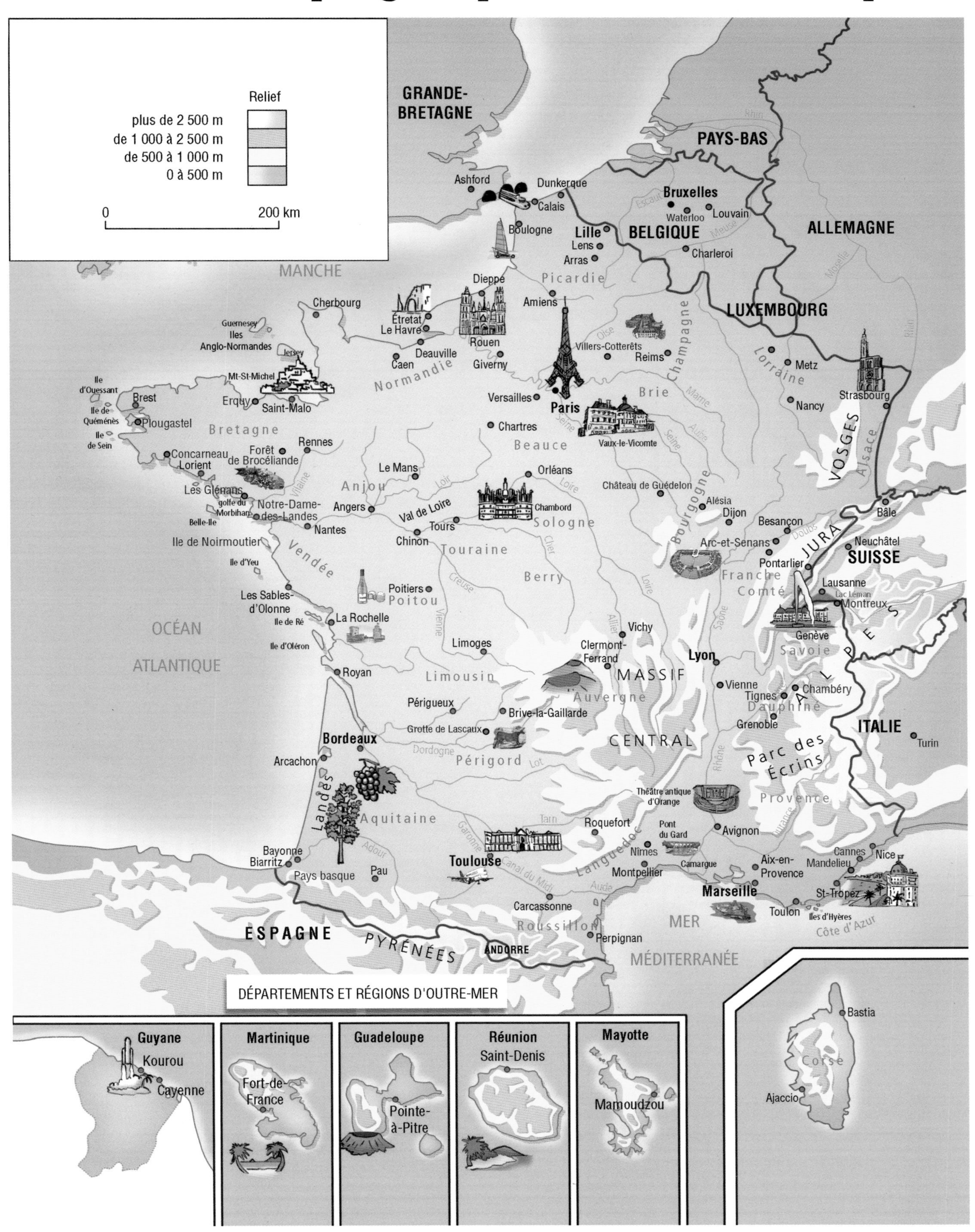

La France administrative

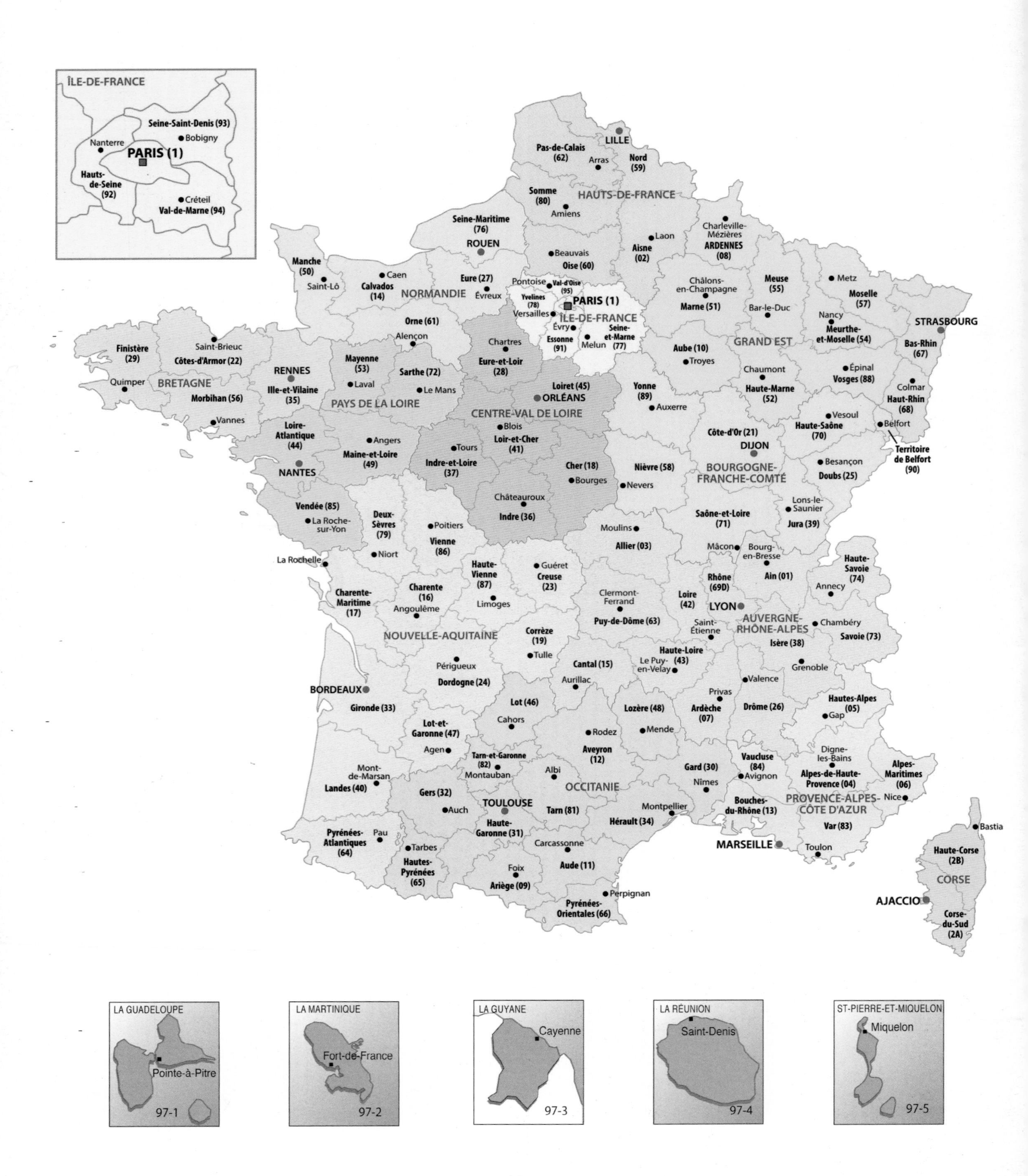

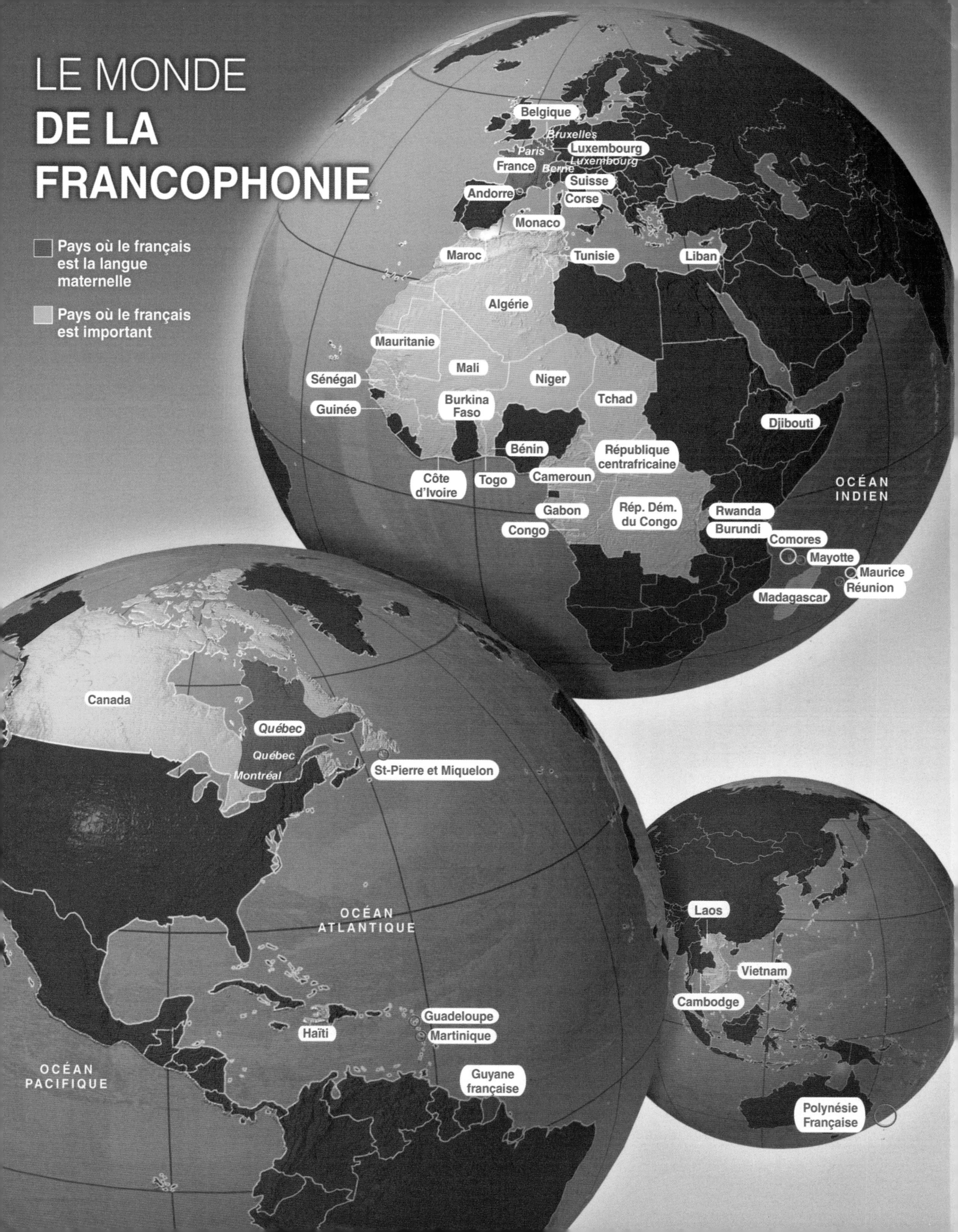

LE MONDE
DE LA
FRANCOPHONIE
Pays où le français est la langue maternelle
Pays où le français est important
Belgique
Bruxelles
Paris
Luxembourg
Luxembourg
France
Berne
Suisse
Andorre
Corse
Monaco
Maroc
Tunisie
Liban
Algérie
Mauritanie
Mali
Niger
Sénégal
Tchad
Guinée
Burkina Faso
Djibouti
Bénin
République centrafricaine
Côte d'Ivoire
Togo
Cameroun
OCÉAN INDIEN
Gabon
Rép. Dém. du Congo
Rwanda
Congo
Burundi
Comores
Mayotte
Maurice
Réunion
Madagascar
Canada
Québec
Québec
Montréal
St-Pierre et Miquelon
OCÉAN ATLANTIQUE
Laos
Vietnam
Cambodge
Guadeloupe
Haïti
Martinique
OCÉAN PACIFIQUE
Guyane française
Polynésie Française

LE DVD-ROM

Le DVD-Rom contient les ressources complémentaires (audio et vidéos) de votre méthode.

Vous pouvez l'utiliser :

- **Sur votre ordinateur (PC ou Mac)**
Pour visionner la vidéo, écouter l'audio, extraire l'audio et le charger sur votre lecteur mp3 ou convertir les fichiers mp3 en fichier audio Windows Media Player (PC) ou AAC (Mac) et les graver sur un CD audio à usage strictement personnel.

- **Sur votre lecteur DVD compatible DVD-Rom**
Pour visionner la vidéo et écouter l'audio.

Mode d'emploi et contenu du DVD-Rom

Pour afficher le contenu du DVD-Rom, il est nécessaire d'explorer le DVD à partir de l'icône du DVD. Après insertion du DVD-Rom dans votre ordinateur, celle-ci s'affiche dans le poste de travail (PC) ou sur le bureau (Mac).
– **Sur PC :** effectuez un clic droit sur l'icône du DVD et sélectionnez « Explorer » dans le menu contextuel.
– **Sur Mac :** cliquez sur l'icône du DVD.
Dans le cas où la lecture des fichiers vidéo ou audio démarre automatiquement sur votre machine, fermez la fenêtre de lecture puis procédez à l'opération décrite ci-dessus.

Le contenu du DVD-Rom est organisé de la manière suivante :

- **un dossier LIVRE_ELEVE et un dossier CAHIER_ACTIVITES**
Double-cliquez sur le dossier de votre choix pour accéder aux audio du livre de l'élève ou du cahier d'activités.
Afin de vous permettre d'identifier rapidement l'élément audio qui vous intéresse, les fichiers audio ont été nommés en faisant d'abord référence au numéro de piste indiqué sur le livre ou le cahier, ensuite à la page du manuel et à l'activité auxquelles le contenu audio se rapporte.
Exemple : 02_P41_AUDIO02 → Ce fichier audio correspond à la piste 2 se rapportant à l'audio 2, page 41 du manuel.

- **un dossier VIDEOS**
Double-cliquez sur le dossier VIDEOS. Vous accédez à deux sous-dossiers : VO et VOST.
Double-cliquez sur le dossier correspondant aux contenus vidéo que vous souhaitez consulter (VO pour la version originale sans les sous-titres, VOST pour la version originale avec les sous-titres en français).

- **un dossier DOCUMENTS**
Double-cliquez sur le dossier DOCUMENTS pour accéder aux textes complémentaires sur les thèmes abordés dans ce manuel.

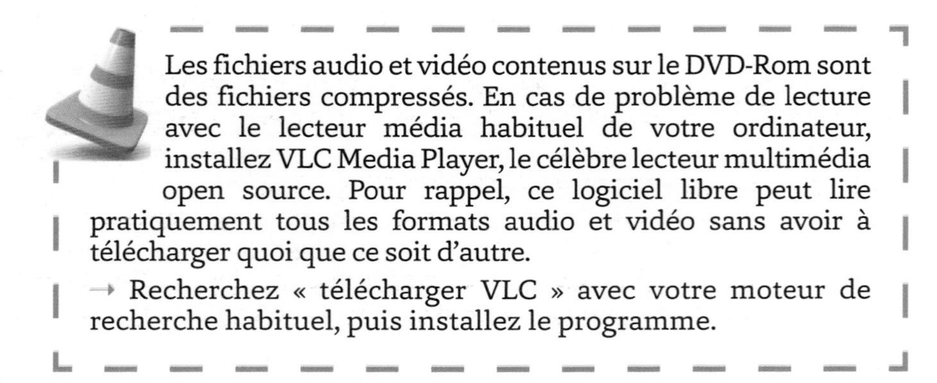

Les fichiers audio et vidéo contenus sur le DVD-Rom sont des fichiers compressés. En cas de problème de lecture avec le lecteur média habituel de votre ordinateur, installez VLC Media Player, le célèbre lecteur multimédia open source. Pour rappel, ce logiciel libre peut lire pratiquement tous les formats audio et vidéo sans avoir à télécharger quoi que ce soit d'autre.

→ Recherchez « télécharger VLC » avec votre moteur de recherche habituel, puis installez le programme.